U0586603

《李达全集》编纂委员会

主　任：陶德麟　顾海良

副主任：骆郁廷　谢红星　汪信砚

成　员（以姓氏笔画为序）：

丁俊萍　于　青　乔还田　朱传棨　朱志方

向　荣　辛广伟　肖永平　沈壮海　李维武

宋镜明　陈亚明　陈鹏鸣　罗永宽　胡勇华

涂上飙　郭明磊　黄书元　颜鹏飞

出版策划：方国根　洪　琼

编辑主持：方国根　洪　琼　李之美

本卷责编：邓创业

国家出版基金项目
NATIONAL PUBLICATION FOUNDATION

李达全集

汪信砚 主编

第十七卷

人民出版社

国家社会科学基金重大招标项目
"李达全集整理与研究"（批准号：10ZD&062）最终成果

国家出版基金项目
"《李达全集》（1—20卷）的整理、编纂与出版"最终成果

目　　录

《矛盾论》解说*

（1953.7）

事物的矛盾法则，即对立统一的法则，是唯物辩证法的最根本的法则。列宁说："就本来的意义讲，辩证法是研究对象的本质自身中的矛盾。"①列宁常称这个法则为辩证法的本质，又称之为辩证法的核心。② 因此，我们在研究这个法则时，不得不涉及广泛的方面，不得不涉及许多的哲学问题。如果我们将这些问题都弄清楚了，我们就在根本上懂得了唯物辩证法。这些问题是：两种宇宙观；矛盾的普遍性；矛盾的特殊性；主要的矛盾和主要的矛盾方面；矛盾诸方面的同一性和斗争性；对抗在矛盾中的地位。

[说明]《矛盾论》是论"事物的矛盾法则"的学说。它是革命行动与科学

---

* 《〈矛盾论〉解说》最初分七部分先后在《新建设》1952 年 7、8、9、10、11、12 月号及 1953 年 1 月号发表，经作者修订后与作者所撰写的《〈矛盾论〉——革命行动和科学研究的指南》汇集在一起，于 1953 年 7 月由生活·读书·新知三联书店仍以《〈矛盾论〉解说》的书名出版，署名李达，并于 1978 年 4 月再版。1978 年 4 月版的《〈矛盾论〉解说》删除了《〈矛盾论〉——革命行动和科学研究的指南》一文，并对书中的文字作了一些必要的删节，对有关引文作了校订。1979 年 3 月，生活·读书·新知三联书店将 1978 年 4 月版的《〈矛盾论〉解说》与该社 1978 年 4 月版的《〈实践论〉解说》合编在一起，以《〈实践论〉〈矛盾论〉解说》的书名出版。1978 年 4 月版的《〈矛盾论〉解说》曾被收入人民出版社 1988 年 8 月出版的《李达文集》第四卷。李达在撰写《〈矛盾论〉解说》的过程中，曾将部分文稿寄给毛泽东审阅，毛泽东复信提醒李达注意他对《矛盾论》已作的修改，李达在《〈矛盾论〉解说》出版时也对其所解说的《矛盾论》原文作了相应的修改。现收入经生活·读书·新知三联书店作过文字删节和引文校订的《〈矛盾论〉解说》。——编者注

① 参见列宁：《哲学笔记》，《黑格尔〈哲学史〉第一卷〈伊里亚学派的哲学〉一节摘要》。

② 参见列宁《关于辩证法问题》（即《谈谈辩证法问题》，下同——编者注）："统一物之分而为二以及我们对其各矛盾部分的认识，是辩证法的本质。"又参见列宁《黑格尔〈逻辑学〉一书摘要》："可以把辩证法简要地规定为关于对立的统一的学说。这样一来，辩证法的核心就被抓住，可是这需要解释和发挥。"

研究的指导,是认识问题与解决问题的关键。

事物的矛盾法则,即是对立统一的法则,是唯物辩证法的最根本的法则。唯物辩证法的创始人——马克思和恩格斯,在他们的著作中,都把这个法则当作唯物辩证法的中心问题发展了。例如马克思的《资本论》,完全地贯彻着这一法则;恩格斯在《反杜林论》和《费尔巴哈论》等著作中,也发挥了这个法则的精神。但是当马克思主义被欧洲的革命事变证明为真理之后,资产阶级就派出它的一部分代言人,以修正派的面目来鱼目混珠,把马克思主义修改成机会主义。当1872年到1914年的"和平"时期,第二国际的"马克思主义者",干的是出卖马克思主义的勾当。那些修正派的党徒,如伯恩斯坦等,用新康德主义来"修正"马克思主义,用新康德主义的认识论代替了马克思主义的辩证法,因而造出了他们的社会法西斯主义的理论,变成了马克思主义的叛徒。第二国际的领袖之一普列哈诺夫,当他还是马克思主义者的时期,曾经写过一些马克思主义哲学的好的著作,但他并不曾了解当作认识论看的辩证法,也不曾了解当作哲理科学看的唯物辩证法。而把对立统一的法则解释为实例的总和。只有列宁(和他的最忠实的学生斯大林)才护卫了和发展了马克思主义的辩证法,把对立统一的法则当作辩证法的**本质**和核心来了解。他说:"就本来的意义讲,辩证法是研究对象的本质自身中的矛盾。"在《谈谈辩证法问题》中,他又说:"统一物之分为两个部分以及对它的矛盾着的部分的认识,是辩证法的本质。"在《黑格尔〈逻辑学〉一书摘要》中,他又说:"可以把辩证法简要地确定为关于对立面的统一的学说。这样就会抓住辩证法的核心,可是这需要说明和发挥。"列宁基于理论与实践的统一的原理,应用对立统一法则于帝国主义的分析,于帝国主义时代世界与俄国的无产阶级革命问题的分析,在其经济学、国家论及许多哲学的著作中,都充分地"说明和发挥"了辩证法的本质、核心,表明了这对立统一法则是辩证法的最基本的、最重要的、最有决定意义的法则。

毛泽东同志师承列宁的遗教,不但根据马克思、恩格斯、列宁、斯大林的文献,研究了世界无产阶级革命的经验,吸收了现代科学上的新成就,充分地、详尽地、明晰地"说明和发挥"了论对立统一法则的学说,而且具体地、灵活地、巧妙地应用了这一学说于中国革命问题,建立了中国革命的理论与政策,并用亲身领导人民革命的经验,丰富了并发展了这一学说。《矛盾论》,如同《实践论》一样,正是马克思列宁主义的普遍真理与中国革命的具体实践相结合的宝贵的理论收获。

正因为矛盾法则即对立统一法则是辩证法的实质和核心,所以我们在研究这个法则时,必须涉及广泛的方面,必须涉及许多哲学问题。这些问题是:两种宇宙观;矛盾的普遍性;矛盾的特殊性;主要的矛盾和主要的矛盾方面;矛盾诸方面的同一性和斗争性;对抗在矛盾中的地位。如果我们把这些问题弄清楚了,我们就在根本上懂得了唯物辩证法。

也许有人要问:对立统一法则只是辩证法的诸法则之一,例如斯大林在他所著的《论辩证唯物主义和历史唯物主义》中,列举了辩证法的四个基本特征,而对立统一法则只是四个基本特征之一,为什么说我们把那些关于对立统一法则的问题弄清楚了,就算是"在根本上懂得了唯物辩证法"呢? 这个疑问是容易解答的。本来,列宁在规定辩证法是"关于对立统一的学说"时,说"需要说明和发挥"。关于这一学说的"说明和发挥",列宁在《谈谈辩证法问题》、《黑格尔〈逻辑学〉一书摘要》等著作中,对于辩证法的许多范畴和特征,给了很多宝贵的指示,他着重地指出,只要抓住辩证法的核心即对立统一法则,我们就容易理解辩证法的其他范畴和特征。他在《谈谈辩证法问题》中指示我们:只有把发展看作对立的统一,"才提供理解一切现存事物的'自己运动'的钥匙,才提供理解'飞跃'、'渐进过程的中断'、'向对立面的转化'、旧东西的消灭与新东西的产生的钥匙"。斯大林综合马克思列宁的学说,提出辩证法的四个基本特征。他指示我们:首先,要用联系的观点去看问题,因为一切事物都是联系着,都互相作用,互相制约,一切都依条件、地点和时间为转移;其次,要用运动、发展的观点去看问题,因为一切事物都是运动着,发展着,旧东西必然死亡,新东西必然生长,为要在政治上不犯错误,便要向前看,不要向后看;再次,要把发展看作由量变到质变的过程,不要看作单纯量变的过程,即看作是由低级发展到高级的过程,为了在政治上不犯错误,便要做革命家,不要做改良主义者;最后,要把发展看作是对立面的斗争,无产阶级为了实现社会主义,就必须揭露资本主义制度中的各种矛盾,把阶级斗争进行到底。斯大林是教导我们依照这样的程序应用辩证法去认识问题、解决问题的。但在这四个基本特征之中,对立的统一及斗争,仍然是最基本的特征。所以他说:"这种对立面的斗争,旧东西和新东西之间、衰亡着的东西和产生着的东西之间、衰颓着的东西和发展着的东西之间的斗争,就是发展过程的内在内容,就是量变转化为质变的内在内容。"

不难了解:事物的差别,即是矛盾,千差万别的事物的联系,即是矛盾的联系;矛盾即是运动,运动即是矛盾;由量变进到质变的发展过程,旧东西死灭与新东西生长的过程,即是旧事物的矛盾统一转变为新事物的矛盾统一的过程。所以矛盾法则即对立统一法则,是贯穿于辩证法的其他法则和范畴的最根本的法则,我们只要能够把关于研究这个法则的上述六个哲学问题弄清楚了,就算是在根本上懂得了唯物辩证法。

苏联哲学界在最近数年中批判了德波林学派的唯心论,这件事引起了我们的极大的兴趣。德波林的唯心论在中国共产党内发生了极坏的影响,我们党内的教条主义思想不能说和这个学派的作风没有关系。因此,我们现在的哲学研究工作,应当以扫除教条主义思想为主要的目标。

[说明]苏联哲学界 1930 年以来,清算了德波林派的孟什维克化的唯心论。这是哲学上列宁斯大林阶段的重大事件。由于对布哈林派机械唯物论和德波林派唯心论的斗争的胜利,马克思列宁主义的哲学就发展到了更高的阶段。德波林本人原是一个孟什维克,十月革命以后,他的孟什维克的劣根性仍未改变。他披着马克思主义哲学家的外衣,却对马克思主义哲学实行新黑格尔主义的"修正"。他认为唯物辩证法是黑格尔的辩证法和唯物论的自然观及历史观的综合。这便是说,黑格尔的唯心论的辩证法加上唯物论,就是唯物辩证法。这显然是孟什维克化的唯心论。马克思在《资本论》序文中明白地说过:"我的辩证方法,从根本上来说,不仅和黑格尔的辩证方法不同,而且和它截然相反。"马克思的辩证法是唯物论的,而黑格尔的辩证法是唯心论的,这个根本的区别,是大家所知道的。德波林不但不能在唯物论的基础上改造黑格尔的辩证法,反而成了黑格尔唯心论的俘虏。因此,在他的著作中,从物质的一般论点和规定起,到论理学的构造问题为止,都贯穿着孟什维克化的唯

心论。因而把唯物辩证法改变为抽象的方法论。所以德波林派的反马克思主义的本质,首先表现为理论与实践的分离,使哲学脱离政治,脱离阶级斗争,脱离社会主义建设的任务,复活了第二国际孟什维克的最有害的特性;其次表现为对于哲学的党派性的曲解,使哲学离开党的政策与方针;再次表现为对于哲学上的列宁阶段的无理解,不能履行列宁所指示的战斗唯物论者的任务,因而使哲学变为与现实不发生关系的、缺乏战斗性的概念的游戏。因此,德波林派对于辩证法的最根本的法则即对立统一法则,完全缺乏理解。他们不知道"发展是对立面的斗争",把"对立的统一"曲解为"对立的和解",完全忘记了列宁所说的"对立面的统一是有条件的",而"对立面的斗争则是绝对的"的命题。另外,对于辩证法的范畴,则表现为脱离具体的、个别的东西的抽象的普遍的东西;对于主要的矛盾与主要的矛盾方面,则表现为庸俗的相互作用(例如承认理论与实践具有同等意义,把实践溶解于理论之中)。由此可见,德波林派的孟什维克化的唯心论,实际上是主观主义、教条主义、假马克思主义。

1930 年以前,德波林派的哲学,在中国颇为流行。当时德波林派对于布哈林派的机械唯物论的斗争,起了一定的积极的作用。我们研究辩证唯物论的人,还不能辨别出德波林是站在孟什维克化唯心论的立场去批判机械唯物论的,因而把他看作是哲学研究的指导者。毋庸讳言,德波林派的唯心论的主观性、片面性和抽象的方法论,在当时中国共产党内部,曾经发生了极坏的影响,使党内出现了一些教条主义者。教条主义者分裂理论与实践的统一,有"理论"而无实践,常是主观地、片面地、表面地去看问题,也不知道灵活地、具体地应用对立统一法则去研究客观的革命形势,强调矛盾的普遍性,忽视矛盾的特殊性,不能辨别主要的矛盾与主要的矛盾方面,有时把对立的统一理解为对立的和解,而忽视对立的斗争,有时强调对立的斗争而反对对立的统一。党内的这种教条主义,违反了党的布尔什维克的路线,曾使革命事业遭受过重大的损失。追本溯源,党内的教条主义思想,不能说和德波林学派的作风没有关系。1930 年以后,由于苏联清算了德波林,中国也展开了对德波林派学说的斗争。但这种斗争没有很好地结合中国当时革命的实践,所以未能克服教条主义的缺点。真正能够在中国解决这个问题的,是毛泽东思想的结晶——《实践论》和《矛盾论》以及其他一系列的著作。在《矛盾论》写作的当时,党内的教条主义思想还严重地存在,所以毛泽东同志指导我们说:"我们现在的哲学研究工作,应当以扫除教条主义思想为主要的目标。"

中华人民共和国成立以来,一切政治的、经济的及文化教育的工作干部,在社会主义革命与建设的过程中,都经常的遭遇到很多新问题。"什么叫问题? 问题就是事物的矛盾。那里有没有解决的矛盾,那里就有问题。"①我们要认识问题和解决问题,就是要认识矛盾和解决矛盾。为要认识矛盾和解决矛盾,就必须遵照毛泽东同志的《矛盾论》的指示,站在工人阶级的立场,对矛盾的两个基本侧面加以调查研究,去理解矛盾的性质,然后进一步去分析矛盾,就问题中的矛盾做一番系统的、周密的调查工作与研究工作,才能懂得问题即矛盾的所在,才能发现基于基本的两个矛盾的侧面所发生着与发展着的许多次要矛盾的侧面,就可以做综合的工作,提出解决问题即解决矛盾的方法来。我们只有照这样去认识矛盾与解决矛盾,才可以避免发生教条主义的偏向。

一、两种宇宙观

在人类的认识史中,从来就有关于宇宙发展法则的两种见解,一种是形而上学的见解,一种是辩证法的见解,形成了互相对立的两种宇宙观。列宁说:"对于发展(进化)所持的两种基本的(或两种可能的? 或两种在历史上常见的?)观点是:(一)认为发展是减少和增加,是重复;(二)认为发展是对立的统一(统一物分成两个互相排斥的对立,而两个对立又互相关联着)。"②列宁说的就是这两种不同的宇宙观。

[说明]哲学是宇宙观或世界观,是人们按照一定的观点认识世界,即认识自然现象和社会现象的观念的体系。它的产生的根源是在社会的物质生产条件之中,是人们在具体的历史活动之中创造出来的。它一经人们创造出来

---

① 《毛泽东选集》第三卷,第796页。
② 列宁:《关于辩证法问题》。

以后,就贯穿于人们对于自然现象和社会现象的认识,规定他们对于世界的关系。在阶级社会中,任何宇宙观都具有阶级性。由于人们所处的阶级地位不同,他们的宇宙观就代表了所属阶级的利益。大体上说来,推动社会发展的宇宙观是进步的、革命的;阻碍社会发展的宇宙观是保守的、反动的。

按照人们认识世界时所采取的一定观点来说,宇宙观可分为唯物论的和唯心论的两个党派。主张物质是第一性、精神是第二性的,即主张物质规定精神的那种宇宙观是唯物论的。反之,主张精神是第一性、物质是第二性的,即主张精神规定物质的那种宇宙观是唯心论的。哲学上只有这么两个党派。但是此外还有表面上好像是第三种的宇宙观,这就是所谓折中论或二元论的哲学。这种宇宙观,既唯心又唯物,主张物质或精神都可以成为第一性,企图调和唯物论和唯心论,建立所谓不偏不党的哲学。但这种哲学,结局不是唯物论原理占优势,便是唯心论原理占优势,它不属于唯物论,便属于唯心论,不能成为一贯的哲学。所以宇宙观只有唯物论和唯心论两个党派。在哲学历史上,唯物论常是代表进步的、革命的阶级的宇宙观,唯心论常是代表保守的、反动的阶级的宇宙观。

宇宙观是关于宇宙发展法则的见解。按照发展的观点来说,宇宙观又可以分为辩证法的和形而上学的两派。

唯物论的宇宙观 { 唯物辩证法的宇宙观
机械唯物论的宇宙观＝形而上学的宇宙观

唯心论的宇宙观 { 唯心辩证法的宇宙观
唯心的形而上学的宇宙观

《矛盾论》在这里所说的辩证法的宇宙观,是指唯物辩证法的宇宙观说的(至于黑格尔的唯心辩证法,则是在虚伪的反科学的唯心论基础之上建立起来的,其目的在于复活"绝对精神"或"上帝",他虽然主张辩证法的发展观,却反对动植物界的发展的观念。他只认为"绝对精神"或"上帝"是发展的,而现实世界却是不发展的。他的唯心辩证法在历史领域中应用起来,却得到了历史停止发展的结论,即当时普鲁士贵族地主阶级的反动国家是最高形式的国家。因此,黑格尔的唯心辩证法仍是保守的、反动的)。所以《矛盾论》在这里只就唯物辩证法的宇宙观和形而上学的宇宙观(唯心论的和机械唯物论的)对于发展的两种见解,加以说明。

如列宁所说,形而上学的发展观,把发展看作事物之量的减少和增加,是重复。而辩证法的发展观,则认为事物的发展是事物内部的对立的统一,即统一物分成为互相排斥的对立物,而两个对立物又互相关联着。形而上学的发展观,看不到事物运动的动力,自己运动的源泉,或者把事物运动的动力,或自己运动的源泉,移到事物的外部去,而主张事物的运动是由于外力的推动,或者是由于上帝的推动。但在辩证法的发展观方面,则认为事物的运动是自己运动,这自己运动的源泉是事物内部的矛盾。形而上学的发展观是死板的、贫乏的、干枯的。辩证法的发展观是生动的。只有从辩证法的观点出发,才能认识事物的"自己运动",才能认识"飞跃"、"渐进过程的中断"、"向对立面的转化"、"旧东西的消灭和新东西的产生"①。由此可知,列宁所以指斥形而上学的发展观是死板的、贫乏的、干枯的,是由于它否认事物内部的矛盾。

形而上学,亦称玄学。这种思想,无论在中国,还是在欧洲,在一个很长的历史时间内,是属于唯心论的宇宙观,并在人们的思想中占了统治的地位。在欧洲,资产阶级初期的唯物论,也是形而上学的。由于欧洲许多国家的社会经济情况进到了资本主义高度发展的阶段,生产力、阶级斗争和科学均发展到了历史上未有过的水平,工业无产阶级成为历史发展的最伟大的动力,因而产生了马克思主义的唯物辩证法的宇宙观。于是,在资产阶级那里,除了公开的极端露骨的反动的唯心论之外,还出现了庸俗的进化论,出来对抗唯物辩证法。

[说明]形而上学,也叫做玄学。亚里士多德曾著有《形而上学》一书,依照他的说法,形而上学是"后于物理学"的意思。在哲学史上,凡是以超出形体以上的精神、理念、神、灵魂、自由意志等为对象的哲学,都叫做形而上学。形而上学是唯心论的世界观。在中国,孔孟学派的学说,都是形而上学,支配中国思想界达两千余年之久。在欧洲,自从亚里士多德以后,这两千多年来,

---

① 参见列宁:《谈谈辩证法问题》,见《列宁全集》第38卷,第408页。

基本上也是由形而上学支配着欧洲的思想界。就欧洲方面来说,资产阶级初期的唯物论,例如18世纪法国唯物论,19世纪初期德国费尔巴哈的唯物论,也是形而上学的。法国唯物论者们虽也承认事物的运动,但把最单纯的机械运动形式,当作普遍的运动形式。他们把运动解释为位置的移动,把运动解释为外的压力,物体是由外的压力而改变其位置的。这种把力学的运动当作宇宙万物的运动(除力学的运动外,还有物理学的、化学的、生物学的、社会的运动),把运动当作由于外力推动的见解,显然是形而上学的发展观。并且,法国唯物论者,不能把唯物论应用于历史的领域,而用唯心论的见解去解释历史,他们反对过去封建社会而拥护新的社会(即资产阶级的社会),却不知道新的社会与过去社会的历史的联系,而把过去的社会认为是人类的错误和愚昧的产物,因而主张根据理性来改造社会。这种半唯物半唯心的哲学,切断历史的联系因而没有联系观点的见解,也是形而上学的。其次,费尔巴哈的唯物论,比较法国唯物论当然是进了一步的,但费尔巴哈因为反对黑格尔的唯心论,却连黑格尔的辩证法也放弃了。他不能把黑格尔的辩证法进行唯物论的改造,完成自己的唯物论,所以他的唯物论是缺乏辩证法的唯物论,变为反历史主义的哲学。并且,费尔巴哈把他的哲学上所注意的中心的人,看作抽象的、超越时间空间的、生物学上的人,不是属于一定社会和一定阶级的实在的人,没有社会性,也没有阶级性。这显然是形而上学的见解。他也和法国唯物论者一样,在历史领域中不能贯彻唯物论,反而落到唯心论方面去了。他排斥了宗教,把所谓友爱代替了宗教,形成了唯心论的社会观。所以费尔巴哈的唯物论也是形而上学的。

形而上学认识宇宙的方法,是形而上学的方法。这个方法,在自然科学不发达的时代,是人们所采用的唯一的方法。如恩格斯在《社会主义从空想到科学的发展》中所说,这个方法,亚历山大时代的希腊人已开始采用。直到15世纪个别的自然科学逐渐发展的时期,这个方法就逐渐发展和巩固下来。从这个时候起,科学家认识自然的基本条件,就是把自然界分解为各个部分,把种种自然过程和自然物分类为明确的种别,把生物体内部的种种形态作解剖的研究。这种研究方法传给人们的遗产,就是使人们习惯于把自然物和自然过程从全部自然的总联系中分离出来,而实行个别的观察。这就是说,不在联系上观察自然,而在孤立形态上观察它;不在其运动上观察自然,而在其静止上观察它;不把它当作根本变化的东西去观察,而把它当作固定不变的东西去观察;不观察于其生,而观察于其死。这种见解,经过培根和洛克两人从自然科学移入于哲学时,就产生了18世纪特有的褊狭思想,即形而上学的思维方法。从此形而上学方法与形而上学的思维方法,就为资产阶级学者所通用所坚持,因为这些方法把宇宙万物当作固定不变的东西去观察的,凭借这些方法,就可以造出资本主义制度万古长存的理论来。

历史的车轮进到了19世纪以后,人类的认识史就突破形而上学的阶段进到了唯物辩证法的新阶段。这个新阶段,是由无产阶级最伟大最杰出的领袖马克思所创造所完成的。马克思创造唯物辩证法,是有其深厚的广大的经济的、政治的和意识形态的基础的。在社会经济方面,欧洲许多国家的资本主义经济,已经发展到高度的水平。生产力的发展,呈现了空前的广大的规模,正如《共产党宣言》上所说:"资产阶级在它的不到一百年的阶级统治中所创造的生产力,比过去一切世代创造的全部生产力还要多、还要大。"由于生产力高度的发展,资本主义就开始了"自我批判",即自己暴露自己的矛盾,由于生产的社会性质与占有的私人形式的基本矛盾的发生与发展,就产生了并发展了其他一系列的矛盾——工场的有计划组织与生产的无政府状态的矛盾、都市与农村的矛盾、占有条件与剩余价值实现条件的矛盾(即经济危机)等。那基本矛盾的发生与发展,在社会集团中的表现,是无产阶级与资产阶级的矛盾即阶级斗争的发生与发展。例如:1816年,英国劳动群众,举行了破坏机器的大暴动;1819年,英国曼彻斯特劳动者,在要求选举权的名义下,举行了一次大示威运动;1831年到1834年,法国里昂劳动者举行了两次大暴动;1838年到1842年,英国宪章派的劳动者举行了最初的政治的斗争;1844年,普鲁士西里西亚纺织工人开始了第一次的暴动。这些次的无产阶级的斗争,表明了他们对于资本主义的剥削的反抗,他们已由自在阶级转到自为阶级了。在自然科学方面,19世纪以来,数学、力学、物理学、化学、生物学等,都建立了一定的体系。这些科学,对于辩证法供给极丰富的日见增加的材料,表明了"自然界是检验辩证法的试金石"(恩格斯语)。在其他意识形态方面,有英国的古典经济学,有过"劳动价值说"的伟大发现(虽然只是一个端绪);有英法的空想的社会主义,批判了资本主义,暴露了它的罪恶(虽然它没有认识阶级矛盾的本质,没有认识无产阶级的动力);有德国的古典哲学,特别是黑格尔的唯心辩证法,把自然界、历史界、精神界的全部,当作不断的运动、变化、变形、发展的过程去考察(虽然它的辩证法是唯心的,必须在唯物论的基础上加以改造)。总起来说,19世纪资本主义社会的矛盾的暴露,阶级斗争的发展,自然科学与历史科学上的成就,证明了自然世界与人类社会的发展,并不是形而上学的,而是辩证法的,即并不老是演着同一的循环,而是创造着现实的历史。因此,"要精确地描绘宇宙、宇宙的发展和人类的发展,以及这种发展在人们头脑中的反映,就只有用辩证的方法,只有经常注意产生和消失之间、前进的变化和后退的变化之间的普遍相互作用才能做到"。① 马克思的哲学的实践的活动,首先是从社会的=历史的领域开始的,即是从政治的=实践的领域开始的。我们可以说,马克思站在无产阶级的立场,认定无产阶级是社会革命的伟大的动力,首先阐明了历史领域中的辩证法,再由历史的辩证法进到自然辩证法,而在革命的实践上把两者统一起来,创造了唯物辩证法,作为无产阶级革命的精神的武器。

唯物辩证法创立以后,引起了资产阶级及其代言人的烦恼与恐怖。因为在唯物辩证法面前,腐朽的资产阶级的势力虽然庞大,却是必然要消灭的,新生的无产阶级势力虽然微小,却是必然要成长与壮大的;资本主义社会必然要为社会主义社会所替代。所以资产阶级的学者们,就采用极端露骨的反动的唯心论,来对抗唯物辩证法,此外还出现了庸俗的进化论来对抗唯物辩证法。极端露骨的反动的唯心论,是唯物辩证法的公开的敌人,我们容易辨认它。至于庸俗的进化论,却伪装着自然科学的面貌,容易混淆人们的视线,我们必须揭破它。

所谓形而上学的或庸俗进化论的宇宙观,就是用孤立的、静止的和片面的观点去看世界。这种宇宙观把世界一切事物包括一切事物的形态和种类,都看成是永远彼此孤立和永远不变化的。如果说有变化,也只是数量的增减和

---

① 恩格斯:《社会主义从空想到科学的发展》。

场所的变更。而这种增减和变更的原因，不在事物的内部而在事物的外部，即是由于外力的推动。形而上学家认为，世界上各种不同事物和事物的特性，从它们一开始存在的时候就是如此。后来的变化，不过是数量上的扩大或缩小。他们认为一种事物永远只能反复地产生为同样的事物，而不能变化为另一种不同的事物。在形而上学家看来，资本主义的剥削、资本主义的竞争、资本主义社会的个人主义思想等，就是在古代的奴隶社会里，甚至在原始社会里，都可以找得出来，而且会要永远不变地存在下去。说到社会发展的原因，他们就用社会外部的地理、气候等条件去说明。他们简单地从事物外部去找发展的原因，否认唯物辩证法所主张的事物因内部矛盾引起发展的学说。因此，他们不能解释事物的质的多样性，不能解释一种质变为他种质的现象。这种思想，在欧洲，在17世纪和18世纪是机械唯物论，在19世纪末和20世纪初则有庸俗进化论。在中国，则有所谓"天不变，道亦不变"①的形而上学的思想，曾经长期地为腐朽的封建统治阶级所拥护。近百年来输入了欧洲的机械唯物论和庸俗进化论，则为资产阶级所拥护。

[说明]资产阶级为了对抗唯物辩证法，仍旧采用了早已过时的形而上学的方法。19世纪末期和20世纪初期的庸俗进化论，也是采用这个方法考察世界事物的。形而上学的方法，再用恩格斯的话概括起来，就是"它看到一个一个的事物，忘了它们互相间的联系；看到它们的存在，忘了它们的产生和消失；看到它们的静止，忘了它们的运动；因为它只见树木，不见森林。"②做一句话说，形而上学的或庸俗进化论的宇宙观，就是用孤立的静止的和片面的观点去看世界。这种宇宙观，第一，是把世界一切事物都看作各自孤立而不互相联系和互相依存的东西，它认为研究事物应当一个个地去研究。例如庸俗进化论者魏斯曼，把生物体和它所生活的环境隔离开来，主张生物体永远不受环境的影响，并且生物体的遗传性，还与生物体本身无关，而是寄托在种质上面。

---

① 孔子学派在汉代的著名代表者董仲舒（公元前179年——公元前104四年）曾经对汉武帝说："道之大原出于天，天不变，道亦不变。""道"为中国古代哲学家的通用语，它的意义是"道路"或"道理"，可作"法则"或"规律"的解说。
② 恩格斯：《社会主义从空想到科学的发展》。

种质是独立存在的,外界环境与它不生关系,它永生不变。因而一切生物和它们的遗传性都是彼此孤立而互不相干地生存着。第二,它认为地球上一切形态和种类的动物、植物和人类,都是开天辟地以来永远如此、永远不变的。例如魏斯曼的种质连续说,主张生物体内有种质和体质的两种东西,各有不相联系的物质和功用。他认为种质是独立存在的,种质可由生殖细胞传达到后代,并且亲体的种质与子体的种质连成一贯,子代的种质早已存在于亲代的生殖细胞中,不折不扣地遗传下来,就是说,子代的种质即亲代的种质。照魏斯曼的主张,生物体适应环境的变异是没有的。一切生物的种类和性质,是永远相同的。至于生物的变化,只是单纯地增长,是生物体原有的特质因取得外界营养而长大的结果。第三,它把局部的、片面的理解,推及宇宙全部的理解。例如现代的机械唯物论者,仍把力学的运动,看作是一切自然和社会的存在的运动。又如庸俗进化论者,把关于生物界的不正确的见解,来说明社会现象。例如魏斯曼主张生物体内部淘汰说,说细胞组织与原生质之间进行着生存竞争,好像各生物个体进行着生存竞争一样。于是把生存竞争说,搬到社会领域中来应用,借以证明资产阶级的斗争及竞争的必然性。依照这种见解,社会群斗争的结果,必然优胜劣汰,弱肉强食,资产阶级对于无产阶级、帝国主义对于落后民族的统治与剥削,正是天演公例。这是魏斯曼主义或社会达尔文主义,即社会法西斯主义。总起来说,形而上学家的见解,是主张世界一切东西,都是各自孤立的,都是永远不变的。纵使说有变化,那也只是数量上的扩大或缩小,一种事物只能反复地产生为同样的事物,而不能变化为另一种不同的事物。形而上学家,对于人类社会的发展,也有同样的看法。他们认为社会制度,从世界有人类以来,直到现代,都是相同的。他们把资本解释为谋生的工具,而谋生工具,在世界开始有人类的时候就有了的。原始时代有渔人,他的谋生工具是钓竿;有猎人,他的谋生工具是弓箭。这钓竿和弓箭,就是原始人的资本。可见资本主义从原始时代以来就有了的,因而资本主义的剥削、资本主义的竞争、资本主义社会的个人主义思想,从原始时代起,经过奴隶制时代、封建时代,直到资本主义时代,都是同样存在的,并且在将来的社会主义时代也会同样存在,因为那时代的人类也要有谋生工具即资本,所以私有财产制是万古长存的。他们也会承认人类社会是有发展的,譬如说世界人口逐渐增加了,物质生活逐渐丰富了,现代资本主义社会的规模比较原始时代扩大了。这就是他们所说的社会的发展。社会为什么有发展?其原因何在?形而上学家的答复是:社会发展的原因,不在社会的内部,而在社会外部的地理环境中。这原是地理学的环境观,资产阶级初期的学者们早已发表过了。地理学的社会观,主张世界各民族所处的地理环境,由于地球经纬度的不同,由于海洋、河川、平原、山地、气候、土壤等等的不同,就产生出各民族不同的特性、风俗、习尚、宗教和经济状况,因而形成了各民族社会发展的不同的程度。这种社会观,其用意在于说明自然环境与社会发展的关系,而在社会以外的自然环境中,去探求社会发展的原因。这种社会观,在资产阶级中,流传已久,影响很大。第一次世界大战以后,德国资产阶级的学者,曾创立了所谓"地理政治学"作为法西斯的理论,说一切国家的政策,要由其所领有的自然财富的欲望所决定,鼓吹殖民地的夺取,是满足这种欲望的手段。这种社会观,也还影响了一些假马克思主义者,譬如考茨基、普列哈诺夫和布哈林关于历史唯物论的曲解,都是受了这种社会观的影响,因而变成了资产阶级的代言人。唯物辩证法,主张事物发展的原因是因事物内部矛盾所引起的。形而上学家站在资产阶级的立场,为了对抗唯物辩证法,偏要单纯地从事物的外部去找寻事物发展的原因,因而不能解释事物的质的多样性,也不能解释一种质变为他种质的现象。这种见解显然是反科学的。科学证明了,自然界的一切存在物,都由于量的发展而引起质的变化,这就是突变。同样,社会也经由量变而引起质变,这就是革命。所以唯物辩证法认为"从资本主义过渡到社会主义,工人阶级摆脱资本主义压迫,不可能通过缓的变化,通过改良来实现,而只能通过资本主义制度的质变,通过革命来实现"[1]。形而上学家否认事物的质变,等于否认革命,否认阶级斗争,来拥护资本主义制度。关于宇宙万物绝对不变的思想,在欧洲方面,有 17 和 18 世纪的旧机械唯物论,在 20 世纪有现代机械唯物论,在 19 世纪末和 20 世纪初有庸俗进化论,这些都是拥护资本主义社会的反动理论。在中国方面,从古就有儒家所主张的"天不变,道亦不变"的学说,长期地为腐朽了的封建统治阶级所拥护。近百年来,旧的和新的机械唯物论,以及

---

[1] 斯大林:《论辩证唯物主义和历史唯物主义》。

魏斯曼等人的庸俗进化论,都先后输入到中国来,则为资产阶级所拥护。宇宙观的党派性、阶级性,是表现得非常明显的。

　　和形而上学的宇宙观相反,唯物辩证法的宇宙观主张从事物的内部、从一事物对他事物的关系去研究事物的发展,即把事物的发展看作是事物内部的必然的自己的运动,而每一事物的运动都和它的周围其他事物互相联系着和互相影响着。事物发展的根本原因,不是在事物的外部而是在事物的内部,在于事物内部的矛盾性。任何事物内部都有这种矛盾性,因此引起了事物的运动和发展。事物内部的这种矛盾性是事物发展的根本原因,一事物和他事物的互相联系和互相影响则是事物发展的第二位的原因。这样,唯物辩证法就有力地反对了形而上学的机械唯物论和庸俗进化论的外因论或被动论。这是清楚的、单纯的外部原因只能引起事物的机械的运动,即范围的大小,数量的增减,不能说明事物何以有性质上的千差万别及其互相变化。事实上,即使是外力推动的机械运动,也要通过事物内部的矛盾性。植物和动物的单纯的增长,数量的发展,主要地也是由于内部矛盾所引起的。同样,社会的发展,主要不是由于外因而是由于内因。许多国家在差不多一样的地理和气候的条件下,它们发展的差异性和不平衡性,非常之大。同一个国家吧,在地理和气候并没有变化的情形下,社会的变化却是很大的。帝国主义的俄国变为社会主义的苏联,封建的闭关锁国的日本变为帝国主义的日本,这些国家的地理和气候并没有变化。长期被封建制度统治的中国,近百年来发生了很大的变化,现在正在变化到一个自由解放的新中国的方向去,中国的地理和气候并没有变化。整个地球及地球各部分的地理和气候也是变化着的,但以它们的变化和社会的变化相比较,则显得很微小,前者是以若干万年为单位而显现其变化的,后者则在几千年、几百年、几十年甚至几年或几个月(在革命时期)内就显现其变化了。按照唯物辩证法的观点,自然界的变化,主要地是由于自然界内部矛盾的发展。社会的变化,主要地是由于社会内部矛盾的发展,即生产力和生产关系的矛盾、阶级之间的矛盾、新旧之间的矛盾,由于这些矛盾的发展,推动了社会的前进,推动了新旧社会的代谢。唯物辩证法是否排除外部的原因呢?并不排除。唯物辩证法认为外因是变化的条件,内因是变化的根据,外因通过内因而起作用。鸡蛋因得适当的温度而变化为鸡子,但温度不能使石头变为鸡子,因为二者的根据是不同的。各国人民之间的互相影响是时常存在的。在资本主义时代,特别是在帝国主义和无产阶级革命的时代,各国在政治上、经济上和文化上的互相影响和互相激动,是极其巨大的。十月社会主义革命不只是开创了俄国历史的新纪元,而且开创了世界历史的新纪元,影响到世界各国内部的变化,同样地而且还特别深刻地影响到中国内部的变化,但是这种变化是通过了各国内部和中国内部自己的规律性而起的。两军相争,一胜一败,所以胜败,皆决于内因。胜者或因其强,或因其指挥无误,败者或因其弱,或因其指挥失宜,外因通过内因而引起作用。1927 年中国大资产阶级战败了无产阶级,是通过中国无产阶级内部的(中国共产党内部的)机会主义而起作用的。当着我们清算了这种机会主义的时候,中国革命就重新发展了。后来,中国革命又受了敌人的严重的打击,是因为我们党内产生了冒险主义。当着我们清算了这种冒险主义的时候,我们的事业就又重新发展了。由此看来,一个政党要引导革命到胜利,必须依靠自己政治路线的正确和组织上的巩固。

[说明]与形而上学的宇宙观相反,唯物辩证法的宇宙观,主张世界是一切物质的物体及其现象的互相联系、互相依存、互相作用着的统一整体的发展过程。一切事物在联系中发展着,在发展中联系着。我们认识任何一个事物,首先要考察它与其周围的许多事物的联系和差别,确定它与其他事物不同的质,指出它与周围条件的关系。否则如果用孤立的方式来考察某一事物而不考察其与周围条件的关系,我们就绝不能认识这一事物。其次,这一事物与其周围的许多事物联系的发展着,它本身也是发展着的。我们必须考察它由一种运动形态发展到别种运动形态的过程,由一种质转变为别种质的发展过程,并进而追求它的自己运动的源泉,自发的发展的源泉。这自己运动或自发的发展的源泉,不在这一事物的外部,而在这一事物的内部,这即是它本身内部所包含的矛盾性。世界任何事物,绝对没有不具有内部的矛盾的。从原子起,到人类社会生活的最复杂的现象,到人类的思维为止,一切事物或现象,都各具有其内部的矛盾。事物内部的矛盾,即是事物的自己运动的、自发的发展的

源泉。正因为任何事物的内部都有这种矛盾性,才能引起事物的运动和发展。事物内部的这种矛盾性,是事物发展的根本原因。虽然一个事物处于它与周围许多事物的联系中,它的发展不能不受周围条件的影响,但这种外部的影响,只能是它的发展的次要的即第二位的原因。例如生物体,只因为它内部有新陈代谢,细胞不断地更新,所以它能吸收外界的营养而自发地发展起来。假使它本身没有新陈代谢,没有细胞不断地更新,纵有良好的环境,它绝不能有发展,这是很明白的。唯物辩证法这种发展观,强有力地粉碎了形而上学的发展观,即机械唯物论和庸俗进化论所主张的外因论或被动论。不难了解,单纯的外部原因,只能引起事物的机械的运动,这样的运动,只能表明事物的范围扩大了或缩小了,或者在数量上增加了或减少了,却绝不能说明事物的质变。因为形而上学那种只讲数量的增减的学说,是从机械学的观点产生的,机械学只研究对象的速度、数目和容积,至于事物的千差万别的性质,事物在其运动的过程中由量变到质变的变化,机械学是不能说明的。

在唯物辩证法看来,事实上,即使是外力推动的机械运动,也要通过事物内部的矛盾性。恩格斯在《反杜林论》中所说明:“运动本身就是矛盾;甚至简单的机械的位移之所以能够实现,也只是因为物体在同一瞬间既在一个地方又在另一个地方,既在同一个地方又不在同一个地方。这种矛盾的连续产生和同时解决正好就是运动。”又如植物和动物的单纯的增长,数量的发展,主要也是由于内部矛盾所引起的。如米丘林所证明,生物体与周围的生活条件是密切联系着的。阳光、空气、温度、湿度、养分等外围的生活条件,固然能够助长生物体的发展,但这些外围的生活条件,是通过生物体内部的代谢作用(即矛盾)而起变化的。生物体不断吸收外界的物质,组成为自己身体中的物质,并且又分化出简单的物质,把它排出于身体之外。所以生物体虽由于吸取外界的物质而成长,但仍是通过生物体内的代谢作用而显现的。

同样,社会的发展,主要不是由于外因而是由于内因。人类社会生存于自然环境中,自然环境对于人类社会的影响是很大的,我们对此不能轻视。但就人类社会对于自然环境的关系的历史来看,这种历史是人类社会征服自然改造自然的历史。人类社会对于自然环境是演着主导作用的。所以社会发展的根本原因,是在社会本身之中,不在外围的自然环境之中。例如欧洲许多国家,地理与气候条件是相同的,但它们发展的差异性和不平衡性,非常之大。从前封建的闭关锁国的日本,后来变成帝国主义者。这些国家的地理和气候并没有变化。中国在百多年以前还是独立的封建国家,1840 年以后,变成了半封建半殖民地的国家,现在已是社会主义国家了。中国的地理和气候并没有变化。固然,地球和地球各部分的地理和气候也是变化着的,但其变化的显现,动辄以若干万年为单位,而人类社会的变化则是几千年、几百年、几十年甚至几年或几个月(在革命时期)。所以社会发展的根本原因,不在地理环境之中,而在社会本身之中。按照唯物辩证法的见解,自然界的变化,主要是由于自然界内部矛盾的发展;社会的变化,主要是由于社会内部矛盾的发展,即生产力和生产关系的矛盾、阶级之间的矛盾、新旧之间的矛盾,由于这些矛盾的发展,推动了社会的发展,所以原始社会由奴隶制社会所替代,奴隶制社会由封建社会所替代,封建社会由资本主义社会所替代,资本主义社会由社会主义社会所替代。

唯物辩证法是否排除外部的原因呢? 不但不排除,而且还对外部的原因给以正确的估价。如前面所说,一个植物体,生长于外部自然环境之中,空气、阳光、温度、湿度、养分等,是助长生物体发展的原因之一,这是无可否认的。但这些外部的生活条件,必须通过这植物体本身内部的新陈代谢作用,才能生长起来。它发芽,它开花,它结子,要经过几个由量变到质变的阶段。这些质变,完全是它本身内部矛盾发展的结果。又如这一植物体,若处于变化了的生活条件之下,它本身也必发生变异,它既有变异,同时也能遗传,它就能够把变异的性质巩固下来,遗传下去,以后如再发生变异,就再度遗传下去。这类的变异与遗传,根本上是它本身内部矛盾发展的结果。又就社会来说,自然环境是社会的粮食仓和材料库,它当然是促进社会发展的原因之一。在原始社会的最初期,人类的生产技术非常幼稚,完全受自然环境的支配。但当生产技术逐渐进步,从事于农业和畜牧业以后,人类就能改造自然,从此社会内部的矛盾,就成为社会发展的根本原因,自然环境的力量只是第二位原因了。当一个社会的生产关系适应于生产力的水平时,社会就能充分利用自然的资源,增加物质的财富,社会就能向前发展。反之,当社会的生产关系障碍生产力的发展时,就会停工减产,不能照旧利用自然的资源,就必须改革生产关系(即革命),才能促进生产力的发展。所以唯物辩证法认为外因是变化的条件,内因是变化的根据,外因通过内因而起作用。

就国际关系来说,各国人民之间的相互影响是时常存在的。特别是在帝国主义和无产阶级革命的时代,各国在政治上、经济上和文化上的互相影响和互相激动,是极其巨大的。当一个国家发生了重大的事变时,世界各国都要引起重大的变动。例如俄国十月社会主义革命,不单是开辟了俄国历史的新纪元,而且开创了世界历史的新纪元。十月革命一声炮响,许多帝国主义国家内部的矛盾爆发了,帝国主义与殖民地半殖民地民族之间的矛盾爆发了。在欧洲方面,有德、奥、匈和意大利各国无产阶级的革命,在亚洲方面,有五亿人民的中国反帝反封建的革命斗争。残余的许多帝国主义者都吓得发抖了。十月革命在国际上的影响是空前巨大的。在这里,要着重指出的,中国的人民革命,受了十月革命的影响,全是事实。毛主席在《论人民民主专政》中明白说过,中国革命是"走俄国人的路"的。但是否可以由此引出"革命外因论",说中国革命完全受了十月革命的推动呢? 这个论调显然是不正确的。十月革命的影响,是通过中国内部自己的规律性而起作用的。中国的先进分子——共产党人,用马克思列宁主义研究了中国社会,正确地认识了中国社会发展的规律,即中国必然要由半封建半殖民地社会,经由新民主主义革命,进到社会主义社会、共产主义社会。中国革命必须由无产阶级来领导,以工农联盟为基础,团结小资产阶级和民族资产阶级,结成人民民主革命的统一战线,共同推翻帝国主义、封建主义和官僚资本主义在中国的统治,建立人民民主专政的国家。这是中国革命的历史实践所证明了的真理。所以,中国革命的变化的内因,主要是人民大众与统治阶级、中华民族与帝国主义的矛盾,中国革命的胜利,是人民大众推翻了统治阶级、中华民族驱逐了帝国主义的结果。有的顽固派,素来反共反革命,便捏造出所谓革命外因论,说中国从秦汉以来,是伦理本位、职业分途的社会,是很美满的社会,只因为辛亥革命把伦理本位搞坏了,所以引起了大混乱。顽固派硬说中国早已不是封建社会,现在更不是什么半封建社会;中国仍是独立国,现在并不是什么半殖民地;中国从古只有分业,没有阶级,更没有阶级斗争。因此,据他们的说法,最好的改良方法,就是在蒋匪帮统治之下,从乡村建设入手,建立新伦理本位的社会就行了。照他们的说法,中国共产党在没有阶级的中国社会中来分裂阶级,制造阶级斗争,是完全受了俄国革命的影响。顽固派一向是用这种反动的见解作为反共反革命的论据的。顽固派直到革命已经胜利而中华人民共和国已经成立以后,仍然不相信新政权能够持久,采取观望的态度。到了最近,全国广大人民热烈地拥护着新政权,人民民主专政越来越巩固了,顽固派感到惊奇,却还歪曲地说中国共产党分裂阶级,制造阶级斗争的路线走对了。这种革命外因论,彻头彻尾是反动的。

再就战争举例。第三次国内革命战争,在初期,在美帝国主义的支持下,蒋匪帮军队有 450 万人,无论人数、地盘、物质条件,都比人民解放军为优,所以它得以暂时占居优势,对解放区实行战略的进攻。而人民解放军,不能不忍受痛苦,实行战略的防御。如果人民解放军方面,在这时没有毛主席的英明指挥,是可能战败的。但是,由于人民解放军所进行的战争是人民革命的战争,并且有无比英明的指挥,终于通过抓住蒋匪帮军队反革命反人民这个弱点,起了"我军越战越强,敌军越战越弱"的作用。如果蒋匪帮不是与人民对立,不是本身在政治、经济、军事、文化各方面都已腐朽透顶,则人民解放军虽强,就不易把它打倒;又,如果不是因蒋匪帮犯了大错误来发动内战,深深陷入反人民战争的泥淖,遭受越来越大的困难,并且连续在指挥上犯了大错误,则人民解放军虽强,蒋匪帮之失败与颠覆,就不会那样的快。可见在军事上,也是外因通过内因而起作用的。

"党是工人阶级的领导部队,是它的先头堡垒",而"堡垒是最容易从内部攻破的。"①1927 年革命的失败,是蒋介石匪帮大资产阶级战胜了无产阶级的结果。但当时无产阶级先头堡垒的中国共产党内部,如果没有陈独秀机会主义领导集团放弃了革命领导权,放弃了武装斗争与土地革命,敌人是不容易攻破这个先头堡垒的。这一次的失败,显然是外因通过内因起了作用。所以,当党清算了陈独秀派的机会主义,建立了布尔什维克的路线,重整了党的阵容时,中国革命就踏进了十年土地革命战争的时期。但在这个时期中,党内又发生了冒险主义,左倾机会主义者把党的革命事业领导到错误的方向,以致授蒋

---

① 《联共(布)党史简明教程》。

匪帮以可乘之隙,使党遭受了重大的损失。但到遵义会议以后,这冒险主义的偏向得到了纠正,党确立了毛泽东思想的领导地位,我们的革命事业,才重新发展起来了。在毛泽东的领导下,中国人民的革命与建设事业,永远在胜利中前进着。

说到这里,我们要联系到最近的"三反"斗争和"五反"斗争。新中国成立以来,资产阶级曾经表示愿意遵守《共同纲领》,愿意接受工人阶级的领导。他们的摇摇欲坠的私营经济在国营经济的领导与扶助之下,呈现着欣欣向荣的气象。他们对新国家也曾作出了一些积极的贡献。但在另一方面,他们的剥削群众、不劳而食、损人利己、唯利是图、假公济私、投机取巧等思想,便发展起来成为五毒思想了。于是他们便违反《共同纲领》,反抗工人阶级的领导,更进一步要篡夺工人阶级的领导权了。他们也懂得了堡垒容易从内部攻破的道理,便欺侮某些缺乏财经工作经验而犯了官僚主义错误的干部,诱引某些意志薄弱的容易接受糖衣炮弹的干部,使用"拉过去"和"派进来"的恶毒方法,向着党和政府机关进行猖狂的进攻,使国家和人民的财产遭受了不可估量的损失。但是,中国共产党是用马克思列宁主义、毛泽东思想武装着的党,是经过了三十多年革命斗争锻炼了的党,是永远攻不破的工人阶级的先头堡垒,纵使有绝对少数被"派进来"和被"拉过去"的坏分子,也是很快要遭到清算的。同时,工人阶级是最有远见、大公无私、最富于革命彻底性的阶级,他们有充分的勇敢和机智打退资产阶级不法分子的猖狂进攻。所以全国各地"三反"斗争和"五反"斗争的伟大胜利,打退了资产阶级不法分子的进攻,巩固了工人阶级的领导。在新中国成立以后,工人阶级对于资产阶级实行着又联合又斗争的政策,只要资产阶级清除了五毒思想,遵守《共同纲领》,服从工人阶级的领导,工人阶级必然团结他们、帮助他们,发展他们的于国计民生有利的事业。"五反"斗争以后,各地私营经济事业的新气象,便是明证。这样看来,一个革命的政党,要领导革命取得胜利,就必须依靠自己的政治路线的正确和它的组织上的巩固。

辩证法的宇宙观,不论在中国,还是在欧洲,在古代就产生了。但是古代的辩证法带着自发的朴素的性质,根据当时的社会历史条件,还不可能有完备的理论，因而不能完全解释宇宙，后来就被形而上学所代替。生活在 18 世纪末和 19 世纪初期的德国著名哲学家黑格尔，对于辩证法曾经给了很重要的贡献，但是他的辩证法却是唯心的辩证法。直到无产阶级运动的伟大的活动家马克思和恩格斯综合了人类认识史的积极的成果，特别是批判地吸取了黑格尔的辩证法的合理的部分，创造了辩证唯物论和历史唯物论这个伟大的理论，才在人类认识史上掀起了一个空前的大革命。后来，经过列宁和斯大林，又发展了这个伟大的理论。这个理论一经传到中国来，就在中国思想界引起了极大的变化。

[说明]斯大林说过："辩证法来源于希腊文'dialego'一词，意思就是进行谈话，进行论战。在古代，所谓辩证法，指的是以揭露对方论断中的矛盾并克服这些矛盾来求得真理的艺术。古代有些哲学家认为，思维矛盾的揭露以及对立意见的冲突，是发现真理的最好方法。这种辩证的思维方式后来推广到自然界现象中去，就变成了认识自然界的辩证方法……"①中国周秦诸子的学说中，有不少关于辩证法的见解。例如老子的《道德经》，惠施学派的"合同异"学说，公孙龙学派的"离坚白"学说，易传的"阴阳"学说，墨子学派的《墨经》等，都含有辩证法的因素。在欧洲方面，古代希腊的哲学中，有很多辩证法的学说。例如伊奥尼亚哲学家太勒斯，说水是万物的发端，连生命也是由水发生的。这种见解的根柢，是认为一切物质都是单一的东西，都可以互相转变。这是欧洲最初的唯物论，也包含了辩证法的萌芽。又如赫拉克利特，用"万物变动不居"的命题，表示他的动的宇宙观。他又用"人不能再渡同一河流"这个比喻说明自然界及人事界的一切变化。至于变化的原因，他主张一切变化是在矛盾中进行的。他说"斗争是万物之父，万物之王"，这是辩证法的根本思想。不过古代的辩证法带着自发的朴素的性质，因为当时的自然科学并不发达，并且受了当时的社会历史条件的限制，还不可能创造出完备的理论，因而不能完全解释宇宙。在欧洲古代，在上述唯物论的朴素的辩证法之后还出现了唯心的辩证法。亚里士多德的论理学，到处都提起了辩证法的问题，

---

① 斯大林：《论辩证唯物主义和历史唯物主义》。

研究了辩证法的思维形式。虽然他的哲学是唯心论,但对于意识的辩证法的构成,对于论理学,却留下了不朽的功绩。欧洲到了中世纪以后,哲学变成了神学的奴仆,思想界完全受了形而上学的支配。直到 15 世纪以后,资本主义经济逐渐发达,自然科学的研究,不断地暴露了自然的辩证法。从此欧洲的许多哲学家,如笛卡儿、斯宾诺莎、康德、费希特、谢林等,对于辩证法都做了重要的贡献,但是在唯心论的基础上,集辩证法之大成的哲学家,要推黑格尔。不过黑格尔的辩证法是唯心论的,并且还受了他自身的和当时的知识范围所限制,所以他的唯心论的、并且仍是形而上学的辩证法,把一切事物弄得颠倒,把世界的真实关系弄得颠倒了。马克思和恩格斯站在无产阶级的立场,为阶级斗争的实践创造了精神的武器。他们首先在革命的实践的基础上把唯物论从自然领域扩张于历史领域,综合了人类知识史的成果,特别是批判地吸取了黑格尔辩证法的合理的部分(即在唯物论的基础上加以改造),创造了辩证唯物论与历史唯物论这个伟大的理论。从此人类认识史上,掀起了一个空前的大革命。后来,这个伟大的理论——唯物辩证法与历史唯物论,经过列宁和斯大林的发展,内容更加丰富了。这个理论一经传到了中国,就在中国思想界引起了极大的变化,无产阶级先进分子就用它作为观察国家命运的工具,造出了中国革命的正确理论,指导中国革命的前进。毛泽东思想,正是唯物辩证法在中国历史中的应用与扩大。

这个辩证法的宇宙观,主要就是教导人们要善于去观察和分析各种事物的矛盾的运动,并根据这种分析,指出解决矛盾的方法。因此,具体地了解事物矛盾这一个法则,对于我们是非常重要的。

[说明]辩证法的宇宙观,是共产党的宇宙观,它是革命行动与科学研究的指导。马克思、恩格斯、列宁、斯大林等大师们,根据这个宇宙观,暴露了各种阶级社会的阶级矛盾,指出了"到目前为止的一切社会的历史都是阶级斗争的历史",暴露了资本帝国主义时代各国的阶级矛盾,指出了一切民族都必然走向于社会主义,创造了世界无产阶级社会主义革命的理论。毛泽东同志应用这个宇宙观作为考察中国命运的工具,他周详地、具体地分析了中国社会

各种复杂的矛盾,暴露了中国社会发展的规律,即由半殖民地半封建社会经由新民主主义革命进到社会主义社会的规律,因而创造了中国革命的理论。这个理论的真理性,已由中国人民革命的胜利所证明了。

我们学会了这个宇宙观,就容易学习马克思列宁主义、毛泽东思想,就能够运用矛盾法则,去考察我们在革命建设事业中所遭遇到的问题。毛泽东同志在《反对党八股》的讲演中,曾经简要地说起应用矛盾法则分析问题和解决问题的方法。他说,什么叫问题? 问题就是事物的矛盾。那里有没有解决的矛盾,那里就有问题。既有问题,就得把问题提出来。提出问题,首先就要对于问题即矛盾的两个基本侧面加以大略的调查研究,才能懂得矛盾的性质是什么,这就是发现问题的过程。大略的调查研究,可以发现问题,提出问题,但还不能解决问题。为要解决问题,还要做系统的周密的调查工作和研究工作,这就是分析的过程。提出问题也要作系统的周密的分析,不然,对着模糊杂乱的一大堆事物的现象,你就不能知道问题即矛盾的所在。所以对于所提出的问题必须实行系统的周密的分析,才能发现基于基本的两个矛盾侧面所发生与发展着的许多次要的矛盾侧面,才能明了问题的面貌,因而才能做综合工作,才能好好地解决问题。

以上是毛泽东同志教导我们应用矛盾法则分析问题和解决问题的方法。我们必须学会具体地应用这个方法,才能胜任一切革命和建设工作。

二、矛盾的普遍性

为了叙述的便利起见,我在这里先说矛盾的普遍性,再说矛盾的特殊性。这是因为马克思主义的伟大的创造者和继承者马克思、恩格斯、列宁、斯大林他们发现了唯物辩证法的宇宙观,已经把唯物辩证法应用在人类历史的分析和自然历史的分析的许多方面,应用在社会的变革和自然的变革(例如在苏联)的许多方面,获得了极其伟大的成功,矛盾的普遍性已经被很多人所承认,因此,关于这个问题只需要很少的话就可以说明白;而关于矛盾的特殊性的问题,则还有很多的同志,特别是教条主义者,弄不清楚。他们不了解矛盾的普遍性即寓于矛盾的特殊性之中。他们也不了解研究当前具体事物的矛盾的特殊性,对于我们指导革命实践的发展有何等重要的意义。因此,关于矛盾的特殊性的问题应当着重地加以研究,并用足够的篇幅加以说明。为了这个缘故,当我们分析事物矛盾的法则的时候,我们就先来分析矛盾的普遍性的问题,然后再着重地分析矛盾的特殊性的问题,最后仍归到矛盾的普遍性的问题。

[说明]从本节起,开始说明关于矛盾法则的内容了。为了叙述的方便,先说明矛盾的普遍性,再说明矛盾的特殊性。唯物辩证法是马克思和恩格斯所创造的,经过列宁和斯大林之手,使它更加发展了。这四位大师们,已经应用唯物辩证法来分析人类历史和自然历史的许多方面,并应用在改造社会和改造自然的许多方面,都获得了非常伟大的成功。所以矛盾的普遍性,是很多人所承认了的,关于这个问题,只需要很少的话就可以解说明白。至于矛盾的特殊性问题,却要详细地加以解释与发挥,因为有许多同志,特别是教条主义者们,对于这个问题是弄不清楚的。一切事物的矛盾的普遍性,是从许多个别事物的特殊的矛盾性抽象出来的。因而,矛盾的普遍性是寄存于矛盾的特殊性之中的。我们固然要认识矛盾的普遍性,同时必须认识矛盾的特殊性,考察普遍性在特殊事物中所表现的情形。我们知道,马克思列宁主义,是世界各国无产阶级进行革命斗争的普遍真理。但这普遍真理在各个国家、各个社会里应用起来,由于国情的不同,由于各该社会经济、政治和文化等条件的不同,由于阶级矛盾的情况的不同,各国无产阶级为实现共产主义而进行的革命斗争,就表现出特殊的面貌、特殊的步骤和特殊的策略。《联共(布)党史简明教程》的结束语中说:"掌握马克思列宁主义理论,是说要领会这个理论的实质,学会在无产阶级阶级斗争的各种条件下运用这个理论来解决革命运动的实际问题。"这就是说,革命工作者必须用马克思列宁主义的普遍真理解决革命的实际问题,必须考察当时当地的特殊矛盾性,决定解决矛盾的方法。教条主义者不懂得这一真理,只是拘守马克思列宁主义理论中的一些公式和结论,拿来应用于已经变化了的客观革命形势中,于各种不同的具体环境中,只看到矛盾的普遍性,看不到矛盾的特殊性。他们不了解研究当前具体事物的矛盾的特殊性,对于我们革命实践的发展有何等重要的意义,所以,当他们指导革命时,就

使我们遭受不可估计的损失。

为了纠正教条主义的偏向,对于矛盾的特殊性问题,必须详尽地加以说明。因此,我们分析事物的矛盾法则时,要先分析矛盾的普遍性问题,然后着重地分析矛盾的特殊性问题,最后仍回到矛盾的普遍性问题。

矛盾的普遍性或绝对性这个问题有两方面的意义:其一是说,矛盾存在于一切事物的发展过程中;其二是说,每一事物的发展过程中存在着自始至终的矛盾运动。

恩格斯说:"运动本身就是矛盾。"①列宁对于对立统一法则所下的定义,说它就是"承认(发现)自然界(精神和社会两者也在内)的一切现象和过程都含有互相矛盾、互相排斥、互相对立的趋向"②。这些意见是对的吗? 是对的。一切事物中包含的矛盾方面的相互依赖和相互斗争,决定一切事物的生命,推动一切事物的发展。没有什么事物是不包含矛盾的,没有矛盾就没有世界。

[说明]矛盾的普遍性,也是矛盾的绝对性。这有两方面的意义:其一是说,矛盾存在于一切事物的发展过程中;其二是说,每一事物内部的矛盾的运动,贯彻于那个事物的全部发展过程的始终。因为矛盾既然存在于一切事物的发展过程中,矛盾运动既然贯彻于每一事物的全部发展过程的始终,所以矛盾是普遍的,又是绝对的。

恩格斯说:"运动本身就是矛盾。"这便是说,世界一切事物是运动着的,一切运动着的事物的内部都含有矛盾。列宁解释对立统一法则的意义,说它就是"承认(发现)自然界(精神和社会两者也在内)的一切现象和过程都含有互相矛盾、互相排斥、互相对立的趋向"。这便是说,矛盾法则承认一切自然现象、社会现象以及人类精神现象,其内部都含有矛盾,是自然现象和社会现象的矛盾在人类头脑中的反映。一切事物中包含的矛盾方面的相互依赖和相互斗争,决定着一切事物的生命,推动一切事物的发展。世间任何事物,都没

---

① 恩格斯:《反杜林论》第一编第十二节《辩证法。量与质》。
② 列宁:《关于辩证法问题》。

有不包含矛盾的。如果事物没有矛盾,就没有运动,也就没有生命。更进一步说,如果没有矛盾,就没有事物,也就没有世界。

矛盾是简单的运动形式(例如机械性的运动)的基础,更是复杂的运动形式的基础。恩格斯这样说明过矛盾的普遍性:"如果简单的机械的移动本身包含着矛盾,那么,物质的更高的运动形式,特别是有机生命及其发展,就更加包含着矛盾。……生命首先就在于:生物在每一个瞬间是它自身,但却又是别的什么。所以,生命也是存在于物体和过程本身中的不断地自行产生并自行解决的矛盾;这一矛盾一停止,生命亦即停止,于是死就来到。同样,我们看到了,在思维的范围以内我们也不能避免矛盾,并且我们看到了,例如,人的内部无限的认识能力与此种认识能力仅在外部被局限的而且认识上也被局限的个别人们身上的实际的实现二者之间的矛盾,是在人类世代的无穷的——至少对于我们,实际上是无穷的——连续系列之中,是在无穷的前进运动之中解决的。"

"高等数学的主要基础之一,就是矛盾……"

"就是初等数学,也充满着矛盾。……"①

[说明]矛盾不单是简单的运动形式(如力学的运动形式)的基础,并且是复杂的运动形式(如物理学的、化学的、生物学的、社会的、思维的运动形式)的基础。这就是说,只要是运动,就以矛盾为其基础,以矛盾为其内容和实质。

关于矛盾的普遍性,恩格斯在《反杜林论》中这样说过。他说,如果简单的机械的移动本身包含着矛盾,那么,物质的更高的运动形式,特别是有机生命及其发展,就更加包含着矛盾了。有机生命中的矛盾,是旧细胞的衰亡和新细胞的发生。由于细胞不断地更新,所以生物在每一瞬间是它自身,同时又不是它自身。若果生命中没有新旧细胞的经常矛盾的过程,这活的生命将变为怎样的情形呢? 这是很明白的,生命就不存在。所以生命也是存在于物体和过程本身中不断地自行产生并自行解决的矛盾;这一矛盾一停止,生命亦即停

---

① 恩格斯:《反杜林论》,第一编第十二节《辩证法。量与质》。

止,于是死就到来了。同样,在人的思维的范围内,也不可避免地包含着矛盾。思维中的矛盾,是人类知识发展的根源。例如,人身内部是具有无限的认识能力的,但这无限的认识能力在个别人们身上的实际的实现,却是受着限制的。这样的限制,可分为两个方面:其一,是受外部世界所限制,因为外部世界的发展是无穷的,人对于外部世界的认识也是无穷的,每逢人们认识外部世界某种矛盾、某种联系时,外部世界总是把它的新矛盾、新联系呈现在人们面前,要求人们去认识它。但个别人们的生命是有穷的,而人类对于发展着的世界的认识却是无穷的。其二,个别人们的知识无论如何渊博,总要受自己知识不可避免的界限所限制,并且还要受他的时代知识与见解的范围与深度所限制。这样说来,人的内部的无限的认识能力和这种认识能力在个别人们身上的实际的实现的限制——即是说人的认识能力是无限的,而人的一生对于世界的认识却是有限的——这便是人的思维范围内的矛盾。这样的矛盾,是在人类的世代的无穷的——至少对于我们,实际上是无穷的——连续系列之中解决的,是在无穷的前进之中解决的。但所谓人的思维中的矛盾的解决,并不是意指着矛盾的消灭,而是意指着旧的矛盾解决了,而新的矛盾接着发生出来。所以人类的知识,随着客观世界的发展而发展,随着社会实践的发展而发展,是没有止境的。

高等数学的基础之一是矛盾,初等数学也充满了矛盾。这种实例很多,请参看华罗庚著《一个数学工作者学习〈实践论〉和〈矛盾论〉的初步体会》①。

列宁也这样说明过矛盾的普遍性:"在数学中,正和负,微分和积分。

在力学中,作用和反作用。

在物理学中,阳电和阴电。

在化学中,原子的化合和分解。

在社会科学中,阶级斗争。"②

战争中的攻守、进退、胜败,都是矛盾着的现象。失去一方,他方就不存

---

① 华罗庚:《一个数学工作者学习〈实践论〉和〈矛盾论〉的初步体会》,《科学通报》第3卷第7期。

② 列宁:《关于辩证法问题》。

在。双方斗争而又联结,组成了战争的总体,推动了战争的发展,解决了战争的问题。

人的概念的每一差异,都应把它看作是客观矛盾的反映。客观矛盾反映人主观的思想,组成了概念的矛盾运动,推动了思想的发展,不断地解决了人们的思想问题。

党内不同思想的对立和斗争是经常发生的,这是社会的阶级矛盾和新旧事物的矛盾在党内的反映。党内如果没有矛盾和解决矛盾的思想斗争,党的生命也就停止了。

[说明]列宁在《谈谈辩证法问题》这一著作中,就自然现象和社会现象的运动形式,分别列举其内部的矛盾。他说:"在数学中,正和负,微分和积分。在力学中,作用和反作用。在物理学中,阳电和阴电。在化学中,原子的化合和分解。在社会科学中,阶级斗争。"这是表明矛盾是普遍存在于自然和社会之中的。

就战争来说,矛盾的存在更为明显。战争中的矛盾,是攻守、进退、胜败。这些矛盾,互相依赖而又互相排斥,失掉一方,他方就不存在。没有攻,就没有守;没有进,就没有退;没有胜,就没有败。双方斗争而又联结,组成了战争的总体,推动了战争的发展,解决了战争的问题。

不但自然现象和社会现象中都含有矛盾,并且我们的思维形式的概念中,也同样含有矛盾。概念的矛盾,促起概念的运动。概念的矛盾是客观事物中的矛盾的反映,概念的运动是客观事物的运动的反映。客观事物的矛盾,反映到主观思想中,就构成了概念的矛盾运动,推动了思想的发展,不断地解决了人们的思想问题。概念的矛盾运动,为什么能够推动人们的思想的发展,解决人们的思想问题呢? 这里我想就"中国社会"这个概念的矛盾运动来说明知识分子的思想的发展。"中国社会"这个概念,反映着中国阶级斗争的历史。在帝国主义未侵入中国以前,它反映着农民阶级对封建地主阶级斗争的历史;在帝国主义侵入以后,到"五四"运动以前,它反映着半封建半殖民地资产阶级领导人民的民族斗争和民主斗争的历史;"五四"运动以后,它反映着工人阶级领导的新民主主义革命的历史,反映着人民大众与帝国主义者、封建地主阶级、官僚资产阶级的矛盾。"中国社会"这一概念所反映着的阶级矛盾的运动,使人们的思想起了变化。特别是近30多年来,人们头脑中的"中国社会"这一概念中的矛盾,大大地推动了人们的思想改造。有许多知识分子,放弃了自己阶级的立场,站在工人阶级的立场,加入了革命的队伍。但还有许多知识分子,特别是一些高等知识分子,原来出身于地主或资产阶级,直接或间接地受了帝国主义教育的熏陶,又是为反动统治阶级服务过的人,他们就养成了封建的、买办的、法西斯主义的思想,反共反人民的思想,和崇美、亲美、恐美的思想。但是到了中国人民革命取得了伟大胜利,中华人民共和国成立以后,"中国社会"这一概念,充分地反映了由半封建半殖民地社会,过渡到社会主义社会的规律,反映了新的经济生活、政治生活和文化生活,反映了人民大众对反动残余势力的斗争,新东西对旧东西的斗争。这一概念的矛盾运动,使得那些高等知识分子的思想发生了矛盾,他们一方面留恋过去,抱着等待主义,保存着反工人阶级思想;一方面又不敢不承认工人阶级的思想。思想上这种矛盾的斗争,在现实的新社会的教育下,将是工人阶级思想克服他们原来的反工人阶级的思想。

无产阶级政党的发展,同样是矛盾的发展,同样贯穿着矛盾法则。因为社会的阶级矛盾和新旧事物的矛盾,经常地反映到党内来,并且党外的非无产阶级思想,也经常地通过党内的未经马克思列宁主义武装着的分子带到党内来,所以党内不同思想的对立和斗争,是经常发生的。党内思想斗争,正是党的生命发展的动力。党内如果没有矛盾和解决矛盾的思想斗争,党的生命也就停止了。联共(布)党的历史教导我们,联共(布)党的历史,正是党内各种矛盾斗争的历史。例如反民粹主义和"合法马克思主义"的斗争,反"经济派"的斗争,反修正主义的斗争,反孟什维克的机会主义的斗争,反托洛茨基主义的斗争,反"左"右倾机会主义的斗争等,都是党史的重要部分。因此可以知道,联共(布)党的发展法则,就是用斗争来克服党内的矛盾。中国共产党的发展,也贯穿着矛盾法则。党在成立之初,有些机会主义分子和"合法马克思主义者"混入了党内,社会阶级的矛盾和新旧事物的矛盾也经常反映到党内来,形成了党内的矛盾。随着革命形势的发展,到了1924年至1927年大革命时期,党内出现了以陈独秀为首的孟什维克领导集团,把革命领导向了失败的道路。

于是以毛泽东同志为首的布尔什维克,展开了反右倾机会主义的斗争。第二次国内革命战争后期,党展开了反"左"倾冒险主义的斗争。在抗日战争时期,党又展开了反右倾机会主义、"左"倾关门主义的斗争,反教条主义和经验主义的斗争,直到现在,又进行着反各种错误偏向的斗争,反贪污、反浪费、反官僚主义的斗争。我们可以说,中国共产党的历史也是党内各种矛盾斗争的历史。由于党内的矛盾斗争,党就更趋于发展和巩固。

由此看来,不论是简单的运动形式,或复杂的运动形式,不论是客观现象,或思想现象,矛盾是普遍地存在着,矛盾存在于一切过程中,这一点已经弄清楚了。但是每一过程的开始阶段,是否也有矛盾存在呢? 是否每一事物的发展过程具有自始至终的矛盾运动呢?

从苏联哲学界批判德波林学派的文章中看出,德波林学派有这样一种见解,他们认为矛盾不是一开始就在过程中出现,须待过程发展到一定的阶段才出现。那么,在那一时间以前,过程发展的原因不是由于内部的原因,而是由于外部的原因了。这样,德波林回到形而上学的外因论和机械论去了。拿这种见解去分析具体的问题,他们就看见在苏联条件下富农和一般农民之间只有差异,并无矛盾,完全同意了布哈林的意见。在分析法国革命时,他们就认为在革命前,工农资产阶级合组的第三等级中,也只有差异,并无矛盾。德波林学派这类见解是反马克思主义的。他们不知道世界上的每一差异中就已经包含着矛盾,差异就是矛盾。劳资之间,从两阶级发生的时候起,就是互相矛盾的,仅仅还没有激化而已。工农之间,即使在苏联的社会条件下,也有差异,它们的差异就是矛盾,仅仅不会激化成为对抗,不取阶级斗争的形态,不同于劳资间的矛盾;它们在社会主义建设中形成巩固的联盟,并在由社会主义走向共产主义的发展过程中逐渐地解决这个矛盾。这是矛盾的差别性的问题,不是矛盾的有无的问题。矛盾是普遍的、绝对的,存在于事物发展的一切过程中,又贯穿于一切过程的始终。

[说明]从上面的说明看起来,不论是简单的运动形式,或复杂的运动形式,不论是自然现象、社会现象,或思想现象,矛盾都是普遍地存在着。矛盾存

在于一切过程中,这已经说清楚了。现在说到矛盾的普遍性的另一方面,即每一过程的开始阶段,是否也有矛盾存在呢? 是否每一事物的发展过程具有自始至终的矛盾运动呢?

每一过程的开始阶段,是否也有矛盾存在? 对于这一问题,唯物辩证法的答复,是和唯心辩证法完全不同的。唯心辩证法家黑格尔,在他的论理学中,把概念的自动发展,看作是等于现实世界的发展,他把发展划分为同一、差别、对立和矛盾的几个阶段,矛盾是在差别和对立这两个概念之后发生的,即矛盾是在后一阶段上才表现出来。这种见解,不但是唯心论的,而且是形而上学的。至于唯物辩证法,则是主张每一物质的事物,在其发生和发展的全过程中,其内部始终包含着矛盾。矛盾即是运动。

苏联孟什维克化的唯心论者德波林派,师承黑格尔的概念发展的公式,也把事物的发展过程,分为同一、差别、对立、矛盾的几个阶段。事物在其发展过程中,由同一进到差别,由差别进到对立,由对立进到矛盾。德波林在《哲学与马克思主义》那一著作中说:"当一切必然的发展阶段——从单纯的同一,经过差别和对立,到达极端的矛盾——都经过之后,'解决矛盾'的时期就到来了。"这便是说,矛盾不是一开始就在过程中出现,而是要等到过程发展到一定阶段时才出现,照这样说,在那一时期以前,过程显然不是由于内部的矛盾而发展的。于是过程发展的原因,不是由于内部的原因,而是由于外部的原因了。照这样,德波林派便回到形而上学的外因论和机械论去了。德波林派应用这种见解去分析具体问题,就看见在苏联条件下的无产阶级与农民之间、富农和一般农民之间,只有差异,并无矛盾,这种意见,与机械论者布哈林的意见是相同的。德波林派之一卡列夫,在分析法国革命时,认为法国革命以前,工人农民和资产阶级合组的第三等级中,也只有差异,而没有矛盾。德波林派这类见解是反马克思主义的。他们不知道世界上的每一差异中就已经包含了矛盾,差异就是矛盾。无产阶级和资产阶级之间,从两个阶级发生的时候起,就是互相矛盾的,不过在最初的时候,矛盾没有激化而已。又如工人阶级和农民阶级之间,就是在苏联的条件下,也有差异,它们的差异就是矛盾,仅仅不会激化成为对抗,不取阶级斗争的形态,这和劳资两阶级间的矛盾是不同的。工农两阶级在社会主义建设中,结成巩固的联盟,它们之间的矛盾,在由社会主义到共产主义的发展过程中,将逐渐得到解决。所以矛盾是普遍的、绝对的。矛盾存在于事物发展的一切过程中,又贯穿于一切过程的始终。

新过程的发生是什么呢? 这是旧的统一和组成此统一的对立成分让位于新的统一和组成此统一的对立成分,于是新过程就代替旧过程而发生。旧过程完结了,新过程发生了。新过程又包含着新矛盾,开始它自己的矛盾发展史。

[说明]旧东西的死亡和新东西的发生,是事物发展的规律。所以新过程的发生,就是旧过程的统一和组成这统一的对立成分让位于新过程的统一和组成这统一的对立成分,即是旧过程的矛盾统一体让位于新过程的矛盾统一体。这就是说,新过程代替了旧过程。旧过程完结了,新过程发生了。新过程又包含着新矛盾,开始它自己的矛盾发展史。例如奴隶制社会为封建社会所替代,封建社会对于奴隶制社会是一种新社会。奴隶制社会是由奴隶和奴隶主两个主要阶级组成的统一体,代它而起的封建社会则是由农民和地主两个主要阶级组成的统一体。封建社会成立以后,就开始新的阶级斗争的历史,即农民阶级和封建地主阶级斗争的历史。又如封建社会为资本主义社会所替代,资本主义社会比较又是一种新社会。资本主义社会的发生,就是封建社会的阶级统一体让位于由劳资两个主要阶级组成的统一体。资本主义社会成立以后,就开始劳资两阶级斗争的历史,终于爆发无产阶级革命。于是资本主义社会死亡,社会主义社会发生了。在社会主义社会中,矛盾仍然存在着。所以社会主义社会成立以后,也开始它自己的矛盾的发展史。

事物发展过程的自始至终的矛盾运动,列宁指出马克思在《资本论》中模范地作了这样的分析。这是研究任何事物发展过程所必须应用的方法。列宁自己也正确地应用了它,贯彻于他的全部著作中。

"马克思在《资本论》中,首先分析的是资产阶级社会(商品社会)里最简单的、最普通的、最基本的、最常见的、最平常的、碰到亿万次的关系——商品交换。这一分析在这个最简单的现象之中(资产阶级社会的这个'细胞'之中)暴露了现代社会的一切矛盾(以及一切矛盾的胚芽)。往后的叙述又向我们表明了这些矛盾和这个社会各个部分总和的自始至终的发展(增长与运动两者)。"

列宁说了上面的话之后,接着说道:"这应该是一般辩证法的……叙述(以及研究)方法。"①

中国共产党人必须学会这个方法,才能正确地分析中国革命的历史和现状,并推断革命的将来。

[说明]"矛盾存在于一切事物的发展过程中",这个道理,前面已经说明了,现在再来说明"每一事物的发展过程中存在着自始至终的矛盾运动"的意义。

事物的矛盾运动,贯穿于其发展过程的始终。关于这一层,马克思在《资本论》中,给我们留下了辉煌的范例。列宁指出马克思在《资本论》中分析了资产阶级社会发展过程中矛盾的自始至终的运动。列宁对于《资本论》中所应用的方法,认为是辩证法的一般的叙述方法和研究方法。列宁本人在他的许多著作中也正确地应用了这个方法。

马克思在《资本论》中,从商品资本主义社会之最单纯的最根本的关系——商品交换开始。他首先指出商品的二重性及其矛盾性,是使用价值和价值的统一,暴露出商品的内的矛盾以及造出商品的劳动的二重性——创造使用价值的具体劳动和创造价值的抽象劳动。

更进一步,马克思证明:隐藏于商品中的内的矛盾,是在那种显现为相对价值形态和等价形态上两个商品之外的矛盾形式上表现出来的。这个矛盾向前运动,顺次出现为单纯价值形态、扩大价值形态、一般价值形态,以及由一般价值形态向着货币形态的转变。于是商品就分裂为商品和货币。由于货币的发展、货币的新机能的出现,使得商品交换更能展开,因而造成了商品交换的基本矛盾的发展形态。

更进一步,马克思指明货币转化为资本的过程,指明这一过程的内的矛盾和资本的运动;证明这个矛盾随着劳动力那种特殊商品的出现而一同解决。于是商品生产变成商品资本主义的生产,形成新社会构成的基础,即资本主义的生产方式。货币到资本的转化,是价值法则在新质的基础之上的发展,是价值法则转化为新质的特殊的规律性——转化为资本的"自己运动的源泉"的剩余价值法则。

马克思探求剩余价值的增高率,证明生产的社会性和私有制度的矛盾之成长和激化。他暴露了:剥削率的增大必须使生产的不断强化,资本的再生产引起资本的积累和集中,因而不断地使得中小资本家破产。另一方面,这个再生产过程造出产业预备军,使阶级对立日趋尖锐化。马克思于是暴露了资本主义蓄积的一般法则和无产阶级革命的必然性,证明了资本主义死灭是不可避免的。

在暴露了资本主义的本质及其深刻的矛盾之后,马克思进而证明了在这个矛盾的基础上所发生的充满了矛盾的现象,即证明这些深刻的矛盾的表现形态。

《资本论》第二卷和第三卷研究着这些问题。马克思指示出资本的流通过程和再生产过程,论证剩余价值分化为企业所得、利息、商业利润和地租,由此证明价值法则怎样凭借外的形态之力而发展以及怎样转化为生产价格的法则;证明生产怎样增大,资本的有机构成怎样成长,利润率怎样受资本有机构成的增高而减低,以及资本家在利润率名义下所发展的生产力怎样低减。更进一步,马克思证明资本主义的矛盾怎样日益激化,怎样在危机和繁荣等的运动中暂时得到解决;证明生产关系一定要适合于生产力性质的法则,而资本主义的生产关系日益变成生产力发展的桎梏。这种阻碍生产力发展的资本主义社会形态,必然要为无产阶级所推翻,而为社会主义社会所替代。

以上是马克思应用对立统一法则,分析资产阶级社会中矛盾的自始至终的运动的范例。

列宁把马克思的对立统一法则,提高到了更高的阶段,并在他的一切著作中贯彻着这一法则。他继《资本论》之后,把这一法则作为分析帝国主义的根据。他把帝国主义看作资本主义发展过程中的特殊的新阶段。他在帝国主义分析中,发现了一般和特殊的统一,暴露了资本主义的一般规律性和矛盾与帝国主义阶段所发生的各种特殊性的统一。这些帝国主义的特殊性,加强了一般的资本主义矛盾的激化;垄断和自由竞争的统一和错综,不但不能减轻资本主义矛盾的尖锐性,而且使它更趋于激化,大大地促进了资本主义的竞争,促进无产阶级革命的爆发。帝国主义是垂死的资本主义,是社会主义革命的前夜。

上述辩证法的叙述方法和研究方法,像一根红线一样,贯穿于毛泽东同志的一切著作之中,而《矛盾论》则是这个方法的经典式的说明。毛泽东同志在写《矛盾论》的时候,教导党员们必须学会这个方法,才能正确地分析中国革命的历史和现状,并推断革命的将来。事实上,毛泽东同志早已正确地分析了中国革命的历史和现状,并已经指出了革命的将来。这是中国革命的胜利所已经证明了的真理。现在,我们应该从《矛盾论》学会这个方法,解决在革命和建设事业中所遇到的实际问题。

三、矛盾的特殊性

矛盾存在于一切事物发展的过程中,矛盾贯穿于每一事物发展过程的始终,这是矛盾的普遍性和绝对性,前面已经说过了。现在来说矛盾的特殊性和相对性。

这个问题,应从几种情形中去研究。

首先是各种物质运动形式中的矛盾,都带特殊性。人的认识物质,就是认识物质的运动形式,因为除了运动的物质以外,世界上什么也没有,而物质的运动则必取一定的形式。对于物质的每一种运动形式,必须注意它和其他各种运动形式的共同点。但是,尤其重要的,成为我们认识事物的基础的东西,则是必须注意它的特殊点,就是说,注意它和其他运动形式的质的区别。只有注意了这一点,才有可能区别事物。任何运动形式,其内部都包含着本身特殊的矛盾。这种特殊的矛盾,就构成一事物区别于他事物的特殊的本质。这就是世界上诸种事物所以有千差万别的内在的原因,或者叫做根据。自然界存在着许多的运动形式,机械运动、发声、发光、发热、电流、化分、化合等等都是。所有这些物质的运动形式,都是互相依存的,又是本质上互相区别的。每一物质的运动形式所具有的特殊的本质,为它自己的特殊的矛盾所规定。这种情形,不但在自然界中存在着,在社会现象和思想现象中也是同样地存在着。每一种社会形式和思想形式,都有它的特殊的矛盾和特殊的本质。

[说明]矛盾的普遍性和绝对性,前面已经说明了,现在进而说明矛盾的特殊性和相对性。

关于矛盾的特殊性问题,应当从几种情形去说明。

首先要指出的是:各种物质运动形式中的矛盾,都带特殊性。例如前面所述作用和反作用是力学的运动形式中的矛盾,阳电和阴电是物理学的运动形式中的矛盾,化合和分解是化学的运动形式中的矛盾,阶级斗争是社会的运动形式中的矛盾。这些矛盾都是各不相同的特殊的矛盾。

我们认识物质,就是认识物质的运动形式。因为世界是物质联系的统一体的运动过程,一切物质的东西都是运动着的,一切运动着的东西都是物质。但物质的运动必采取一定的形式,千差万别的物质有千差万别的运动形式,即各自有特殊的运动形式。我们对于某种物质运动形式的认识,固然要注意它和他种物质运动形式的共同点,而尤其重要的,必须注意它的特殊点。某种物质运动形式的特殊点,是成为我们认识的基础的东西。所以我们认识某种物质时,必先注意它的特殊运动形式。这特殊运动形式,就构成它所以和别种物质不同的质。我们只有看出这种物质的质,才有可能认识它。反过来说,我们要认识某种事物而不能看出它的特殊的质,它就会被看作是和别的事物相同的东西,我们怎么能够认识它的特殊的本质、特殊的发展的规律呢?

为什么各种不同的事物各采取特殊的形式呢?这完全是因为每一种事物内部都包含着本身的特殊的矛盾。正是这种特殊的矛盾,才构成一事物区别于其他事物的特殊的本质。这就是各种事物所以互不相同的内在的原因,或者叫做根据。例如物理学的运动形式,固然它和力学的运动形式有共同之点,但它和力学的运动形式不同,因为它本身中包含着阳电荷和阴电荷、质子和电子的矛盾(在原子核的本身,有斥力和引力发生作用),正是这种特殊的矛盾,才构成物理学的特殊运动形式。又如化学的运动形式,也和力学的、物理学的运动形式有共同之点,但构成化学的特殊运动形式的原因,则是由于它本身中包含着化合和分解的矛盾。又如生物学的运动形式,比较更为复杂,它本身包含着力学的、物理学的、化学的和生命的运动形式,但构成生物学的特殊运动形式的原因,则是由于它本身中包含着新陈代谢、细胞更新那种特殊的矛盾。正是各种运动形式中所包含的特殊矛盾,就构成各种运动形式的特殊的本质。自然界存在着多种运动形式,即力学的、物理学的、化学的、生物学的运动形式,如机械运动、发声、发光、发热、电流、化分、化合、新陈代谢等都是。这些物质运动形式都是互相依存的,又是本质上互相区别的。如物理学的运动形式和力学的运动形式相依存,化学的运动形式又和力学的、物理学的运动形式相依存,生物学的运动形式又和力学的、物理学的、化学的运动形式相依存,但各种运动形式在本质上是各不相同的。这因为各种运动形式的本质,是由它本身中特殊的矛盾所规定。

上述的情形,在社会形式方面也是一样。社会形式的本质,也由其自身中的特殊矛盾所规定。例如奴隶制社会的本质由奴隶主和奴隶的阶级对立所规定,封建社会的本质由农民和地主的阶级对立所规定,资本主义社会的本质由资产阶级和无产阶级的对立所规定。至于社会主义社会的本质则由那种和剥削阶级统治的社会的矛盾根本不同的特殊矛盾所规定。

又如在思想形式方面,也有相同的情形。人的思想上的矛盾,是客观矛盾在主观上的反映。资产阶级思想的本质是损人利己、唯利是图,这是资本家剥削并压迫劳动人民的事实在主观上的反映。无产阶级思想的本质是铲除阶级,消灭剥削,这是劳动阶级反资本制度的斗争的反映。

科学研究的区分,就是根据科学对象所具有的特殊的矛盾性。因此,对于某一现象的领域所特有的某一种矛盾的研究,就构成某一门科学的对象。例如,数学中的正数和负数,机械学中的作用和反作用,物理学中的阴电和阳电,化学中的化分和化合,社会科学中的生产力和生产关系、阶级和阶级的互相斗争,军事学中的攻击和防御,哲学中的唯心论和唯物论、形而上学观和辩证法观等等,都是因为具有特殊的矛盾和特殊的本质,才构成了不同的科学研究的对象。固然,如果不认识矛盾的普遍性,就无从发现事物运动发展的普遍的原因或普遍的根据;但是,如果不研究矛盾的特殊性,就无从确定一事物不同于他事物的特殊的本质,就无从发现事物运动发展的特殊的原因,或特殊的根据,也就无从辨别事物,无从区分科学研究的领域。

[说明]任何一种科学的对象,都和其他各种科学的对象不同。各种科学对象所以互不相同,是由于各个对象中各具有其特殊的矛盾。科学研究的区分,就是根据科学对象所具有的特殊的矛盾性。所以对于某一现象的领域所特有的某一种矛盾的研究,就构成某一门科学的对象。例如,数学所研究的基本矛盾,是正和负的矛盾、微分和积分的矛盾;机械学所研究的基本矛盾,是作用和反作用的矛盾;物理学所研究的基本矛盾,是阴电和阳电的矛盾;化学所研究的基本矛盾,是化合和化分的矛盾;社会科学所研究的基本矛盾,是生产力和生产关系的矛盾、阶级和阶级的互相斗争;军事学所研究的基本矛盾,是攻击和防御的矛盾。至于哲学,则是唯心论和唯物论、形而上学观和辩证法观斗争的领域。现代的唯心论哲学和形而上学观站在资产阶级的立场,向辩证唯物论进行斗争;辩证唯物论则站在无产阶级的立场,向各种流派的唯心论和形而上学观进行斗争。这一切,都是因为具有特殊的矛盾和特殊的本质,才构成了不同的科学的研究对象。固然,如果不认识矛盾的普遍性,就无从发现事物运动发展的普遍原因或普遍的根据。譬如说,我们如果不学习辩证法的宇宙观,就不能知道矛盾法则是自然、社会和思维的发展的普遍法则。但是,如果不研究矛盾的特殊性,就无从确定一事物不同于他事物的特殊的本质,就无从发现事物运动发展的特殊的原因,或特殊的根据,也就无从辨别事物、无从区分科学研究的领域。譬如说,我们学习了辩证法的宇宙观,若果不把它作为科学研究的指导,不知道具体地应用它来认识一种事物和他种事物不同的特殊的矛盾,就绝不能认识这一事物。

就人类认识运动的秩序说来,总是由认识个别的和特殊的事物,逐步地扩大到认识一般的事物。人们总是首先认识了许多不同事物的特殊的本质,然后才有可能更进一步地进行概括工作,认识诸种事物的共同的本质。当着人们已经认识了这种共同的本质以后,就以这种共同的认识为指导,继续地向着尚未研究过的或者尚未深入地研究过的各种具体的事物进行研究,找出其特殊的本质,这样才可以补充、丰富和发展这种共同的本质的认识,而使这种共同的本质的认识不至变成枯槁的和僵死的东西。这是两个认识的过程：一个是由特殊到一般，一个是由一般到特殊。人类的认识总是这样循环往复地进行的，而每一次的循环（只要是严格地按照科学的方法）都可能使人类的认识提高一步，使人类的认识不断地深化。我们的教条主义者在这个问题上的错误，就是，一方面，不懂得必须研究矛盾的特殊性，认识各别事物的特殊的本质，才有可能充分地认识矛盾的普遍性，充分地认识诸种事物的共同的本质；另一方面，不懂得在我们认识了事物的共同的本质以后，还必须继续研究那些尚未深入地研究过的或者新冒出来的具体的事物。我们的教条主义者是懒汉，他们拒绝对于具体事物做任何艰苦的研究工作，他们把一般真理看成是凭空出现的东西，把它变成为人们所不能够捉摸的纯粹抽象的公式，完全否认了并且颠倒了这个人类认识真理的正常秩序。他们也不懂得人类认识的两个过程的互相联结——由特殊到一般，又由一般到特殊，他们完全不懂得马克思主义的认识论。

[说明]人类认识运动的程序，总是首先应用由特殊到一般的方法，然后应用由一般到特殊的方法。由特殊到一般的方法，即是由认识个别的和特殊的事物，逐步地扩大到认识一般的事物的方法。人们的认识运动，总是首先认识了许多不同事物特殊的本质，然后把那些事物的特殊本质，实行抽象，进行概括，认识诸种事物的共同的本质。这是由特殊到一般的过程。当人们已经认识这种共同的本质以后，就把这种共同的认识作指导，继续向着还不曾研究过的、或者还不曾深入地研究过的各种具体事物进行研究，认识它的特殊的本质。这样，就使得那种共同的本质的认识，得到补充，更趋于丰富和发展，不至于变成枯槁的和僵死的东西。这是由一般到特殊的过程。人类的认识运动，总是由特殊到一般，又由一般到特殊，这样循环往复地进行，只要是严格地按照科学的方法，每一次的循环，都可能使认识提高一步，使认识更趋于深化。

举例来说。当科学家发明了电气的时候，为了寻找导电体，个别地认识了金、银、铜、铅等都有导电的作用，于是概括起来，作出了一切金属都是导电体的一般的结论。以后根据这一般的结论，去研究那些新发现的别的金属如锑、钨、锰之类，找出其特殊的本质，这就使得那个一般的结论更趋于丰富了。

又就个别科学与辩证法的宇宙观的关系来说。古代的人，开始认识了许多个别自然现象的特殊本质以后,就进行概括,创造了所谓"斗争为万物之父"、"万物变动不居"的朴素的辩证法的宇宙观。这种辩证法的宇宙观,虽然是朴素的,却能成为个别科学研究的指导。随着社会的实践的发展,个别的自然科学之逐步的发达,就一步一步地暴露了各种自然现象之特殊的矛盾。这些特殊的矛盾,一步一步地被综合于辩证法的宇宙观之中,使辩证法的宇宙观更趋于丰富和发展,更进一步地指导个别科学的研究。人类对于世界的认识运动,像这样循环往复地进行,每一次循环,都提高了人类的认识。直到19世纪中叶,马克思站在无产阶级的立场,在唯物论的基础上,综合了资本主义社会的现实的阶级矛盾,批判地摄取了古典哲学、古典经济学和空想社会主义中所揭露了的阶级矛盾,综合了各种自然科学中所暴露了的自然界无数特殊的矛盾,就创造了唯物辩证法的宇宙观。从此,唯物辩证法就成了世界无产阶级的革命行动与科学研究的指导。列宁和斯大林,把他们所阐明了的帝国主义和世界无产阶级革命的辩证法、俄国革命的辩证法和苏联社会主义建设的辩证法,丰富了并发展了马克思的唯物辩证法。我们毛泽东同志也用他所暴露了的殖民地、半殖民地、半封建社会的人民革命的辩证法,丰富了并发展了马克思的唯物辩证法。

又如,毛泽东同志30多年来,应用马克思列宁主义的普遍真理,研究了特殊的中国革命问题,他分析了中国的经济、政治和文化方面的各种特殊性,认识了中国社会之半封建半殖民地的性质。他分析了中国社会的复杂的阶级矛盾的各种特殊性,指出了帝国主义和封建主义是革命的对象;指出了工人阶级是革命的领导者,农民阶级是革命的广大的同盟军,小资产阶级和民族资产阶级是革命的友人。把这些分析的研究综合起来,就引出了一般的结论:"中国共产党领导的整个中国革命运动,是包括民主主义革命和社会主义革命两个阶段在内的全部革命运动;这是两个性质不同的革命过程,只有完成了前一个革命过程才有可能去完成后一个革命过程。民主主义革命是社会主义革命的必要准备,社会主义革命是民主主义革命的必然趋势。而一切共产主义者的最后目的,则是在于力争社会主义社会和共产主义社会的最后的完成。"[1]而

---

[1] 《毛泽东选集》第二卷,第614页。

前一阶段的革命的任务,是以工人阶级为领导,以工农联盟为基础,团结小资产阶级和民族资产阶级,共同推翻帝国主义、封建主义和官僚资本主义,建立人民共和国。这是由特殊到一般的过程。毛泽东同志基于前述一般的结论,研究革命形势的变化,分析革命发展的各阶段的复杂的阶级矛盾的特殊性,分别地定出不同的解决阶级矛盾的方法,逐步地推动革命向前发展,并逐步地丰富了和发展了那个一般的结论,使它更趋于具体而生动。基于这种由一般到特殊的过程与由特殊到一般的过程的统一和联系,循环往复地向前进行,就使得人民大众对于中国革命问题的认识,逐步提高,逐步深化,因而增长了为社会主义社会和共产主义社会的实现而奋斗的革命的勇气和信心。

但是,教条主义者对于上述认识运动的正常秩序却全无理解,就关于中国革命的研究来说,他们一方面不懂得必须研究中国的历史实际和革命实际,必须研究半封建半殖民地社会的经济、政治和文化各方面的特殊的本质,分析复杂的阶级矛盾的特殊性,然后才能充分地认识阶级矛盾的普遍性,认识中国革命诸问题的共同的本质,因而从其中引出规律来,作为革命行动的指导;另一方面,他们不懂得在认识了中国革命诸问题的共同的本质以后,还必须继续研究那些还不曾深入地研究过或新冒出的具体的问题。他们是懒汉,对于中国革命的具体形势和具体问题,不肯用脑力去苦心研究,认识其中的矛盾的特殊性,只知道"把马克思列宁主义书本上的某些个别字句看作现成的灵丹圣药,似乎只要得了它,就可以不费气力地包医百病"。① 他们不从实际出发,不从认识个别的特殊的事物出发,而是从原理出发,从书本出发,从主观的愿望出发。他们不知道:马克思列宁主义是马克思和列宁从历史实际与革命实际抽出来的总结论,我们必须根据它来研究中国的历史实际和革命实际,才能创造出合乎中国实际需要的特殊性的理论。他们把马克思列宁主义看成是凭空出现的东西,把它变成为人们所不能够捉摸的纯粹抽象的公式,向着各种具体问题上硬套。他们完全否认了由特殊到一般再由一般到特殊这个认识真理的正常秩序,并且把这个秩序颠倒过来,把由一般到特殊的过程放到前面来(即从原理出发,从公式出发)。他们也不懂得由特殊到一般和由一般到特殊这两

---

① 《毛泽东选集》第三卷,第778页。

个过程的互相联系,而只是把一般的公式嵌入于特殊的问题,就算了事,也不再注意那由特殊到一般的过程了。所以教条主义者完全不懂得马克思主义的认识论。1931 年以来党内出现了的"左"倾冒险主义,就是教条主义的表现。

不但要研究每一个大系统的物质运动形式的特殊的矛盾性及其所规定的本质,而且要研究每一个物质运动形式在其发展长途中的每一个过程的特殊的矛盾及其本质。一切运动形式的每一个实在的非臆造的发展过程内,都是不同质的。我们的研究工作必须着重这一点,而且必须从这一点开始。

不同质的矛盾,只有用不同质的方法才能解决。例如,无产阶级和资产阶级的矛盾,用社会主义革命的方法去解决;人民大众和封建制度的矛盾,用民主革命的方法去解决;殖民地和帝国主义的矛盾,用民族革命战争的方法去解决;在社会主义社会中工人阶级和农民阶级的矛盾,用农业集体化和农业机械化的方法去解决;共产党内的矛盾,用批评和自我批评的方法去解决;社会和自然的矛盾,用发展生产力的方法去解决。过程变化,旧过程和旧矛盾消灭,新过程和新矛盾发生,解决矛盾的方法也因之而不同。俄国的二月革命和十月革命所解决的矛盾及其所用以解决矛盾的方法是根本上不相同的。用不同的方法去解决不同的矛盾,这是马克思列宁主义者必须严格地遵守的一个原则。教条主义者不遵守这个原则,他们不了解诸种革命情况的区别,因而也不了解应当用不同的方法去解决不同的矛盾,而只是千篇一律地使用一种自以为不可改变的公式到处硬套,这就只能使革命遭受挫折,或者将本来做得好的事情弄得很坏。

[说明]我们研究每一个大系统的物质运动形式时,必须研究其内部的特殊的矛盾性和由它所规定的特殊的本质。并且还要进一步,研究每一个物质运动形式在其发展长途中的每一过程时,也必须研究其中的特殊的矛盾和它所规定的特殊的本质。因为一切运动形式的每一个实在的、非由头脑虚造的发展过程,都是不同质的。例如说:"中国共产党领导的整个中国革命运动",是一个大系统的运动形式,它具有特殊的矛盾性和它所规定的特殊的本质。而这一大系统的运动形式,在其发展的长途中,又分为民主主义革命和社会主

义革命两个过程,这两个过程又各有其特殊的矛盾和由它所规定的特殊的本质。这两个发展过程,都是实在的过程,并不是由头脑虚造出来的,都是质不相同的,我们研究每一过程时,必须确定这一过程的质,并且必须从这一点开始。

不同质的过程有不同质的矛盾。不同质的矛盾,只有用不同质的方法才能解决。例如,在资本主义国家,无产阶级和资产阶级相矛盾,无产阶级就用社会主义革命的方法去解决;在封建主义国家,人民大众和封建制度相矛盾,人民大众就用民主主义革命的方法去解决;在殖民地的国家,殖民地和帝国主义相矛盾,殖民地人民就用民族革命的方法去解决;在社会主义社会中,工人阶级和农民阶级有矛盾,工人阶级就领导农民阶级用农业集体化和农业机械化的方法去解决;在共产党内部,思想上有矛盾,就用批评和自我批评的方法去解决;在大自然的环境中,社会和自然相矛盾(即自然影响社会,社会则改造自然,这是两者间的矛盾),社会就用发展生产力的方法去解决(社会和自然的矛盾是层出不穷的,解决了一个矛盾,另一个矛盾接着发生,不断地产生矛盾,不断地解决矛盾,社会的生产力就不断地向前发展)。一个过程,由于它内部的矛盾的发展,到了一定的程度就发生变化。于是旧过程和旧矛盾消灭,新过程和新矛盾接着发生,解决矛盾的方法也因之而不同,就俄国的二月革命和十月革命所解决的矛盾及其所用以解决矛盾的方法来加以说明。俄国在二月革命以前,是一个军事的封建的帝国主义国家,资本主义已有相当高度的发展(虽然比不上英德法等国家),当时俄国社会最突出的矛盾,是人民大众和沙皇制度的矛盾,无产阶级和资产阶级的矛盾。解决前一矛盾的方法是民主主义革命,解决后一矛盾的方法是社会主义革命。列宁分析俄国革命的发展,指示出由民主主义革命转变为社会主义革命的途径。这民主主义革命和社会主义革命,是一根链条中的两个环子,是俄国无产阶级共产主义运动的两个有机的发展过程。俄国无产阶级革命的程序,第一步是领导人民大众(包括农民和资产阶级)推倒沙皇制度,实现民主主义革命,接着就团结农民阶级,推翻资本主义制度,实现社会主义革命。这是布尔什维克党的政治的总路线。俄国的二月革命,是工人和布尔什维克领导人民大众推翻沙皇制度的民主主义的革命。只因为当时党的领袖列宁还侨居国外,斯大林还在西伯利亚流放所，以致党内意见分歧，工人兵士和广大的小资产阶级又因被革命第一批胜利所陶醉，致使孟什维克和社会革命党人利用彼得格勒苏维埃，勾结国家杜马（即议会）中的自由派和保皇党人，组成了资产阶级的临时政府，而与工兵代表苏维埃相并立，于是形成了两个政权并存的局面。从此以后，布尔什维克党在列宁斯大林指导之下，为了把这个革命转变为社会主义革命，就努力争取工人阶级中的大多数，争取苏维埃的大多数，把千百万农民吸收到社会主义革命方面来，逐步地揭破社会革命党和孟什维克党的反动政策，使群众脱离这些反动政党的影响，经过了几个月的艰苦奋斗的工作，终于爆发了十月革命，建立了世界第一个社会主义国家。由此可见，俄国二月革命和十月革命所解决的矛盾和用以解决矛盾的方法是根本上不相同的。又如中国无产阶级的共产主义运动，也包括了民主主义革命和社会主义革命两个有机的发展过程。由于中国社会的矛盾的特殊性，无产阶级所要解决的矛盾及其所用以解决的方法，不但是根本上不相同，并且和俄国情形也不相同。我国的新民主主义革命和俄国的二月革命不同，无产阶级所要解决的矛盾和用以解决矛盾的方法各不相同。并且我国由新民主主义革命转变为社会主义革命的步骤及用以解决矛盾的方法，也与俄国的情形不同。总起来说，用不同的方法去解决不同的矛盾，这是马克思列宁主义者必须严格遵守的一个原则。

但是教条主义者却不遵守这个原则。他们不了解各种革命情况的区别，因而也不了解应当用不同的方法去解决不同的矛盾，而只是千篇一律地使用一种自以为不可改变的公式到处硬套，这就只能使革命遭受挫折，或者将本来做得好的事情弄得很坏。例如当1931年至1934年的期间，教条主义者"否认由日本侵略所引起的国内政治的重大变化，而认为国民党各派和各中间派别都是一样的反革命，要求党向他们一律进行'决死斗争'……这样，由红军胜利和国民党统治区群众运动高涨所表现出来的革命的复兴，就被破坏了"①。

为要暴露事物发展过程中的矛盾在其总体上、在其相互联结上的特殊性，就是说暴露事物发展过程的本质，就必须暴露过程中矛盾各方面的特殊

————————
① 胡乔木：《中国共产党的三十年》。

性,否则暴露过程的本质成为不可能,这也是我们做研究工作时必须十分注意的。

一个大的事物,在其发展过程中,包含着许多的矛盾。例如,在中国资产阶级民主革命过程中,有中国社会各被压迫阶级和帝国主义的矛盾,有人民大众和封建制度的矛盾,有无产阶级和资产阶级的矛盾,有农民及城市小资产阶级和资产阶级的矛盾,有各个反动的统治集团之间的矛盾,等等,情形是非常复杂的。这些矛盾,不但各各有其特殊性,不能一律看待,而且每一矛盾的两方面,又各各有其特点,也是不能一律看待的。我们从事中国革命的人,不但要在各个矛盾的总体上,即矛盾的相互联结上,了解其特殊性,而且只有从矛盾的各个方面着手研究,才能有可能了解其总体。所谓了解矛盾的各个方面,就是了解它们每一方面各占何等特定的地位,各用何种具体形式和对方发生互相依存又互相矛盾的关系,在互相依存又相互矛盾中,以及依存破裂后,又各用何种具体的方法和对方作斗争。研究这些问题,是十分重要的事情。列宁说:马克思主义的最本质的东西,马克思主义的活的灵魂,就在于具体地分析具体的情况。① 就是说的这个意思。我们的教条主义者违背列宁的指示,从来不用脑筋具体地分析任何事物,做起文章或演说来,总是空洞无物的八股调,在我们党内造成了一种极坏的作风。

[说明]一个大事物的发展过程中,不止含有一个矛盾,而是含有多数矛盾的。这些矛盾,互相联系,互相错综,成为一个总体。我们为要暴露这一事物过程的本质,就必须暴露那些矛盾在其总体上的特殊性,即在其互相联系上的特殊性。因为过程的本质,是由它自己的矛盾的特殊性所规定的。但在暴露这一过程中的矛盾在其总体上的特殊性之前,就必先暴露那些矛盾中每一矛盾的特殊性,和每一矛盾的两个方面的特点。如果不按照这个程序去研究,即是说,如不先分别暴露每一矛盾的特殊性及其矛盾的两方面的特点,就不能认识那些矛盾在其总体上的特殊性,因而也就不能认识这一过程

---

① 见列宁的《共产主义》(1920年6月12日)一文。在该文中列宁批评匈牙利共产党领导人贝拉·库恩说:"他抛开了马克思主义的最本质的东西、马克思主义的活的灵魂:具体地分析具体的情况。"

的本质,结局也就不能定出总的解决方法来。这是我们做研究工作时必须十分注意的。

例如,在中国资产阶级民主革命过程中,就包含着许多的矛盾:有中国民族各被压迫阶级和帝国主义的矛盾,有人民大众和封建制度的矛盾,有无产阶级和资产阶级的矛盾,有农民阶级及城市小资产阶级和资产阶级的矛盾,有各个反动统治集团之间的矛盾,等等。这些矛盾互相错综,互相联系,形成一个总体。为要认识这一过程中的多数矛盾在其总体上的特殊性及由它所规定的特殊的本质,就必须分析每一矛盾的特殊性和矛盾的两方面,然后把这些分析研究综合起来,决定解决这一过程的总体的矛盾的方法。毛主席的许多著作,对于中国资产阶级民主革命过程中的多数矛盾,用分析与综合的统一的方法,暴露了这一革命的特殊的本质,因而制定了新民主主义革命的理论与政策。譬如党暴露各被压迫阶级和帝国主义的矛盾的特殊性之时,首先说明各帝国主义者侵略中国的历史与现状,指出他们如何勾结封建势力压迫中国人民的事实,暴露他们在侵略中国问题上的明争暗斗,以及日本帝国主义者在第一次世界大战后要变中国为它的殖民地的野心等,因而确定了帝国主义是革命的对象;其次分析被帝国主义压迫的各阶级,指出各阶级不同的革命性,认定工人阶级、农民阶级、小资产阶级与民族资产阶级是革命的动力,而这个革命要以工人阶级为领导,以工农联盟为基础。由于这一矛盾的特殊性和矛盾两方面的特点,就规定了半殖民地半封建中国人民反帝国主义的革命是资产阶级性的民主革命。

其次,说到人民大众和封建制度的矛盾,则先说明封建制度的历史及其转变为半封建的过程,说明地主阶级是封建制度的基础,指出代表封建势力和帝国主义的新旧军阀的政权和地主阶级是革命的对象,至于人民大众,同样是前面所说四个被压迫阶级,但农民阶级占全国人民中的绝大多数,因而人民大众反封建主义的革命,可以说是工人阶级所领导的农民革命,也就是土地革命。由于这一矛盾的特殊性及矛盾两方面的特点,就规定了土地革命是资产阶级性民主革命的重要部分。

再次,说到无产阶级和资产阶级的矛盾,必须结合中国社会之半封建半殖民地的性质,把中国资产阶级分为两部分,即买办资产阶级和民族资产阶级。

买办资产阶级是直接为帝国主义服务并为他们所豢养的阶级,是中国革命的对象。至于民族资产阶级是受帝国主义和封建主义所压迫,他们同帝国主义和封建主义有矛盾,所以能成为革命力量之一,但由于他们在经济上和政治上的软弱性,他们同帝国主义和封建主义仍有千丝万缕的联系,所以他们又没有彻底反帝反封建的勇气,很容易同革命的敌人相妥协。民族资产阶级正因为具有革命性和妥协性的两面性,所以不能领导这个资产阶级性的民主革命。在矛盾的另一方面的中国无产阶级,是缺乏生产资料的阶级,具有共产主义者的性格,富于组织性和纪律性。他们还具有和帝国主义国家的无产阶级不同的特点。其一,他们身受帝国主义、资产阶级和封建势力的三重压迫。由于这些压迫的严重性和残酷性,使得他们具备了特别坚决而彻底的革命性;其二,他们开始踏上革命斗争的舞台时,就在他们的先锋队——中国共产党领导之下,成为中国社会中最有觉悟的阶级;其三,他们多数是从破产农民出身,和广大农民有天然的联系,很容易同农民结成亲密的同盟。因此,他们是中国革命的最基本的动力,能领导中国的革命。无产阶级和民族资产阶级是有矛盾的,但由于中国革命之半殖民地半封建的性质,民族资产阶级不曾掌握过政权而又受帝国主义和封建主义的压迫,具有革命的可能性,所以无产阶级要团结他们,领导他们,扩大革命的力量,以便更容易消灭共同的敌人,并且在新中国成立之后,在一定的时期内,他们还可以发展于国计民生有利的事业,可以助长国民经济的发展。

又次,说到农民及城市小资产阶级和资产阶级的矛盾。农民阶级和资产阶级的矛盾,表现为农村和城市的矛盾,资产阶级通过商业资本和高利贷资本,剥削着农村的农民,农民以低价出售农产品给资本家,而资本家以高价出售工业品给农民,所以两者间的利害形成矛盾。另外,城市小资产阶级,在其小资本受大资本的压迫的一点上,是和资产阶级有矛盾的。并且中国的小资产阶级的知识分子,是具有革命性的,是容易接受马克思列宁主义的。但农民及城市小资产阶级和资产阶级的矛盾,在新民主主义革命过程中,是受无产阶级和资产阶级这一矛盾所规定、所影响的。

还有,中国各个反动集团之间的矛盾,在中国革命的过程中,也必须加以分析研究。那些反动集团都是革命的对象,它们之间的矛盾,是决定革命策略的重要因素。那些反动集团,在1925年至1927年革命时期以前,主要的是北方直系、皖系和奉系的大军阀,在南方是各种派系的小军阀。在1925年到1927年革命以后的几年间,是蒋桂冯阎各派的新军阀。它们仰承各个帝国主义者的唆使,就互相火并,造出连年的内战,一方面加重了对各被压迫阶级的剥削,一方面产生了各种空隙,使革命势力能利用这些空隙,壮大自己的力量,促起革命高潮的到来。

毛泽东同志把中国资产阶级民主革命过程,分解为许多对立的矛盾,分别地研究了每一矛盾的特殊性及矛盾的两方面的特点,然后在各个矛盾的总体上把它们综合起来,暴露了矛盾在其总体上的特殊性,指出中国革命之反帝反封建的本质,因而创造了新民主主义革命的理论,作为中国人民革命的指导。所以,一个大事物发展过程中的许多矛盾,不但各有其特殊性,不能一律看待,而且每一矛盾的两方面,又各有其特点,也是不能一律看待的。我们从事中国革命工作的人,不但要在各个矛盾的总体上,即矛盾的相互联结上,了解其特殊性,而且只有从矛盾的各个方面着手研究,才有可能了解其总体。所谓了解矛盾的各个方面,就是了解它们每一方面各占何等特定的地位,各用何种具体形式和对方发生互相依存又互相矛盾的关系,在互相依存又互相矛盾中,以及依存破裂后,又各用何种具体方法和对方作斗争。这些问题的研究,对于革命策略的决定是十分重要的。这里所说的矛盾双方的互相依存和互相矛盾,是指矛盾的统一和斗争。因为矛盾的一方以他方的存在为前提,没有矛就没有盾,没有盾也就没有矛。矛盾是相互依存的,依存的破裂即是矛盾的激化。例如在第一次国内革命战争时期,由于国民党接受了共产党的主张,赞成反帝反封建的革命,并实行联俄联共和扶助工农的政策,共产党才和它建立统一战线,共同推翻北洋封建军阀政府。但后来由于蒋介石匪帮的叛乱,实行反共反人民,这统一战线就破裂了。于是共产党就领导广大的工农群众用武装的革命反对武装的反革命,并进行土地革命,对国民党政权给以很大的打击。到了抗日战争时期,由于国民党接受了共产党的主张,共同抗日,共产党又和它成立了统一战线,但实行着又联合又斗争的政策,始终保持着领导权,争取在抗战胜利后实现人民共和国。但到了抗战胜利以后,蒋介石匪帮勾结美帝国主义,反共反人民,共产党便团结各革命阶级各民主党派,建立了新的更广大的统一战线,进行解放战争,最后推翻了国民党反动派的政权,建立了中华人民共和国。

列宁说:马克思主义的最基本的东西,马克思主义的活的灵魂,就在于具体地分析具体的情况。这话的意思是说马克思主义不是教条,而是革命行动的指导,革命的人应当把马克思主义的普遍真理结合革命的具体的实践。所谓具体地分析具体的情况,即是依据矛盾统一法则,具体地分析具体的矛盾,即是暴露革命过程中各种矛盾的特殊性及矛盾各方面的特点,然后综合起来,暴露那些矛盾在其总体上的特殊性,认识这一过程的本质,来决定解决的方法。但是党内的教条主义者却违背列宁的指示,从来不用脑筋分析具体的事物,分析具体的矛盾,而只是抽象地提出解决矛盾的公式来。他们做起文章或演说来,总是空洞无物的八股调。这种教条主义,在党内造成了极坏的作风。

研究问题,忌带主观性、片面性和表面性。所谓主观性,就是不知道客观地看问题,也就是不知道用唯物的观点去看问题。这一点,我在《实践论》一文中已经说过了。所谓片面性,就是不知道全面地看问题。例如:只了解中国一方、不了解日本一方,只了解共产党一方、不了解国民党一方,只了解无产阶级一方、不了解资产阶级一方,只了解农民一方、不了解地主一方,只了解顺利情形一方、不了解困难情形一方,只了解过去一方、不了解将来一方,只了解个体一方、不了解总体一方,只了解缺点一方、不了解成绩一方,只了解原告一方、不了解被告一方,只了解革命的秘密工作一方、不了解革命的公开工作一方,如此等等。一句话,不了解矛盾各方的特点。这就叫做片面地看问题。或者叫做只看见局部,不看见全体,只看见树木,不看见森林。这样,是不能找出解决矛盾的方法的,是不能完成革命任务的,是不能做好所任工作的,是不能正确地发展党内的思想斗争的。孙子论军事说:"知彼知己,百战不殆。"①他说的是作战的双方。唐朝人魏征说过:"兼听则明,偏信则暗。"②也懂得片面

---

① 《孙子·谋攻》。
② 魏征(公元580年—643年),唐代初期的政治活动家和历史家。本文引语见《资治通鉴》卷一百九十二。

性不对。可是我们的同志看问题,往往带片面性,这样的人就往往碰钉子。《水浒传》上宋江三打祝家庄,①两次都因情况不明,方法不对,打了败仗。后来改变方法,从调查情形入手,于是熟悉了盘陀路,拆散了李家庄、扈家庄和祝家庄的联盟,并且布置了藏在敌人营盘里的伏兵,用了和外国故事中所说木马计相像的方法,第三次就打了胜仗。《水浒传》上有很多唯物辩证法的事例,这个三打祝家庄,算是最好的一个。列宁说:"要真正地认识对象,就必须把握和研究它的一切方面、一切联系和'媒介'。我们决不会完全地做到这一点,可是要求全面性,将使我们防止错误,防止僵化。"②我们应该记得他的话。表面性,是对矛盾总体和矛盾各方的特点都不去看,否认深入事物里面精细地研究矛盾特点的必要,仅仅站在那里远远地望一望,粗枝大叶地看到一点矛盾的形相,就想动手去解决矛盾(答复问题、解决纠纷、处理工作、指挥战争)。这样的做法,没有不出乱子的。中国的教条主义和经验主义的同志们所以犯错误,就是因为他们看事物的方法是主观的、片面的和表面的。片面性、表面性也是主观性,因为一切客观事物本来是互相联系的和具有内部规律的,人们不去如实地反映这些情况,而只是片面地或表面地去看它们,不认识事物的互相联系,不认识事物的内部规律,所以这种方法是主观主义的。

[说明]我们研究问题,忌带主观性、片面性和表面性。所谓主观性,就是只知道从主观的愿望或见解出发去看问题,就是用唯心的观点去看问题,不知道从客观的实际出发去看问题,也就是不知道用唯物的观点去看问题。关于这一点,毛泽东同志在其天才著作《实践论》之中已经说过了。所谓片面性,就是不知道把问题做全面的考察。例如,在抗日战争时期,中国和日本是矛盾的两极,若只了解中国一方,不了解日本一方,这就是片面性的考察。又如,中国共产党和国民党反动派是矛盾的两极,若只了解中国共产党一方,不了解国民党反动派一方,也就是片面的考察。其他如无产阶级和资产阶级、农民和地主、顺利和困难、过去和将来、个体和总体、缺点和成绩、原告和被告等等,

---

① 《水浒传》是描写北宋末年一次农民战争的小说。宋江是该小说中的主要人物。祝家庄在农民战争根据地梁山泊的附近,该庄的统治者为一个大恶霸地主叫祝朝奉。

② 列宁:《再论职工会、时局及托洛茨基、布哈林之错误》。

都是矛盾的两极,若只了解矛的一方,不了解盾的一方,都是片面地看问题,当然不能了解矛盾各方的特点。这种片面地看问题的方法,可以说是只看见局部不看见全体、只看见树木不看见森林的形而上学的方法。像这样片面地看问题的人,他不能暴露过程中的矛盾的特殊性,因而不能找出解决矛盾的方法;他不能了解客观的具体的革命形势,执行党的政治路线,因而不能完成革命的任务;他不能了解情况,掌握政策,因而不能做好所任的工作;他不能辨别那些离开党的布尔什维克路线的"左"倾的或右倾的思想,因而不能正确地开展党内的思想斗争。中国的孙子兵法,对于战争的敌我双方,都作了全面的研究,他的"知彼知己,百战不殆"的名言,可说是概括了战争的辩证法。唐朝人魏征说过:"兼听则明,偏信则暗",这话的意思就是说,对于一个问题要兼听两种相反的意见,才能明白问题的真相,若偏听一面之辞,对于问题的全部内容,就不能明了。可见魏征也懂得片面性不对。在《水浒传》中,合乎唯物辩证法的战争的实例也有很多,其中要以三打祝家庄是最突出的实例。

列宁说:"要真正地认识对象,就必须把握和研究它的一切方面、一切联系和'媒介'。我们决不会完全地做到这一点,可是要求全面性,将使我们防止错误,防止僵化。"这段话的意思是说:我们要研究任何事物,必须作全面性的考察,研究它的一切方面;研究它和其他事物的一切联系,研究它本身内部各方面的一切联系;还要研究它在和其他事物的联系上、在它本身内部矛盾的发展上如何成为有一定的质的事物。只有尽可能地做全面性的考察,我们的认识才是正确的、生动的。如果对于事物只做片面性的考察,我们的认识就会是错误的,是僵化的。毛泽东同志研究革命的诸问题——经济的、政治的、军事的、文化的诸问题——总是做全面性的研究,具体地分析具体的问题中的矛盾,暴露每一矛盾的特殊性及矛盾双方的特点,然后综合起来,暴露问题的全貌,找出解决的方法,指出运动的方向,增强革命群众的信心和勇气,向着前途迈进。特别是当部分同志为片面性的考察所误,以至于迷失方向时,毛泽东同志总是深入地就问题做全面的考察,引导同志们走上正确的道路。当第一次国内革命战争后期,陈独秀机会主义领导集团基于片面性的见解把革命引向歧路时,毛泽东同志先后发表了《中国社会各阶级的分析》和《湖南农民运动考察报告》，就革命过程中的各种矛盾，做了全面性的具体的分析，奠定了布尔什维克的政治路线，指出这个革命是以无产阶级为领导，以工农联盟为基础的反帝反封建的革命，而武装斗争和土地革命，则是革命的中心问题。毛泽东同志这种全面性研究所得的结论，虽然未能挽救当时大革命的失败，却成了后来革命复兴的指导。又如当第二次国内革命战争的初期，有人片面地看到革命潮流的低落，发生了"红旗到底打得多久"的疑问。毛泽东同志本着革命乐观主义的精神，解除同志们的疑虑，发表了《中国的红色政权为什么能够存在？》和《星星之火，可以燎原》两个文件，就当时革命形势做了全面的深入的研究。在前一文件中，指出了湖南、广东、湖北、江西等省的工农阶级，曾经组织起来，对地主阶级和资产阶级，实行过许多经济的、政治的斗争，他们是巩固红色政权的基础，还列举了红色政权存在的几个条件。在后一文件中，详细地考察了引起革命高潮的各种矛盾的发展，——帝国主义和整个中国的矛盾、帝国主义者在中国境内的相互间的矛盾，以及帝国主义者的仆从各个反动统治者相互间的矛盾的激化（即混战）——，因而加深了中国资产阶级和工人阶级之间的矛盾，地主阶级与农民阶级之间的矛盾。由于这些矛盾的发展，反帝反封建的高潮，必然地很快地就要到来。"中国是全国都布满了干柴，很快就会燃成烈火。'星火燎原'的话，正是时局发展的适当的描写。"这两个文件对于革命形势做了全面的分析研究，指出革命前进的道路，大大地鼓舞了革命群众的勇气和决心，这是历史的事实。又如红军完成了两万五千里长征到达陕北以后，张国焘片面地看到敌人得到了暂时的部分的胜利，便说中央红军失败了。毛泽东同志加以驳斥："但是有人说（例如张国焘）：中央红军失败了。这话对不对呢？不对。因为这不是事实。马克思主义者看问题，不但要看到部分，而且要看到全体。一个蛤蟆坐在井里说：'天有一个井大。'这是不对的，因为天不止一个井大。如果它说：'天的某一部分有一个井大。'这是对的，因为合乎事实。我们说，红军在一个方面（保持原有阵地的方面）说来是失败了，在另一个方面（完成长征计划的方面）说来是胜利了。敌人在一个方面（占领我军原有阵地的方面）说来是胜利了，在另一个方面（实现'围剿''追剿'计划的方面）说来是失败了。这样说才是恰当的，因为我们完成了长征。……长征是历史纪录上的第一次，长征是宣言书，长征是宣传队，长征是播种机。……总而言之,长征是以我们胜利、敌人失败的结果而告结束。"①毛泽东同志分析任何问题,都是就问题中的矛盾作全面性的考察的,这里只举出这几个实例为止。

其次,对于问题只作表面性考察的人们,常是漂浮于问题外表,不肯深入地探求问题的根源,常是拘泥于现象,不肯深入地暴露问题的本质。他对于矛盾总体和矛盾各方面的特点都不去看,否认深入事物里面精细地研究矛盾特点的必要,仅仅站在那里远远地望一望,粗枝大叶地看到一点矛盾的形相,就想动手去解决矛盾(答复问题、解决纠纷、处理工作、指挥战争)。这样的做法,没有不出乱子的。例如,在抗日战争时期,一部分同志只看到中华民族与日本帝国主义之间的矛盾,却忽视了工人阶级和资产阶级、农民阶级和地主阶级之间的矛盾、共产党和国民党之间的矛盾、国民党内部左右派之间的矛盾、日本帝国主义和其他帝国主义之间的矛盾等等。"他们看到了共产党及其军事力量的暂时的弱小和国民党的表面上的强大,就错误地断定抗日战争的胜利必须依靠国民党,而且必然是国民党的胜利而不是人民的胜利,断定国民党可以成为抗日战争的领导者,而否认共产党可以成为抗日战争的领导者。"②因此他们只看到民族革命,看不到民族革命形式中所表现着的阶级革命,看不到共产党和国民党在抗日问题上有人民路线和反人民路线的差别,而要求共产党人对国民党的反人民政策实行让步,主张共产党人的行动"一切经过统一战线",实际上是经过蒋介石和阎锡山,主张八路军和新四军统一于国民党军队,因而否认了党在统一战线中的独立自主,否认了党对于抗日统一战线的领导权。这样的主张,对于长江流域人民抗日战争的发展,起了很坏的影响,造成了在"皖南事变"中新四军部队的失败。这是表面地考察问题、解决问题因而引起革命挫折的实例。

中国的教条主义和经验主义的同志们所以常常犯错误,就是因为他们研究问题的方法,是主观的、片面的、表面的。严格地说来,片面性和表面性,也是主观性。例如抗日战争,是民族斗争和阶级斗争的统一,如果只看到民族斗

---

① 《毛泽东选集》第一卷,第135—136页。
② 胡乔木:《中国共产党的三十年》。

争而看不到阶级斗争,那就是片面地看问题。这种看法,是和当时客观的革命形势不符的,因而是主观的。又如,就抗日战争来说,在民族斗争中,阶级斗争是以民族斗争的形式出现的,如果只是漂浮于民族斗争形式的表面,而不深入认识阶级斗争的本质,那就是表面地看问题。这种看法,也是与客观的革命形势不符的,因而是主观的。一切客观事物本来是互相联系,并具有内部规律的,人们如果不照事物原来的样子反映这些情况,而只是片面地去看它们,或者只是表面地去看它们,这种看法,是和客观事物的真相不符的,因而也就不能认识事物的互相联系,不能认识事物的内部规律,所以是主观主义的。

不但事物发展的全过程中的矛盾运动,在其相互联结上,在其各方情况上,我们必须注意其特点,而且在过程发展的各个阶段中,也有其特点,也必须注意。

事物发展过程的根本矛盾及为此根本矛盾所规定的过程的本质,非到过程完结之日,是不会消灭的;但是事物发展的长过程中的各个发展的阶段,情形又往往互相区别。这是因为事物发展过程的根本矛盾的性质和过程的本质虽然没有变化,但是根本矛盾在长过程中的各个发展阶段上采取了逐渐激化的形式。并且,被根本矛盾所规定或影响的许多大小矛盾中,有些是激化了,有些是暂时地或局部地解决了,或者缓和了,又有些是发生了,因此,过程就显出阶段性来。如果人们不去注意事物发展过程中的阶段性,人们就不能适当地处理事物的矛盾。

例知,自由竞争时代的资本主义发展为帝国主义,这时,无产阶级和资产阶级这两个根本矛盾着的阶级的性质和这个社会的资本主义的本质,并没有变化;但是,两阶级的矛盾激化了,独占资本和自由资本之间的矛盾发生了,宗主国和殖民地的矛盾激化了,各资本主义国家间的矛盾即由各国发展不平衡的状态而引起的矛盾特别尖锐地表现出来了,因此形成了资本主义的特殊阶段,形成了帝国主义阶段。列宁主义之所以成为帝国主义和无产阶级革命时代的马克思主义,就是因为列宁和斯大林正确地说明了这些矛盾,并正确地作出了解决这些矛盾的无产阶级革命的理论和策略。

　[说明]前面说过，一个大的事物，在其发展过程中，包含着许多矛盾，我们必须研究每一矛盾的特殊性和矛盾双方的特点，然后综合起来，暴露这些矛盾在其相互联结上的特殊性和这一过程的本质，才能找出解决矛盾的方法。但在这事物的发展过程的多数矛盾之中，必有一个根本矛盾，规定这一过程的本质。这根本矛盾以及由它所规定的过程的本质，贯彻于过程的始终，非到过程完结之日是不会消灭的。例如资本主义社会的发展过程，是多数矛盾联系着的运动过程。在那些矛盾中，有一个根本矛盾，即生产的社会性和占有制的私人性（即是社会的生产和资本家的占有）之间的矛盾。这个根本矛盾及由它所规定的资本主义的本质，贯彻于资本主义社会的始终，要到资本主义社会消灭之日才能消灭。

　　在事物发展的过程中，那根本矛盾能规定其他的矛盾，或者影响其他的矛盾。这根本矛盾的运动，到了一定程度，就采取激化的形式，于是由它所规定或影响的其他许多矛盾，就发生显著的变化，有些矛盾是激化了，有些是暂时地或局部地解决了，或者是缓和了，又有些是发生了，于是过程显出阶段性来。过程的这一阶段和前一阶段，各有其特点，不能一律看待。如果人们不去注意事物发展过程的阶段性，人们就不能适当地处理事物的矛盾。就前例来说，生产的社会性和占有制的私人性之间的矛盾，是资本主义社会发展全过程的根本矛盾。这个根本矛盾在阶级关系上的直接表现，是无产阶级和资产阶级的矛盾。由于这根本矛盾的运动，促进资本主义生产的发展，又出现为个别企业中生产的有组织性和全社会中生产的无政府性（各个资本家自由竞争的结果）之间的矛盾；运动往前发展，伴随于资本的集积与集中，又出现为财富和享乐集中于极少数人与贫困和失业集中于大多数人的矛盾、资本主义生产力的庞大发展与千百万劳动大众购买力的缩小的矛盾、剩余价值占有条件与剩余价值实现条件的矛盾。于是生产的社会性和占有制的私人性的矛盾，在周期性的经济危机中表现出来。由于经济危机之螺旋状的运动，一次一次的危机，逐渐地把独立着的无数资本主义企业消灭下去，把残存着的大资本结合起来，于是自由竞争就转化为独占。不可避免的信用危机，加强了大银行的地位，助长了产业资本与银行资本的融合，形成了垄断资本。于是自由竞争的资本主义就转变为垄断资本主义，即帝国主义。帝国主义是资本主义发展过程

56

中的新阶段,它保持着资本主义的本质。这个新阶段的特点,就是资本主义的独占代替资本主义的自由竞争(但独占并不排除自由竞争,反而与自由竞争形成统一)。在这个新阶段上,资本主义社会的根本矛盾——生产的社会性和占有制的私人性之间的矛盾,采取了激化的形式。并且由它所规定或影响的许多矛盾,发生了显著的变化,生产力的发展与资本主义的生产关系之间的矛盾激化了,个别企业中生产的有组织性和全社会中生产的无政府性之间的矛盾激化了,经济的危机激化了,无产阶级和资产阶级的矛盾激化了。资产阶级内部相互间的许多矛盾,由于各种垄断资本——托拉斯、卡特尔、新迪加、康采恩等的形成,是暂时地或局部地解决了,或者缓和了。但垄断资本与自由资本的矛盾发生了,一国的垄断资本与别国的垄断资本的矛盾发生了。由于帝国主义对殖民地、半殖民地掠夺的加剧,殖民地、半殖民地和帝国主义的矛盾激化了。由于各帝国主义者要重新分割世界,各帝国主义者相互间的矛盾也激化了。各帝国主义国家的矛盾,即由各国发展不平衡的状态所引起的矛盾,特别尖锐地表现出来了。这些都是帝国主义时代的特点。伟大的革命导师列宁和斯大林,继承马克思、恩格斯的事业,分析了帝国主义时代的客观的革命形势,说明了帝国主义阶段的各种矛盾,因而正确作出了解决这些矛盾的无产阶级革命的理论与策略。所以列宁主义成为帝国主义和无产阶级革命时代的马克思主义。

拿从辛亥革命开始的中国资产阶级民主革命过程的情形来看,也有了若干特殊阶段。特别是在资产阶级领导时期的革命和在无产阶级领导时期的革命,区别为两个很大不同的历史阶段。这就是:由于无产阶级的领导,根本地改变了革命的面貌,引出了阶级关系的新调度,农民革命的大发动,反帝国主义和反封建主义的革命彻底性,由民主革命转变到社会主义革命的可能性,等等。所有这些,都是在资产阶级领导革命时期不可能出现的。虽然整个过程中根本矛盾的性质,过程之反帝反封建的民主革命的性质(其反面是半殖民地半封建的性质),并没有变化;但是,在这长时间中,经过了辛亥革命失败和北洋军阀统治,第一次民族统一战线的建立和1924年至1927年的革命,统一战线破裂和资产阶级转入反革命,新的军阀战争,土地革命战争,第二次民族统一战线建立和抗日战争等等大事变,20多年间经过了几个发展阶段。在这些阶段中,包含着有些矛盾激化了(例如土地革命战争和日本侵入东北四省),有些矛盾部分地或暂时地解决了(例如北洋军阀的被消灭,我们没收了地主的土地),有些矛盾重新发生了(例如新军阀之间的斗争,南方各革命根据地丧失后地主又重新收回土地)等等特殊的情形。

[说明]中国资产阶级民主革命的过程,也有两个大不相同的历史阶段。从辛亥革命到"五四"运动以前为止,是资产阶级领导时期的革命,是旧民主主义的革命;但在"五四"运动以后,是无产阶级领导时期的革命,是新民主主义革命。这两大阶段的民主革命各有显著不同的特点。在前一历史阶段中,资产阶级所领导的辛亥革命,显然得到了广大人民的支援,把清朝的封建统治推翻了,但它不能援助并组织工农大众,坚持这个革命,面对着以袁世凯为首的北洋军阀的封建残余,感到微弱无力,终于和北洋军阀相妥协,把政权让给了袁世凯,致使辛亥革命流产。但到"五四"运动以后,革命形势就大不相同了。无产阶级走上革命斗争的舞台了,用马克思列宁主义武装着的、无产阶级先锋队——中国共产党成立了。由于无产阶级的领导,根本地改变了革命的面貌,占全国人口80%的农民阶级,在共产党的领导下都起来参加革命,变成了无产阶级最可靠的、最广大的同盟军了,很大的知识分子群和青年学生群也参加革命了,城市小资产阶级和民族资产阶级也成为革命的朋友了,帝国主义、买办阶级和地主阶级成了被压迫各阶级的革命的敌人了。像这样以无产阶级为领导、以工农联盟为基础的反帝反封建的革命,已是新民主主义革命,是世界无产阶级社会主义革命的一部分,它的前途,必须由民主主义革命走向社会主义革命。所有这些特点,都是在资产阶级领导革命时期不可能出现的。虽然在整个资产阶级民主主义的革命过程中(包括旧民主主义革命和新民主主义革命这两大历史阶段),过程之反帝反封建的性质(其反面是半殖民地半封建性质),并没有变化,但在这长期革命过程中,由于阶级矛盾的发展,在两大历史阶段中,各自经过了一些特殊的发展阶段。在各个特殊的阶段上,也出现了各种不同的特点,这是必须注意的。

在旧民主主义革命的历史阶段中,辛亥革命以后,经历了北洋军阀统治的特殊阶段。在这个特殊阶段中,国民党方面的革命势力,推翻了袁世凯的帝制,但继承袁世凯的北洋军阀的统治,依然如故。孙中山另组中华革命党,要复兴民主革命,但仍局限于旧民主主义革命,即旧三民主义的范围,不可能得到广大的工农群众的支援,这个革命终于失败了。这证明中国民族资产阶级没有领导革命到胜利的能力。因为"民族资产阶级的社会经济地位规定了他们的软弱性,他们缺乏远见,缺乏足够的勇气,并且有不少人害怕民众"①。

在新民主主义革命的历史阶段中,也经过了几个发展阶段。1921 年 7 月,马克思列宁主义武装着的中国共产党成立以后,立即领导无产阶级走向革命的前线。党把阶级关系做了新的调度。确定帝国主义和封建主义是革命的对象,以无产阶级为领导的各被压迫阶级是革命的动力,划分了敌友我的界线。党与代表资产阶级的国民党合作,建立了第一次的民族统一战线,发动了 1924 年至 1927 年的革命。中华民族和帝国主义的矛盾激化了,人民大众和北洋军阀的封建势力的矛盾激化了(后来终于解决了,因为吴佩孚孙传芳等军阀失败了),农民阶级和地主阶级的矛盾激化了。但是党内思想的矛盾——以毛泽东同志为首的布尔什维克路线和陈独秀派的右倾机会主义路线的矛盾发生了。最后由于右倾机会主义陈独秀派放弃了革命的领导权,放弃了武装斗争和土地革命,以致资产阶级背叛了革命,使革命遭到了失败。从此,新民主主义革命进到了第二次国内革命战争的阶段。在这个阶段上,党清除了机会主义分子,党内思想上的矛盾解决了。党领导了工农阶级重整了革命的阵容,向国民党反动派进行武装斗争,建立了红色政权的区域。于是无产阶级和资产阶级的矛盾激化了。由于实行了土地革命,农民阶级和地主阶级的矛盾激化了,在红色区域范围以内,这个矛盾后来解决了。在敌人一方面,国民党内部左右派的矛盾发生了,蒋桂冯阎等新军阀间的矛盾发生了,并且激化了。"九·一八"事变以后,日帝国主义侵入了东北和上海,中华民族和日帝国主义的矛盾激化了。在党内一方面,思想上的矛盾——"左"倾机会主义和布尔什维克思想之间的矛盾发生了。由于"左"倾机会主义领导

---

① 毛泽东:《论人民民主专政》。

的错误,使红军的武装斗争遭受了挫折,不能不开始了两万五千里的长征。长征胜利完成以后,党在毛泽东同志领导之下,使革命进到了抗日战争的阶段。在这个阶段上,全国人民卷入了反日本帝国主义的斗争之中,国内的阶级矛盾起了新的变化。由于共产党与国民党成立了第二次民族统一战线,无产阶级和资产阶级的矛盾缓和了。由于红军退出了红色区域,红色区域中的地主重新收回了土地,那儿的农民阶级和地主阶级的矛盾重新发生了,但由于党在抗日战争中停止了土地革命,在全国范围内,农民和地主的矛盾暂时缓和了。在国民党内部,左右派的矛盾激化了。在国际方面,我们友邦的苏联与日本的矛盾激化了。英美与日本的矛盾激化了。毛主席和党中央,适当地调整了国内国际的许多矛盾,定出了一系列的正确的政策,领导了全国人民抗日的民族统一战线,最后终于配合苏联出兵东北,打败了日本帝国主义。

上述新民主主义革命所经历了的三个发展阶段,各有其特殊的矛盾,也必须在其总体上去理解,才能认识各个过程在不同发展阶段上的特点,才能找出适当的解决矛盾的方法来。

研究事物发展过程中的各个发展阶段上的矛盾的特殊性,不但必须在其联结上、在其总体上去看,而且必须从各个阶段中矛盾的各个方面去看。

例如国共两党。国民党方面,在第一次统一战线时期,因为它实行了孙中山的联俄、联共、援助工农的三大政策,所以它是革命的、有朝气的,它是各阶级的民主革命的联盟。1927年以后,国民党变到了与此相反的方面,成了地主和大资产阶级的反动集团。1936年12月西安事变后又开始向停止内战、联合共产党共同反对日本帝国主义这个方面转变。这就是国民党在三个阶段上的特点。形成这些特点,当然有种种的原因。中国共产党方面,在第一次统一战线时期,它是幼年的党,它英勇地领导了1924年至1927年的革命;但在对于革命的性质、任务和方法的认识方面,却表现了它的幼年性,因此在这次革命的后期所发生的陈独秀主义能够起作用,使这次革命遭受了失败。1927年以后,它又英勇地领导了土地革命战争,创立了革命的军队和革命的根据地,但是它也犯过冒险主义的错误,使军队和根据地都受了很大的损失。1935

年以后,它又纠正了冒险主义的错误,领导了新的抗日的统一战线,这个伟大的斗争现在正在发展。在这个阶段上,共产党是一个经过了两次革命的考验、有了丰富的经验的党。这些就是中国共产党在三个阶段上的特点。形成这些特点也有种种的原因。不研究这些特点,就不能了解两党在各个发展阶段上的特殊的相互关系:统一战线的建立,统一战线的破裂,再一个统一战线的建立。而要研究两党的种种特点,更根本的就必须研究这两党的阶级基础以及因此在各个时期所形成的它们和其他方面的矛盾的对立。例如,国民党在它第一次联合共产党的时期,一方面有和国外帝国主义的矛盾,因而它反对帝国主义;另一方面有和国内人民大众的矛盾,它在口头上虽然允许给予劳动人民以许多的利益,但在实际上则只给予很少的利益,或者简直什么也不给。在它进行反共战争的时期,则和帝国主义、封建主义合作反对人民大众,一笔勾销了人民大众原来在革命中所争得的一切利益,激化了它和人民大众的矛盾。现在抗日时期,国民党和日本帝国主义有矛盾,它一面要联合共产党,同时它对共产党和国内人民并不放松其斗争和压迫。共产党则无论在哪一时期,均和人民大众站在一道,反对帝国主义和封建主义;但在现在的抗日时期,由于国民党表示抗日,它对国民党和国内封建势力,也就采取了缓和的政策。由于这些情况,所以或者造成了两党的联合,或者造成了两党的斗争,而且即使在两党联合的时期也有又联合又斗争的复杂的情况。如果我们不去研究这些矛盾方面的特点,我们就不但不能了解这两个党各自和其他方面的关系,也不能了解两党之间的相互关系。

[说明]如上所述,我们固然要研究事物发展过程中的各个发展阶段上的矛盾在其总体上、在其相互联结上的特殊性,但还进一步研究各个阶段中矛盾的各个方面的特点,然后才能找出解决矛盾的方法。

就前面所说的新民主主义革命所经过的三个发展阶段的情形,来分别说明国民党和中国共产党这个矛盾的两个方面的特点。先说国民党这一方面。我们知道,孙中山的国民党所实行过的旧民主主义即旧三民主义的革命,虽然经历了40年之久,但结果是失败了。"一九二一年,中国共产党成立。孙中山在绝望里,遇到了十月革命和中国共产党。孙中山欢迎十月革命,欢迎俄国人对中国人的帮助,欢迎中国共产党同他合作。"①孙中山在一九二四年,毅然决然把中华革命党改组为中国国民党,使国民党变为有共产党人参加的各阶级的民主革命的联盟,这就是第一次统一战线。孙中山并在国民党第一次全国代表大会宣言中,把三民主义作了新的解释,把民族主义解释为反帝国主义,把民权主义解释为一般平民所共有,非资产阶级所私有的国家制度,把民生主义解释为"共产主义的实行"。特别重要的是宣告实行联俄、联共、扶助工农的三大政策,使三民主义成为联俄、联共和扶助工农的新三民主义。所以这时候的国民党是进步的、有朝气的,它是各阶级的民主革命的联盟。但到1927年,蒋介石匪帮背叛了革命,第一次的统一战线便破裂了。蒋介石匪帮把国民党改变为反动阶级的政党,背叛了新三民主义,废除了联俄、联共和扶助工农的政策,实行了反俄、反共和反工农的政策。这时的国民党变成了帝国主义的走狗和封建主义的代表,变成了地主和大资产阶级的反动集团。它是人民革命的对象。"九·一八"事变以后,日本帝国主义侵入了东北和华北,又侵入了上海,全国人民都一致要求抗日,国民党内的左派也要求抗日,属于国民党的一部分将领也要求抗日,甚至张学良、杨虎城为了要求蒋介石抗日把他拘留起来,迫使他不得不答应抗日,这便是所谓"西安事变"。因此,蒋介石的国民党不得不接受中国共产党的建议,停止内战,与共产党共同反对日本帝国主义的侵略,而和共产党建立了第二次的统一战线。这就是国民党在三个阶段上的特点。形成这些特点,当然有种种的原因(后面还要说到)。

其次,我们说到矛盾的另一方面的中国共产党在这三个阶段上的特点。党在这三个阶段上的特点,毛泽东同志在《〈共产党人〉发刊词》中说得很明白。在第一次统一战线的时期,是党的幼年时期。"在这个阶段的初期和中期,党的路线是正确的,党员群众和党的干部的革命积极性是非常之高的,因此获得了第一次大革命的胜利。然而这时的党终究还是幼年的党,是在统一战线、武装斗争和党的建设三个基本问题上都没有经验的党,是对于中国的历史状况和社会状况、中国革命的特点、中国革命的规律都懂得不多的党,是对

---

① 毛泽东:《论人民民主专政》。

于马克思列宁主义的理论和中国革命的实践还没有完整的、统一的了解的党。"①因此在这次革命的后期,党的领导机关中占统治地位的成分——即右倾机会主义陈独秀派——,"在这一阶段的末期,在这一阶段的紧要关头中,没有能够领导全党巩固革命的胜利,受了资产阶级的欺骗,而使革命遭到失败。"②1927年革命失败以后,党清算了陈独秀派的右倾机会主义分子,重整了革命的阵容,创立了革命的军队和革命的根据地,英勇地领导了土地革命战争。"由于有了第一阶段的经验,由于对于中国的历史状况和社会状况、中国革命的特点、中国革命的规律的进一步的了解,由于我们的干部更多地领会了马克思列宁主义的理论,更多地学会了将马克思列宁主义的理论和中国革命的实践相结合,我们党就能够进行了胜利的十年土地革命斗争。资产阶级虽然叛变了,但是党能够紧紧地依靠着农民。党的组织不但重新发展了,而且得到了巩固。敌人虽然天天在暗害我们的党,但是党驱逐了暗害分子。大批干部重新在党内涌出,而且变成了党的中心骨干。党开辟了人民政权的道路,因此也就学会了治国安民的艺术。党创造了坚强的武装部队,因此也就学会了战争的艺术。所有这些,都是党的重大进步和重大成功。"③然而党的领导机关中的一部分同志,跌下了"左"倾冒险主义的泥坑,使党和革命工作、使军队和根据地都受了很大的损失。直到1935年1月,党在贵州遵义召开了中央政治局会议,才纠正了冒险主义的错误,确立了毛泽东同志在全党的领导地位。从此以后,中国共产党就在这位伟大的领袖领导之下,领导新的抗日的统一战线。在这个阶段上,"党凭借着过去两个革命阶段中的经验,凭借着党的组织力量和武装力量,凭借着党在全国人民中间的很高的政治信仰,凭借着党对于马克思列宁主义的理论和中国革命的实践之更加深入的更加统一的理解,就不但建立了抗日民族统一战线,而且进行了伟大的抗日战争。党的组织已经从狭小的圈子中走了出来,变成了全国性的大党。党的武装力量,也在同日寇的斗争中重新壮大起来和进一步坚强起来了。党在全国人民中的影响,更加

---

① 《毛泽东选集》第二卷,第573页。
② 《毛泽东选集》第二卷,第573页。
③ 《毛泽东选集》第二卷,第574页。

扩大了。这些都是伟大的成功"①。以上这些都是中国共产党在三个阶段上的特点。形成这些特点,也有种种的原因。我们若不研究这些特点,就不能了解共产党和国民党在各个发展阶段的特殊的相互关系。即是说,共产党和国民党为什么建立了第一次的统一战线,后来这个统一战线为什么破裂了。但到抗日战争时期为什么又建立了统一战线。为要研究这些特殊的相互关系,就必须研究两党的种种特点。而要研究两党的种种特点,更根本的就必须研究这两党的阶级基础以及因此在各个时期所形成的它们和其他方面的矛盾的对立。孙中山当年所领导的国民党,原是代表资产阶级利益的政党。由于半殖民地中国的资产阶级的软弱性,常受帝国主义的欺凌,这也就规定了他们不喜欢帝国主义的特点,所以国民党能和共产党建立反帝反封建的统一战线。但在另一方面,它和国内人民大众特别是和工农大众有矛盾,当孙中山在世时,虽然决定了要实行扶助工农政策,但对于最广大的农民阶级,只提出了空洞的平均地权的办法,提出了"耕者有其田"的口号,却没有具体地见诸实行。孙中山逝世以后,蒋介石匪帮篡夺了国民党的领导地位,准备实行反革命,对于在口头上允许给予劳动人民的许多利益,而实际上只给予很少的利益,或者简直什么也不给。例如当时允许对农民实行二五减租,也只是空头支票。到了 1927 年,蒋介石匪帮的国民党,终于背叛了革命,和帝国主义、封建主义勾结,实行反苏、反共、反人民,把人民大众原来在革命中所争得的一切利益一笔勾销了。从此以后,人民大众和蒋介石匪帮的国民党之间的矛盾激化了。但到抗日时期,国民党接受了共产党的建议,建立了抗日的统一战线。国民党既然投降了帝国主义而反共反人民,为什么也起来反日本帝国主义呢? 因为国民党的主体,是代表大地主大资产阶级的蒋介石集团,它基本上是英美买办集团。"蒋介石这时起来抗日,第一是由于人民对他的压迫,使他不能不起来抗日,否则全国人民和许多有组织的抗日力量都将自动起来抗日,他就不能维持自己的统治;第二是由于日本帝国主义对于全国的进攻直接地危害着他的政权和地主资产阶级的财产,他和日本帝国主义的矛盾此时已无法调和;第三是由于英美帝国主义与日本帝国主义的矛盾,英美当时虽不愿意直接得罪日本,

---

① 《毛泽东选集》第二卷,第 575 页。

却愿意中国和日本打着,拖住日本。由于这些原因,所以蒋介石集团在抗日战争中就表现他具有反革命的两面性:一方面,他要抗日,也要其他势力积极抗日,在战争初期也曾表现了他的某种程度的抗日积极性,并希望能够速胜;另一方面,他又反对人民,继续压迫人民,不愿人民起来抗日,特别不愿共产党和其他抗日势力动员人民起来抗日。他要包办抗日的领导,但他拒绝实行任何为抗日所需要的真正的民主改革。他极力限制人民力量的发展,特别限制共产党力量的发展。"①以上是国民党在三个阶段所以形成那些特点的种种原因。

但在共产党这一方面,无论在那一个阶段,始终是和人民大众站在一道,去反对帝国主义和封建主义的。共产党是无产阶级的政党,它一直是依靠着占全国人口80%的农民阶级,作为最可靠的最广大的同盟军,它还团结广大的小资产阶级为友军。当民族资产阶级愿意参加革命时,党就尽量地争取它、团结它(这在第一次统一战线时期是如此);当它对革命发生动摇,甚至附和于敌人时,那就要和它作斗争(这在第二次统一战线时期是如此)。在抗日时期,由于国民党表示抗日,共产党对于国民党和国内封建势力,也就暂时采取了缓和政策。例如"向民党保证取消两个政权敌对,红军改变名称,在革命根据地实行新民主制度和停止没收地主的土地等四项。"②。

由于有上述那些情况,所以在第一个阶段上造成了两党的联合;在第二个阶段上造成了两党的斗争;在抗日战争阶段上,共产党吸收了前两个阶段的经验,又有了久经锻炼的强大红军,所以在两党联合时期,坚持统一战线,又坚持独立自主,对国民党实行又联合又斗争的政策,始终保持着对于统一战线的领导,直到抗日战争的最后胜利。所以我们若不去研究国民党和共产党的那些矛盾的特点,那就不能了解两党各自和其他方面的关系,也不能了解两党之间的相互关系,因而也就不能找出解决矛盾的正确的方法。

由此看来,不论研究何种矛盾的特性——各个物质运动形式的矛盾,各个

---

① 胡乔木:《中国共产党的三十年》。
② 《毛泽东选集》第二卷,第334页。

运动形式在各个发展过程中的矛盾,各个发展过程的矛盾的各方面,各个发展过程在其各个发展阶段上的矛盾以及各个发展阶段上的矛盾的各方面,研究所有这些矛盾的特性,都不能带主观随意性,必须对它们进行具体的分析。离开具体的分析,就不能认识任何矛盾的特性。我们必须时刻记得列宁的话:对于具体的事物作具体的分析。

这种具体的分析,马克思、恩格斯首先给了我们以很好的模范。

当马克思、恩格斯把这事物矛盾的法则应用到社会历史过程的研究的时候,他们看出生产力和生产关系之间的矛盾,看出剥削阶级和被剥削阶级之间的矛盾以及由于这些矛盾所产生的经济基础和政治及思想等上层建筑之间的矛盾,而这些矛盾如何不可避免地会在各种不同的阶级社会中,引出各种不同的社会革命。

马克思把这一法则应用到资本主义社会经济结构的研究的时候,他看出这一社会的基本矛盾在于生产的社会性和占有制的私人性之间的矛盾。这个矛盾表现于在各别企业中的生产的有组织性和在全社会中的生产的无组织性之间的矛盾。这个矛盾的阶级表现则是资产阶级和无产阶级之间的矛盾。

[说明]从上面的说明看来,我们可以知道,要研究事物的矛盾的特殊性,首先,要研究各个事物运动形式的特殊的矛盾性,认识它由特殊的矛盾所规定的特殊的本质;由矛盾的特殊性的认识进到矛盾的普遍性的认识,再根据矛盾的普遍性的认识推及于新的具体事物的认识。其次,要研究每一个事物运动形式在其发展过程中的特殊的矛盾及其特殊的本质,然后才能找出解决特殊的矛盾的方法;但为要暴露这一发展过程的特殊的本质,就必须暴露过程的矛盾各方面的特殊性,才能了解过程中的矛盾在其总体上的特殊性。再次,要研究每一发展过程中的各个发展阶段上的矛盾的特殊性,研究每一发展阶段中的矛盾的各方面,才能了解过程中各发展阶段的特点,因而找出解决每一阶段的矛盾的具体方法。但不论研究何种矛盾的特殊性,我们必须时刻记住列宁所指示的原则,对具体的矛盾作具体的分析,不能带主观随意性(这在上文已有说明)。因为如果离开了具体的分析,就不能认识任何矛盾的特殊性,也就不能正确地找出解决矛盾的方法。

　　对具体的矛盾作具体的分析,马克思和恩格斯等大师们,给了很好的范例。

　　马克思和恩格斯把这事物矛盾的法则应用到社会历史过程的研究的时候,首先指出"决定社会面貌、决定社会制度性质,决定社会由这一制度发展到另一制度的主要力量","就是人们生存所必需的生活资料的谋取方式,就是社会生存和发展所必需的食品、衣服、鞋子、住房、燃料和生产工具等等物质资料生产方式"①。生产方式是生产力和生产关系的矛盾的统一。生产力表示"人们对于那些用来生产物质资料的自然对象和力量的关系"。"生产物质资料的生产工具,以及有一定的生产经验和劳动技能来使用生产工具、实现物质资料生产的人,——所有因素共同构成为社会的生产力。"至于生产关系,则是人们在生产过程中发生的关系。在社会的生产过程中,"人们在实现物质资料生产的时候,在生产内部彼此建立这种或那种相互关系,即这种或那种生产关系。这些关系可能是不受剥削的人们彼此间的合作和互助关系,可能是统治和服从的关系,最后,也可能是从一种生产关系形式过渡到另一种生产关系形式的过渡关系"(同上)。社会的生产力和人们的生产关系的统一,就形成一定社会的生产方式。生产方式的发展和变更,"又必然引起全部社会制度、社会思想、政治观点和政治设施的变化,即引起全部社会结构和政治结构的改造"②。人类社会的历史,截至马克思的时代为止,经历了原始的、奴隶制的、封建制的、资本主义的四种生产方式,因而适应着经历了四种基本的生产关系,四种社会制度的形式。因此,我们可以说,"社会发展史首先是生产的发展史,是许多世纪以来依次更迭的生产方式的发展史,是生产力和人们生产关系的发展史"③。至于生产方式的改变,则是由于生产力的发展。生产力是生产中最活动最革命的要素。人们一旦获得了新的生产力,便会改变自己的生产关系,人们的经济关系。但生产关系虽然依存于生产力的发展而发展,却同时又能反转来影响于生产力,加速或延缓其发展。不过生产关系如果远远地落后于生产力的发展时,便与生产力相冲突。于是生产关系便变成了束

---

①　斯大林:《论辩证唯物主义和历史唯物主义》。
②　斯大林:《论辩证唯物主义和历史唯物主义》。
③　斯大林:《论辩证唯物主义和历史唯物主义》。

缚生产力发展的桎梏。正如马克思所指出的,"那时社会革命的时代就到来了。随着经济基础的变更,全部庞大的上层建筑也或慢或快地发生变革。"①所谓社会革命,即是尖锐化的阶级斗争。前面所说的历史上的四种基本的生产关系,形成了四种社会制度的形式。在原始公社时代,生产关系的基础是生产资料的公有制,因而没有剥削,也没有阶级。到了奴隶制社会,生产关系的基础是奴隶主占有生产资料和可以买卖屠杀的奴隶。奴隶制的生产关系,在最初是和当时的生产关系相适合的,但到了生产力发展到一定高度时,奴隶制生产关系便障碍了它的发展。于是生产力与奴隶制生产关系发生冲突,引起了奴隶对奴隶主的叛乱。但奴隶不是更高级的生产方式的担负者,于是社会革命就采取另一种转变法则,即"斗争的各阶级同归于尽"而推移于封建制社会。在封建制社会中,生产关系的基础是封建主占有生产资料和封建主虽已不能屠杀,但仍可以买卖的农奴。此外还有农民和手工业者的个人所有制。这样生产关系在最初也是与当时的生产力状况相适合的。到了封建时代后期,资产阶级所发展起来的新的生产力,就和封建的生产关系相冲突了。资本主义经济瓦解了封建经济,社会的经济基础已经发生了变革,那封建的政治的法制的思想的上层建筑,已经不能为基础服务反而与基础相矛盾了。于是资产阶级和封建阶级的矛盾激化了。解决这些矛盾的方法是资产阶级实行民主主义革命,建立资产阶级的国家。在资本主义社会中,生产关系的基础是资产阶级独占一切生产资料,而生产工作者是雇佣工人,他们被剥夺了生产资料,为了活命不得不出卖劳动力于资本家,并忍受沉重的剥削。资本主义社会是最后的阶级社会,无产阶级和资产阶级的斗争,是历史上最后的阶级斗争。这一斗争的结局,是资本主义社会的消灭和社会主义社会的代兴。马克思、恩格斯应用矛盾法则研究了人类社会历史的过程所得的结论是:一般阶级社会都含有共通的矛盾,即生产力和生产关系的矛盾,剥削阶级和被剥削阶级的矛盾,以及由于这些矛盾所产生的经济基础和上层建筑之间的矛盾。这些矛盾在不同的阶级社会中,采取不同的具体的形式,表现不同的阶级斗争,引出不同的社会革命。

---

① 斯大林:《论辩证唯物主义和历史唯物主义》。

马克思为了暴露资本主义社会的发生、发展及其必然没落的法则,曾经应用事物矛盾的法则,具体地分析了资本主义社会经济结构中的矛盾。他指出这一社会的根本矛盾在于生产的社会性和占有制的私人性之间的矛盾。这里所说的生产的社会性,是说资本主义社会的生产是社会的生产,因为资本家所占有的生产资料,如大宗的机器和大量的原料等,只有靠全体社会的劳动者才能使用,并且生产过程,表示着是由各个有计划的有组织的许多劳动者的社会的行动。简单地说,资本主义的商品生产,是由社会中数十百万有组织的劳动者实行的。至于所说的占有制的私人性,是说占有制是在资本家独占生产资料一事的基础上实行的。这就是说,在资本主义社会中,一小撮资本家只因为独占着生产资料,就把数十百万劳动者所生产出来的东西,据为己有,这是一个极大的矛盾。在以前生产资料归直接生产者所私有的社会中,上述的矛盾是没有的。生产出来的东西归谁所有,在这时不成问题,当然是归劳动的人自己所有。至于资本主义,虽然使劳动者脱离生产资料而把生产资料转化为社会的东西,而生产物归私人(即资本家)占有的形式却依旧保存着。社会中大多数人生产出来的东西,不归属于实际运用生产资料并实际造出那生产物的人们所有,却归资本家所占有。生产资料和生产,在本质上已经是社会性的东西,但它却仍旧被放置于以个人的私有财产为前提,因而由个人运售其生产物到市场贩卖的那种占有形式之下。生产方式虽然废除了那种占有形式的前提,却仍旧放置于那种形式之下。这种矛盾,即是使新生产方式带上了资本主义性质的东西。这是资本主义社会的根本矛盾,一切其他的矛盾都是由这一根本矛盾孕育出来的。

生产的社会性和占有制的私人性(即社会的生产和资本家的占有)之间的矛盾,是资本主义生产的基本特征。由于这个矛盾的发展,就表现于在各个企业中的生产的组织性和在全社会中的生产的无组织性之间的矛盾。各个资本家,在自由竞争的原则支配之下,变成了独立的、分散的、互不相谋的商品生产者。每一资本家因为独占着生产资料,就经营企业,雇用劳动者,从事商品生产,来剥削劳动者的剩余价值。商品的生产越多,他所剥削的剩余价值就越多。他为了战胜别的资本家,就想出了周密详尽的计划,组织他的企业中的劳动的生产,使劳动者从事紧张的劳动,能够在同样的劳动时间以内,剥削更多的剩余价值,并且可以降低他的商品的成本,战胜别的资本家。每一个资本家都是这样地打算,并且是这样地实行。所以各个企业中的生产的有组织性,是在资本家相互间的自由竞争中形成的。但资本家的商品中所包含的剩余价值,只有通过市场,把商品换成货币才能实现。资本家只有把商品换成货币,才能知道能不能赚钱,才能知道资本能不能自己增多起来。在商品还没有被拿到市场被出卖之前,"谁也不知道,他的那种商品出现在市场上的会有多少,究竟需要多少;谁也不知道,他的个人产品是否真正为人所需要,是否能收回它的成本,或者是否能卖出去。社会生产的无政府状态占统治地位。但是,商品生产同任何其他生产形式一样,有其特殊的、固有的和它分不开的规律;这些规律不顾无政府状态、在无政府状态中、通过无政府状态来为自己开辟道路。这些规律在唯一保留下来的社会联系形式即交换中表现出来,并且作为强制性的竞争规律作用于各个生产者"。① 资本主义的生产方式,始终是在各个企业中的生产的组织性和在全社会中的生产的无组织性的矛盾中进行着。

随着生产的社会性和占有制的私人性的矛盾的发展,其在阶级关系上的直接表现,是无产阶级和资产阶级的矛盾。这个矛盾,随着资本主义生产的发展,越发趋于尖锐化。社会中的生产的无组织性,经常使社会中的大多数人变为无产者。相反地,正是这个无产阶级,将必然地结束这社会中的生产的无组织性。因为社会中的生产的无组织性,推动着一切资本家生产出日益增多的并减低价格的商品,使自由竞争更趋于尖锐,使许多中小生产者变成无产者,使多数无产者陷于失业,使许多未失业工人被减低了工资,使他们减低了购买力,因而使资本家的商品无法销售出去。"资本主义扩大生产并把千百万工人集合在大工厂内,这样就使生产过程具有社会性,因而破坏本身的基础,因为生产过程的社会性要求有生产资料的公有制,而生产资料的所有制却仍然是同生产过程的社会性不相容的私人资本主义所有制。"② 因此生产的社会性和占有制的私人性之间的矛盾,就在周期的经济危机中,表现出来。在经济危机的时期,表现着社会的生产力和资本主义生产关系的冲突达到不可调和的

---

① 恩格斯:《社会主义从空想到科学的发展》。
② 斯大林:《论辩证唯物主义和历史唯物主义》。

程度。资本主义社会的一切矛盾都激化起来,最后就必然爆破资本主义的生产方式。这就是说,资本主义生产方式的机构所组织所训练的无产阶级,就要起来推翻资产阶级,用社会主义的生产资料的所有制,来代替资本主义的生产资料的所有制。

由于事物范围的极其广大,发展的无限性,所以,在一定场合为普遍性的东西,而在另一一定场合则变为特殊性。反之,在一定场合为特殊性的东西,而在另一一定场合则变为普遍性。资本主义制度所包含的生产社会化和生产资料私人占有制的矛盾,是所有有资本主义的存在和发展的各国所共有的东西,对于资本主义说来,这是矛盾的普遍性。但是资本主义的这种矛盾,乃是一般阶级社会发展在一定历史阶段上的东西,对于一般阶级社会中的生产力和生产关系的矛盾说来,这是矛盾的特殊性。然而,当马克思把资本主义社会这一切矛盾的特殊性解剖出来之后,同时也就更进一步地、更充分地、更完全地把一般阶级社会中这个生产力和生产关系的矛盾的普遍性阐发出来了。

[说明]关于矛盾的特殊性的研究,上面已经说明了,现在再回到矛盾的普遍性和特殊性的联系的问题。

世界事物的范围极其广大,其发展又是无限的,所以事物的矛盾在一定场合是普遍性的东西,而在另一一定场合就变为特殊性。反过来说,在一定场合为特殊性的东西,而在另一一定场合就变为普遍性。如同前面所说生产的社会性和占有制的私人性之间的矛盾,是资本主义制度中所特有的根本的矛盾。这个根本矛盾,是一切有资本主义存在和发展的国家所共有的东西,对于资本主义说来,是矛盾的普遍性。但马克思分析研究社会历史过程时,指出了一般阶级社会是生产力和生产关系的矛盾的发展史,说明了生产力和生产关系的矛盾是奴隶制的、封建制的、资本主义制的社会所共有的东西,对于一般阶级社会说来,这是矛盾的普遍性。因此,资本主义制度中的生产的社会性和占有制的私人性之间的矛盾,对于资本主义的各国说来,虽是矛盾的普遍性,而对于一般阶级社会所共有的生产力和生产关系的矛盾说来,却变为矛盾的特殊性了。然而,当马克思解剖了资本主义社会的一切矛盾以后,同时就把一般阶级社会中的生产力和生产关系的矛盾的普遍性,更进一步地、更充分地、更完全地阐发出来了。

中国革命是世界无产阶级社会主义革命的一部分。马克思列宁主义是世界无产阶级社会主义革命的普遍真理,是无产阶级用以解决帝国主义时代的普遍的阶级矛盾的理论和政策。马克思列宁主义的普遍真理和中国革命的具体实践相结合的毛泽东思想,是殖民地、半殖民地、半封建社会的无产阶级用以解决特殊的阶级矛盾的理论和政策。毛泽东思想,对于马克思列宁主义的普遍真理,具有特殊的丰富的内容。毛泽东思想的伟大胜利,更加证明了马克思列宁主义是放之四海而皆准的普遍真理,并且更进一步地、更充分地、更完全地阐发了这一普遍真理。在另一方面,毛泽东思想对于世界各殖民地民族的无产阶级领导各被压迫阶级的民族解放和民主斗争,给以理论的指导,具有普遍真理的性质,而许多殖民地民族的解放斗争的发展和成就,更加证明了毛泽东思想的正确,并丰富了马克思列宁主义的内容。

由于特殊的事物是和普遍的事物联结的,由于每一个事物内部不但包含了矛盾的特殊性,而且包含了矛盾的普遍性,普遍性即存在于特殊性之中,所以,当我们研究一定事物的时候,就应当去发现这两方面及其互相联结,发现一事物内部的特殊性和普遍性的两方面及其互相联结,发现一事物和它以外的许多事物的互相联结。斯大林在他的名著《论列宁主义基础》一书中说明列宁主义的历史根源的时候,他分析了列宁主义所产生的国际环境,分析了在帝国主义条件下已经发展到极点的资本主义的诸矛盾,以及这些矛盾使无产阶级革命成为直接实践的问题,并造成了直接冲击资本主义的良好的条件。不但如此,他又分析了为什么俄国成为列宁主义的策源地,分析了沙皇俄国当时是帝国主义一切矛盾的集合点以及俄国无产阶级所以能够成为国际的革命无产阶级的先锋队的原因。这样,斯大林分析了帝国主义的矛盾的普遍性,说明列宁主义是帝国主义和无产阶级革命时代的马克思主义;又分析了沙俄帝国主义在这一般矛盾中所具有的特殊性,说明俄国成了无产阶级革命理论和策略的故乡,而在这种特殊性中间就包含了矛盾的普遍性。斯大林的这种分析,给我们提供了认识矛盾的特殊性和普遍性及其互相联结的模范。

[说明]特殊的事物是和普遍的事物相联结的,每一个事物的内部不但包含了矛盾的特殊性,并且还包含了矛盾的普遍性,普遍性即存在于特殊性之中。因此,当我们研究一定事物的时候,就应当去发现其特殊性和普遍性的两方面和它们的互相联结,发现这一事物内部的特殊性和普遍性的两方面和它们的互相联结,发现这一事物和它以外的许多事物的互相联结。只有这样去研究,我们才能正确地认识这一事物,正确地处理这一事物。就前面的例子来说,中国革命是世界无产阶级社会主义革命的一部分,两者是互相联系着的。中国革命过程中不但包含了特殊的阶级矛盾(如中华民族和帝国主义的矛盾、人民大众和封建制度的矛盾、农民阶级和地主阶级的矛盾等等),而且包含了普遍的阶级矛盾(无产阶级和资产阶级的矛盾),这普遍的阶级矛盾就存在那些特殊的阶级矛盾之中。正因为这样,所以我们研究中国革命过程时,必须发现特殊的阶级矛盾和普遍的阶级矛盾这两个方面和它们的相互联系,发现中国革命过程内部的阶级矛盾的特殊性和普遍性的两方面和它们的相互联系,发现中国革命和世界其他各国革命的相互联系。只有这样地去研究中国革命问题,才是应用马克思列宁主义的普遍真理研究中国革命的具体实践的方法,才能得出中国革命必须经由新民主主义到达社会主义的结论,才能结合国内革命的统一战线和世界革命的统一战线,保证中国革命的胜利。这正是毛泽东同志对于具体的中国革命问题作具体分析的方法。

这样的研究方法,斯大林在《论列宁主义基础》中,给了我们一个辉煌的范例。斯大林说:"列宁主义是在帝国主义条件下,即在资本主义的矛盾已经达到极点、无产阶级革命已经成为直接实践的问题、准备工人阶级去进行革命的旧时期已经达到尽头而转变为直接冲击资本主义的新时期的条件下成长和形成的。"他接着说明了帝国主义是垂死的资本主义,它使资本主义的矛盾达到了顶点。在这些矛盾中,最重要的有三个矛盾:一是无产阶级和资产阶级的矛盾已趋于尖锐化。帝国主义使得无产阶级过着非人生活,把他们引到革命;二是"各金融集团之间以及帝国主义列强之间为争夺原料产地、争夺别国领土而发生的矛盾"。这就是帝国主义者相互间的矛盾。这个矛盾的激化,就是帝国主义战争。帝国主义战争削弱了帝国主义本身,削弱了资本主义阵地,"使无产阶级革命必然实现";三是"为数极少的占统治地位的'文明'民族与世界上十多亿殖民地和附属国人民之间的矛盾"。这就是殖民地半殖民地人民与帝国主义者的矛盾。帝国主义者对殖民地半殖民地实行野蛮残暴的压迫和剥削的结果,使得殖民地半殖民地的无产阶级起来领导有民族自觉的大众进行反帝国主义的革命战争。因此,殖民地半殖民地人民就变成了无产阶级革命的后备力量。第一次帝国主义大战,"把所有这些矛盾集合在一起投入天平盘里,因而加速和便利了无产阶级的革命战斗。换句话说,帝国主义不仅使革命成了必不可免的实践问题,而且造成了直接冲击资本主义堡垒的有利条件。这就是产生列宁主义的国际环境"。

斯大林更进而分析了为什么俄国会成为列宁主义的策源地的各种原因。一是沙俄是资本主义压迫、殖民地压迫和军事压迫表现得最无人道和最野蛮的策源地。沙皇制度是"军事封建帝国主义",它集中了帝国主义各种最坏的因素。二是沙俄是西方帝国主义最大的后备力量,它一方面让外国资本操纵国内经济有决定作用的部门,一方面用庞大的军队为外国资本家保证高额的利润。三是沙皇制度不仅是帝国主义在东欧的"看门狗",而且是西方帝国主义的代理人。它从西方各国借进外债,而搜刮人民的血汗去偿付利息。四是沙皇制度是西方帝国主义在瓜分土耳其、波斯和中国等等勾当中最忠实的同盟者。正因为有这些原因,所以沙皇制度的利益就与西方帝国主义的利益互相错综起来,终于结合成了一个帝国主义的纽结,成了帝国主义矛盾的集合点。沙皇制度是和帝国主义结合在一起的,谁要打击、反对和推翻沙皇制度,就必须打击、反对和推翻帝国主义。"这样,反对沙皇制度的革命就和反对帝国主义的革命,和无产阶级革命接近起来,并且一定要转变为反对帝国主义的革命,转变为无产阶级革命。而且,当时在俄国又掀起了最伟大的人民革命,领导这个革命的是世界上最革命的无产阶级,而这个无产阶级又拥有俄国的革命农民这样一个重要的同盟者。"只有他们才是能够用革命方法来解决帝国主义矛盾的真实力量。所以"俄国革命不能不成为无产阶级革命,它不能不在一开始发展时就具有国际的性质,因而也就不能不根本震动世界帝国主义的基础"(以上引号中的话,均见《论列宁主义基础》)。

如前所述,斯大林分析了帝国主义的矛盾的普遍性,说明了列宁主义是帝国主义与无产阶级革命时代的马克思主义,是无产阶级解决帝国主义时代的普遍的矛盾的理论和策略。他又分析了沙俄帝国主义在一般矛盾中所具有的特殊性,说明了俄国成了列宁主义的策源地,成了无产阶级的革命理论和策略的故乡。并且在沙俄帝国主义的矛盾的特殊性之中,就包含了一般帝国主义的矛盾的普遍性。斯大林的这种分析,给我们提供了认识矛盾的特殊性和普遍性及其互相联结的范例。

马克思和恩格斯,同样地列宁和斯大林,他们对于应用辩证法到客观现象的研究的时候,总是指导人们不要带上任何的主观随意性,而必须从客观的实际运动所包含的具体的条件,去看出这些现象中的具体的矛盾、矛盾各方面的具体的地位以及矛盾的具体的相互关系。我们的教条主义者因为没有这种研究态度,所以弄得一无是处。我们必须以教条主义的失败为鉴戒,学会这种研究态度,舍此没有第二种研究法。

[说明]从前面所说的看来,马克思和恩格斯应用事物矛盾法则研究社会历史过程和资本主义社会经济结构的时候,同样地,列宁和斯大林应用这一法则研究帝国主义的矛盾和沙皇制度的矛盾的时候,他们总是指导人们不要带上任何的主观随意性,而必须以客观的实际运动所包含的具体条件,去看出这些现象中的矛盾、矛盾各方面的具体的地位以及矛盾的具体的相互关系,然后才能找出解决那些具体的矛盾的方法。但是教条主义者们却不学习大师们这种研究的态度。他们是主观主义者。他们总是从主观的愿望去看问题。例如在1931年至1934年的第二次国内革命战争后期,他们完全否认由日本侵略所引起的国内政治的重大变化,而认为国民党各派和各中间派别都是一样的反革命,要求党向他们一律进行"决死斗争"。在红军战争的问题上,他们要求红军夺取中心城市,在国民党区秘密工作问题上,他们继续实行脱离群众的冒险政策,致使党的革命事业遭受了重大的挫败。这是教条主义者们带上主观随意性而粗枝大叶地处理具体的革命问题的结果。所以我们必须以教条主义者的失败为鉴戒,学习马克思、恩格斯、列宁、斯大林等大师们具体地分析具体的矛盾的方法,特别是要学习毛泽东同志应用事物矛盾法则,具体地分析中国革命过程中的具体的矛盾,以及解决各种具体矛盾的具体的方法。

矛盾的普遍性和矛盾的特殊性的关系,就是矛盾的共性和个性的关系。其共性是矛盾存在于一切过程中,并贯穿于一切过程的始终,矛盾即是运动,即是事物,即是过程,也即是思想。否认事物的矛盾就是否认了一切。这是共通的道理,古今中外,概莫能外。所以它是共性,是绝对性。然而这种共性,即包含于一切个性之中,无个性即无共性。假如除去一切个性,还有什么共性呢?因为矛盾的各各特殊,所以造成了个性。一切个性都是有条件地暂时地存在的,所以是相对的。

这一共性个性、绝对相对的道理,是关于事物矛盾的问题的精髓,不懂得它,就等于抛弃了辩证法。

[说明]综合上面的说明,我们可以知道矛盾的普遍性和矛盾的特殊性的关系,是非常密切的。这两者的关系就是矛盾的共性和个性的关系。所谓矛盾的共性,就是说:矛盾存在于一切过程中,无论是自然现象的过程、社会现象的过程或思想现象的过程,其内部都存在着矛盾;并且矛盾还贯穿于一切过程的始终,在任何过程没有终结以前,过程中的矛盾是不消灭的;即使当一个过程终结而开始另一新的过程时,也只是旧过程中的旧矛盾的统一转变为新过程中的新矛盾的统一。所以矛盾即是运动,即是事物,即是过程,也即是思想。如果否认了矛盾,便是否认运动,否认事物,否认过程,也否认思想。正因为矛盾是普遍地存在于一切过程之中,并贯穿于一切过程的始终,所以它是共性,是绝对性。至于所谓矛盾的个性,就是说,矛盾的共性即包含于一切个性之中,如果没有个性,便会没有共性。假若除去一切个性,便没有什么共性了。因为矛盾在千差万别的事物中,各有其不同的形式,所以造成了矛盾的个性。这一切矛盾的个性,都是有条件地暂时地存在,所以是相对的。

这一矛盾的共性和个性、绝对和相对的道理,是关于事物矛盾的问题的精髓,我们必须懂得这个道理,才能理解事物矛盾的法则,才算是懂得了辩证法。反过来说,如果不懂得这个道理,就等于抛弃了辩证法。譬如就帝国主义时代的阶级社会来说,有各种发展程度不同的资本主义社会,有各种形式的殖民地、半殖民地、半封建的社会。这些社会各有其不同的复杂的阶级矛盾(即矛盾的个性),但在这些社会的各种特殊的矛盾之中,都含有共通的矛盾(即矛盾的共性),即无产阶级和资产阶级的矛盾。并且,各种社会的无产阶级,都是革命的主力,都是各革命阶级的领导者。其革命的对象,或是帝国主义者,或是封建势力,或是这两者的联合;其革命的最后目的,都是建立社会主义的社会制度。马克思列宁主义的普遍真理,正是世界无产阶级解决阶级矛盾的理论和策略。但各国无产阶级为要把马克思列宁主义作为革命行动的指导,就必须应用矛盾法则,分析本国社会的、经济的、政治的及文化的特殊情况。分析阶级矛盾的具体情况,正确地找出革命的路线和步骤,向着社会主义社会前进。由于各国的阶级矛盾的个性不同,其到达于社会主义的步骤也各不相同。资本主义国家的无产阶级是实行社会主义革命的,殖民地、半殖民地、半封建社会的无产阶级,则是领导其他被压迫阶级先实行反帝反封建的新民主主义革命,后实行社会主义革命,即是先解决特殊的矛盾,后解决普遍的矛盾。中国无产阶级所领导的人民民主革命,正是采取这样的步骤的。所以我们只有懂得了矛盾的共性和个性的联系,才能懂得解决共性的矛盾和解决个性的矛盾的有机联系。

四、主要的矛盾和主要的矛盾方面

在矛盾特殊性的问题中,还有两种情形必须特别地提出来加以分析,这就是主要的矛盾和主要的矛盾方面。

在复杂的事物的发展过程中,有许多的矛盾存在,其中必有一种是主要的矛盾,由于它的存在和发展,规定或影响着其他矛盾的存在和发展。

例如在资本主义社会中,无产阶级和资产阶级这两个矛盾着的力量是主要的矛盾;其他的矛盾力量,例如,残存的封建阶级和资产阶级的矛盾,农民小资产者和资产阶级的矛盾,无产阶级和农民小资产者的矛盾,自由资产阶级和垄断资产阶级的矛盾,资产阶级的民主主义和资产阶级的法西斯主义的矛盾,资本主义国家相互间的矛盾,帝国主义和殖民地的矛盾,以及其他的矛盾,都为这个主要的矛盾力量所规定、所影响。

[说明]关于矛盾的特殊性问题,上面已用较多的篇幅说明了,但在这个

问题中,还有两种情景必须提出来加以分析,这就是主要的矛盾和主要的矛盾方面。

一个复杂的事物,在其发展过程中,存在着多数的矛盾。在这些矛盾之中,必有一种矛盾成为主要的矛盾。由于这主要矛盾的存在和发展,就规定着或影响着其他许多矛盾的存在和发展。

例如在资本主义社会中,除了无产阶级和资产阶级的矛盾以外,还有其他许多矛盾。这些矛盾,有资产阶级和残余的封建阶级的矛盾(因为资产阶级在推翻了封建阶级的权势、自己掌握政权以后,并不没收封建地主的土地财产,而与封建阶级相妥协,但两者的矛盾是存在的);有农民小资产者和资产阶级的矛盾(由于农业的资本主义化,威胁着农民小资产者的存在,所以农民小资产者首先是和农业资产阶级有矛盾,其次,在工业品和农产物的交换方面,它和工商业资产阶级也有矛盾);无产阶级和农民小资产者的矛盾(由于农业的资本主义化,大部分农民变成了农业劳动者,只有少数农民还保持着小规模的经营,他们是小资产阶级,所以和无产阶级也有矛盾);有自由资产阶级和垄断资产阶级的矛盾(进到了帝国主义时代,垄断资产阶级在经济上压迫着没有加入垄断组织的自由资产阶级,所以两者有矛盾);有资产阶级的民主主义和资产阶级的法西斯主义的矛盾(在自由竞争的资本主义时代,资产阶级民主主义是一般资产阶级专政,资产阶级的国会还讨论一些一般资产阶级的共通利害的问题,但到帝国主义时代,法西斯主义代替了以前的民主主义,变成了垄断资产阶级专政,一切国家大事实际上由垄断资产阶级独裁,例如在美国由华尔街老板们来决定。至于没有加入垄断组织的资本家则叫嚣着资产阶级民主主义来反对垄断资产阶级);有资本主义国家相互间的矛盾;有帝国主义国家和殖民地之间的矛盾;此外还有其他的矛盾。在这许多矛盾之中,只有无产阶级和资产阶级这两个矛盾着的力量是主要的矛盾,其他许多矛盾都是非主要的矛盾,都要受这个主要矛盾所规定、所影响。只有无产阶级用革命手段解决了它和资产阶级的矛盾、即推翻了资产阶级的统治以后,除了无产阶级和农民小资产者的矛盾以外,其他许多矛盾,都要归于消灭。至于无产阶级和农民小资产者的矛盾,在无产阶级专政时代虽然是存在的,但在无产阶级的领导和教育之下,由国家的工业化促进农业的集体化、机械化、电气化,到了那时,工农之间的矛盾即将逐步归于消灭。

半殖民地的国家如中国,其主要矛盾和非主要矛盾的关系呈现着复杂的情况。

当着帝国主义向这种国家举行侵略战争的时候,这种国家的内部各阶级,除开一些叛国分子以外,能够暂时地团结起来举行民族战争去反对帝国主义。这时,帝国主义和这种国家之间的矛盾成为主要的矛盾,而这种国家内部各阶级的一切矛盾(包括封建制度和人民大众之间这个主要矛盾在内),便都暂时地降到次要和服从的地位。中国 1840 年的鸦片战争,1894 年的中日战争,1900 年的义和团战争和目前的中日战争,都有这种情形。

[说明]资本主义社会是最后的阶级社会,无产阶级和资产阶级的斗争,是最后的阶级斗争,所以在资本主义社会中,只有无产阶级和资产阶级的矛盾是主要的矛盾,而其他的矛盾都是非主要的矛盾。至于殖民地或半殖民地的国家,其主要矛盾和非主要矛盾,则呈现着复杂的情况。就革命胜利以前的中国来说,它是一个半殖民地的国家,受着美、英、日许多帝国主义的侵略,我中华民族为争取生存和独立,就不能不实行反帝国主义的革命。所以中华民族和帝国主义的矛盾,成了主要的矛盾。但在另一方面,中国在鸦片战争以后,变成了半封建的国家,封建阶级掌握着国家的政权,对全国的人民大众实行着严酷的压迫和剥削,人民大众为了生存和自由,不能不实行反封建主义的革命。所以人民大众和封建制度的矛盾,也成了主要的矛盾。正因为中国社会是半殖民地半封建的社会,所以有上述两个主要的矛盾。伟大的近代和现代的中国革命,可以说是贯穿着这两个主要矛盾而发生和发展起来的。但由于帝国主义对中国侵略的形式不同(或者是军事的、政治的、经济的、文化的),由于帝国主义勾结国内封建势力的方法的不同,上述两个主要矛盾,常常互换地位,有时其中一个成为主要的,另一个暂时降居次要的和服从的地位。例如当着帝国主义向中国举行侵略战争的时候,中国内部各阶级,除开一些叛国分子以外,都能够暂时地团结起来,举行反帝国主义侵略的民族战争。这时候中华民族和帝国主义的矛盾变成了主要矛盾,国内各阶级的一切矛盾,包括人民

大众和封建制度的矛盾在内,便都降居次要的和服从的地位。例如1840年的鸦片战争,1894年的中日战争,1900年的义和团战争,以及最近抗日战争,都表现着中华民族和帝国主义这两个矛盾着的力量是主要的矛盾。

然而在另一种情形之下,则矛盾的地位起了变化。当着帝国主义不是用战争压迫而是用政治、经济、文化等比较温和的形式进行压迫的时候,半殖民地国家的统治阶级就会向帝国主义投降,二者结成同盟,共同压迫人民大众。这种时候,人民大众往往采取国内战争的形式,去反对帝国主义和封建阶级的同盟,而帝国主义则往往采取间接的方式去援助半殖民地国家的反动派压迫人民,而不采取直接行动,显出了内部矛盾的特别尖锐性。中国的辛亥革命战争,1924年至1927年的革命战争,1927年以后的10年土地革命战争,都有这种情形。还有半殖民地国家各个反动的统治集团之间的内战,例如在中国的军阀战争,也属于这一类型。

[说明]但是到了另一种情形时,矛盾的地位就起了变化,例如当着帝国主义对中国不实行军事的侵略,而只是实行政治的侵略(如根据不平等条约,在中国开辟租借和通商口岸,行使领事裁判权,掌握海关,驻扎军队,对统治阶级供给政治借款和军火,取得各种特权,控制中国交通事业,等等)、经济的侵略(如在中国开设银行,操纵中国的金融和财政、倾销商品,在中国开设工厂榨取中国工人,通过买办阶级剥削广大的农民群众,等等)和文化的侵略(如传教、办医院、办学校、办报纸和吸引留学生等,以造就服从它们的知识干部和愚弄广大的中国人民)的时候,半殖民地的中国统治阶级(辛亥革命以前的清政府,辛亥革命以后的封建军阀政府),就向帝国主义投降,和它结成同盟,共同压迫人民大众。在这种时候,人民大众常常采取国内战争的形式,去反对帝国主义和封建集团的同盟。但这时帝国主义并不采取直接行动,而常是采取间接方式去援助反动政府压迫人民,使得人民大众和封建制度的矛盾趋于尖锐化,变成了主要矛盾,其他一切矛盾(包括中华民族和帝国主义的主要矛盾在内)暂时降居次要的和服从的地位。这就是说,人民大众先推翻了封建主义,然后去推翻帝国主义。辛亥革命战争,推翻了清朝的封建统治;1924年至

1927 年的革命,推翻了北洋封建军阀的统治;1927 年以后的 10 年土地革命战争,推翻了红色区域以内的地主阶级,并给蒋介石匪帮以严重的打击。这些都是人民大众和封建势力的矛盾成为主要矛盾的实例。

还有半殖民地国家各个反动统治集团之间的内战,例如在中国的军阀战争,也属于这一类。中国的军阀战争,当然不是人民大众和统治阶级的矛盾激化的结果,而是各派军阀相互间的矛盾激化的结果。各派军阀各有一个或两个帝国主义者做它的主子,各个帝国主义者援助自己势力范围内的军阀,扩大其势力范围,间接地压迫并剥削中国人民。于是各派军阀在各个帝国主义者的唆使之下,演出了军阀间的内战。这也是帝国主义采取间接方式而不采取直接方式援助反动派压迫人民,使内部矛盾(军阀间的矛盾)激化的实例。

当国内革命战争发展到从根本上威胁帝国主义及其走狗(即国内反动派)的存在的时候,帝国主义就往往采取上述方法以外的方法,企图维持其统治;或者分化革命阵线的内部,或者直接出兵援助国内反动派。这时,外国帝国主义和国内反动派完全公开地站在一个极端,人民大众则站在另一个极端,成为一个主要矛盾,而规定或影响其他矛盾的发展状态。十月革命后各资本主义国家援助俄国反动派,是武装干涉的例子。1927 年的蒋介石的叛变,是分化革命阵线的例子。

然而不管怎样,过程发展的各个阶段中,只有一种主要的矛盾起着领导的作用,是完全没有疑义的。

[说明]在上述两种情形之外,还有第三种情形。当着国内的革命战争发展到一定阶段,以致在根本上威胁帝国主义及其走狗(即国内反动派)的存在的时候,帝国主义就常常采取另外的方法,企图维持它对于那个国家的统治。其方法不外下述两种。其一是采取破坏那一国的革命的方法,使革命阵线的内部发生分裂;其二是直接出兵援助国内的反动派。当帝国主义者直接出兵援助国内反动派的时候,外国帝国主义和国内反动派,完全公开地站在一个极端,人民大众站在另一个极端,成为一个主要的矛盾,而规定或影响其他一切矛盾的发展状态。俄国十月革命以后,英、法、日、美等 14 个资本主义国家对

苏联实行武装干涉和包围,援助俄国内部的高尔察克、尤登尼奇、邓尼金、克拉斯诺夫、弗兰克尔等反动派实行内乱,企图摧毁苏维埃政权,恢复地主资本家在俄国的统治。这是帝国主义者直接出兵援助国内反动派的实例。又如中国的1924年至1927年的革命,推翻了北洋封建军阀的统治,也威胁了帝国主义在中国的特权(如收回汉口、九江的租界等)。于是帝国主义者采取了种种方法,一面调集军舰炮轰南京来示威,一面勾结蒋介石匪帮,以取消领事裁判权及海关协定为钓饵,使它反苏反共反人民,终于破坏了这个革命。这是帝国主义分化革命阵线内部的实例。在《矛盾论》发表以后,帝国主义者直接出兵援助中国反动派的例子,也是有的。在第三次国内革命战争时期,美帝国主义者也曾出兵援助蒋介石反动派,美蒋匪帮站在一个极端,中国人民大众站在另一个极端。中国人民反蒋匪帮的革命,实际是同时反美帝国主义和反蒋匪帮的革命。这次革命战争的胜利,一举而完成了反帝反封建的革命。现在美帝国主义占领台湾,卵翼着蒋介石反动派,企图阻挠我解放台湾,并进一步想侵入中国大陆,但中国人民必将粉碎美帝和蒋匪帮的反动势力,实现台湾的解放。又如朝鲜民主主义人民共和国的成长壮大,使得占据南朝鲜的美帝国主义及其走狗李承晚匪帮感到生存的威胁的时候,美帝便直接出兵进攻朝鲜民主主义人民共和国,也属于同样的情形。

从上面三种情形看来,可以知道,在过程发展的各个阶段中,只有一种主要矛盾,规定并影响着其他一切的矛盾,这是完全没有疑义的。

由此可知,任何过程如果有多数矛盾存在的话,其中必有一种是主要的,起着领导的、决定的作用,其他则处于次要和服从的地位。因此,研究任何过程,如果是存在着两个以上矛盾的复杂过程的话,就要用全力找出它的主要矛盾。捉住了这个主要矛盾,一切问题就迎刃而解了。这是马克思研究资本主义社会告诉我们的方法。列宁和斯大林研究帝国主义和资本主义总危机的时候,列宁和斯大林研究苏联经济的时候,也告诉了这种方法。万千的学问家和实行家,不懂得这种方法,结果如堕烟海,找不到中心,也就找不到解决矛盾的方法。

[说明]看了上面说明,我们可以知道,任何一个过程,如果有多数的矛盾存在,其中必有一个矛盾是主要矛盾,它对其余许多矛盾起着领导的、决定的作用,而其余许多矛盾则处于次要和服从的地位。因此,我们研究任何一个过程时,如果发现它是存在着两个以上的矛盾的复杂过程,那就必须对那些矛盾作全面的比较的研究,从其中找出一个主要的矛盾。只要捉住这个主要矛盾,找出解决的方法,其余的许多矛盾,都可以配合那主要矛盾的解决而顺利地得到解决。像这样分析过程中的多数矛盾而捉住主要矛盾的方法,是马克思、恩格斯、列宁、斯大林所指示的方法。马克思解剖资本主义社会时,分析它的许多矛盾,从其中找出生产的社会性和占有制的私人性这个根本的主要矛盾,而这个根本的主要矛盾之直接的阶级表现,是无产阶级和资产阶级的矛盾。由于生产的社会性和占有制的私人性这个矛盾的激化,就不可避免地会引起无产阶级的革命,推翻资本主义制度,进到社会主义社会。随着无产阶级和资产阶级的主要矛盾的解决,其他许多矛盾都迎刃而解了。列宁和斯大林当分析帝国主义和资本主义总危机的时候,从分析帝国主义的主要矛盾出发,从各个帝国主义的发展不平衡的规律出发,指出了帝国主义锁链中最脆弱的一环被冲破的必然性,证明了一国革命的胜利和建设社会主义的可能性。其次,他们在十月革命以后,分析苏联经济的矛盾时,指出了过渡时期经济的主要矛盾,是社会主义和资本主义的矛盾,并指出了这个矛盾的根源,是大规模社会主义大工业和分散的小资产者农业之间的矛盾,即是无产阶级和小资产的农民阶层的矛盾(因为小资产者的农业,能够时时刻刻地产生资本主义)。过渡时期社会中其他许多的矛盾,都受上述主要矛盾所决定和领导。这个主要矛盾发展的结果,使社会主义的工业大大地发展起来,全国的农业都集体化了,由于富农阶级的消灭,社会主义最后克服了资本主义,苏联便进到了社会主义时代。

毛泽东同志应用马克思、恩格斯、列宁和斯大林所用的方法,分析了中国革命过程中的复杂的矛盾,基于过程之反帝反封建的民主革命的性质(其反面是半殖民地半封建的性质),指出了过程中的两个主要矛盾,即中华民族和帝国主义的矛盾、人民大众和封建制度的矛盾。这两个主要矛盾,在过程的各个发展阶段中,由于客观革命形势的变化,其中只有一个是主要矛盾,另一个主要矛盾则与其他许多矛盾降居次要的服从的地位。由于捉住了一个主要矛盾，就决定了解决这主要矛盾的策略，而其他许多矛盾也都随着解决了。这是新民主主义革命所证明了的真理。

中国人民革命的伟大胜利，推翻了帝国主义、封建主义和官僚资本主义在中国的统治，建立了中华人民共和国。三年以来，由于抗美援朝、土地改革和镇压反革命三大运动的胜利，"三反"和"五反"运动的胜利，以及财政经济情况的根本好转，新国家的基础已经是非常巩固了。但就对外方面说来，美帝国主义还控制着我们的台湾，并侵略着我们的邻邦朝鲜，因而中华民族和帝国主义的矛盾，仍然是主要的矛盾。另一方面，在新中国成立以后，社会主义因素和资本主义因素的矛盾，成为主要的矛盾。毛泽东同志早在 1939 年就说过："中国革命的全部结果是：一方面有资本主义因素的发展，又一方面有社会主义因素的发展。这种社会主义因素是什么呢？就是无产阶级和共产党在全国政治势力中的比重的增长，就是农民、知识分子和城市小资产阶级或者已经或者可能承认无产阶级和共产党的领导权，就是民主共和国的国营经济和劳动人民的合作经济。所有这一切，都是社会主义的因素。加以国际环境的有利，便使中国资产阶级民主革命的最后结果，避免资本主义的前途，实现社会主义的前途，不能不具有极大的可能性了。"[1]由此可见，社会主义因素和资本主义因素的矛盾在新中国成立以后成为主要矛盾，这是很明显的。这个矛盾的阶级的表现，是工人阶级和民族资产阶级的矛盾，但在统一战线的政权下，这两个阶级是朋友而不是敌人，这是中国社会的矛盾的特殊性所规定了的。中国的经济落后，在解放以前，"现代工业产值不过只占全国国民经济总产值的10%左右。为了对付帝国主义的压迫，为了使落后的经济地位提高一步，中国必须利用一切于国计民生有利而不是有害的城乡资本主义因素，团结民族资产阶级，共同奋斗"。[2] 中国革命胜利以后，主要的剥削阶级即地主阶级和官僚资产阶级已经消灭了，"剩下一个民族资产阶级，在现阶段就可以向他们中间的许多人进行许多适当的教育工作。等到将来实行社会主义即实行私营企

---

① 《毛泽东选集》第二卷，第 613 页。
② 毛泽东：《论人民民主专政》。

业国有化的时候,再进一步对他们进行教育和改造的工作。人民手里有强大的国家机器,不怕民族资产阶级造反"。① 所以,只要民族资产阶级遵守共同纲领,服从工人阶级的领导,发展于国计民生有利的企业,是能够助长国民经济的发展的。在另一方面,带有社会主义性质的国营经济和半社会主义性质的合作社经济,在大规模的计划化的经济建设过程中,必将有伟大的长足的进步。到了国家工业化和农业集体化将要实现的时候,由于私人企业的国有化的实行,社会主义因素就克服资本主义因素,社会主义在经济战线上就取得了决定性的胜利。在那个时候,民族资产阶级将由国家保障他们的工作,并保留他们的生活资料,他们原来的阶级地位也就消失了。所以,在工人阶级领导的人民民主专政的政权下,工人阶级和资产阶级的矛盾,不须经过爆发的阶段就会被克服的。

万千的学问家必须学会应用这个方法。我们首先要认识新社会的那个主要矛盾,认识社会主义的前途。其次要分析自己思想中的许多矛盾,如旧思想和新思想的矛盾、资产阶级思想和工人阶级思想的矛盾、自己的学问和新社会需要之间的矛盾、个人利益和社会利益的矛盾等等,而应当确定资产阶级思想和工人阶级思想的矛盾,作为主要矛盾,因而找出解决这个矛盾的方法。为要解决这个主要的矛盾,就必须从资产阶级的立场转到工人阶级的立场,克服资产阶级思想,培养工人阶级思想,用马克思列宁主义、毛泽东思想,把自己的头脑武装起来。只有用这样的方法,才能解决那个主要的矛盾,才能使个人的利益服从于社会的利益,才能使自己的学问和新社会的实际需要相结合,才能贡献出自己的一分力量于新社会的建设,和工人一道创造出社会主义的条件。

万千的实行家也必须学会应用这个方法,在自己的工作岗位上,为创造社会主义的前途而努力。新社会的各部门的建设工作都是新的工作,做这些新的工作,必然要遭遇到许多困难、许多问题即许多矛盾,必须善于分析那许多矛盾,用全力找出它的主要矛盾(即中心环节),然后想出解决它的方法,随着主要矛盾的解决,其他次要的服从的矛盾也会顺利地解决了。一阶段的矛盾解决了,新阶段的许多新矛盾又会簇生出来,我们要学会毛泽东同志所用的方

---

① 毛泽东:《论人民民主专政》。

法逐步地去解决它,才能做好自己岗位上的工作。

无论是学问家或实行家,若果不懂得这种方法,那就会找不到问题的中心,决不能贡献出适合于新社会所需要的为人民服务的学术,也不能胜任人民所交付的实际工作。

不能把过程中所有的矛盾平均看待,必须把它们区别为主要的和次要的两类,着重于抓住主要的矛盾,已如上述。但是在各种矛盾之中,不论是主要的或次要的,矛盾着的两个方面,又是否可以平均看待呢?也是不可以的。无论什么矛盾,矛盾的诸方面,其发展是不平衡的。有时候似乎势均力敌,然而这只是暂时的和相对的情形,基本的形态则是不平衡。矛盾着的两方面中,必有一方面是主要的,他方面是次要的。其主要的方面,即所谓矛盾起主导作用的方面。事物的性质,主要是由取得支配地位的矛盾的主要方面所规定的。

[说明]前面已经说过,当我们分析过程中的各种矛盾时,不能把那些矛盾都看成同样平均的东西,而必须从那些矛盾中找出能起领导的、决定的作用的主要矛盾来,然后才能找出解决这主要矛盾的方法,顺次解决其他许多次要的服从的矛盾。但为要找出解决主要矛盾的方法,还须分析那主要矛盾的两个方面谁是主要的,谁是非主要的,然后才能正确地解决这个主要矛盾。实际上,任何矛盾,无论是主要矛盾或非主要矛盾,其矛盾的两方面,也必有一方是主要的,一方是非主要的。因为无论什么矛盾,矛盾的两方面的发展都是不平衡的。或者是矛的一方面势力大,或者是盾的一方面势力大,矛盾双方势均力敌的形态,只是暂时的相对的,而基本的形态总是不平衡的。我们知道,矛盾即是运动,如果矛盾双方永远地绝对地势均力敌,那就会变为永久的绝对的静止而没有什么运动了。静止只是运动的一种形式,只是暂时的相对的,而永久的绝对的静止是决不能有的。所以矛盾双方的势力常是不平衡的,其中必有一方是主要的(即力量大),另一方是次要的(即力量小)。其主要的方面,即是在这个矛盾中起主导作用(即起支配作用)的一方面。事物的性质固然要由其中所包含的特殊矛盾所规定,然而细加分析,则主要地是由取得支配地位的矛盾的主要方面所规定的(附带要解说一句,原文中所说的"矛盾的主要方

面"、"矛盾起主导作用的方面",两者的意思是相同的)。

然而这种情形不是固定的,矛盾的主要和非主要的方面互相转化着,事物的性质也就随着起变化。在矛盾发展的一定过程或一定阶段上,主要方面属于甲方,非主要方面属于乙方;到了另一发展阶段或另一发展过程时,就互易其位置,这是依靠事物发展中矛盾双方斗争的力量的增减程度来决定的。

我们常常说"新陈代谢"这句话。新陈代谢是宇宙间普遍的永远不可抵抗的规律。依事物本身的性质和条件,经过不同的飞跃形式,一事物转化为他事物,就是新陈代谢的过程。任何事物的内部都有其新旧两个方面的矛盾,形成一系列的曲折的斗争。斗争的结果,新的方面由小变大,上升为支配的东西;旧的方面则由大变小,变成逐步归于灭亡的东西。而一当新的方面对于旧的方面取得支配地位的时候,旧事物的性质就变化为新事物的性质。由此可见,事物的性质主要地是由取得支配地位的矛盾的主要方面所规定的。取得支配地位的矛盾的主要方面起了变化,事物的性质也就随着起变化。

[说明]事物矛盾的主要方面和非主要方面,常是互相转化,并不是固定不变的。这种转化,使得事物的性质也随着发生变化。在矛盾发展的一定过程或一定阶段上,主要方面属于甲方,即势力较大的一方;非主要方面属于乙方,即势力较小的一方。但到了另一发展阶段或另一发展过程时,原来占主要地位的一方就转变到非主要方面,而原来占非主要地位的一方则转变到主要方面。这种转变,是依靠事物发展中矛盾双方斗争力量的增减程度来决定的。

矛盾的主要方面和非主要方面,为什么由于双方斗争力量的消长而互相转化呢? 这是因为矛盾中原来占主要地位的一方是陈旧的东西,势力虽大,却是要衰亡的东西;而原来占非主要地位的一方是新生的东西,势力虽小,却是要成长的东西。我们常常说起"新陈代谢"这句话,是很有道理的。新陈代谢是宇宙间普遍的永远不可抵抗的规律。这就是说,旧东西的死灭和新东西的生长,是自然和社会的发展的规律。事物在其发展过程中,依其本身的性质和条件,经过不同的飞跃形式,一事物就转化为新事物,这就是新陈代谢的过程。任何事物的内部都有其旧的和新的两个方面的矛盾,即一方面是过去的、衰颓着的、衰亡着的东西,一方面是将来的、发生着的、发展着的东西。这过去和将来、衰颓着的东西和发生着的东西、衰亡着的东西和发展着的东西之间的矛盾,即旧东西和新东西之间的矛盾,形成一系列的曲折的斗争。在斗争过程中,新东西的势力逐渐成长,由小变大;旧东西的势力逐渐衰退,由大变小。于是强弱易势,原来占居支配地位(即主要方面)的旧东西,就转变到被支配的地位(即非主要方面);原来处于被支配地位(即非主要方面)的东西,就转变到支配的地位(即主要方面)。到了这个时候,新东西战胜了旧东西,而旧事物的性质就变化为新事物的性质。由此可见,事物的性质虽由事物中的主要矛盾所规定,但穷其究竟,则实由取得支配地位的矛盾的主要方面所规定。主要矛盾的主要方面起了变化,事物的性质也就随着发生变化。这是新事物所以发生的根源。因为事物的性质原是由其中的特殊的矛盾所规定,如果那矛盾中没有新旧两方面的斗争,如果不是新的方面战胜了旧的方面,原来的事物就不能转变为新事物,这是很显然的。正因为原来事物中的矛盾的新的方面战胜了旧的方面,所以新事物才能发生。这个道理,下面还要举例说明。

在资本主义社会中,资本主义已从旧的封建主义社会时代的附庸地位,转化成了取得支配地位的力量,社会的性质也就由封建主义的变为资本主义的。在新的资本主义社会时代,封建势力则由原来处在支配地位的力量转化为附庸的力量,随着也就逐步地归于消灭了,例如英法诸国就是如此。随着生产力的发展,资产阶级由新的起进步作用的阶级,转化为旧的起反动作用的阶级,以致最后被无产阶级所推翻,而转化为私有的生产资料被剥夺和失去权力的阶级,这个阶级也就要逐步归于消灭了。人数比资产阶级多得多、并和资产阶级同时生长、但被资产阶级统治着的无产阶级,是一个新的力量,它由初期的附属于资产阶级的地位,逐步地壮大起来,成为独立的和在历史上起主导作用的阶级,以致最后夺取政权成为统治阶级。这时,社会的性质,就由旧的资本主义的社会转化成了新的社会主义的社会。这就是苏联已经走过和一切其他国家必然要走的道路。

〔说明〕现在举几个实例,说明新陈代谢的规律,说明事物的性质由取得支配地位的矛盾的主要方面所规定的规律。

封建社会的主要矛盾,是农民阶级和封建阶级的矛盾。但是到了资本主义在封建社会中孕成以后,资本主义和封建主义的矛盾,便变成了主要矛盾,这个矛盾的阶级表现,是资产阶级和封建阶级的矛盾。在最初的时候,矛盾的主要方面属于封建阶级,其势力是非常庞大的;资产阶级不过是第三等级,受着封建阶级的统治,其势力微不足道。但资产阶级是发生着的、进步的阶级。在矛盾的发展过程中,资本主义经济瓦解了封建经济,资产阶级的势力就成长壮大起来,转到了起主导作用的方面,而封建阶级的势力就逐渐衰亡下去,由于资产阶级革命的胜利,封建社会就转变为资本主义社会。于是封建势力就由原来处在支配地位的力量转化为附庸力量,随着也就逐步地归于消灭了。例如17、18世纪英法等国资产阶级革命前后的情形,就是这样的。

进到了资本主义社会以后,无产阶级和资产阶级的矛盾,成为主要的矛盾。无产阶级虽然是和资产阶级同时发生,而且人数比资产阶级多得多,但因为在经济上被剥夺了生产资料,在政治上又受着资产阶级的统治,其势力是很弱小的。至于资产阶级则占有着生产资料,又掌握着国家政权,其势力是很强大的。所以从最初起,资产阶级是站在矛盾的主要方面。但随着资本主义的发展,资产阶级就由原来起进步作用的阶级转变为起反动作用的阶级,由新的东西转变为旧的东西了。无产阶级是最进步最革命的阶级,是以实现全人类的解放来求得自己解放的阶级。所以在阶级斗争中,无产阶级的势力就成长起来、壮大起来,成为独立的和在历史上起主导作用的阶级,以致最后夺取政权成为统治阶级。资产阶级终于被无产阶级所推翻,转化为私有的生产资料被剥夺和失去权力的阶级,它也就逐步地归于消灭。于是社会的性质,就由资本主义社会转变为社会主义社会。俄国十月革命,正是新的社会主义制度代替旧的资本主义制度的实例,是社会性质由取得支配地位的矛盾的主要方面所规定的实例。苏联所走过的道路,也是其他国家必然要走的道路。

斯大林说:"旧东西和新东西之间的斗争、衰亡着的东西和产生着的东西之间的斗争、衰颓着的东西和发展着的东西之间的斗争,就是发展过程的内在内容……"又说:"旧东西衰亡和新东西生长是发展的规律。"又说:"在辩证方法看来,最重要的不是现时似乎坚固,但已经开始衰亡的东西,而是正在产生、正在发展的东西,哪怕它现时似乎还不坚固,因为在辩证方法看来,只有正在产生、正在发展的东西,才是不可战胜的。"①这几句话,正是说明着新陈代谢这个规律的。

就中国的情形来说,帝国主义处在形成半殖民地这种矛盾的主要地位,压迫中国人民,中国则由独立国变为半殖民地。然而事情必然会变化,在双方斗争的局势中,中国人民在无产阶级领导之下所生长起来的力量必然会把中国由半殖民地变为独立国,而帝国主义则将被打倒,旧中国必然要变为新中国。

旧中国变为新中国,还包含国内旧的封建势力和新的人民势力之间的情况的变化。旧的封建地主阶级将被打倒,由统治者变为被统治者,这个阶级也就会要逐步归于消灭。人民则将在无产阶级领导之下,由被统治者变为统治者。这时,中国社会的性质就会起变化,由旧的半殖民地和半封建的社会变为新的民主的社会。

［说明］就中国的情形举例来说。

在帝国主义没有侵入以前,中国社会是封建社会,其主要矛盾是人民大众和封建制度的矛盾。这个矛盾包括农民阶级和地主阶级的矛盾。但在帝国主义侵入中国以后,中国社会就变成了半殖民地半封建社会,除了原有的人民大众和封建制度的主要矛盾以外,又出现了新的主要矛盾,即中华民族和帝国主义的矛盾。这个矛盾包容中国无产阶级和帝国主义国家的资产阶级的矛盾。因为"中国无产阶级的发生和发展,不但是伴随中国民族资产阶级的发生和发展而来,而且是伴随帝国主义在中国直接地经营企业而来。所以,中国无产阶级的很大一部分较之中国资产阶级的年龄和资格更老些,因而它的社会力量和社会基础也更广大些"②。这是中国无产阶级能够领导中国革命的历史根源。但在中华民族和帝国主义这个主要矛盾中,最初,帝国主义站在矛盾的主要方面,其势力是异常强大的。帝国主义列强,首先"向中国举行多次的侵

---

① 斯大林:《论辩证唯物主义和历史唯物主义》。
② 《毛泽东选集》第二卷,第590页。

略战争,例如一八四〇年的英国鸦片战争,一八五七年的英法联军战争,一八八四年的中法战争,一八九四年的中日战争,一九〇〇年的八国联军战争。用战争打败了中国之后,帝国主义列强不但占领了中国周围的许多原由中国保护的国家,而且抢去了或'租借'去了中国的一部分领土"。① 于是,帝国主义列强就强迫中国订立了许多不平等条约,并根据不平等条约,对中国实行了政治的、经济的、文化的侵略和压迫,使中国变成了它们的半殖民地。正因为帝国主义取得了支配地位的矛盾的主要方面,所以中国的社会才变成了半殖民地社会。至于中华民族,从最初起,处于矛盾的非主要方面,人民大众,一面受着帝国主义的压迫,一面受着封建政治的压迫,不能组成强大的力量。并且清朝的封建政府,在帝国主义侵入后不久,就投降了帝国主义,而与帝国主义深相结合,共同压迫中国人民。但中国人民,一百多年来,对帝国主义列强进行了一系列的英勇的斗争,从鸦片战争、太平天国运动、对英法联军战争、中法战争、中日战争、义和团运动、"五四"运动,直到抗日战争,都表现了中国人民反帝国主义的英勇的坚强的革命精神。在长期的反帝国主义的革命过程中,在"五四"运动以前,中国无产阶级还停顿在自在的阶级的状态,还不曾起来领导这个革命,而民族资产阶级又没有领导这个革命的能力,所以中华民族还处于矛盾的非主要方面。但到"五四"运动的时候,中国无产阶级已转变为自为的阶级,随着它的司令部——中国共产党也成立了。于是中国人民反帝国主义的革命力量,就在中国共产党和无产阶级领导下,逐渐地成长起来。到了抗日战争时期,中国共产党所领导的抗日民族统一战线,使中华民族的势力日趋壮大,终于取得了支配地位的矛盾的主要方面,打败了日本帝国主义。最后经过第三次国内革命战争,把美蒋匪帮赶出了中国大陆。于是中国由半殖民地变成了独立国,旧中国变成了新中国——中华人民共和国。

旧中国变为新中国,还包含国内旧的封建势力和新的人民势力之间的情况的变化。因为帝国主义和封建势力相结合,把中国社会变为半殖民地半封建社会的过程,也就是中国人民反抗帝国主义及其走狗的过程。所以中华民族和帝国主义、人民大众和封建制度这两个主要矛盾,虽然在革命发展的各个

---

① 《毛泽东选集》第二卷,第591页。

阶段上,由于革命情势的变化,其中只有一个是主要矛盾,而其另一个是非主要矛盾,这是在前面已经说过的。在实际上,这两个主要矛盾是密切结合着,有时两者汇合成一个主要矛盾。一个解决了,另一个也必随着解决,或者同时解决。在抗日战争胜利以后,中华民族和日本帝国主义的矛盾是解决了,但抗战胜利以后,中国必须成为人民共和国,即接连着要解决人民大众和封建制度的矛盾。可恨蒋介石匪帮却与美帝国主义联成一气,大举反共反人民,要把中国变成美帝国主义一国的殖民地,希图在中国维持帝国主义、封建主义、官僚资本主义三位一体的独裁政治。中国人民忍无可忍,向美蒋匪帮进行了三年多的解放战争,取得了伟大的胜利,人民大众和封建制度的矛盾,随着中华民族和帝国主义的矛盾的解决而同时解决了。于是旧的封建地主阶级就由统治者变成了被统治者,这个阶级终于被消灭了。而人民大众在无产阶级领导之下,由被统治者变成了统治者。由于这两个主要矛盾的解决,中国社会的性质就起了变化,由旧的半殖民地和半封建的社会,变成了社会主义的社会。

这种互相转化的事情,过去已有经验。统治中国将近三百年的清朝帝国,曾在辛亥革命时期被打倒;而孙中山领导的革命同盟会,则曾经一度取得了胜利。在1924年至1927年的革命战争中,共产党和国民党联合的南方革命势力,曾经由弱小的力量变得强大起来,取得了北伐的胜利;而称雄一时的北洋军阀则被打倒了。1927年,共产党领导的人民力量,受了国民党反动势力的打击,变得很小了;但因肃清了自己内部的机会主义,就又逐步地壮大起来。在共产党领导的革命根据地内,农民由被统治者转化为统治者,地主则做了相反的转化。世界上总是这样以新的代替旧的,总是这样新陈代谢、除旧布新或者推陈出新的。

[说明]矛盾的主要方面和非主要方面互相转化,新的事物代替旧的事物的事情,在中国革命的历史上,已经有了很多的经验。例如清代的封建帝国统治人民将近三百年之久,而孙中山领导的同盟会所策划的辛亥革命,终于取得胜利,推倒了清帝国,成立了中华民国的临时政府(只因为资产阶级的软弱性,临时政府成立不久,就和袁世凯所领导的封建势力相妥协,把革命胜利的

果实让给袁世凯。于是北洋封建军阀的势力,代替了清朝的封建势力,使这个革命终于流产)。

又如1924年至1927年的革命,最初的时候,北洋封建军阀的势力非常强大,而中国共产党和国民党在广东的势力却是很小,但由于中国共产党的领导,由于工农群众的运动的发展,革命势力便成长壮大起来,终于能够大举北伐,打倒了北洋封建军阀,取得了胜利(只因为中国共产党内部的机会主义领导集团,放弃了领导权,放弃了土地革命和武装斗争,使得匪帮背叛了革命,掠夺了胜利的果实,成立了和帝国主义勾结的国民政府,来压迫中国共产党和中国人民)。

1927年革命的失败,中国共产党和人民大众受了蒋介石匪帮的国民党反动派的打击,势力变得很小了,但中国共产党肃清了党内机会主义分子,重整了革命的阵营,使革命复兴起来,势力逐渐壮大,进行了10年土地革命战争。在红色区域以内,农民阶级打倒地主阶级,变成了统治者,而地主阶级则变成了被统治者。

由此可见,世界一切事物的发展,都是新陈代谢的过程,总是新事物代替旧事物,将来的东西代替过去的东西,产生着的东西代替衰亡着的东西,发展着的东西代替衰颓着的东西。社会主义社会代替半殖民地半封建社会,人民民主专政代替了蒋介石匪帮的法西斯专政,社会主义性质的国营经济代替了官僚资本主义的经济,民族的、科学的、大众的文化代替了封建的、买办的、法西斯主义的文化。在社会的生活中,经常有新生的东西代替了垂死的东西,新事业代替了旧事业;在人们的思想中,工人阶级的思想和非工人阶级的思想斗争,工人阶级思想必然取得优势,克服非工人阶级思想。一切的一切,都将由新的东西代替旧的东西。所以新陈代谢是宇宙间普遍的永久不可抵抗的规律。

革命斗争中的某些时候,困难条件超过顺利条件,在这种时候,困难是矛盾的主要方面,顺利是其次要方面。然而由于革命党人的努力,能够逐步地克服困难,开展顺利的新局面,困难的局面让位于顺利的局面。1927年中国革命失败后的情形,中国红军在长征中的情形,都是如此。现在的中日战争,中国又处在困难地位,但是我们能够改变这种情况,使中日双方的情况发生根本的变化。在相反的情形之下,顺利也能转化为困难,如果是革命党人犯了错误的话。1924年至1927年的革命的胜利,变为失败了。1927年以后在南方各省发展起来的革命根据地,至1934年都失败了。

[说明]在革命斗争中,也有矛盾双方互相转化的实例。有时革命斗争进行顺利,有时则遭逢困难。顺利和困难,形成矛盾的两极。当困难条件超过顺利条件时,困难是矛盾的主要方面,顺利是其次要方面。但共产党人是绝不向困难低头的,只要党的政治路线正确,通过共产党人的努力,就能够逐步地克服困难,开展顺利的新局面,因而困难的局面就让位于顺利的局面。反之,当革命顺利进行时,顺利是矛盾的主要方面,困难是其次要方面。但在这种时候,党的政治路线如果发生了错误,敌人就会乘机反攻,革命斗争就会逐步地陷于困难的局面,顺利就会转化为困难。这两种情形,在中国共产党领导人民革命的历史中,都是有过的。例如1924年至1927年的革命,在最初的时候,由于孙中山的国民党接受了中国共产党的主张,将国民党改组为有共产党人参加的反帝反封建的革命联盟,并决定实行联苏、联共和扶助工农的三大政策。在这种条件下,共产党领导着这个革命,很顺利地把全国的工人和广大的农民组织起来,并在军事上也领导了北伐战争,摧毁了北洋封建军阀的势力。这是革命斗争很顺利的局面。但自从孙中山去世以后,蒋介石匪帮就阴谋背叛革命,采取了一系列的反共的措施,而陈独秀机会主义领导集团,不但麻痹大意,不知提高警惕,反而放弃了对于革命的领导权,放弃了土地革命和武装斗争。结果,蒋介石匪帮在1927年公开反革命,给共产党以严重打击,使革命局势陷于极端困难的境地。这是革命斗争由顺利局面转化到困难局面的实例。

1927年革命失败以后,党的革命斗争陷于极端困难的地位,蒋介石匪帮的统治比以前的军阀更为凶恶,许多优秀党员和革命的工人农民,遭到了极野蛮的毒杀,全国突然转入了黑暗。但以毛泽东同志为首的马克思列宁主义者,接受了失败的教训,清除了党内的机会主义分子,集结了革命的力量,在敌人进攻的面前组织有序的退却和防御,并利用敌人内部的矛盾,争取革命运动的复兴。但当开始在白色势力包围中建立红色政权根据地之时,革命的困难条件是很多的,读了《井冈山的斗争》,便可知道。毛泽东同志却很正确地应用了矛盾法则分析了当时客观革命形势中的矛盾,研究了敌我双方的情况,指出革命高潮即将到来。同时,党决定了一系列的正确的政策,整党建军,紧紧依靠农民群众,推行土地革命。于是革命根据地的范围逐渐推广,到 1930 年已由江西发展到福建、安徽、河南、陕西、甘肃等地和海南岛,红军势力日趋壮大,粉碎了蒋介石匪帮几次的"围剿"。经过几次的大胜利,新的革命形势,也逐渐地接近于成熟了,这是革命斗争由困难的局面转变到顺利的局面的实例。不料革命情势正在顺利发展之时,党中央"左"倾机会主义领导集团,却把革命引到错误的方向,致使白色区域中党组织差不多全部遭到破坏,而在红色区域中排挤了毛泽东同志的领导,特别是排挤了毛泽东同志对于红军的领导。因而造成了第五次反"围剿"的大失败,不得不开始了两万五千里的长征。于是由红军胜利和国民党统治区群众运动高涨所表现出来的革命复兴就被破坏了。

在长征中,由于党中央在军事上继续发生错误,使红军数次陷入危险境地并受到了极大的损失。自从遵义会议确立了毛泽东同志在全党的领导地位以后,才使中央红军克服了军事上的、政治上的和自然界的无数困难,胜利地完成了两万五千里的长征,在陕北建立了革命根据地,重整了革命的阵容,从困难的局面转到了顺利的局面。

又如就 1937 年开始的抗日战争来说。在最初的时候,日帝国主义占居矛盾的主要方面,中国则处在非主要方面,敌强我弱,敌之进攻顺利,我之防御困难。但如毛泽东同志的分析,"日本的长处是其战争力量之强,而其短处则在其战争本质的退步性、野蛮性,在其人力、物力之不足,在其国际形势之寡助"。"中国的短处是战争力量之弱,而其长处则在其战争本质的进步性和正义性,在其是一个大国家,在其国际形势之多助。"[1]中国共产党根据中日战争互相矛盾着的这些基本特点,规定了抗日的一切政治上的政策和军事上的战略战术,领导着广大人民的民族统一战线,终于取得了抗战的胜利。

---

[1] 《毛泽东选集》第二卷,第 416、417 页。

又如就第三次国内革命战争来说：当 1946 年 7 月，蒋匪帮发动全国规模的反革命战争的时候，共有军事力量四百余万人，又有美帝国主义者大量的军事援助，早已利用时间完成了进攻的准备，其局面当然是顺利的。但从蒋介石匪帮发动反革命战争的那一天起，毛泽东同志早就断定我们不但必须打败蒋介石，而且能够打败他。果然，到了 1947 年 12 月，毛泽东同志在中共中央会议上报告《目前形势和我们的任务》时，中国人民解放军早已打退了美蒋匪帮数百万反动军队的进攻，并使自己转入了进攻；扭转蒋匪帮的反革命车轮，使之走向消灭的道路，推进了自己的革命车轮，使之走向胜利的道路。解放战争的历史，完全证实了毛泽东同志论断的正确。

又如我们的新国家成立之时，首先遭遇到财政经济困难的局面，财政收支不能平衡，物价波动，金融不稳定，这是蒋介石匪帮长期破坏的结果，也受了官僚资本的残余势力的影响。但由于人民政府财政经济政策的正确，由于毛主席的英明领导和全国人民的奋勇劳动，由于土地改革的完成、工商业的调整、国家机构所需经费的节减，由于"三反"和"五反"运动的伟大成就，在短短两年多的期间内，在排除种种困难而又大踏步前进的情况下，我国的财政经济情况就已经根本好转了。

在新国家建设的前途中，经常要遇到种种困难，但在中国共产党和革命人民面前，任何困难都是可以克服的。只要我们能够善于学习马克思列宁主义，学习毛泽东思想，信任群众，紧紧地和群众一道，集中群众的智慧，我们是完全能够克服任何困难而前进的。

研究学问的时候，由不知到知的矛盾也是如此。当我们刚才开始研究马克思主义的时候，对于马克思主义的无知或知之不多的情况，和马克思主义的知识之间，互相矛盾着。然而由于努力学习，可以由无知转化为有知，由知之不多转化为知之甚多，由对于马克思主义的盲目性改变为能够自由运用马克思主义。

[说明]研究学问的时候，由不知到知，也是矛盾双方的互相转化。例如当人们开始学习马克思列宁主义的时候，对于马克思列宁主义是无知的。无

知和有知之间形成一个矛盾。但若努力进行学习,就可以由无知到有知,由知之不多到知之更多。这是一种情形。若要进一步追问:一个人对马克思列宁主义的有知或知之更多,是否真知或真的知之更多? 这要拿他的行动来鉴定,看他所学得的马克思列宁主义的知识,能否在行动上表现出来,知识和行动能否统一。如果单只知道马克思和列宁的著作中的文句和意义,而在行动上却是另外一套,那所谓"知"就和不知相等,甚至比不知还要坏。说到这里,就要涉及阶级的立场问题。因为马克思列宁主义的理论是关于自然和社会发展的科学,是关于被压迫和被剥削群众革命的科学,是关于社会主义在一切国家中胜利的科学,是关于共产主义社会建设的科学。这种科学是工人阶级思想的体系,只有工人阶级和完全站在工人阶级立场的人们,才能把所学得的关于这个科学的知识作为行动的指南,把知识和行动统一起来。他们学得这个科学的知识越多,越是能够在革命和建设的实际工作中去运用它。只有这样,才能克服对于马克思列宁主义的盲目性,而转变到能够自由运用马克思列宁主义。

有人觉得有些矛盾并不是这样。例如,生产力和生产关系的矛盾,生产力是主要的;理论和实践的矛盾,实践是主要的;经济基础和上层建筑的矛盾,经济基础是主要的;它们的地位并不互相转化。这是机械唯物论的见解,不是辩证唯物论的见解。诚然,生产力、实践、经济基础,一般地表现为主要的决定的作用,谁不承认这一点,谁就不是唯物论者。然而,生产关系、理论、上层建筑这些方面,在一定条件之下,又转过来表现其为主要的决定的作用,这也是必须承认的。当不变更生产关系,生产力就不能发展的时候,生产关系的变更就起了主要的决定的作用。当如同列宁所说"没有革命的理论,就不会有革命的运动"①的时候,革命理论的创立和提倡就起了主要的决定的作用。当着某一件事情(任何事情都是一样)要做,但是还没有方针、方法、计划或政策的时候,确定方针、方法、计划或政策,也就是主要的决定的东西。当着政治文化等等上层建筑阻碍着经济基础的发展的时候,对于政治上和文化上的革新就成为主要的决定的东西了。我们这样说,是否违反了唯物论呢? 没有。因为我

---

① 列宁:《做什么?》,第一章第四节。

们承认总的历史发展中是物质的东西决定精神的东西,是社会的存在决定社会的意识;但是同时又承认而且必须承认精神的东西的反作用,社会意识对于社会存在的反作用,上层建筑对于经济基础的反作用。这不是违反唯物论,正是避免了机械唯物论,坚持了辩证唯物论。

[说明]矛盾的主要方面和非主要方面互相转化,上面已经举了很多实例说明了,但是抱着机械唯物论见解的人们,却说有些矛盾的双方并不互相转化。例如有人说,生产力和生产关系的矛盾,生产力是主要方面,两者的地位并不互相转化。这种见解是不合于唯物辩证法的。在辩证唯物论看来,在生产力和生产关系的矛盾中,生产力是生产中最活动最革命的要素,是生产发展过程中决定的要素。生产关系是和生产力的发展程度相适合的。"生产力怎样,生产关系就必须怎样。""先是社会生产力变化和发展,然后,人们的生产关系、人们的经济关系依赖这些变化、与这些变化相适应地发生变化。"①生产力对于生产关系占居主要地位,当然是很明显的。但在另一方面,生产关系也影响生产力的发展,生产力也依赖生产关系。生产关系虽然是依赖生产力的发展而发展,但同时它也反转来影响生产力。因为社会的生产力是不断地向前发展的。当生产关系适合于生产力的性质和状况,并使生产力有发展余地时,它能助长生产力的发展;反之,当生产关系不适合于生产力的性质和状况,并使生产力无发展余地时,它就障碍生产力的发展。这是生产关系对于生产力的反作用。在这种时候,生产关系对于生产力就占居主要地位了。不过这种情况不能持久,生产关系不能长此落后于生产力的发展,它迟早必定适合于生产力的发展水平,适合于生产力的性质。这即是说,生产力仍要占居矛盾的主要地位。但是,生产关系为什么能障碍生产力的发展呢? 因为生产力说明着人们用怎样的生产工具生产他们的物质资料的问题,而生产关系则是说明着生产资料归谁所有的问题,即归社会所有或归个人所有的问题。在阶级社会中,生产资料归特殊阶级所独占,而别的阶级则丧失生产资料。例如在资本主义社会中,生产资料归资产阶级所独占,无产阶级则除劳动力以外,一无所

---

① 斯大林:《论辩证唯物主义和历史唯物主义》。

有。所以资本主义的生产关系,即是资产阶级和无产阶级的关系,是剥削和被剥削的关系,即是财产关系。资本主义社会的生产关系障碍生产力的发展,即是资本家的财产关系起着障碍的作用。这种障碍生产力发展的实例,便是资本主义国家中所发生的经济危机。因为生产资料的资本主义私有制是和生产过程的公共性质,和生产力的性质不相适合的,所以才发生经济危机。为要使生产力得以顺利发展,就必须打破资本主义的生产关系,建立适合于生产过程的公共性质,即适合于生产力的性质的新生产关系——社会主义的生产关系。这是必须由无产阶级革命来实现的。在社会主义社会中,生产关系一定要适合于生产力的性质这一经济法则,仍然是发生作用的,即生产关系落后于生产力的发展的事实仍是客观地存在着。但以生产资料的社会所有制为基础的社会主义的生产关系和生产力的矛盾,是非对抗性的矛盾,人们一旦发现生产关系不适合于生产力的发展时,随时可以改变那种生产关系使适合于生产力的性质,促进生产力的向前发展。

有人说,理论和实践的矛盾,实践是矛盾的主要方面,它们的地位并不互相转化。这种见解同样是错误的。革命的实践对于革命的理论,固然占居主要地位,但革命的实践若果没有革命的理论做指导,就会变为盲目的实践,必然要遭到失败。列宁说过:"没有革命的理论,就不会有革命的运动。"所以当着无产阶级要实行革命而缺乏革命理论做指导的时候,革命的理论的创立和提倡,就要起主要的决定的作用了。就中国人民一百多年来革命的历史来看。从1840年的鸦片战争开始,经过太平天国运动、中法战争、中日甲午战争、戊戌政变、义和团运动、辛亥革命,以迄"五四"运动以前为止,中国人民反帝反封建的革命,是不屈不挠、再接再厉地进行着,但因为一直没有建立起与中国革命的具体实践相结合的革命理论,所以都没有得到胜利。在这个期间,"先进的中国人,经过千辛万苦,向西方国家寻找真理。洪秀全、康有为、严复和孙中山,代表了在中国共产党出世以前向西方寻找真理的一派人物"。"中国人向西方学得很不少,但是行不通,理想总是不能实现。多次奋斗,包括辛亥革命那样全国规模的运动,都失败了。"①但自从十月革命给我们送来了马克思

---

① 《论人民民主专政》。

列宁主义这个放之四海而皆准的普遍真理以后,中国革命的面貌就起了变化了。毛泽东同志说:"灾难深重的中华民族,一百年来,其优秀人物奋斗牺牲,前仆后继,摸索救国救民的真理,是可歌可泣的。但是直到第一次世界大战和俄国十月革命之后,才找到马克思列宁主义这个最好的真理,作为解放我们民族的最好的武器,而中国共产党则是拿起这个武器的倡导者、宣传者和组织者。马克思列宁主义的普遍真理一经和中国革命的具体实践相结合,就使中国革命的面目为之一新。"①而马克思列宁主义的普遍真理与中国革命的具体实践之结合,正是毛泽东思想。中国人民革命由于有了毛泽东思想的指导,所以能够从胜利走向胜利。这是革命理论对于革命实践起着主要的决定的作用之良好的例证。

又如我们要做任何一件工作(即实践),必须有一定的方针、方案、计划和政策,作为工作的指导。这方针、方案、计划和政策,对于那个工作就成为主要的决定的东西。现在,我们新国家为了准备大规模的经济建设,正在制订着伟大的经济计划,作为全国人民奋斗的目标。计划对于建设的主要的决定的作用是很明显的。

有人说,经济基础和上层建筑的矛盾,经济基础是矛盾的主要方面,它们的地位并不互相转化。这种见解同样也是错误的。"基础是社会发展的一定阶段上的社会经济制度。上层建筑是社会的政治、法律、宗教、艺术、哲学的观点,以及同这些观点相适应的政治、法律等设施。"②基础是第一性的东西,上层建筑是第二性的东西,是从基础产生的东西。斯大林所说基础是社会发展在某一阶段上的社会经济制度,即是和一定发展阶段上的生产力水平相适合的生产关系的总和。随着生产力由一个阶段发展到较高的阶段时,生产关系也随着发展到较高的阶段,即一种社会经济制度转变为较高阶段的经济制度。所以社会的经济基础随着生产力的变化、发展而变化、发展的。由于社会的经济基础变化,那从基础产生并适合于基础的上层建筑也随着发生变化。上层建筑是为基础服务的。在对抗性的社会中,上层建筑是独占生产资料的阶级

① 《毛泽东选集》第三卷,第754页。
② 斯大林:《马克思主义和语言学问题》。

为了巩固对自己有利的经济制度而建立的,是它用以统治被剥夺了生产资料的阶级的工具。这个统治工具分为物质的和精神的两种。物质的统治工具,是国家、法庭和警察之类的强制机关。精神的统治工具,是政治、法律、宗教、艺术、哲学的观点。而那些强制机关的政治法律制度,则是与那些观点相适合的。例如帝国主义国家,资产阶级为了统治无产阶级,不但利用法庭和警察(有时调用军队)镇压无产阶级的反抗;并且利用学校、书店、报馆、教会、戏院、电影公司、广播电台等等,传播资产阶级思想,企图在精神上麻醉无产大众,借以维持资本主义私有制。所以资本主义社会的上层建筑反映资本主义的经济基础,并为经济基础服务。经济基础对于上层建筑,占居主要地位,这是很明白的道理。但是,上层建筑虽由基础产生并反映基础,却并不是说上层建筑对于基础是完全被动的、消极的东西。上层建筑一旦成立以后,它对于基础就具有能动的、积极的力量。斯大林说:"上层建筑是由基础产生的,但这绝不是说,上层建筑只是反映基础,它是消极的、中立的,对自己基础的命运、对阶级的命运、对制度的性质是漠不关心的。相反地,上层建筑一出现,就成为极大的积极力量,积极促进自己基础的形成和巩固,采取一切办法帮助新制度去根除,去消灭旧基础和旧阶级。不这样是不可能的。基础创立上层建筑,就是要上层建筑为它服务,要上层建筑积极帮助它形成和巩固,要上层建筑为消灭已经过时的旧基础及其旧上层建筑而积极斗争。"①所以,上层建筑一旦成立以后,就成为极大的积极的力量,它能加速社会的发展,也能延缓或阻碍社会的发展。例如资产阶级推翻封建社会以后,就建立了适合于资本主义经济制度的上层建筑——资产阶级的国家机关和资产阶级的政治、法律、宗教、艺术、哲学等观点,积极帮助资本主义经济制度的形成和巩固,并采取一切办法帮助资本主义的制度来摧毁和消灭封建主义的制度与封建阶级,因而使资本主义得以向前发展。但是到了生产力发展到一定程度时,就和资本主义的生产关系发生冲突,而资本主义的生产关系就障碍新生产力的发展,于是,资本主义的经济基础就发生动摇而逐渐衰亡下去。可是,资产阶级却凭借资本主义的上层建筑,镇压无产阶级的革命运动,企图保存那衰亡着的资本主义的

---

① 斯大林:《马克思主义和语言学问题》。

经济基础。于是,资本主义的上层建筑就阻碍社会的发展。在新生产力和资本主义的生产关系互相冲突的基础上,就产生出马克思主义。马克思主义就动员无产阶级,组织无产阶级。无产阶级组织起来,就成为强大的革命力量,能够推翻资本主义的上层建筑,建立起革命的政权,用强力消灭资本主义的经济制度,建立社会主义的经济制度。中国半殖民地半封建的生产关系,多年来阻碍着新生产力的发展,可是封建的买办的法西斯主义的上层建筑却竭尽全力保存着腐朽的衰亡的经济基础。但用毛泽东思想武装着的工人阶级及其司令部中国共产党,组织了以工人阶级为领导,以工农联盟为基础,并团结小资产阶级和民族资产阶级的人民民主统一战线,成为强大的革命力量,终于推翻了国民党反动政府,建立了人民民主专政的国家,消灭了半殖民地半封建的经济制度,建立了社会主义的经济制度。由此可见,上层建筑虽由经济基础产生,而在它产生以后,却成为强大的积极的力量。

从上面那些说明看来,生产力、实践、经济基础,一般地表现着为主要的决定的作用,这是毫无疑问的,然而,生产关系、理论、上层建筑这些方面,在一定条件之下,又转过来表现其为主要的决定的作用,这也是必须要承认的。我们这种说法,是合乎辩证唯物论的。因为我们承认:在总的历史发展中,物质的东西决定精神的东西,社会的存在决定社会的意识。这就是说:承认社会的物质生活、社会的存在是第一性的现象;社会的精神生活、社会的意识是第二性的现象。精神生活是物质生活的反映,社会意识是社会存在的反映。总起来说,社会的思想、理论、观点等是社会物质生活条件的反映。我们必须从社会物质生活条件去说明社会的思想、理论、观点,绝不能从社会的思想、理论、观点去说明社会物质生活条件。即是要从社会存在去说明社会意识,决不能从社会意识去说明社会存在。所以,社会存在对于社会意识具有决定的作用。但是不能因此就说社会意识对于社会存在没有反作用。在社会历史和社会生活中,社会意识也具有积极的反作用。在对抗性的社会里,有旧的社会的思想、理论和观点,也有新的社会的思想、理论和观点。前者是为腐朽的反动的阶级的利益服务的,它们所起的反作用,是阻碍社会的发展;后者是为新兴的革命阶级的利益服务的,它们对于旧社会的反作用,是消灭旧社会,建立新社会。所以当着旧社会开始衰亡,当着社会物质生活条件已在社会面前提出新任务时,就产生出新的社会的思想、理论和观点,成为新兴的革命阶级的精神武器,化为物质的力量,能够摧毁旧的社会生活秩序,建立新的社会生活秩序。反映了中国社会发展规律的毛泽东思想一经掌握了人民大众,便成为强大的物质力量,所以中国的人民革命能够从胜利走向胜利。社会意识对于社会存在的反作用,是非常重大的。

　　在研究矛盾特殊性的问题中,如果不研究过程中主要的矛盾和非主要的矛盾以及矛盾之主要的方面和非主要的方面这两种情形,也就是说不研究这两种矛盾情况的差别性,那就将陷入抽象的研究,不能具体地懂得矛盾的情况,因而也就不能找出解决矛盾的正确的方法。这两种矛盾情况的差别性或特殊性,都是矛盾力量的不平衡性。世界上没有绝对平衡发展的东西,我们必须反对平衡论,或均衡论。同时,这种具体的矛盾状况,以及矛盾的主要方面和非主要方面在发展过程中的变化,正是表现出新事物代替旧事物的力量。对于矛盾的各种不平衡情况的研究,对于主要的矛盾和非主要的矛盾、主要的矛盾方面和非主要的矛盾方面的研究,成为革命政党正确地决定其政治上和军事上的战略战术方针的重要方法之一,是一切共产党人都应当注意的。

　　[说明]前面说过,事物的性质,主要的是由取得支配地位的矛盾的主要方面所规定的。单一的事物只有一对矛盾,其性质由这矛盾占主要地位的一方面所规定。例如就甲物撞击乙物这件事来说,甲物是起作用的乙方,如果它的力量大于乙物的力量,就向着起作用力量的方向运动。反之,就向着乙物起反作用力量的方向运用。复杂的事物,则有许多对的矛盾,其中必有一对是主要矛盾,这事物的性质就由这主要矛盾中占主要地位的一方面所规定。例如生物的内部有许多对的矛盾,其中生的因素和死的因素的矛盾是主要矛盾,生物的生长是由于生的因素占主要地位;反之,如果死的因素占居主要地位,这生物便趋于衰亡而至于死灭。又如资本主义社会的主要矛盾是无产阶级和资产阶级的矛盾。当资产阶级还占居主要地位时,社会之资本主义的性质不变;反之,到了无产阶级占居主要地位时,资产阶级便被打倒,社会主义社会便代替资本主义社会。所以在研究矛盾的特殊性问题时,必先分析过程中的主要

矛盾和非主要矛盾,捉住那主要矛盾,然后更进而研究矛盾的主要方面和非主要方面及其互相转化的必然性。必须这样,才能找出解决那主要矛盾的方法。倘若有人不照这样去具体地分析这两种矛盾情况的差别性,而只是作抽象的研究,那就不能具体地了解矛盾的情况,就不能找出解决矛盾的正确方法。

上述两种矛盾情况的差别性或特殊性,都是矛盾力量的不平衡性。主要矛盾和非主要矛盾是不平衡的,矛盾的主要方面和非主要方面也是不平衡的。正因为矛盾力量的不平衡,所以事物才有变化,才有发展,旧事物才转变为新事物。世界上没有绝对平衡发展的东西,若说有平衡,也只是暂时的相对的。因此,我们必须反对平衡论,或均衡论。机械唯物论者布哈林,是提倡所谓均衡论的人。他用力学上的术语代入黑格尔的唯心的神秘的辩证法,作出了"均衡——均衡的破坏——均衡的再建"的公式,冒充马克思主义的辩证法。他认为社会发展的原因不在于社会内部,而在于社会外部,在于社会和自然的相互关系中。他主张社会的发展,由社会和自然的相互关系所决定,社会和自然间的均衡和矛盾,决定社会内部的均衡和矛盾,阶级的矛盾就是社会和自然的矛盾的结果。因此,布哈林主张一切经济政策应当从设置均衡的必要出发,不许破坏均衡,而实现国民经济的均衡。所以他对于当时社会主义的大产业和小商品的农业经济之间的矛盾,认为是破坏了均衡,因而主张发展小商品农业经济,停止社会主义大产业的发展,使两者保持均衡。这种见解显然是反革命的。因为小商品农业经济时时刻刻在产生资本主义,如果要保持两者的均衡,那就等于保持社会主义和资本主义的均衡了。这种反动的均衡论,我们必须反对它。正因为事物的矛盾中的新旧力量是不平衡的,正因为新的力量必然地成长壮大起来,终于能够战胜旧的力量,新事物才能发生。所以这种具体的矛盾情况,以及矛盾的主要方面和非主要方面在发展过程中的变化,正是表现出新事物代替旧事物的力量。

无产阶级及其政党领导革命的时候,必须善于应用事物的矛盾法则,研究革命过程中的矛盾的特殊性,从许多复杂的矛盾中,找出主要的矛盾和非主要的矛盾,研究矛盾的主要方面和非主要方面,然后才能正确地创造出革命的理论,决定政治上和军事上的战略战术的方针。毛泽东同志应用事物的矛盾法则,分析半殖民地半封建的中国人民革命过程中许多复杂的矛盾,从其中找出两个主要的矛盾,即中华民族和帝国主义的矛盾与人民大众和封建制度的矛盾。而解决这两个主要矛盾的方法,是反帝国主义反封建主义的新民主主义革命。毛泽东同志更进而指出这两个主要矛盾,在革命过程中的各发展阶段上,有时两个主要矛盾中只有一个占居主要地位,其他则降居次要地位。例如在 1924 年至 1927 年的革命战争中,人民大众和北洋封建军阀政府之间的矛盾,成为主要的矛盾;在 1927 年以后的十年土地革命战争时期,人民大众与蒋介石匪帮政府之间的矛盾成为主要矛盾;在抗日战争时期,中华民族与日帝国主义之间的矛盾,成为主要的矛盾,其他则降居次要地位。又如第三次国内革命战争时期,美帝国主义和蒋介石匪帮公开站在一个极端,中国人民大众则站在另一个极端,于是两个主要矛盾合成为一个主要矛盾。毛泽东同志在领导革命的各个时期中,抓住各个时期的主要矛盾,研究了矛盾的主要方面和非主要方面及其互相转化的必然性,决定了不同的政治上和军事上的战略战术方针。例如:在 10 年土地革命战争时期,毛泽东同志分析了蒋匪帮的反动政权与人民大众之间的矛盾,认定敌强我弱,敌据城市,我据农村,敌方显然占居主要地位。但"中国是一个经过了一次革命的、政治经济发展不平衡的、半殖民地的大国,这是中国革命战争的第一个特点。这个特点,不但基本地规定了我们政治上的战略和战术,而且也基本地规定了我们军事上的战略和战术"。①由于政治上和军事上的战略战术方针的正确,所以革命力量逐渐发展,新的革命形势也就逐渐接近于成熟。只因为后来"左"倾机会主义领导的错误,才使这一次革命的复兴遭受了重大的挫折。其次,在抗日战争时期,毛泽东同志抓住了中华民族和日帝国主义这个主要矛盾,指出了"日本的军力、经济力和政治组织力是强的,但其战争是退步的、野蛮的,人力、物力又不充足,国际形势又处于不利。中国反是,军力、经济力和政治组织力是比较地弱的,然而正处于进步的时代,其战争是进步的和正义的,又有大国这个条件足以支持持久战,世界的多数国家是会要援助中国的。——这些,就是中日战争互相矛盾着的基本特点。这些特点,规定了和规定着双方一切政治上的政策和军事上的

---

① 《毛泽东选集》第一卷,第 173 页。

战略战术,规定了和规定着战争的持久性和最后胜利属于中国而不属于日本"。①。毛泽东同志和中国共产党基于这个主要矛盾的两方面之具体的分析,决定了抗日革命战争的政治上和军事上的战略战术方针,进行了八年的抗战,建立了 19 个解放区,壮大了人民解放军,终于能够配合苏联出兵东北,打败了日帝国主义,取得了伟大的胜利,为后来的人民民主革命在全国的胜利奠定了巩固的基础。其次,在第三次国内革命战争时期,蒋介石匪帮和人民大众之间的矛盾成为主要的矛盾。毛泽东同志分析这个矛盾的两个方面,认定蒋介石匪帮"军事力量的优势,只是暂时的现象,只是临时起作用的因素,美国帝国主义的援助,也只是临时起作用的因素;蒋介石战争的反人民的性质,人心的向背,则是经常起作用的因素;而在这方面,人民解放军则占着优势。人民解放军的战争所具有的爱国的正义的革命的性质,必然要获得全国人民的拥护。这就是战胜蒋介石的政治基础"。② 所以,从蒋介石发动反革命战争之日起,毛泽东同志就早已断定我们必须打败蒋介石,而且能够打败他。为了打败蒋介石,毛泽东同志规定了十大军事原则作为人民解放军打败蒋介石的主要方法。果然解放战争进行了一年多,人民解放军就已经打退了蒋介石的进攻,迫使他转入防御地位,而人民解放军则由防御转到进攻,走向了胜利的道路。

由此可见,对于矛盾的各种不平衡情况的研究,对于主要矛盾和非主要矛盾、主要矛盾的方面和非主要矛盾的方面的研究,成为革命政党决定其政治上和军事上的战略战术方针的重要方法之一。

五、矛盾诸方面的同一性和斗争性

在懂得了矛盾的普遍性和特殊性的问题之后,我们必须进而研究矛盾诸方面的同一性和斗争性的问题。

同一性、统一性、一致性、互相渗透、互相贯通、互相依赖(或依存)、互相

---

① 《毛泽东选集》第二卷,第417—418 页。
② 毛泽东:《目前形势和我们的任务》。

联结或互相合作,这些不同的名词都是一个意思,说的是如下两种情形:第一,事物发展过程中的每一种矛盾的两个方面,各以和它对立着的方面为自己存在的前提,双方共处于一个统一体中;第二,矛盾着的双方,依据一定的条件,各向着其相反的方面转化。这些就是所谓同一性。

列宁说:"辩证法是这样的一种学说:它研究对立怎样能够是同一的,又怎样成为同一的(怎样变成同一的),——在怎样的条件之下它们能够互相转化,成为同一的,——为什么人的头脑不应当把这些对立看作死的、凝固的东西,而应当看作生动的、有条件的、可变动的、互相转化的东西。"①

列宁这段话是什么意思呢?

[说明]我们在前面,已经研究了矛盾的普遍性、矛盾的特殊性以及两者的联系。我们已经知道:所谓矛盾的普遍性,是说矛盾存在于一切的自然现象、社会现象和思想现象的过程中,并贯穿于一切过程的始终;矛盾即是运动,即是事物,即是世界。但矛盾的普遍性,寄存于一切个别事物的矛盾的特殊性之中,是从无数的矛盾的特殊性之中抽离出来的。我们必先认识多数个别事物的矛盾的特殊性,把它们概括起来,才能认识事物的矛盾的普遍性。然后再根据矛盾的普遍性的认识,去认识新的事物的矛盾的特殊性,才能定出解决这特殊的矛盾的方法。马克思列宁主义是综合各个历史时代的各种特殊的阶级矛盾的研究而创造的无产阶级世界革命的普遍真理;毛泽东思想是根据马克思列宁主义解决中国革命过程的特殊的复杂的阶级矛盾的理论与策略。这是在前面已经说到的。所以我们研究了阶级矛盾的普遍性之后,必须进而具体地分析一个革命过程的特殊的阶级矛盾,定出解决这特殊的阶级矛盾的方法,作为革命的总路线,然后进而探求革命过程的发展各阶段的阶级矛盾的特殊的变化,具体地规定解决的方法。在研究革命过程的复杂的阶级矛盾时,特别重要的是分别主要的阶级矛盾和非主要的阶级矛盾,研究主要的阶级矛盾和非主要的阶级矛盾的各方面;并且要抓住各个发展阶段上的主要的阶级矛盾,研究这个主要矛盾的双方中的主要方面和非主要方面及其互相转化的必然

① 引自列宁:《黑格尔〈逻辑学〉一书摘要》。

性。革命的阶级,必须运用革命的方法,解决这个主要矛盾,社会才呈现出新的局面。中国人民革命,解决了中华民族和帝国主义的矛盾(就中国大陆说的)与人民大众和统治阶级的矛盾,所以出现了社会主义社会。

在研究了矛盾的普遍性、矛盾的特殊性、主要的矛盾和矛盾的主要方面以后,我们可以进一步来研究矛盾诸方面的同一性和斗争性的问题了。

矛盾的同一性,即是矛盾的统一性或一致性,又如说,矛盾的互相渗透、互相贯通、互相依赖、互相依存、互相联结、互相合作,这些名词虽然不同,而意义都是相同的。这意义包括两个方面:第一,事物发展过程中的矛盾,形成对立的两极,一极的存在以他极的存在为前提,两极中如果缺少了一极,就不能成为对立了。并且,对立的两极同处于一个统一体之中,即同处于一个事物的发展过程中,它们虽互相对立,却又互相联系,互相渗透,形成统一。第二,矛盾着的两方面,在其发展过程中,依据一定的条件,各向着其相反的方面转化。这些就是矛盾的同一性。

矛盾的同一性问题,是辩证法的基本问题。列宁说:"辩证法是这样的一种学说:它研究对立怎样能够是同一的,又怎样成为同一的(怎样变成同一的),——在怎样的条件之下它们互相转化,成为同一的,——为什么人的头脑不应当把这些对立看作死的、凝固的东西,而应当看作生动的、有条件的、可变动的、互相转化的东西。"列宁这个关于辩证法的定义,可以分为三方面来理解:

第一,矛盾双方怎样能够是同一的?

第二,矛盾双方在怎样的条件下互相转化,成为同一的?

第三,人的头脑为什么必须把矛盾当作生动的、有条件的、可变动的、互相转化的东西去考察?

下面就这三个问题分别说明。

一切过程中矛盾着的各方面,本来是互相排斥、互相斗争、互相对立的。世界上一切事物的过程里和人们的思想里,都包含着这样带矛盾性的方面,无一例外。单纯的过程只有一对矛盾,复杂的过程则有一对以上的矛盾。各对矛盾之间,又互相成为矛盾。这样地组成客观世界的一切事物和人们的思想,并促使它们发生运动。

如此说来，只是极不同一，极不统一，怎样又说是同一或统一呢？

原来矛盾着的各方面，不能孤立地存在。假如没有和它作对的矛盾的一方，它自己这一方就失去了存在的条件。试想一切矛盾着的事物或人们心中矛盾着的概念，任何一方面能够独立地存在吗？没有生，死就不见；没有死，生也不见。没有上，无所谓下；没有下，也无所谓上。没有祸，无所谓福；没有福，也无所谓祸。没有顺利，无所谓困难；没有困难，也无所谓顺利。没有地主，就没有佃农；没有佃农，也就没有地主。没有资产阶级，就没有无产阶级；没有无产阶级，也就没有资产阶级。没有帝国主义的民族压迫，就没有殖民地和半殖民地；没有殖民地和半殖民地，也就没有帝国主义的民族压迫。一切对立的成分都是这样，因一定的条件，一面互相对立，一面又互相联结、互相贯通、互相渗透、互相依赖，这种性质，叫做同一性。一切矛盾着的方面都因一定条件具备着不同一性，所以称为矛盾。然而又具备着同一性，所以互相联结。列宁所谓辩证法研究"对立怎样能够是同一的"，就是说的这种情形。怎样能够呢？因为互为存在的条件。这是同一性的第一种意义。

［说明］现在先说明矛盾双方怎样能够是同一的？

我们已经知道，一切自然过程、社会过程和思想过程中，都包含着矛盾；而矛盾着的两面，都是互相排斥，互相斗争，互相对立的。一个单纯的过程，只有一对矛盾，例如力学的运动过程，只有作用和反作用的矛盾，两者互相排斥，互相斗争，互相对立。至于复杂的过程，则有一对以上的矛盾，例如前面所说"在中国资产阶级民主革命过程中，有中国社会各被压迫阶级和帝国主义的矛盾，有人民大众和封建制度的矛盾，有无产阶级和资产阶级的矛盾，有农民及城市小资产阶级和资产阶级的矛盾，有各个反动的统治集团之间的矛盾等等，情形是非常复杂的"。这许多对矛盾的双方，是互相排斥，互相斗争，互相对立的。并且任何一对矛盾和其他任何一对矛盾，都是互相矛盾的。例如中国社会各被压迫阶级和帝国主义的矛盾，是中国人民对外国帝国主义的斗争，而人民大众和封建制度的矛盾，是人民大众对国内代表封建制度的统治阶级的斗争。所以这两对矛盾之间，一则是民族革命，一则是民主革命，两者间是有差别的,因而是有矛盾的。又如无产阶级和资产阶级的矛盾,是无产者对有产者的斗争,而小资产阶级和资产阶级的矛盾,是小有产者对大有产者的斗争。所以这两对矛盾之间也是有矛盾的。至于反动统治集团之间的矛盾,是同一统治阶级内部的矛盾,而其他任何一种矛盾则是阶级和阶级之间的矛盾,所以两对矛盾间也是有矛盾的。因此,在复杂过程中的各对矛盾之间,都互相成为矛盾。客观世界的一切事物和人们的思想,都是这样地由矛盾组成的,一切事物和人们思想的运动和发展,都是由矛盾斗争所推动的。

照上面所说,矛盾双方既然是互相排斥,互相斗争,互相对立,那就是极不同一,极不统一,为什么说矛盾双方能够是同一或统一呢?

我们在前面已经说过,矛盾双方是对立的两极,一极的存在,以他极的存在为前提。任何一极都不能孤立地存在。假如对立的一极不存在,其他一极也就失其存在。不论是客观上矛盾着的事物,或者是人们主观上矛盾着的概念,若果是矛盾中的一方失其存在,其他一方也绝不能独立地存在。例如生和死、上和下、祸和福、顺利和困难,都是矛盾的两极,一方不存在,他方也不存在。又如地主和佃农、资产阶级和无产阶级、帝国主义和殖民地或半殖民地,也都是矛盾的两极,同样地,其中任何一极如不存在,其他一极也就不能孤立地存在。

矛盾双方正因为互为存在的条件,所以它们虽然互相对立,却又互相依存,而处于一个统一体之中。地主和佃农,在封建社会中,是基本的对立,又是基本的构成部分。地主独占土地,不肯劳动,靠出租土地给无地农民,剥削地租为生;佃农因缺乏土地,不得不向地主租取土地耕种,忍受地主的剥削,向地主缴纳地租,过着牛马般的生活。地主靠剥削佃农为生,佃农则忍受地主的剥削为生,双方是互相依赖,互相联系。在另一方面,地主镇压佃农的反抗,非刑拷打,无所不用其极,佃农被迫不得不组织起来,反抗地主,发动农民革命。所以佃农和地主之间,一方面互相斗争,一方面又互相依赖,在农民革命未取得胜利以前,佃农和地主仍然处在封建社会的统一体之中,能够是同一的。

又如无产阶级和资产阶级,在资本主义社会中,是主要的矛盾,又是基本的构成部分。资本家因为独占了生产资料,就购买劳动者的劳动力,生产商品,剥削剩余价值,紧紧地依靠劳动者来养活他。劳动者因为缺乏生产资料,为了活命，不得不出卖劳动力于资本家，为资本家创造剩余价值，这便是忍受资本家对他的剥削而过着非人的生活。但无产阶级为了自己阶级的解放，不能不组织起来，向着资产阶级进行经济的政治的斗争，而资产阶级为了镇压无产阶级的反抗，除了利用国家权力以外，还派遣工贼和特务，用种种手段，破坏无产阶级的革命斗争。这两个阶级虽然互相对立，互相排斥，而资本家仍然要剥削劳动者，劳动者仍然要忍受资本家的剥削，即双方还是要互相联系，互相依赖。非到无产阶级推翻资产阶级之日，双方依然要处于资本主义社会这个统一体之中。但是中国的工人阶级和民族资产阶级的关系，却呈现着特殊的形态。这是阶级矛盾的特殊性。在新中国成立以前，民族资产阶级是在赞成工人阶级所领导的反帝反封建的革命条件下，和工人阶级结成统一战线的；在新中国成立以后，它是遵守共同纲领、接受工人阶级和国营经济的领导，发展于国计民生有利的事业的条件下，继续着和工人阶级结成统一战线的（关于这一层，后面还要说到）。

又如帝国主义者和被压迫民族之间的矛盾，是帝国主义世界的基本构成部分。帝国主义者用军事的、政治的、经济的、文化的侵略手段，压迫着殖民地或半殖民地的人民；用倾销商品、输出资本和采集原料的掠夺方式，剥削着殖民地或半殖民地人民。殖民地或半殖民地人民，因为军事力量薄弱，不能抵抗帝国主义的进攻，因为农业、手工业的摧残和新式工业的幼稚，不能不向帝国主义者购买商品，输出原料，并出卖劳动力，忍受帝国主义者的剥削。在压迫和被压迫、剥削和被剥削的关系上，殖民地或半殖民地人民和帝国主义者之间，有着千丝万缕的联系。当殖民地或半殖民地人民有了民族自觉进行反帝国主义斗争时，帝国主义者便密切注意调查反帝国主义阵营中的情况，或者利用它的走狗和民族败类，采取直接的或间接的、军事的或政治的、外部的或内部的许多恶毒手段，来破坏或打击殖民地或半殖民地的民族革命。而殖民地或半殖民地的民族革命阵营，则组成反帝的广泛统一战线，分析帝国主义阵营中的各种矛盾，并利用那些矛盾，针对敌我双方的优点和缺点，决定解决矛盾的方法。但在帝国主义势力未打倒以前，它和殖民地或半殖民地民族，虽然互相对立，互相斗争，却仍处于帝国主义世界这个统一体之中。

如上所述，一切矛盾的两极，由于一定的条件，一方面互相排斥，互相斗争,互相对立;另一方面却又互相联系,互相依存,互相渗透。这样的性质,就叫做同一性。一切矛盾着的两极,都由于一定条件而具备着不同一的性质,所以叫做矛盾;但又具备着同一性,所以又互相联系。前面所引用的列宁的话:"对立怎样能够是同一的",是指这种情形说的。所谓"能够是同一的",就因为矛盾双方互为存在的条件。这是同一性的第一种意义。

然而单说了矛盾双方互为存在的条件,双方之间有同一性,因而能够共处于一个统一体中,这样就够了吗? 还不够。事情不是矛盾双方互相依存就完了,更重要的,还在于矛盾着的事物的互相转化。这就是说,事物内部矛盾着的两方面,因为一定的条件而各向着和自己相反的方面转化了去,向着它的对立方面所处的地位转化了去。这就是矛盾的同一性的第二种意义。

为什么这里也有同一性呢? 你们看,被统治的无产阶级经过革命转化为统治者,原来是统治者的资产阶级却转化为被统治者,转化到对方原来所占的地位。苏联已经是这样做了,全世界也将要这样做。试问其间没有在一定条件之下的联系和同一性,如何能够发生这样的变化呢?

[说明]现在再说明矛盾双方在怎样的条件下互相转化,成为同一的。

前面已经说明了,矛盾双方互为存在的条件,所以双方之间具有同一性,因而能够共处于一个统一体之中。但是矛盾双方虽然一方面互相联系,互相依存,互相渗透,而在另一方面却是互相排斥,互相斗争,互相对立。矛盾双方正因为互相排斥,互相斗争,互相对立,所以它们在一定条件之下,必然互相转化。这种互相转化的必然性,正是旧事物变为新事物的重要关键。前面说过,事物中矛盾双方的力量是不平衡的,其中必有一方占居主要地位,而其他一方则占居非主要地位。即最初旧东西的一方占居主要地位,新东西的一方占居非主要地位。当旧东西的一方占居主要地位时,那事物的性质由旧东西的一方所规定。但在矛盾双方的斗争过程中,新东西的力量必然成长壮大起来,逐渐地超过旧东西的力量,由以前的非主要的地位,转变到主要的地位,而旧东西就转变到非主要的地位。于是事物的性质,由占主要地位的新东西的一方所规定,即旧事物转变为新事物。这就是说,事物内部矛盾着的两方面,在一定条件下,各向着和自己相反的方面转化,向着它的对立方面所处的地位转化。这就是矛盾的同一性的第二种意义。

无产阶级和资产阶级,在资本主义社会中是对立的两极。资产阶级最初占居主要地位,是统治阶级,无产阶级则处于非主要地位,是被统治阶级。但到了无产阶级有了阶级自觉,自己组成为一个阶级而用马克思主义武装起来时,它受自己阶级的司令部——共产党的领导,向着资产阶级进行革命,终于能够推翻资产阶级的政权,建立起无产阶级专政的国家。于是资产阶级所独占的生产资料全被剥夺,变成了被统治者,而无产阶级变成了统治者。于是资产阶级专政转变为无产阶级专政。原来的资产阶级专政,是资产阶级对无产阶级的独裁;现在的无产阶级专政,是无产阶级对资产阶级的独裁。原来由资产阶级占居统治地位的两个阶级的同一,现在则转变为由无产阶级占居统治地位的两个阶级的同一,即旧的对立的同一转变为新的对立的同一了。

无产阶级和资产阶级的矛盾双方的互相转化,在社会主义的苏联已经显现了出来,全世界的一切民族,都将循着同一的轨道向前迈进。由此可见,假如无产阶级和资产阶级之间,没有在一定的条件之下的联系和同一性,是不会发生这样的变化的。

曾在中国近代历史的一定阶段上起过某种积极作用的国民党,因为它的固有的阶级性和帝国主义的引诱(这些就是条件),在1927年以后转化为反革命,又由于中日矛盾的尖锐化和共产党的统一战线政策(这些就是条件),而被迫着赞成抗日。矛盾着的东西这一个变到那一个,其间包含了一定的同一性。

[说明]就国民党由革命转变到反革命的历史来看,也可以看出矛盾着的东西在一定条件下互相转化的同一性。国民党的前身同盟会,原是民族资产阶级、小资产阶级、买办阶级和地主阶级排满革命派的松散的同盟。其中民族资产阶级和小资产阶级,可以成为民主革命的力量,特别是民族资产阶级在当时是这个革命的领导者。至于买办阶级和地主阶级,原是民主革命的敌人,他们所以加入同盟会,也只是赞成排满的革命而已。所以同盟会虽是革命的组

织,却早已潜伏着反革命的因素,即包含革命和反革命的矛盾。但由于孙中山的领导,革命的力量逐渐成长壮大起来,终于爆发了辛亥革命。这是当时国民党的积极作用的表现。可是资产阶级的革命性未曾彻底发挥,而它的妥协性滋长起来,以致把革命的果实让渡于北洋封建军阀,使辛亥革命终于流产。于是国民党中潜伏着的反革命派投降了帝国主义和反动派。从此以后,孙中山另组中华革命党,继续进行资产阶级民主革命的斗争,但党的成分仍是不纯的,有民族资本家,有小资产者,也有买办和地主。这就注定着这样的党不能领导中国革命取得胜利,而终于遭到失败。

"孙中山在绝望里,遇到了十月革命和中国共产党。孙中山欢迎十月革命,欢迎俄国人对中国人的帮助,欢迎中国共产党同他合作。"[1]他在 1924 年把国民党改组为有共产党人参加的反帝反封建的革命联盟。这时的国民党,包含着革命因素和反革命因素的矛盾,即共产党人所领导的革命势力和买办地主所领导的反革命势力之间的矛盾。在这个矛盾之中,共产党人所领导的工农群众的革命势力,压倒了反革命势力(即占居主要地位),所以能在北伐战役中,摧毁了北洋封建军阀。但在革命进行中,代表买办和地主阶级利益的蒋介石派的反革命势力,阴谋背叛革命,向着共产党进攻,而共产党的机会主义领导集团,却节节退让,放弃了革命领导权,放弃了武装斗争和土地革命,致使反革命势力滋长,由非主要地位转到了主要地位。蒋介石反动派代表着买办和地主阶级的利益,与共产党和工农群众为敌,并且受了帝国主义的引诱(如答应放弃领事裁判权和协定关税,并供给借款等),终于在 1927 年公开背叛了革命,建立了代表帝国主义、封建主义和买办阶级利益的政权。国民党由革命转变到反革命,是在于它的固有的阶级的本性和帝国主义引诱等条件之下,成为同一的。

1927 年以后的国民党,仍然包含着反动派和革命派的矛盾。反动派是代表大地主、大资产阶级的蒋介石集团,基本上是英美买办集团;革命派即是当时的左派。反动派成了国民党的主体,直到国民党覆灭之日为止,完全占居矛盾的主要地位,所以使国民党变成了反革命的政党。但是反革命的国民党,何

---

[1] 毛泽东:《论人民民主专政》。

以到了1937年也赞成抗日的民族革命呢？这是在下列几个条件之下被迫而转变的。第一，由于中日矛盾的尖锐化，全国人民都起来要求抗日；第二，由于中日矛盾的尖锐化，日帝国主义向我们全国的进攻，危害着它的政权和地主大资产阶级的财产；第三，由于中日矛盾的尖锐化，日本有独吞中国的可能，直接地危害英美帝国主义者在中国的利益和英美买办集团的利益；第四，最重要的是由于共产党的抗日的民族统一战线政策，争取着全国人民进入这个战线，也争取英美买办阶级和地主阶级进入这个战线，蒋介石集团如果还不赞成，它必将在全国人民抗日的大潮流之中归于消灭；第五，国民党的左派赞成抗日。由于上述的条件，以蒋介石反动集团为主体的国民党，为了自己阶级的利益（也为了阴谋在抗日战争中消灭共产党），就接受了共产党的主张而赞成抗日的民族革命。

但是代表大地主大资产阶级的国民党反动派，是在上述的条件之下被迫而赞成抗日，并且是怀着阴谋而赞成抗日的，所以在抗日战争初期，除了在东战场和日本军队打了一次硬仗以外，以后便是节节后退，终于退守西南，消极抗日，积极反共，企图削弱共产党的力量，保存和积聚自己的力量。后来到了人民解放军配合苏联出兵东北迫使日本投降之后，国民党反动派便依靠军队在数量上的优势，和美帝国主义在政治上经济上军事上的援助，发动了反共反人民的战争，它由赞成抗日革命又转变到了反革命。最后，它在这反革命的战争中，终于被中国共产党所领导的人民革命所打倒。由此可见，国民党由革命转化为反革命，即矛盾着的东西这一个变到那一个，其间包含了一定的同一性。

我们实行过的土地革命，已经是并且还将是这样的过程，拥有土地的地主阶级转化为失掉土地的阶级，而曾经是失掉土地的农民却转化为取得土地的小私有者。有无、得失之间，因一定条件而互相联结，二者具有同一性。在社会主义条件之下，农民的私有制又将转化为社会主义农业的公有制，苏联已经这样做了，全世界将来也会这样做。私产和公产之间有一条由此达彼的桥梁，哲学上名之曰同一性，或互相转化、互相渗透。

[说明]中国无产阶级所领导的反帝反封建的革命,是资产阶级民主革命。这个资产阶级民主革命的基础,是农民土地革命。所以中国共产党在第一次国内革命战争时期,以毛泽东同志为首的布尔什维克,早就领导着农民实行反封建的土地制度的斗争。到了第二次国内革命战争时期,中国共产党就在红色区域实行了土地革命,所以这个时期被称为 10 年土地革命战争时期。后来抗日战争发生,共产党为了争取千百万群众进入抗日民族统一战线,为了要和代表地主阶级利益的国民党共同抗日,才暂时停止土地革命,实行减租减息的政策。但到抗日战争胜利结束,而国民党反动派向人民进攻的时候,形势完全变化了。一方面,参加了抗日战争的广大的农民群众,对于土地有迫切的要求;另一方面,为了继续进行反封建的革命,不能不消灭地主阶级,所以共产党在 1946 年 5 月,发出了一个指示,停止减租减息,实行土地革命,没收地主阶级的土地,分配给无地或少地的农民。1947 年 10 月和 1948 年 5 月,共产党公布了《怎样分析阶级》的文件,发动广大农民,推行了土地改革运动。中华人民共和国成立以后,1950 年 6 月 30 日,中央人民政府颁布了《中华人民共和国土地改革法》,新解放地区就按照这个土地改革法,进行土地改革。现在,全国除了少数地区以外,土地改革已经基本完成了。在土地革命过程中,原来独占土地的地主阶级,利用土地剥削农民,现在则当作一个阶级被消灭掉了。原来没有土地的农民,忍受着地主的剥削,现在却转变为取得土地的小生产者了。从前农民受地主的压迫,现在工人农民则对地主实行专政,地主在农民监视之下,从事劳动改造。像这样,土地的有无和得失之间,农民和地主因一定条件而互相联系,两者具有同一性。

农民土地革命的胜利,是在工人阶级的领导之下实现的。工人阶级领导下的工农联盟,是新民主主义的革命和建设的基本动力。"推翻帝国主义和国民党反动派,主要是这两个阶级的力量。由新民主主义到社会主义,主要依靠这两个阶级的联盟。"①这就是说,在新民主主义革命中,工人阶级领导农民阶级,首先推翻反动统治阶级,实行土地革命,接着又要领导农民阶级走向社会主义和共产主义。所以土地革命的目的,是在于推翻封建的土地制度和封

① 毛泽东:《论人民民主专政》。

建的生产关系,实现耕者有其田的农民土地所有制,建立互助合作的新生产关系,发挥农民生产的积极性,提高农业的生产力,提高农民的物质生活和文化生活的水平,为国家的工业化创造条件。新国家成立以来,全国农业生产得到了空前的发展,粮食生产已赶上抗日战争以前的最高年产量(不久即将超过它),棉花生产早已超过了从前的最高年产量,已能够完全供给全国纺织工业之用,同时农民的生活也逐年改善了。这些都是土地改革以后的伟大的成就。

土地改革的结果虽有上述的成就,但农业经济并不停顿在这个阶段。因为小土地私有制的经济是个体的、分散的、落后的小农经济。这种小农经济,还不能高度地发展生产力,它一方面不能使广大的农民最后脱离穷困的境地,另一方面又会引起阶层分化,产生出资本主义。所以工人阶级领导的人民政权,必须领导农民"组织起来",向着合作化、集体化的前途迈进。毛主席说:"严重的问题是教育农民。农民的经济是分散的,根据苏联的经验,需要很长的时间和细心的工作,才能做到农业社会化。没有农业社会化,就没有全部的巩固的社会主义。农业社会化的步骤,必须和以国有企业为主体的强大的工业的发展相适应。人民民主专政的国家,必须有步骤地解决这个国家工业化的问题。"①事实上,农民阶级在中国共产党和人民政府领导之下,已经开始走上了合作化、集体化的道路。截至 1952 年上半年,全国农村已成立互助组600 万个,农业生产合作社 3000 多个,全国组织起来的农户有 3500 多万户,约占全国总农户 40% 左右。由此可见,全国的农民已经向着合作化的前途迈进了,农民的私有制将转化为社会主义农业的公有制了。社会主义农业的公有制,在苏联已经实现了。我国今日正在开始向着这个方向走,将来全世界也要向着这个方向走的。像这样在私产和公产之间,有一条由此到彼的桥梁(共产党的领导和教育、农民自觉地、积极地组织起来以及国家工业化等条件),哲学上把它叫做同一性,或互相转化、相互渗透。

巩固无产阶级的专政或人民的专政,正是准备着取消这种专政,走到消灭任何国家制度的更高阶段去的条件。建立和发展共产党,正是准备着消灭共

---

① 毛泽东:《论人民民主专政》。

产党和一切政党制度的条件。建立共产党领导的革命军,进行革命战争,正是准备着永远消灭战争的条件。这许多相反的东西,同时却是相成的东西。

[说明]无产阶级专政,有三个基本方面:"(1)利用无产阶级政权来镇压剥削者,保卫国家,巩固和其他各国无产者之间的联系,促进世界各国革命的发展和胜利。(2)利用无产阶级政权来使被剥削的劳动群众完全脱离资产阶级,巩固无产阶级和这些群众的联盟,吸引这些群众参加社会主义建设事业,保证无产阶级对这些群众实行国家领导。(3)利用无产阶级政权来组织社会主义社会,消灭阶级,过渡到无阶级的社会,即过渡到社会主义社会。"①巩固无产阶级专政,就是彻底地、坚决地、完全地加强这三个基本方面的工作,创造出取消无产阶级专政,走到消灭任何国家制度的条件。毛主席在《论人民民主专政》中说:"'你们不是要消灭国家权力吗'? 我们要,但是我们现在还不要,我们现在还不能要。为什么? 帝国主义还存在,国内反动派还存在,国内阶级还存在。我们现在的任务是要强化人民的国家机器,这主要地是指人民的军队、人民的警察和人民的法庭,借以巩固国防和保护人民利益。以此作为条件,使中国有可能在工人阶级和共产党的领导之下稳步地由农业国进到工业国,由新民主主义社会进到社会主义社会和共产主义社会,消灭阶级和实现大同。"到了那时,如果帝国主义在世界上已经消灭,专政不存在了,任何国家制度也消灭了。

又如,共产党是工人阶级的先进的有组织的部队,是工人阶级的阶级组织的最高形式,是无产阶级专政或人民专政的工具,是全体党员的意志和行动的统一。共产党的建立和发展,是在于指挥工人阶级和广大的人民群众推翻压迫者剥削者的阶级,建立无产阶级专政或人民专政的国家,建设社会主义社会和共产主义社会,消灭阶级和实现大同。到了帝国主义在世界完全消灭的时候,国家不存在,共产党也不存在了。所以毛主席在前著中说:"阶级消灭了,作为阶级斗争的工具的一切东西,政党和国家机器,将因其丧失作用,没有需要,逐步地衰亡下去,完结自己的历史使命,而走到更高级的人类社会。我们

---

① 斯大林:《列宁主义问题》,第133页。

和资产阶级政党相反。他们怕说阶级的消灭,国家权力的消灭和党的消灭。我们则公开声明,恰是为着促使这些东西的消灭而创设条件,而努力奋斗。共产党的领导和人民专政的国家权力,就是这样的条件。"

就战争消灭战争一事来说,共产党建立革命军,进行革命战争,正是准备着永远消灭战争的条件。为什么?因为共产党所领导的革命战争,是阶级革命战争和民族革命战争。阶级革命战争的目的,在推翻资本主义制度,建立社会主义制度,消灭阶级的压迫与剥削;民族革命战争的目的,是打倒帝国主义,实现民族的独立与自由,消灭民族的压迫与剥削。帝国主义者所进行的战争是阶级反革命战争和民族反革命战争,前者的目的是巩固阶级的压迫与剥削,后者的目的是巩固民族的压迫与剥削。至于帝国主义者相互间争夺世界霸权的战争,根本上是反革命的。所以只有用革命战争反对反革命战争,用民族革命战争反对民族反革命战争,用阶级革命战争反对阶级反革命战争,才能消灭帝国主义,消灭阶级和民族的压迫和剥削。只有全世界实现了共产主义,消灭了帝国主义,才能最后消灭战争。"人类社会进步到消灭了阶级,消灭了国家,到了那时,什么战争也没有了,反革命战争没有了,革命战争也没有了,非正义战争没有了,正义战争也没有了,这就是人类的永久和平的时代。"①

大家知道,战争与和平是互相转化的。战争转化为和平,例如第一次世界大战转化为战后的和平,中国的内战现在也停止了,出现了国内的和平。和平转化为战争,例如1927年的国共合作转化为战争,现在的世界和平局面也可能转化为第二次世界大战。为什么是这样?因为在阶级社会中战争与和平这样矛盾着的事物,在一定条件下具备着同一性。

一切矛盾着的东西,互相联系着,不但在一定条件之下共处于一个统一体中,而且在一定条件之下互相转化,这就是矛盾的同一性的全部意义。列宁所谓"怎样成为同一的(怎样变成同一的),——在怎样的条件之下它们互相转化,成为同一的",就是这个意思。

① 《毛泽东选集》第一卷,第158页。

119

[说明]前面提到，现代的战争分为革命战争和反革命战争两大类。战争的目的，原在于消灭战争，实现和平，但也只有革命战争消灭了反革命战争，才能实现真正的和平。资本主义国家中的无产阶级战胜了资产阶级，就能实现国内真正的和平；被压迫民族的劳动人民战胜了帝国主义及其走狗的统治阶级，就能实现民族内真正的和平。但如果要实现"人类的永久和平的时代"，那只有在全世界的无产阶级和被压迫民族最后消灭了帝国主义及其走狗，才能达到。在世界帝国主义没有消灭以前，一个国家的阶级革命战争，或一个民族革命战争，在取得胜利以后，虽然可以实现国内的和平，但和平还是不能确保，因为有帝国主义者要向这些国家侵略，战争还是不能避免，如苏联过去遭受帝国主义者的侵略，中国现在遭受美帝国主义者的威胁（侵略台湾和侵略我们的邻邦朝鲜）。在另一方面，如果反革命战争压倒了革命战争，虽然表面上可以出现暂时的和平，但革命战争不久仍将爆发。至于帝国主义者相互间的战争（属于反革命战争），当一方战胜另一方以后，虽然可以出现暂时的和平，但战争不久仍要爆发，如第一次世界大战以后，又出现了第二次世界大战。

所以在世界帝国主义没有消灭以前，战争与和平是互相转化的，战争可以转化为和平，和平也可以转化为战争。例如第一次世界大战，是帝国主义者相互间重新分割世界的战争。这次战争的结束，由于十月革命的胜利，沙俄帝国主义首先消灭了，德、意两帝国主义失败了。另一方面，英、法、日等14个资本主义国家进攻苏联的战争，也被苏联打败了。从那个时候起，世界转化到战后的和平的局面。但这种和平只是暂时的，因为帝国主义本身就是战争的体系，所以日本帝国主义者从1931年起，侵入了中国的东北和华北，意大利帝国主义者侵入了阿比西尼亚，接着日、德、意三个帝国主义者成立了反共轴心，发动了第二次世界大战，其目的在于征服苏联、中国、东南欧和东南亚，并进而分割世界（结果，这三个帝国主义者倒下去了），这是世界规模上战争与和平互相转化的实例。再就中国过去的情形来说，和平与战争也是互相转化的。例如1924年至1927年的国共合作，在革命势力范围内，是和平的局面，但到1927年蒋介石匪帮背叛革命以后，共产党便领导工农群众发动反蒋匪帮的革命战争——第二次国内革命战争，这是和平转化为战争的实例。1931年"九·一八"事变发生以后，共产党号召全国人民起来抗日；同时也呼吁国民党停止内战，一致抗日。直到1936年，国民党方在各种条件（如前述）下，停止内战，实现了和平的局面，这是由战争转化为和平的实例。但阶级革命战争如果不能消灭阶级反革命战争，国内的真正和平是不能实现的。所以只有经过了第三次国内革命战争，即经过了革命战争消灭了反革命战争，我中华人民共和国才实现了国内真正的和平。不过这个和平的确实保证，仍须全国人民提高警惕，加强国防建设，保卫我们的祖国，使不受帝国主义者的侵犯。

从上述各段的说明看来，我们可以知道，一切矛盾着的东西，是互相联系着的，它们不但共处于一个统一体之中，而且在一定条件下可以互相转化。这就是矛盾同一性的全部意义。列宁所说对立"怎样成为同一的（怎样变成同一的），——在怎样的条件之下它们互相转化，成为同一的"这一段话的意思，也就可以完全理解了。

"为什么人的头脑不应当把这些对立看作死的、凝固的东西，而应当看作生动的、有条件的、可变动的、互相转化的东西"呢？因为客观事物本来是如此的。客观事物中矛盾着的诸方面的统一或同一性，本来不是死的、凝固的，而是生动的、有条件的、可变动的、暂时的、相对的东西，一切矛盾都依一定条件向它们的反面转化着。这种情况，反映在人们的思想里，就成了马克思主义的唯物辩证法的宇宙观。只有现在的和历史上的反动的统治阶级以及为他们服务的形而上学，不是把对立的事物当作生动的、有条件的、可变动的、互相转化的东西去看，而是当作死的、凝固的东西去看，并且把这种错误的看法到处宣传，迷惑人民群众，以达其继续统治的目的。共产党人的任务就在于揭露反动派和形而上学的错误思想，宣传事物的本来的辩证法，促成事物的转化，达到革命的目的。

[说明]唯物辩证法，是马克思列宁主义党的世界观。它的党性在认识领域中的表现，就是：我们对于客观事物的认识，必须正确地暴露事物中的矛盾、矛盾的运动、发展及其互相转化的必然性，并且必须站在矛盾的新生的一方面。当认识现代社会时，必须无掩饰地、无隐藏地、忠实地、暴露这一社会的阶级的矛盾、斗争以及由于斗争的发展而转变为它的反对物的必然性，并且必须

站在进步的、革命的阶级即无产阶级的立场,来指出解决矛盾的方法。这是党性在认识方面的表现,也是考察事物的唯一正确的科学的态度。

正因为客观事物中矛盾着的诸方面的同一性,是生动的、有条件的、可变动的、暂时的、相对的东西,一切矛盾都依一定条件而向它们的反面转化,所以反映事物的矛盾的同一性的思想,就具有辩证的灵活性。这种辩证的灵活性,是在革命斗争和建设工作中认识矛盾并解决矛盾所不可缺少的东西。例如中国共产党和国民党斗争的历史,就表明了两党的矛盾是生动的、有条件的、可变动的、向着相反的方面转化的。毛泽东同志为什么对于国民党采取"又联合又斗争"的政策呢? 联合而又斗争,正是矛盾。这个矛盾的政策,正是解决两党的矛盾的正确的策略。这是辩证灵活性的表现。又如,在新中国成立后,在"三反"和"五反"的运动中,工人阶级对于民族资产阶级,也采取"又联合又斗争"的政策,这也是辩证的灵活性的表现。所以马克思主义的唯物辩证法的宇宙观,首先要求人们对于社会的认识必须具有党性,即站在无产阶级的立场,暴露出社会中的阶级矛盾,并进而解决这个矛盾;其次要求人们的思想必须反映出对象的运动的矛盾性,具有辩证的灵活性,考察矛盾运动的情况,定出解决矛盾的方法。

资产阶级以及为它服务的形而上学家,从前是一味否认事物有矛盾,否认社会有阶级,企图愚弄无产大众,以证明资本主义社会是万古长存的。但由于自然科学的发展,暴露了各种自然现象的矛盾,由于社会斗争的发展,表现了阶级矛盾的尖锐化,资产阶级和形而上学家知道社会和自然的矛盾,再也不能长此隐瞒下去了,迫不得已也承认自然和社会是有矛盾的。但他们却故弄玄虚,在各种矛盾之间筑起万里长城,把矛盾双方看作僵死的、凝固的、不动的东西,其间并不互相转化。他们因此企图证明资本家是从原始时代的渔人和猎夫发展起来的,因为渔人和猎夫有钓竿和弓箭,即是资本。有资本家就有劳动者,可见劳资两个阶级是古已有之,将来仍会继续存在,资本家永远不能转变为劳动者,资本主义社会永远不能转变为社会主义社会。他们以这种见解做根据,制造出种种反动学说,企图迷惑人民群众,以达其继续统治的目的。

共产党人在对于事物的认识上,到处表现出党性,揭发反动派和形而上学隐藏阶级斗争和阶级矛盾的反动见解,并和它们作坚决的斗争。同时,他坦直而公开地站在无产阶级的立场,忠实地反映一切社会过程的阶级斗争和阶级矛盾,促成阶级矛盾的运动和转变,来达到革命的目的。

所谓矛盾在一定条件下的同一性,就是说,我们所说的矛盾乃是现实的矛盾,具体的矛盾,而矛盾的互相转化也是现实的、具体的。神话中的许多变化,例如《山海经》中所说的"夸父追日"①,《淮南子》中所说的"羿射九日"②,《西游记》中所说的孙悟空七十二变③和《聊斋志异》④中的许多鬼狐变人的故事等等,这种神话中所说的矛盾的互相变化,乃是无数复杂的现实矛盾的互相变化对于人们所引起的一种幼稚的、想象的、主观幻想的变化,并不是具体的矛盾所表现出来的具体的变化。马克思说:"任何神话都是用想象和借助想象以征服自然力,支配自然力,把自然力加以形象化;因而,随着这些自然力之实际上被支配,神话也就消失了。"⑤这种神话中的(还有童话中的)千变万化的故事,虽然因为它们想象出人们征服自然力等等,而能够吸引人们的喜欢,并且最好的神话具有"永久的魅力"(马克思),但神话并不是根据具体的矛盾之一定的条件而构成的,所以它们并不是现实之科学的反映。这就是说,神话或童话中矛盾构成的诸方面,并不是具体的同一性,只是幻想的同一性。科学地反映现实变化的同一性的,就是马克思主义的辩证法。

[说明]前面曾经引用过列宁的话:马克思主义的活的灵魂,就在于具体

---

① 《山海经》是中国战国时代(公元前403年—前221年)的一部著作。夸父是《山海经》上记载的一个神人。据说:"夸父与日逐走。入日,渴欲得饮,饮于河渭。河渭不足,北饮大泽。未至,道渴而死。弃其杖,化为邓林。"(《海外北经》)

② 羿是中国古代传说中的英雄,"射日"是关于他善射的著名故事。据汉朝人刘安(公元前2世纪时的贵族)所辑《淮南子》一书说:"尧之时,十日并出,焦禾稼,杀草木,而民无所食。猰貐、凿齿、九婴、大风、封豨、脩蛇,皆为民害。尧乃使羿……上射十日而下杀猰貐。……万民皆喜。"东汉人王逸(公元2世纪时的著作家)关于屈原诗篇《天问》的注释说:"淮南言,尧时十日并出,草木焦枯。尧命羿仰射十日,中其九日……留其一日。"

③ 《西游记》是16世纪中国的一部神话小说。孙悟空是《西游记》上的主角,他是一个神猴,有七十二变的法术,无论鸟兽虫鱼草木器物或人类,他都能够随意变化。

④ 《聊斋志异》是17世纪清朝人蒲松龄收集民间传说写成的一本小说集,短篇小说共431篇,大部分是叙述神仙狐鬼的故事。

⑤ 马克思:《政治经济学批判导论》。

地分析具体的情况。在这里所说的情况，即是具体的矛盾。我们所说的矛盾在一定条件下的同一性，是指具体的矛盾说的。具体的矛盾即是现实的矛盾，因而矛盾的转化，也是具体的、现实的。我们研究事物时，必须善于区别具体的、现实的矛盾和非具体的、非现实的矛盾。具体的、现实的矛盾，是我们研究的对象，而非具体的、非现实的矛盾，则不须加以研究。非具体的、非现实的矛盾之中，还有一类空想的、幻想的矛盾和许多神奇古怪的变化（即转化），那不是属于科学研究的范围。例如中国有一部《山海经》的书，多半谈论一些神奇的事情，其中有一段说到"夸父追日"的故事，说有一个神人名叫夸父，他从东方起追着太阳走，太阳落了山，他口渴得很，就喝渭河的水，他把渭河的水喝干了还觉得不够，要到北边的大泽中去喝水，还没有到达大泽，就在路上渴死了。他丢掉的手杖，变成了邓林。这是夸父追日，手杖转变为邓林的神话。还有《淮南子》书中说到"羿射九日"的故事，说中国氏族时代，有个酋长名叫做尧，当时有十个太阳同时出来，热度太高，把五谷和草木都晒死了，害得人民没有粮食可吃，尧于是叫一个会射箭的名叫羿的人，射下了九个太阳，所以从此只剩下一个太阳了。这是解决太阳热度和植物间的矛盾的神话。还有一部名《西游记》的神话小说，说有一个神猴名叫孙悟空，一个筋斗能翻十万八千里，他有七十二变的法术，无论是虫鱼鸟兽草木器物或人类，都能够随意变化。这是说猴子能够随意变化的神话。还有《聊斋志异》一部书，主要是讲狐狸精和鬼变女人、狼和虎也能变女人的故事。这一类神话中所说的一种东西转变为别种东西、矛盾着的东西之能够互相变化，完全是一些幼稚可笑的、空想的、幻想的变化。这一类的变化，是无数复杂的现实矛盾的互相变化在人们头脑中交错起来，再加上一些幻想、空想和一些迷信传说拼凑而成的。这一类随意拼凑和捏造的变化，并不是具体的矛盾所表现出来的具体的变化，不能成为科学研究的对象，这是不用多说的。

神话的产生，诚如马克思所说，是与自然力支配人类一事有关的。当自然力未被人类所支配的时候，人们总是用想象和借助想象以征服自然力，支配自然力，把自然力加以形象化，因而造出神话来。如前面所述的"羿射九日"、"夸父追日"，又如希腊古代所传太阳神、地神、水神、火神等类的神话，都是由于人类被自然力所支配的缘故而创造出来的。但到自然力实际上被人类所利用所支配的时候,神话也就消失了。

神话中千变万化的故事,固然是人们要征服自然力的想象,还有童话中所传各种变化的故事,也是一样的。譬如有的童话中说可以点石成金,可用魔斧劈开金银山,可用魔杖显出美丽的田园和住宅,可以使各种动物变为人,等等,也可以说是出于征服自然力的想象。像这一类神话或童话能够吸引人们的喜欢,例如苏联的童话电影片《美丽的华西丽沙》(是教育人们爱劳动的影片)中,一个蛤蟆能够变成美丽的小姑娘,观众非常喜欢看它。可见最好的神话或童话,是具有"永久的魅力"的。但神话或童话中所说的变化,毕竟是凭着想象和幻象构成的,并不是根据具体的矛盾之一定的条件而构成的,所以它们并不是现实之科学的反映。神话或童话中所描写的矛盾及其转化,并不是具体的、现实的矛盾的同一性,只是空想的、幻想的同一性,是不合乎科学的。至于科学地反映现实变化的同一性的,只有马克思主义的辩证法。

为什么鸡蛋能够转化为鸡子,而石头不能够转化为鸡子呢?为什么战争与和平有同一性,而战争与石头却没有同一性呢?为什么人能生人不能生出其他的东西呢?没有别的,就是因为矛盾的同一性要在一定的必要的条件之下。缺乏一定的必要的条件,就没有任何的同一性。

[说明]当我们研究矛盾的同一性之时,必须考虑到那个矛盾是不是具体的、现实的矛盾?即矛盾双方是不是因斗争而引起运动和发展,并在一定条件下互相转化?若果矛盾双方不能因斗争而引起运动和发展,并在一定条件下互相转化,那就不是具体的、现实的矛盾,这样的矛盾,就不能成为科学研究的对象。因为那样的研究是无意义的。世界的事物是千差万别的,差别即是矛盾,人们的思想固然可以把任一事物和别一事物,作为矛盾看待,但若这两个事物并不互相联系,互相贯通,互相依存,并且不因两者的斗争而运动,而发展,而互相转化,那就不是具体的矛盾,因而也不能有矛盾的同一性。例如石头和小鸡虽有矛盾(即差别),却没有同一性,因为石头在任何条件下不能转化为小鸡。但鸡蛋在一定孵化的条件下,则可以转化为小鸡,因为鸡蛋和小鸡是具有同一性的。又如男女媾精,女人怀孕,能够生出小人来,但决不能生出

非人的异物,这因为胎儿和小人之间具有同一性,而与非人的异物则不能有同一性。又如战争与和平具有同一性,两者在一定的必要的条件之下,可以互相转化。但战争与石头则不能有同一性,战争在任何条件下,绝不能转化为石头。

所以我们学习运用矛盾法则时,要把对象分解为两个对立的部分,而两者必须互相联系、互相渗透、互相依存;同时又互相排斥、互相对立、互相斗争,并且它们在一定的必要的条件下,互相转化。像这样对立的两部分,才算是具体的、现实的矛盾,才具有矛盾的同一性。要在对象中探求具体的矛盾,是一件困难的工作,第一必须开动脑筋,用心思索,第二必须具有关于对象的全部知识,如果单只知道矛盾法则而没有关于对象的全部知识,就不能探求出在一定必要条件下互相转化的那种矛盾同一性。我们不能在事物中乱定矛盾,如鸡蛋与石头、战争与石头那类的矛盾,因为这样的矛盾,缺乏一定的必要的条件,没有矛盾的同一性。

为什么俄国在1917年2月的资产阶级民主革命和同年10月的无产阶级社会主义革命直接地联系着,而法国资产阶级革命没有直接地联系于社会主义的革命,1871年的巴黎公社终于失败了呢?为什么蒙古和中亚细亚的游牧制度又直接地和社会主义联系了呢?为什么中国的革命可以避免资本主义的前途,可以和社会主义直接联系起来,不要再走西方国家的历史老路,不要经过一个资产阶级专政的时期呢?没有别的,都是由于当时的具体条件。一定的必要的条件具备了,事物发展的过程就发生一定的矛盾,而且这种或这些矛盾互相依存,又互相转化,否则,一切都不可能。

[说明]一个事物,由于矛盾的斗争的发展而转变为新事物,是在一定的必要的条件下实现的。这一定的必要的条件,是旧事物转变为新事物的最重要的关键。同样,一个社会,由于阶级斗争的发展而转变为新社会,也是在一定的必要的条件下实现的。如果缺乏了一定的必要的条件,社会的变革是不可能的。

为什么俄国1917年2月的资产阶级民主革命能够转变为10月的无产阶

级社会主义革命呢?这个转变(即联系)是具有一定的必要的条件的。我们知道,帝国主义是垂死的资本主义,是社会主义革命的前夜,革命运动正在全世界各国发展着。一方面,帝国主义联合一切反革命势力(包括封建主义在内)压迫一切革命势力;另一方面,无产阶级联合一切革命势力(包括被压迫民族和贫苦农民大众)反抗一切反革命势力。在这种时候,无产阶级为要推翻帝国主义,就必须同时推翻封建主义。在这样的形势下,像俄国当年那样的资本主义有了相当发展的国家,无产阶级在 1905 年的资产阶级民主革命中争取了领导权,早就准备着由资产阶级民主革命过渡到无产阶级社会主义革命。所以,列宁是把这两个革命当作一根链条的两个环节看的。至于由 1917 年的二月革命到十月革命的转变,是有其客观和主观的必要条件的。当时的客观条件是:(1)二月革命原是工人、农民和兵士为了推翻沙皇制度和反对战争而发动的,其目的在于获得和平、面包和土地,可是资产阶级临时政府,却勾结沙皇余孽和英法帝国主义者继续进行帝国主义战争,并压迫和剥削人民,使人民得不到和平、土地和面包,人民已是不愿意照旧生活下去,而反动的资产阶级被工人的斗争弄得软弱无力,地主被农民弄得垂头丧气,即是说统治阶级已不可能照旧生活下去;(2)被压迫的工人、农民和士兵的贫困和灾难,一天比一天深重;(3)人民群众走投无路,被迫着要起来革命。这三者主要地是当时革命的客观条件。至于革命的主观条件是:(1)工人阶级革命斗争情绪的高涨;(2)工人阶级和农民大众结成了广大的同盟;(3)马克思列宁主义武装着的布尔什维克党和伟大的领袖列宁、斯大林。正因为有了这些主观条件和那些客观条件结合起来,所以十月革命就能够胜利地实现了。

为什么法国资产阶级革命没有直接地联系于社会主义革命呢?这因为当时正是世界资产阶级革命的时代,资产阶级是进步的、革命的阶级,它代表着新的生产方式——资本主义的生产方式,推翻了中世纪的封建的黑暗的统治,建立了比封建国家进步的资产阶级国家,大大地促进了生产力的发展。资本主义社会中的基本矛盾、即无产阶级和资产阶级的矛盾,在 19 世纪前后的时期,还没有发展到对抗的阶段,无产阶级还没有成长为自觉的、自为的阶级。资本主义,正在走着上坡路。所以上述无产阶级革命的客观条件和主观条件,都没有形成,当然谈不到资产阶级革命和社会主义革命的直接联系的问题。

当年巴贝夫一派的共产主义运动的失败，便是一个例证（巴贝夫曾参加1789年的法国大革命，他曾经拟了一个实现共产主义的计划，得到了一般贫民的同情，但他没有组织劳动者，也没有联系农民，而只是联系军队，企图夺取政权，结果失败了）。

为什么1871年的巴黎公社终于失败了呢？我们知道，1871年法国巴黎工人革命，创造了巴黎公社，成为无产阶级社会主义共和国的一定形式，它是无产阶级专政的国家的雏形，是俄国工农兵苏维埃的先驱。这是无产阶级革命的重要的历史经验之一。但巴黎公社为什么失败了呢？这因为那个时期，是帝国主义的矛盾还没有充分发展的时期，是无产阶级革命还不是必不可免的直接实践的时期。换句话说，在那个时期，无产阶级革命的客观条件和主观条件还没有具备，巴黎的无产阶级还没有组织坚强、久经革命锻炼的党，又不曾和农民阶级结成同盟，致使农民的后备力量还站在资产阶级方面，还有，巴黎公社成立以后，对于资产阶级及其反抗的镇压，并没有彻底去做，对敌人太过于宽容。这一切都是巴黎公社所以失败的原因。

为什么蒙古和中亚细亚的游牧制度又直接地和社会主义联系了呢？落后的游牧制度的民族，要跳过资本主义阶段，直接地转向于社会主义，其主要条件是社会主义国家的直接援助。俄国无产阶级在十月革命以后，立即实行了民族殖民地的革命，首先帮助国内各被压迫民族的人民，推翻各民族内的压迫者，在国际主义基础上，团结各民族结成苏维埃社会主义共和国联盟；其次，援助蒙古人民，推翻自己的压迫者，建立了蒙古人民共和国。由于社会主义国家的直接援助，落后民族的人民，便可以跳过资本主义的阶段，直接走向于社会主义了。

为什么中国的革命可以避免资本主义的前途，可以和社会主义直接联系起来，不要走西方国家的历史老路，不要经过一个资产阶级专政的时期呢？这因为中国革命是世界无产阶级社会主义革命的一部分，它是中国共产党和无产阶级所领导的人民大众反帝反封建的革命。所以中国共产党所领导的整个中国革命的运动，是由新民主主义革命到社会主义革命的运动，其最后目的则在于力争社会主义社会和共产主义社会的最后完成。在革命胜利以后，新社会是无产阶级所领导的人民民主专政的国家，绝不是资产阶级专政的国家，是社会主义、共产主义的前途,绝不是资本主义的前途。这是毛主席多年前应用马克思列宁主义,根据中国社会发展的规律所奠定了的总的政治路线。自从革命胜利,伟大的中华人民共和国建立以后,帝国主义势力早被赶出了中国大陆,官僚资产阶级、地主阶级和一切反革命残余,已经消灭了,我们新国家的基础已经巩固了。在经济方面,社会主义性质的国营经济取得了领导地位,私人资本主义经济只能在国营经济的领导下,在共同纲领所规定的范围内,发展于国计民生有利的事业,到了实现社会主义时,私人企业都将国有化,资本主义就失其存在了。我们有一个强大的、久经革命锻炼的、有马克思列宁主义毛泽东思想武装着的、采取批评与自我批评的方法的、密切联系广大群众的中国共产党,有工人阶级所领导的人民民主专政的、强大的国家机器,有占全国人口百分之八九十的工人和农民的坚强联盟,还有列宁斯大林所领导的社会主义的苏联以及其他国际援助,在这些条件之下,保证着我们的新国家稳步地由农业国进到工业国,由半封建半殖民地国家变为社会主义国家。

总起来说,在阶级社会中,有革命阶级和反动阶级的斗争,革命的阶级为要战胜反动的阶级,使社会转变为高一级的社会,必须具备一定的客观和主观的必要的条件,才能实现。正因为有了一定的必要的条件,所以两个对立的阶级能够共处在一个社会中,互相联系、互相依存,而又互相斗争、互相转化。如果没有一定的必要的条件,就没有互相依存,也不能互相转化,即没有矛盾的同一性。

同一性的问题如此。那末,什么是斗争性呢?同一性和斗争性的关系是怎样的呢?

列宁说:"对立的统一(一致、同一、均势),是有条件的、一时的、暂存的、相对的。互相排斥的对立的斗争则是绝对的,正如发展、运动是绝对的一样。"①

列宁这段话是什么意思呢?

一切过程都有始有终,一切过程都转化为它们的对立物。一切过程的常

_____

① 列宁:《关于辩证法问题》。

住性是相对的,但是一种过程转化为他种过程的这种变动性则是绝对的。

[说明]矛盾的同一性问题,前面已经说明了,现在来说明矛盾的斗争性问题,以及同一性和斗争性的关系。

前面所说明的矛盾的同一性,包括两个意义:(1)事物发展过程中的矛盾双方,互为存在的条件,共处于一个统一体之中;(2)矛盾双方,依一定条件而互相转化,成为同一。正因为矛盾的双方互为存在的条件,而共处于一个统一体之中(如同无产阶级与资产阶级,互相依存、互相联系、互相渗透,而共处于资本主义社会之中),所以双方能够是同一的;正因为矛盾双方依一定条件而互相转化(如同无产阶级和资产阶级,互相排斥、互相斗争、互相对立,到了客观和主观条件具备时,无产阶级就推翻资产阶级而占居统治地位),所以成为同一。因此,列宁所说"对立的统一(一致、同一、均势),是有条件的、一时的、暂存的、相对的"这句话的意思,是非常明显的。但所说的矛盾的同一性之中,本来包含着矛盾的斗争性。事物过程中的矛盾双方,因一定条件而互相转化,成为同一,这就是原来的矛盾的同一转变为新的矛盾的同一,就是旧事物转变为新事物。转变即是发展,事物的发展,是通过矛盾的斗争而显现出来的。前面所引用的列宁的一句话:"发展是对立面的统一(统一物之分为两个互相排斥的对立面以及它们之间的互相关联)。"这就是说,矛盾的同一性之中,包含了矛盾的斗争性。矛盾的斗争性,是一切事物的运动和发展的根源。一切事物的运动和发展,是绝对的,矛盾的斗争也是绝对的。所以,列宁说"互相排斥的对立面的斗争则是绝对的,正如发展、运动是绝对的一样"。

一切过程,都由于内部的矛盾的斗争而运动,而发展,由于一种形式而转变为和它相反的另一种形式。这样的转变是绝对的。但在某一过程没有转变以前,它还是原来的形式,这就显现出这一过程的常住性。但这种常住性却是相对的,它迟早还是由于矛盾斗争的发展而转变为他种形式。例如资本主义社会,由于无产阶级和资产阶级的斗争而运动,而发展,而转变为社会主义社会,这种转变是绝对的。但在无产阶级革命的客观和主观条件没有成熟以前,还不能推翻资产阶级,社会之资本主义的性质不变,这就显现出资本主义社会的常住性。但这种常住性不能长久保持,由于阶级斗争的发展,资本主义社会必然转变为社会主义社会。所以一切过程的常住性是相对的,而一种过程转变为他种过程的这种变动性却是绝对的。这个道理,下面要详细说到。

无论什么事物的运动都采取两种状态,相对地静止的状态和显著地变动的状态。两种状态的运动都是由事物内部包含的两个矛盾着的因素互相斗争所引起的。当着事物的运动在第一种状态的时候,它只有数量的变化,没有性质的变化,所以显出好似静止的面貌。当着事物的运动在第二种状态的时候,它已由第一种状态中的数量的变化达到了某一个最高点,引起了统一物的分解,发生了性质的变化,所以显出显著变化的面貌。我们在日常生活中所看见的统一、团结、联合、调和、均势、相持、僵局、静止、有常、平衡、凝聚、吸引等等,都是事物处在量变状态中所显现的面貌。而统一物的分解,团结、联合、调和、均势、相持、僵局、静止、有常、平衡、凝聚、吸引等等状态的破坏,变到相反的状态,便都是事物在质变状态中、在一种过程过渡到他种过程的变化中所显现的面貌。事物总是不断地由第一种状态转化为第二种状态,而矛盾的斗争则存在于两种状态中,并经过第二种状态而达到矛盾的解决。所以说,对立的统一是有条件的、暂时的、相对的,而对立的互相排除的斗争则是绝对的。

[说明]我们已经知道,任何事物的运动,都由于内部的矛盾的斗争,即新因素与旧因素的斗争。当斗争发展到一定高度时,新因素就克服旧因素,旧事物就转变为新事物。但在这种转变没有实现以前,事物的变化是不大的。所以任何事物的运动都采取两种状态,第一种是相对地静止的状态,第二种是显著地变动(即转变)的状态,即是量变和质变的状态,也就是进化的和革命的状态。当着事物的运动在第一种状态的时候,事物中所发生的量变,在最初是不显著的,是缓慢的,往后就逐渐积累起来,准备着质变的成熟的条件,但在量变还没有达到某一最高点以前,事物不会发生质变,显出好似静止的状态,例如俄国革命,在1917年11月7日以前,仍只是量变的状态,只是使根本的质变趋于成熟的程度,而俄国社会之资本主义的性质未变。但是当着事物的运动进到第二种状态的时候,量变就达到了某一个最高点(即物理学上所说的临界点),旧事物死亡,新事物诞生了,这是性质的变化,是突然地、飞跃地、由

一种过程转变到另一种过程。俄国十月革命的爆发,正是这样的一种转变,沙皇制度和资产阶级的俄国死亡了,社会主义的苏联诞生了。

在矛盾斗争的过程中,由于一定的条件,矛盾的斗争常变为矛盾的统一的局面。我们在日常生活中,常常看到互相反对的双方,在一定的条件之下,显出团结、联合、调和、均势、相持、僵局、静止、有常、平衡、凝聚、吸引等状态,这都是事物处在量变状态中所显现的面貌。但是在这类统一的局面中,并不是矛盾的斗争已经停止了,只不过是双方暂时休战,而斗争仍然是继续着的,它们重整斗争的阵容,准备开始新的斗争。例如我们看到战争中互不相让的局面,并不是战争已经停止了,只不过是暂时的拉锯战,暂时分不出胜负来,而双方大战的准备是在进行着的。所以到了斗争进到一定的阶段时,由于量的变化的积累,矛盾中的新生的、进步的方面就取得优势,于是统一的局面就转到抗争的局面,团结转到分裂,联合转到分立,调和转到破裂,均势显出强弱,相持转到相斗,僵局转到活局,静止(相对的)转到运动(转变),有常转到无常,平衡显出高下,凝聚转到分离,吸引转到排斥,这一切都是事物向反对方面的转变,是由量变向质变的转变,是一个过程到另一个过程的转变。这是飞跃的变化,连续性断绝的变化,向反对物转变的变化。这是量变到质变的法则的表现。这样显著的变化,都是由于事物内部包含的两个矛盾着的因素互相斗争所引起的。所以事物总是不断地由第一种状态转化为第二种状态,而矛盾的斗争则存在于两种状态中,并经过第二种状态而到达于矛盾的解决。中国共产党所领导的 28 年间的人民革命的战争,也是遵循着这个法则而发展的。

上面所说的运动的第一种状态,即量变的状态,是说明对立的统一是有条件的、暂时的、相对的;运动的第二种状态,是说明对立的斗争是绝对的。任何事物的发展,都必然地由第一种状态进到第二种状态,决不停顿在第一种状态。所以革命的人,总是向前看,决不向后看。

前面我们曾经说,两个相反的东西中间有同一性,所以二者能够共处于一个统一体中,又能够互相转化,这是说的条件性,即是说在一定条件之下,矛盾的东西能够统一起来,又能够互相转化;无此一定条件,就不能成为矛盾,不能共居,也不能转化。由于一定的条件才构成了矛盾的同一性,所以说同一性是有条件的、相对的。这里我们又说,矛盾的斗争贯穿于过程的始终,并使一个过程向着他过程转化,矛盾的斗争无所不在,所以说矛盾的斗争性是无条件的、绝对的。

[说明]前面已经说过,矛盾的同一性是有条件的。第一,矛盾双方互为存在的条件,共处于一个统一体之中,所以能成为矛盾而具有同一性。如果两者没有互为存在的条件,就不能成为矛盾,也没有同一性。前面的例子中所说的无产阶级和资产阶级互为存在的条件,共处于资本主义社会中,所以两者成为矛盾而具有同一性;又如农民阶级和地主阶级也互为存在的条件,共处于封建的或半封建的社会中,所以两者也成为矛盾而具有同一性。至于前例所说的鸡蛋和石头、战争和石头之间,却没有互为存在的条件。即没有鸡蛋而石头仍然存在,反之亦然;没有战争而石头仍然存在,反之亦然。所以它们不能成为矛盾,更不能有同一性。第二,矛盾双方,依一定条件而互相转化,所以具有同一性。如果矛盾双方在任何条件下并不互相转化,就没有同一性。无产阶级推翻了资产阶级,建立了社会主义国家,无产阶级变成了统治者,而资产阶级则变为被统治者,所以它们具有同一性;农民阶级推翻了地主阶级,在无产阶级领导下变成了新社会的主人,而地主阶级则变成了被统治者,所以它们具有同一性。至于鸡蛋和石头、战争和石头,在任何条件下,也不能互相转化,双方决不能有同一性。由于一定的条件才构成了矛盾的同一性,所以说同一性是有条件的、相对的。

矛盾原是互相排斥、互相对立、互相斗争的双方,它们之所以具有同一性,是因为双方互为存在的条件,并依一定的条件而互相转化,而双方的斗争,非到过程终结之时是决不停止的。前面所说的相对地静止的状态,也只是斗争的一种形式,并不意味着斗争的完全停止,如前面所说的团结、联合、调和、均势、相持、僵局等等,都是意指着矛盾的同一,但在这种同一中,矛盾的斗争仍是继续着。矛盾的斗争贯穿于过程的始终,并使一过程转变为另一过程。当新过程开始时,新的矛盾的斗争也同时开始。矛盾的斗争存在于一切事物或过程中,所以说矛盾的斗争性,是无条件的、绝对的。

在共产党以前和国民党的关系中,我们也可以看出相对的矛盾的同一和绝对的矛盾的斗争。在第一次国内革命战争时期,代表资产阶级和地主的国民党,接受了共产党的主张,赞同反帝反封建的革命,并实行联俄联共和扶助工农政策,在这种条件下,两党实行了合作。但共产党所领导的工农革命运动,显然是对国民党所代表的资产阶级和地主的斗争。由于斗争的发展,因蒋介石匪帮的反革命,矛盾的同一就完全转到了矛盾的斗争,进入了第二次国内革命战争时期。抗日战争发生以后,党又在"一致抗日"的条件下,建立了统一战线。但由于联合中的斗争的发展,到了抗日战争结束以后,又因蒋介石发动了反共反人民的内战,矛盾的同一又完全转到了矛盾的斗争,进入了第三次国内革命战争时期,结局是共产党所领导的人民革命,摧毁了国民党反动派在中国的统治,建立了中华人民共和国。由此可见,矛盾的同一是有条件的、相对的,而矛盾的斗争是无条件的、绝对的。

有条件的、相对的同一性和无条件的、绝对的斗争性相结合,构成了一切事物的矛盾运动。

我们中国人常说:"相反形成。"①就是说相反的东西有同一性。这句话是辩证法的,是违反形而上学的。"相反"就是说两个矛盾方面的互相排斥,或互相斗争。"相成"就是说在一定条件之下两个矛盾方面互相联合起来,获得了同一性。而斗争性即寓于同一性之中,没有斗争性就没有同一性。

在同一性中存在着斗争性,在特殊性中存在着普遍性,在个性中存在着共性。拿列宁的话来说,叫做"在相对的东西里面有着绝对的东西"。②

[说明]有条件的相对的同一性和无条件的绝对的斗争性,是客观事物或过程所固有的性质。正因为矛盾的同一性与矛盾的斗争性相结合,所以引起事物或过程的运动和发展,而由一种形态转变为别种形态。矛盾贯穿于一切

---

① 这句话始见班固(公元1世纪时中国著名历史家)所著《前汉书》卷三十《艺文志》,以后就颇为流行。班固的原文如下:"诸子十家,其可观者,九家而已。皆起于王道既微,诸侯力政,时君世主,好恶殊方。是以九家之术,蜂出并作,各引一端,崇其所善,以此驰说,取合诸侯。其言虽殊,辟犹水火,相灭亦相生也。仁之与义,敬之与和,相反而皆相成也。"

② 列宁:《关于辩证法问题》。

过程的始终,任何过程最初是矛盾的同一,在矛盾的同一中,包含着不显著的矛盾的斗争,所以呈现出相对的静止的状态,往后由于斗争的激化,矛盾的新生的一方面就战胜垂死的一方面,矛盾的同一就完全破裂,这一过程就转变为新的过程,形成为新的矛盾的同一。所以矛盾的同一性和矛盾的斗争性,在任何事物或过程中,都是不可分离地结合着。我们运用矛盾法则研究任何过程时,决不可以把矛盾的同一性和斗争性割裂开来,或者只认识矛盾的同一性而忽视其斗争性,或者只认识矛盾的斗争性而忽视其同一性。如果是这样,就会违反唯物辩证法,甚至要陷入机会主义的立场。这是要严密注意的。

首先,当我们认识运动的第一种状态、即相对地静止的状态,决不能把事物看成没有变化的东西。因为相对地静止的状态是量变的状态。量变的状态,在适当的时间以内,虽不破坏事物的根本性质(即质),即事物还是原来的事物。但量变还是变化,是质变的准备,并且在量变的过程中,事物的质虽不变,而事物的其他许多属性还是变化。这样的变化到了临界点时,仅仅加上的一点细小的变化,就会引起质变。例如资本主义社会发展到帝国主义阶段时,目前基本上虽然还处于量变的状态,但变化还是很重大的,自由竞争的属性被垄断所否定了,并且阶级矛盾激化了,无产阶级革命的客观条件具备了。到了这种时候,只要共产党能够团结广大的无产阶级和劳动人民,选定适当的时机,运用正确的战略与战术,就可以打倒帝国主义,实现社会主义。这是十月革命的经验。

其次,如果只看到过程的矛盾的同一而忽视矛盾的斗争,就不可避免地引出对立调和论。前面所说的德波林派只知从矛盾的同一性之中探求辩证法的本质,而不能理解列宁所说的"对立的同一是相对的,对立的斗争是绝对的"这个命题,因而陷入了唯心论的对立调和论。又如,反动的布哈林派,把矛盾的同一误解为完全的平衡,从苏联社会主义建设的时期,主张社会主义要素和资本主义要素的平衡发展,而富农可以和平地"长入"社会主义,这也是反动的对立调和论。这种对立调和论,是右倾机会主义,是主张不需要革命就可由资本主义进到社会主义的改良主义,从前第二国际所属各个机会主义的政党就持有这种反马克思主义的观点。还有,在中国新民主主义革命过程中,主张"一切联合,否认斗争"的见解,也属于对立调和论。

再次,若果只看到过程中的矛盾的斗争而忽视矛盾的同一,就会引导到"左"倾机会主义。有一个生物学家居维叶,主张生物自然界的发展是由突变所引起的一次一次的飞跃来完成的。这就是说,质变是没有量变的准备的,生物自然界时时处在质变状态中,只有质变,没有量变;只有革命,没有进化。这种见解,是辩证法所排斥的,因为量变和质变、进化和革命,是同一运动中的两个必要的形态。欧洲无政府工团主义者,反对组织群众实行革命斗争的训练和准备的工作,而企图用阴谋的冒险主义的策略,一举而实现无政府社会,这也是否认进化而单纯主张革命、即不做革命的准备而实行革命的"左"的空谈。还有,在我们的新民主主义革命史中,即在第二次国内革命战争时期,"左"的机会主义者,主张"一切斗争,否认联合",主张红军进攻中心城市,一举而实现革命的政策,也是主张质变而否认量变的偏向。

所以由相对地静止的状态进到显著地变动的状态,即由量变进到质变的状态,是一切事物发展的规律,因而由被压迫阶级所进行的革命的变革,是完全自然的和不可避免的现象。"这就是说,要在政治上不犯错误,就要做革命者,而不要做改良主义者。"①

中国人流传着"相反相成"这一句话,就是说两个相反的东西有同一性。这句话是合乎辩证法的,是与形而上学相反的。资产阶级形而上学者们原来不承认事物之中有矛盾,即不承认有相反的东西。往后因为社会斗争和自然科学所暴露的自然现象的矛盾,他们也不得不承认矛盾,承认社会有阶级对立,但他们却把这样的对立看作死板的、凝固的、不变的东西。他们认为资本家永远是资本家,劳动者永远是劳动者,两者并不互相转化,因而相反的东西并不具有同一性。这是资产阶级代言人拥护资本主义的谬论。至于辩证法,则认为"相反"的两个方面是互相排斥、互相斗争的,但它们在一定条件之下,却又互相依存、互相联系,具有同一性,这就是"相成"。

矛盾的同一性,原是斗争着的两个方面的同一性,所以矛盾的斗争性是寄存于矛盾的同一性之中,如果没有矛盾的斗争性,就不能有矛盾的同一性。

从前面的说明看来,我们可以领会列宁所说"在相对的东西里面有着绝

---

① 斯大林:《论辩证唯物主义和历史唯物主义》。

对的东西"这句话的道理,即绝对的矛盾的斗争性寄存于相对的矛盾的同一性之中,绝对的矛盾的普遍性、共性寄存于相对的矛盾的特殊性、个性之中。所以我们研究任何事物或过程的矛盾时,必须从相对的东西中看出绝对的东西,才能找出解决矛盾的方法。

六、对抗在矛盾中的地位

在矛盾的斗争性的问题中,包含着对抗是什么的问题。我们回答道:对抗是矛盾斗争的一种形式,而不是矛盾斗争的一切形式。

在人类历史中,存在着阶级的对抗,这是矛盾斗争的一种特殊的表现。剥削阶级和被剥削阶级之间的矛盾,无论在奴隶社会也好,封建社会也好,资本主义社会也好,互相矛盾着的两阶级,长期地并存于一个社会中,它们互相斗争着,但要待两阶级的矛盾发展到了一定的阶段的时候,双方才取外部对抗的形式,发展为革命。阶级社会中,由和平向战争的转化,也是如此。

炸弹在未爆炸的时候,是矛盾物因一定条件共居于一个统一体中的时候。待至新的条件(发火)出现,才发生了爆炸。自然界中一切到了最后要采取外部冲突形式去解决旧矛盾产生新事物的现象,都有与此相仿佛的情形。

[说明]我们已经知道,世界一切事物(或过程),都含有内在的矛盾,都由于矛盾斗争的发展,而转变为新的事物。但在这一切矛盾之中,按照它们的本性来说,有对抗性的矛盾和非对抗性的矛盾的区别。所谓对抗性的矛盾,就是说,这种矛盾的斗争发展到一定的程度时,采取外部对抗的形式,即采取"爆发"的形式,由旧事物转变为新事物。就阶级社会的阶级矛盾的外部对抗形式来说,这就是社会革命。至于非对抗性的矛盾,即是矛盾的斗争的发展,不采取外部对抗的形式,即不采取"爆发"的形式,可以使旧事物转变为新事物。所以,在矛盾斗争性的问题中,矛盾可以是对抗性的,也可以不是对抗性的。所以矛盾的斗争虽然无所不在,而对抗则是矛盾斗争的一种形式,而不是矛盾斗争的一切形式,这是要特别注意的。

对抗矛盾之特殊的显著的表现,是阶级社会的阶级斗争。这是从矛盾的本性发生的。例如在奴隶制社会中,奴隶主独占一切生产资料,奴隶不但全无生产资料,反而变成奴隶主的生产资料的一部分,即所谓"能够说话的工具"。奴隶过着普通动物一般的生活,专为奴隶主而劳动,并且奴隶主对奴隶操着生杀予夺之权。奴隶不但在经济上和政治上完全处于无权的状态,并且也得不到法律的保障。奴隶和奴隶主,在其阶级利害的完全冲突的基础上,从最初起就开始着阶级斗争。这个阶级斗争的发展,到了一定程度时,就立刻出现于表面,爆发为奴隶暴动,即奴隶革命。又如在封建社会中,封建地主阶级独占着土地等生产资料,那些农奴式的农民是没有土地的,他们不能不在封建地主的土地上耕种,对地主缴纳一定的劳役地租、实物地租或货币地租。农民在经济上是完全无权的,他们忍受着封建地主阶级的超经济的剥削(如封建地主阶级随时可以凭着一纸的命令或文告去剥削农民);他们在政治上也是无权的。所以农民阶级和封建地主阶级,从最初起就开始着阶级斗争,这斗争的发展,到了实在不能忍受封建地主阶级的压迫和剥削时,他们就爆发了农民暴动或农民革命。这农民革命,在欧洲和中国的历史上,是屡见不鲜的大事件。又如在资产阶级社会中,资产阶级独占着生产资料,它在社会生产制度中处于发号施令的地位,无产阶级处于被剥削的非人的境遇。资产阶级掌握着国家政权,无产阶级在政治上完全没有权利可言。一切物质的和精神的财富都集中于资产阶级,而贫穷和苦难则集中于无产阶级。无产阶级只有将劳动力出卖给资本家,忍受剥削。资产阶级用尽一切力量巩固资本主义社会制度,无产阶级则只有推翻这个制度才能真正得到解放。所以,无产阶级和资产阶级从资本主义生产方式形成的时候起,双方的斗争一直是发生着发展着。随着资本主义的发展而转进到帝国主义阶段,无产阶级对资产阶级的斗争,就采取外部对抗的形式,发展为无产阶级革命。又如前面所说,中华民族和帝国主义的矛盾,人民大众和封建制度的矛盾,都是对抗性的矛盾,都是要用革命方法去解决的。又如前面所说的由和平到战争的转变,都是战争着的双方的对抗性的矛盾的表现。

对抗性的矛盾斗争,发展到一定程度,常采取爆炸的形式,这正和炸弹的爆炸一样。当炸弹在没有爆炸以前,炸弹中各种矛盾着的爆炸物,由于一定的装置,在一定条件下,仍处一个统一体制中,不致发生爆炸。但到了新的条件(即发火)出现时,它就发生爆炸。这样的爆炸,就是对抗性的矛盾斗争的表现。阶级社会中的阶级革命,也是爆炸。植物的种子在适当的条件下冲破表皮而发芽,鸡蛋在孵化过程中,雏鸡破壳而出,也都是采取爆炸的形式。物理学上的阳电和阴电的接触,发出火花和音响,化学上的某些元素的化合,也采取爆炸的形式,产生出新的东西。这些都是对抗性的矛盾斗争向外部表现的实例。

认识这种情形,极为重要。它使我们懂得,在阶级社会中,革命和革命战争是不可避免的,舍此不能完成社会发展的飞跃,不能推翻反动的统治阶级,而使人民获得政权。共产党人必须揭露反动派所谓社会革命是不必要的和不可能的等等欺骗的宣传,坚持马克思列宁主义的社会革命论,使人民懂得,这不但是完全必要的,而且是完全可能的,整个人类的历史和苏联的胜利,都证明了这个科学的真理。

[说明]认识对抗在矛盾中的地位,认识无产阶级的不妥协的阶级革命的必然性,这对于我们是极其重要的。这种认识使我们懂得:在阶级社会中,革命和革命战争是不可避免的,除此以外,无产阶级不能完成社会发展的飞跃,不能推翻反动的统治阶级,而使人民获得政权。中国共产党如果不组织工人和农民用武装的革命反对武装的反革命,那就绝不能推翻美蒋匪帮的反动统治,建立人民民主专政的中华人民共和国,这是非常明显的。

斯大林说:"既然发展是通过内在矛盾的揭露,通过基于这些矛盾的对立势力的冲突来克服这些矛盾而进行的,那就很明显,无产阶级的阶级斗争是完全自然的和必不可避免的现象。这就是说,不要掩饰资本主义制度的各种矛盾,而要暴露和揭开这些矛盾,不要熄灭阶级斗争,而要把阶级斗争进行到底。这就是说,要在政治上不犯错误,就要执行无产阶级的不调和的阶级政策,而不要执行使无产阶级利益同资产阶级利益相协调的改良主义政策,不要执行使资本主义'长入'社会主义的妥协主义政策。"①

---

① 斯大林:《论辩证唯物主义和历史唯物主义》。

列宁斯大林所领导的革命,所以能够从胜利走向胜利,取得最伟大的胜利,主要的原因是由于始终用不妥协的阶级政策,教育了工人阶级,粉碎了一切改良主义的反动理论,毫不假借地揭穿了阶级调和的谬论。

现代资本主义各国的社会党,用改良主义欺骗着工人阶级。它们实际上是拥护资本主义的资产阶级政党,它们用所谓"社会民主主义"来对抗马克思主义,用"阶级调和"来代替阶级斗争。有的社会党人甚至于声言工人阶级是"空洞的抽象的"名词,企图由此消灭无产阶级和资产阶级的对立,并证明两者之间没有斗争。改良主义的资本家的奴才们,虽然实行着这类卑鄙无耻的欺骗,而无产阶级对于资产阶级斗争的尖锐化,却不断地爆发为革命斗争,这是历史的事实。像上述资产阶级的改良主义者,在中国也是有的。例如有些统治阶级的代言人,极力宣称中国社会没有阶级和阶级斗争,因而反对中国共产党所领导的阶级革命,而企图在中国实现所谓无阶级调和的社会。这完全是反动的见解。所以共产党人必须揭露反动派所谓社会革命是不必要的和不可能的等等欺骗的宣传,坚持马克思列宁主义的社会革命论,并使一切劳动人民知道,这不但是完全必要的,而且是完全可能的。这个科学的真理,是人类的历史和苏联的胜利所证明了的。

但是我们必须具体地研究各种矛盾斗争的情况,不应当将上面所说的公式不适当地套在一切事物的身上。矛盾和斗争是普遍的、绝对的,但是解决矛盾的方法,即斗争的形式,则因矛盾的性质不同而不相同。有些矛盾具有公开的对抗性,有些矛盾则不是这样。根据事物的具体发展,有些矛盾是由原来还非对抗性的,而发展成为对抗性的;也有些矛盾则由原来是对抗性的,而发展成为非对抗性的。

[说明]"不同质的矛盾,只有用不同质的方法才能解决。"所以解决对抗性的矛盾的方法,和解决非对抗性的矛盾的方法是不同的。上面所说解决对抗性的阶级矛盾的方法,是坚决实行马克思列宁主义的社会革命,但这并不是说对于非对抗性的阶级矛盾也适用同样的革命方法。我们必须具体地研究矛盾斗争的情况,才能决定解决具体矛盾的方法,不应当把上面所说的公式不适

当地套在一切事物的身上。因为非对抗性的矛盾，在其本性上，是和对抗性的矛盾不同的。例如工人阶级和农民阶级的矛盾，即是非对抗性的矛盾。在资本主义社会中，无产阶级是丧失了生产资料的阶级，而农民阶级却把自己的经济建筑在小私有财产的基础之上，而这种小私有财产则是产生资本主义的根源。所以两者在资本主义社会中，就其阶级地位来说，是矛盾的。但农民阶级在其本性上是双重性的阶级。一方面，劳动农民是劳动阶级，因为他以自己的劳动谋生，并受着资本主义的剥削，一旦破产，就会变为无产者。在另一方面，它是小私有者阶级，从事小商品生产，培养着资本主义的基础。只有估计到农民这种双重性，才能正确地解决关于建设社会主义时期中的工人阶级与劳动农民之间的矛盾。因为这两个阶级，在反对资本主义的剥削，反对贫困与破产的斗争中，其利益是共同的。两个阶级间的非对抗性的矛盾，不但不排斥它们的共同利益，反而能在共同利益发展的基础上，自行克服它们之间的矛盾。这样，就使农民在工人阶级的领导下，与工人结成巩固的联盟，向着社会主义迈进。这是苏联过去解决工人和农民之间的矛盾的历史所证明了的。

但无论是对抗性或非对抗性的矛盾，其矛盾的斗争，则是相同的。因为矛盾和斗争是普遍的、绝对的，只不过解决矛盾的方法，则因矛盾的性质不同而不相同。即如工人阶级和农民阶级的矛盾的斗争还是存在的，其间并不包含有矛盾的调和。非对抗性的矛盾，也不是可以用调和的方法解决的，而是用对于农业与农民实行社会主义的改造的方法来解决的。

有些矛盾具有公开的对抗性。例如现代资本主义国家的无产阶级和资产阶级的矛盾、被压迫民族和帝国主义的矛盾等，都是具有公开的对抗性的矛盾。但是有些矛盾，却不是这样，这要依据事物的具体发展情况来决定。在某种特殊的情况下，非对抗性的矛盾可以转变为对抗性的矛盾。例如在资本主义社会的初期时代，互相矛盾着的无产阶级和资产阶级，长期地并存于一个社会之中，它们虽然互相斗争着，却还不曾采取外部对抗的形式，直到两阶级的矛盾发展到一定阶段时，双方才采取外部对抗的形式，即无产阶级实行社会主义革命。又如在无产阶级革命的时期，无产阶级和富农（即乡村资产阶级）的矛盾，还不曾采取外部对抗的形式，但到了社会主义建设和农业集体化的时期，富农就被当作资产阶级而消灭了。在另一种特殊情况下，原来是对抗性的矛盾,可以发展为非对抗性的矛盾。例如,中国的工人阶级和民族资产阶级,无疑地是带有对抗性的矛盾。但"民族资产阶级在现阶段上,有其很大的重要性。我们还有帝国主义站在旁边,这个敌人是很凶恶的……为了对付帝国主义的压迫,为了使落后的经济地位提高一步,中国必须利用一切于国计民生有利而不是有害的城乡资本主义因素,团结民族资产阶级,共同奋斗"①。在共同奋斗的过程中,工人阶级对于民族资产阶级,是实行着又联合又斗争的政策的。到了将来"实行社会主义即实行私营企业国有化的时候,再进一步对他们进行教育和改造的工作。人民手里有强大的国家机器,不怕民族资产阶级造反"②。所以中国工人阶级和民族资产阶级的矛盾的斗争,不至于采取外部对抗的形式,即爆发的形式。这就是说,像这样原带有对抗性的矛盾,可以发展为非对抗性的矛盾。

共产党内正确思想和错误思想的矛盾,如前所说,在阶级存在的时候,这是阶级矛盾对于党内的反映。这种矛盾,在开始的时候或在个别的问题上,并不一定马上表现为对抗的。但随着阶级斗争的发展,这种矛盾也就可能发展为对抗性的。苏联共产党的历史告诉我们:列宁、斯大林的正确思想和托洛茨基、布哈林等人的错误思想的矛盾,在开始的时候还没有表现为对抗的形式,但随后就发展为对抗的了。中国共产党的历史也有过这样的情形。我们党内许多同志的正确思想和陈独秀、张国焘等人的错误思想的矛盾,在开始的时候也没有表现为对抗的形式,但随后就发展为对抗的了。目前我们党内的正确思想和错误思想的矛盾,没有表现为对抗的形式,如果犯错误的同志能够改正自己的错误,那就不会发展为对抗性的东西。因此,党一方面必须对于错误思想进行严肃的斗争,另一方面又必须充分地给犯错误的同志留有自己觉悟的机会。在这样的情况下,过火的斗争,显然是不适当的。但如果犯错误的人坚持错误,并扩大下去,这种矛盾也就存在着发展为对抗性的东西的可能性。

---

① 毛泽东:《论人民民主专政》。
② 毛泽东:《论人民民主专政》。

[说明]共产党内的正确思想和错误思想的矛盾,即是工人阶级思想和非工人阶级思想的矛盾、马克思列宁主义思想和反马克思列宁主义思想的矛盾。这样的矛盾,在阶级存在的时候,是阶级矛盾对于党内的反映,是混入党内的投机分子的思想和忠实党员的思想的矛盾。这样的矛盾,在最初的时候,或者在个别的问题上,并不一定马上表现为对抗性的。但随着阶级斗争的发展,这种矛盾就可能发展为对抗性的矛盾。苏联共产党的历史告诉我们:列宁、斯大林的正确思想和托洛茨基、布哈林等人的错误思想的矛盾,正是经由了上述的发展过程。托洛茨基原是混入党内的反列宁主义的孟什维克分子,他一贯地带着"左派"的假面具,主张所谓纯工人的政府,把农民的一切阶层(不分富农、中农和贫农)看成革命的对象,反对以工人和劳动农民联盟为基础的无产阶级专政,反对新经济政策,否认"单独一国建设社会主义的可能"的列宁主义的理论,反对社会主义建设。他在列宁抱病和逝世的期间,居然组织反党的托、季(即托洛茨基和季诺维也夫)集团,提出反列宁主义的政纲,阴谋成立自己的反苏维埃的反革命的政党。托派的阴谋遭到列宁斯大林党的打击以后,仍不甘心失败,竟在1927年十月革命节,公开向党和苏维埃国家举行抗议的示威,变成了叛党叛国的分子。其次,布哈林也是反列宁主义的右倾机会主义者,是现代机械唯物论者,是不懂辩证法的"理论家"。他是坚决主张资本主义可以和平"长入"社会主义的人,他拥护富农而企图在苏联恢复资本主义。他对于阶级斗争问题、阶级斗争尖锐化问题、农民问题、新经济政策和市场关系问题、工人发展的速度和城乡结合的新形式问题等等,都有一套反列宁主义的偏见。当联共决定实行对富农坚决进攻时,布哈林派便组成了反党集团,即"布、李集团"(布哈林、李可夫集团),公开拥护富农,反对党的政策。托、季集团用所谓"不断革命"的"左"的词句,掩盖其投降主义的实质,而布、李集团则公开用右的词句拥护乡村的资产阶级。这两个集团终于结合起来,执行外国资产阶级间谍机关的意旨,企图摧毁联共和苏维埃国家。他们的罪行被揭发以后,终于都遭到了清洗。这是党内正确思想和错误思想的矛盾由非对抗形式发展为对抗形式的实例。

在中国共产党的历史中,也有过和上面所说相同的例子。譬如陈独秀的右倾机会主义偏向,在党成立以后不久的期间,还不显著。但到了1924年以后全国革命猛烈发展的时候，"当时共产党的领导者陈独秀，对于无产阶级领导民主革命，共产党人领导国共合作、领导北伐战争的根本任务，一直抱着消极的软弱的态度"①。他对于农民的土地斗争，没有采取坚决的积极的政策；对于建立群众的武装，从不予以注意。他甚至对于蒋介石反动集团的进攻，也处处做了机会主义的让步，致使蒋介石反共的军事势力日趋强大。他的右倾机会主义路线，到了1927年更为明显。因为当时工农群众的革命斗争非常猛烈，引起了国民党中的地主资产阶级分子的恐惧和反抗，陈独秀此时却幻想用让步和妥协的方法来稳定那些地主资产阶级分子，使他们不离开革命阵线，以便"挽救革命"。结果，共产党越让步，反动势力越高涨，终于引起了1927年革命的失败。陈独秀派右倾机会主义路线，与以毛泽东同志为首的布尔什维克路线，变成了对抗性的矛盾。从此陈独秀派走上了与托洛茨基派结合进行反党活动的反革命道路。其次，张国焘原是混入党内的投机分子，是一个政治两面派的人物，阴险狡诈，极不老实。他惯于拉拢一部分人，打击另一部分人，抬高自己在党内的地位，阴谋篡夺党的领导。他的政治两面派的倾向，在长征期内就赤裸裸地表现出来了。他当时在徐向前同志所领导的红军中工作，"由于对革命前途丧失信心，曾经进行分裂和背叛党的活动，拒绝与中央红军一同由川西北北上，强迫军队向西康方面退缩，并非法地组织了另一个中央。由于毛泽东同志所采取的党内斗争的正确方针，由于朱德、任弼时、贺龙、关向应等同志的坚忍努力，叛徒张国焘的分裂阴谋很快地就完全失败了"②。从此，叛徒张国焘摇身一变成为蒋介石匪帮的特务了。这是中国共产党内部正确思想和错误思想的矛盾斗争由非对抗形式发展成为对抗形式的实例。

从此以后，由于毛泽东同志所采取的党内斗争的正确方针，党内的正确思想和错误思想的矛盾，没有表现为对抗的形式。虽然在抗日战争初期，党内曾经发生过反对党的抗日政策的右倾机会主义的偏向，但由于"毛泽东同志和这种错误思想进行了坚决的斗争，因而使这种错误思想在没有发生更大危害的时候就在实际工作中得到了克服了"③。

---

① 胡乔木:《中国共产党的三十年》。
② 胡乔木:《中国共产党的三十年》。
③ 胡乔木:《中国共产党的三十年》。

为了纠正党内的错误思想,毛泽东同志在1937年7月和8月,写了他的有名的哲学著作《实践论》和《矛盾论》,深刻地而又通俗地解说了马克思列宁主义的认识论和辩证法,纠正了"左"右倾分子的教条主义和经验主义的错误。其后在抗日战争期中局势变化较少的时期,党采取了整风运动的方法,领导全党干部和党员认识和克服广泛存在于党内的伪装马克思列宁主义的小资产阶级思想作风,特别是主观主义的倾向、宗派主义的倾向和党八股,因而使党在思想上大大地提高一步,并且使全党空前地团结起来了。

采取批评与自我批评的方法,解决党内正确思想与错误思想的矛盾,是使党进步的原动力。所以,党一方面必须对于有错误思想的党员进行严肃的斗争,另一方面必须充分地给犯错误的同志留有自己觉悟的机会,使他能够自我检讨,改正自己的错误思想,使不致发展到与党的正确思想相对抗。在这样的情况下,过火的斗争,虽然是不适当的。但犯了错误的同志,如果坚持自己的错误不肯改正,反而让它发展到与党的正确思想相对抗,那就是丧失党性,这是与党员的资格不相容的。

经济上城市和乡村的矛盾,在资本主义社会里面(那里资产阶级统治的城市残酷地掠夺乡村),在中国的国民党统治区域里面(那里外国帝国主义和本国买办大资产阶级所统治的城市极野蛮地掠夺乡村),那是极其对抗的矛盾。但在社会主义国家里面,在我们的革命根据地里面,这种对抗的矛盾就变成非对抗的矛盾,而当到达共产主义社会的时候,这种矛盾就会消灭。

[说明]经济上城市和乡村的矛盾,在资本主义社会中,是极其对抗的矛盾。在资本主义国家中,资本家的工业集中于城市。资本家首先从乡村买进原料,制成商品,销售给乡村的农民,实现其所剥削的剩余价值。其次,商品的卖出与原料的买进,大都是通过商业资本家进行的。商业资本家常用高价将工业品卖给农民,而用低价向农民买进原料。这种不等价的交换,是对于乡村农民的残酷剥削。再次,乡村的金融命脉,操纵在城市的银行资本家手中,银行资本家通过信贷制度,剥削着广大的乡村。所以城市和乡村对立的经济基础,"是资本主义制度下工业、商业、信贷制度的整个发展进程所造成的对农

民的剥削和大多数农村居民的破产"①。还有,在资本主义国家,由于农业的资本主义化,大规模的农业经营压倒了农民的小规模的经营,使得许多小农陷于破产与贫困,而沦为无产者。地主们把从农村剥削得来的地租用之于城市,从不考虑土壤的改良。农业资本家把剥削所得的利润也用之于城市,也不考虑土壤的改良。所以资本主义制度日益破坏着土地的肥沃程度。例如就现代的美国来说,在大资本家的掠夺下,使土壤涸竭,弄得大量可耕的土地与牧场变成不毛之地,把没有资本恢复土壤肥沃的大量小农,从土地上驱逐出去,使他们变为流浪者。肥沃的可耕的土地,变成贫瘠的荒原。正由于乡村日渐趋于贫困与荒凉,而乡村的文化也远远落后于都市。"因此,资本主义制度下的城市和乡村之间的对立,应该看作是利益上的对立。在这个基础上产生了农村对城市、对一般'城里人'的敌对态度。"②

经济上城市和乡村的矛盾,在当年中国的国民党统治区域里面,也是极其对抗的矛盾。乡村中的农民,身受帝国主义、封建主义和官僚资本主义的三重压迫和剥削,陷于贫困和破产的深渊。特别是外国帝国主义和本国大资产阶级所统治的城市,不但通过工业资本、商业资本和高利贷资本,猛烈地吮吸农民的血液,并且还用超经济的剥削方法,极野蛮地剥削农民。中国本是农业国家,粮食可以自给,而买办资产阶级每年却从美国输入大宗美麦,来破坏国内粮食市场。当帝国主义者要向中国农村购买某种原料时,官僚资本家们就伸出魔掌垄断这种原料市场。例如美帝国主义要收购桐油时,官僚资本家便利用政治力量,将收购价格压到最低,并用日益贬值的伪币支付。结果,农民出售桐油所得的代价,完全不能抵偿一年的工资,被迫把桐树砍了当柴烧。其他如茶叶和别的农产物的收购,也有同样的情形。所以,当年国民党统治区域中的城市,不但极野蛮地剥削着乡村,并且是极残酷地破坏着乡村。我们可以说,当年乡里人对于城里人的敌对关系,实际上是农民对于帝国主义和官僚资本主义的敌对关系。

城市和乡村的矛盾,在当时我国新民主主义革命根据地里面,就已在改变

---

① 斯大林:《苏联社会主义经济问题》。

② 斯大林:《苏联社会主义经济问题》。

为非对抗性的矛盾。因为工农联盟的革命的友谊,是促进城乡互助的动力。

城市和乡村间的对抗的矛盾,到了社会主义时代会完全消灭。斯大林说:"无疑地,在我国,随着资本主义和剥削制度的消灭,随着社会主义制度的巩固,城市和乡村之间、工业和农业之间利益上的对立也必定消失。结果也正是这样。社会主义城市、我国工人阶级在消灭地主和富农方面所给予我国农民的巨大帮助巩固了工人阶级和农民的联盟的基础,而不断地供给农民及其集体农庄以头等的拖拉机和其他机器,更使工人阶级与农民的联盟变成了他们之间的友谊。当然,工人和集体农庄农民,仍然是两个在地位上彼此不同的阶级。但是这个差别丝毫不削弱他们的友谊关系。恰恰相反,他们的利益是在一条共同线上,在巩固社会主义制度和争取共产主义胜利的共同线上。因此,过去乡村对城市的不信任,尤其是对城市的憎恨,连一点影子都没有了,这是毫不奇怪的。这一切都表明,城市和乡村之间、工业和农业之间的对立的基础,已经被我国现今的社会主义制度消灭了。"①

而当到达共产主义社会的时候,城乡间的非对抗性的矛盾也会消灭。

列宁说:"对抗和矛盾断然不同。在社会主义下,对抗消灭了,矛盾存在着。"②这就是说,对抗只是矛盾斗争的一种形式,而不是它的一切形式,不能到处套用这个公式。

[说明]列宁说:"对抗和矛盾断然不同。"我们必须善于区别对抗性的矛盾和非对抗性的矛盾,针对具体的情况,决定解决的方法。社会生活中的对抗性的矛盾,是阶级矛盾的表现,这类矛盾只有用不妥协的阶级斗争的方法才能解决。至于非对抗性的矛盾,则只有用社会主义改造的方法去解决。所以无产阶级革命的目的,是在于消灭社会生活中的对抗性的矛盾,建立无对抗的社会主义社会,但是许多非对抗性的矛盾仍是存在的。这些非对抗性的矛盾,可以逐步地用社会主义改造的方法去解决。所以列宁又说:"在社会主义下,对

---

① 斯大林:《苏联社会主义经济问题》。
② 见列宁对布哈林的《过渡期经济学》的评注。

抗消灭了,矛盾存在着。"

在社会主义下,对抗是消灭了。但是矛盾还是存在着。既然矛盾法则是自然、社会和思维的发展的一般法则,那就没有例外,它也是社会主义社会、共产主义社会的发展法则。所以无论在社会主义社会或共产主义社会,矛盾仍是社会发展的动力。不过这种矛盾是非对抗性的矛盾,它是在完全的新的社会规律的基础上,在社会主义社会各方面成员的利益的根本的共同线上发生作用的。斯大林指示我们说:"社会主义基本经济规律的主要特点和要求,可以大致表述如下:用在高度技术基础上使社会主义生产不断增长和不断完善的办法,来保证最大限度地满足整个社会经常增长的物质和文化的需要。"①为要在高度技术基础上使社会主义生产不断增长和不断完善,就必须不断地发展生产力。为要不断地发展生产力,就必须不断地解决生产力和生产关系的矛盾。"生产力是生产中最活动、最革命的力量。这种力量,就是在社会主义制度下也无可争辩地走在生产关系的前面。生产关系只是经过一些时候,才会被改造得适合于生产力的性质。"②所以生产力和生产关系的矛盾,在社会主义下,不会发展为对抗,社会有可能做到使生产关系适合于生产力的性质,能够及时地改进落后了的生产关系使适合于生产力的性质,使生产力不断地向上发展,因而可以促进社会由"各尽所能,按劳分配"的阶段迈进到"各尽所能,按需分配"的阶段。

由此可知,对抗只是矛盾斗争的一种形式,而不是它的一切形式。在社会生活中,对抗只是阶级社会中的矛盾斗争的形式,而不是社会主义社会中矛盾斗争的形式。由于对抗与矛盾的断然不同,用以解决对抗和矛盾的方法也断然不同,不能到处套用一个公式。

七、结　论

说到这里,我们可以总起来说几句。事物矛盾的法则,即对立统一的法

---

① 斯大林:《苏联社会主义经济问题》。
② 斯大林:《苏联社会主义经济问题》。

则,是自然和社会的根本法则,因而也是思维的根本法则。它是和形而上学的宇宙观相反的。它对于人类的认识史是一个大革命。按照辩证唯物论的观点看来,矛盾存在于一切客观事物和主观思维的过程中,矛盾贯穿于一切过程的始终,这是矛盾的普遍性和绝对性。矛盾着的事物及其每一个侧面各有其特点,这是矛盾的特殊性和相对性。矛盾着的事物依一定的条件有同一性,因此能够共居于一个统一体中,又能够互相转化到相反的方面去,这又是矛盾的特殊性和相对性。然而矛盾的斗争则是不断的,不管在它们共居的时候,或者在它们互相转化的时候,都有斗争的存在,尤其是在它们互相转化的时候,斗争的表现更为显著,这又是矛盾的普遍性和绝对性。当着我们研究矛盾的特殊性和相对性的时候,要注意矛盾和矛盾方面的主要的和非主要的区别;当着我们研究矛盾的普遍性和斗争性的时候,要注意矛盾的各种不同的斗争形式的区别;否则就要犯错误。如果我们经过研究真正懂得了上述这些要点,我们就能够击破违反马克思列宁主义基本原则的不利于我们的革命事业的那些教条主义的思想;也能够使有经验的同志们整理自己的经验,使之带上原则性,而避免重复经验主义的错误。这些,就是我们研究矛盾法则的一些简单的结论。

[说明]综合以上的说明,可以作如下的结论:

事物的矛盾法则,即对立统一的法则,是自然、社会和思维的发展的最普遍的根本法则。自然和社会的矛盾法则是客观的辩证法,思维的矛盾法则是主观的辩证法。主观的辩证法是客观的辩证法的反映。马克思主义的辩证法,就是论矛盾法则、即对立统一法则的学说。它是科学的宇宙观,是共产主义的宇宙观。它是科学研究和革命行动的指南,它指导我们去理解社会发展的规律及其革命的改造的道路。

在马克思主义辩证法出现以前,人们的思想受着资产阶级形而上学的支配。形而上学把自然现象和社会现象看作是没有变化的东西,一种现象和别种现象并无联系。它虽然也承认事物有运动,有发展,却主张运动是循环的运动,是机械的运动,主张发展是量的减少或增加。因此世界一切事物是没有变化的,社会是没有变化的,资本主义社会是万古长存的。这完全是资产阶级的反动的宇宙观。

和形而上学相反，马克思主义辩证法，综合了先行哲学的积极的成分、自然科学的新成就和社会发展的经验，形成完整的科学的新体系，不论在自然科学或社会科学的领域，都用新的、真正科学的辩证法，代替了陈腐的反动的形而上学的方法。这是人类认识史上的一个真正的大革命。正如马克思在《资本论》第二版跋文中所说，辩证法"在对现存事物的肯定的理解中，同时包含对现存事物的否定的理解，即对现存事物的必然灭亡的理解；辩证法对每一种既成的形式都是从不断的运动中，因而也是从它的暂时性方面去理解；辩证法不崇拜任何东西，按其本质来说，它是批判的和革命的。"

按照辩证唯物论的观点看来，世界一切的东西，无论是自然、社会的事物乃至主观的思维，都在运动着，发展着。一切东西的运动都是自我的运动。而其自我的运动的根源，是事物内部所包含的矛盾。一切东西都含有内在的矛盾，都由于矛盾的斗争而运动，而发展，而由一种形态转变为别种高级形态。敌对的社会，由于含有内的矛盾即阶级斗争，所以社会由一种形态转变为别种形态，资本主义社会转变为社会主义社会。所以矛盾存在于一切事物或过程之中，并贯穿于一切事物或过程的始终。当新过程代替旧过程而发生的时候，新过程又包含着新矛盾，开始它自己的矛盾的发展史。这是矛盾的普遍性和绝对性。

千差万别的事物各自具有其特殊的、不同质的矛盾。不同质的矛盾，要用不同质的方法去解决。资本主义国家中无产阶级和资产阶级的矛盾，要用无产阶级革命的方法去解决。殖民地、半殖民地、半封建社会中的本国民族和帝国主义的矛盾、人民大众和封建制度的矛盾，要用人民大众的民族民主革命的方法去解决。从事社会革命的人，必须认识该社会发展过程的根本矛盾的特殊性和矛盾双方的特点，认识那根本矛盾在发展过程中各阶段上所表现的特殊性和矛盾双方的特点。做一句话说，必须随时对于具体的矛盾作具体的分析，然后才能具体地应用马克思列宁主义，定出适当地解决具体矛盾的方法。这是矛盾的特殊性和相对性。

矛盾着的事物，互为存在的条件，因而能够共处于一个统一体之中（如同无产阶级和资产阶级互相依存，共处于资本主义社会之中）。但双方却又因互相斗争，而互相转化到相反的方面去（如同俄国无产阶级转化为统治阶级，俄国资产阶级转化为被统治阶级)。像这样矛盾双方依一定条件而具有同一性,这又是矛盾的特殊性和相对性。但是矛盾的斗争是无条件的,是不间断的,不论矛盾双方共居于一个统一体中(如劳资双方共处于资本主义社会中)的时候,特别是在它们互相转化(如同无产阶级变为统治者,资产阶级转变为被统治者)的时候,斗争不但继续进行,而且特别尖锐。这是矛盾的普遍性和绝对性。

当着研究矛盾的特殊性和相对性的时候,必须就复杂事物过程中的多数矛盾中,用全力找出那种起着领导的决定的作用的主要矛盾。抓住了这个主要矛盾,其他被领导被决定的矛盾就可以迎刃而解。但抓住了主要矛盾之后,还必须认识这矛盾的主要方面和非主要方面,认识这两方面的不平衡性,认识其新生的方面和腐朽的方面,依靠并扶持这新生的一方面克服那腐朽的一方面,使旧事物转变为新事物。

当研究矛盾的普遍性和斗争性的时候,必须注意矛盾的各种不同的斗争形式的区别。例如社会生活中的对抗性的矛盾,则用革命的方法去解决;但若是非对抗性的矛盾,则不能用革命的方式,而是用教育、改造或其他的方式去解决。

上面所说的那些要点,我们如果详细研究,懂得透彻,那就可以不犯错误或少犯错误。我们必须学会具体地分析具体的矛盾的方法,认识矛盾的普遍性和特殊性的联系,客观地、全面地、深入地去看问题,克服主观性、片面性和表面性,灵活地、具体地应用马克思列宁主义分析矛盾解决矛盾的方法,就可以克服教条主义的偏向,而有革命工作经验的同志们,也可以整理自己的经验,使之带上原则性,可以不重复经验主义的错误。这些,就是我们研究矛盾法则的一些简单的结论。

我们要这样庆祝今年的国庆节[*]

（1953.10）

同志们、同学们：

我们今天开这个大会庆祝中华人民共和国成立四周年，首先要向新国家的缔造者、领导者毛主席和中国共产党，致最崇高的敬礼！

在这个大会上，我们要明确两件非常令人欢欣鼓舞的大事，确定我们今后共同努力的方向，来庆祝这一伟大的节日。

第一，中国人民和人民志愿军，在抗美援朝的战争中，取得了伟大的胜利。

三年多以来，中国人民志愿军和朝鲜人民军一道，"毙、伤、俘敌军共一百零九万多人，其中美军三十九万多人；击落击伤敌机一万二千二百多架；击沉击伤敌军各种舰艇二百五十七搜；击毁和缴获敌军其他各种作战物资无数。敌人在这一期间运往朝鲜的作战物资在七千三百万吨以上，直接战费的消耗在二百亿美元以上。同时，朝中人民部队不仅迅速改善和提高了自己的装备和技术水平，组成和壮大了各项新的兵种，而且吸取了现代化战争的丰富经验，从而日益增强了我军的战斗力量。敌人有生力量的消耗率越来越大；相反地，我军有生力量的消耗率越来越小。战略形势与力量对比愈益对我军有利"。① 由于我军领导的正确与群众的智慧和勇敢，所以我们的正义战争能够制胜敌人的非正义战争，而敌人由于军事的政治的经济的原因，迫不得已同意缔结了朝鲜停战协定。

"朝鲜停战协定的签订，是朝中人民反对美国侵略战争的伟大胜利，是和

＊　这是 1953 年 10 月 1 日李达在武汉大学与华中工学院联合庆祝中华人民共和国成立四周年的五千人大会上的讲话。——编者注

①　彭德怀：《抗美援朝工作报告》。

平民主阵营坚持和平解决朝鲜问题的政策的伟大胜利,是各国人民要求协商解决国际争端的主张的伟大胜利。"我们一定要"争取朝鲜停战协定的彻底实施,争取政治会议的迅速召开和朝鲜问题的和平解决"。但是美帝国主义并没有从它在朝鲜的失败中吸取应得的教训,还有随时制造挑衅阴谋的可能,例如它伙同仆从国家发表了威胁性的"十六国宣言",与李承晚匪帮缔结所谓"共同防御条约",对即将召开的政治会议布置重重障碍,破坏朝鲜停战协定的某些条款等等,都是这一类阴谋的表现。因此,我们不能不提起严重警惕,继续坚持斗争。中央人民政府委员会在给中国人民志愿军全体同志的慰问电中,勖勉"中国人民志愿军全体同志必须提高警惕,继续努力,提高军事政治水平,加强战斗力量,……防止来自对方的任何侵袭和挑衅行动"。同时,我全国人民要大力进行经济建设,加强国防力量,巩固人民民主专政,继续深入地开展抗美援朝运动来支援中国志愿军和朝鲜人民军。以保障朝鲜停战的确切实施。我们要更加密切地团结国际友人,首先是和苏联团结一致,和各人民民主国家团结一致,坚持我们和平阵营一直奉行的和平政策,并和世界爱好和平的人民团结一致,从事坚持不懈的斗争,以争取和平解决朝鲜问题,争取政治会议顺利召开,并获得成果,争取进一步缓和国际局势,争取以和平协商方式解决一切国际争端。

第二,中央已明确地宣示过渡期的总路线——实现国家工业化过渡到社会主义的总路线,遵循这个总路线,已经开始进行着第一个五年建设计划。

第一个五年建设计划的基本任务,如李富春同志的报告所说,根据毛主席的指示,是"首先集中主要力量发展重工业,建立国家工业化和国防现代化的基础;相应地培养建设人才;发展交通运输业、轻工业、农业和扩大商业,有步骤地促进农业和手工业的合作化和进行对私营工商业的改造,并正确地发挥个体农业、手工业和私营工商业的作用。所有这些,都是为了保证国民经济中社会主义成分的比重的稳步增长,为了保证在发展生产的基础上稳步提高人民物质生活和文化生活的水平"。因此,我们全国人民必须一致努力,拥护过渡时期的总路线,为实现国家工业化的伟大理想而奋斗,为实现第一个五年建设的基本任务而奋斗。我们有伟大领袖毛主席和中国共产党的领导,有五亿勤劳勇敢的人民,有非常丰富的资源,有伟大的盟邦的社会主义建设经验做我们的指导,特别是苏联政府真诚无私的援助,我们的伟大建设事业一定能够成功。依据李富春同志的报告,苏联政府已经决定给我国经济建设以长期的全面的援助,连同过去三年来帮助我国设计的企业在内,至 1959 年为止,共帮助我国新建与改建 141 个规模巨大的工程。当这些企业建成以后,我国将成为自己有独立的工业的国家。这是多么令人欢欣鼓舞的大事情!

在这个伟大的建设时期中,我们感谢苏联政府和人民这种伟大的、全面的、长期的、无私的援助,同时要一致努力,保证按照计划全部完成上述规模巨大的工程的建设,为国家工业化和国防现代化建立稳固的基础。

我们在高等学校里工作着和学习着的人们,如何遵循国家过渡时期的总路线,搞好自己的工作和学习,来服务于祖国的大规模的建设呢?

我们知道,高等教育的基本方针是:适应于国家建设需要,培养具有马克思列宁主义世界观、全心全意忠实于祖国和人民事业、掌握先进科学和技术的各专门人才。基于这个基本方针,综合大学和专科学院各分担不同的任务。各种专科学院主要是培养各种技术科学方面的、从事实际工作的专门人才。至于综合大学的任务,则主要地是培养理论或基础科学(自然科学或社会科学)方面的、从事研究工作或教学工作的人才。

我们如何贯彻高等教育的方针和任务,培养出国家过渡时期所需要的专门人才呢? 这首先就要求我们教育工作的干部和老师们改进工作,提高自己,而其重要的关键是在于学习,学习马克思列宁主义和毛泽东思想,学习时事政策,学习苏联先进经验,以提高自己的政治水平和业务水平,养成理论与实际相结合的作风,我们才有可能完成为国家培养新人才任务。同时学校的领导干部,除了学习自我改造之外,要严格遵守毛主席的教导,谦虚谨慎,戒骄戒躁,踏踏实实地工作,切实改进自己的作风和领导方法,克服主观主义、分散主义和官僚主义,一切从中国共产党和中央人民政府的政策出发,按照国家计划,根据实际情况,团结全校师生员工,为完成既定的方针和任务而努力。

高等学校的学生们,必须响应毛主席的号召,做到身体好、工作好、学习好。为要做到这三好,必须努力学习马克思列宁主义和毛泽东思想,结合政治学习来搞好业务学习,注意体格的锻炼,务期把自己造就为德才兼备的人才,以服务于祖国的建设。

我们还要响应中央"增产节约"的号召,厉行节约。我们国家的建设方针是:"增加生产,厉行节约,重点建设,稳步前进。"为了积累建设的资金,一方面要增加生产,同时必须厉行节约。现在全国各厂矿、各企业都订出了增产节约的计划,各机关、各部队也订出了节约的办法。我们学校虽不能增加生产,却可以厉行节约。例如教学行政费用方面,在不影响教学、不降低工资的原则下,将会削减那些可以削减、可以推迟、可办可不办的部分的经费。明年的教育经费的某些部分将会削减,在增加教学设备方面将会感到困难。但这是发展中的困难,并且是暂时的困难;到了生产发展,工业化实现时,一切困难都是可以解决的。我们目前要暂时面向困难并设法克服它。

所以我们必须遵循国家建设的总路线,认清自己努力的方向,搞好本岗位的工作,和全国人民一道,满怀信心地向着社会主义前途迈进!

全中国人民大团结万岁!

全世界人民团结万岁!

伟大的中华人民共和国万岁!

伟大的中国共产党万岁!

中国人民伟大的领袖毛泽东主席万岁!

(原载 1953 年 10 月 3 日武汉大学校报《新武大》第 97 期,署名李达)

开学讲话[*]

（1953.10）

武汉大学经过院系调整，现已成为综合大学了。水利学院暂时留在校内，受本大学所领导。

在新成立的综合大学第一届开学的日子，我们首先要向全校的同志们和同学们，谈谈综合大学和水利学院的方针和任务以及教学改革的方针和步骤，来确定我们今后共同努力的方向。

我们伟大的中华人民共和国自从成立的那一天起，就开始了一个新的时期，即逐步过渡到社会主义的新时期。四年以来，由于抗美援朝战争的胜利，由于社会改革与民主改革的逐步完成，由于财政经济的根本好转，我国在过渡时期的总路线，更加具体地呈现在全国人民的面前了，这过渡时期的总路线，如中国人民政协全国委员会所发布的第四届国庆节的口号中所说，就是"在一个相当长的时期内，逐步实现国家的社会主义工业化，逐步实现国家对农业、对手工业和对私营工商业的社会主义改造"口号中还说到了今年开始的第一个五年建设计划的基本任务："集中主要力量发展重工业，建立国家工业化和国防现代化的基础；相应地培养建设人才，发展交通运输业、轻工业、农业和商业；有步骤地促进农业和手工业的合作化，继续进行对私营工商业的改造，正确地发挥个体农业、手工业和私营工商业的作用；保证国民经济中社会主义成分的比重稳步增长；保证在发展生产的基础上逐步提高人民物质生活和文化生活的水平。"

遵循着过渡时期的总路线，高等学校所担负的任务，是"相应地培养建设

---

* 这是 1953 年 10 月 22 日李达在武汉大学秋季开学典礼上的报告。——编者注

人才"。所以此次全国综合大学会议明确地规定了高等教育的基本方针:"适应于国家建设需要,培养具有马克思列宁主义世界观、全心全意忠实于祖国和人民事业、掌握先进科学和技术的专门人才。"高等教育在过渡时期的总路线中的地位,是为国家培养合格干部的重要一环,即首先以马列主义关于自然和社会发展规律的科学,作为高等学校所必须具备的基础;其次适应国家经济建设计划所要求的不同部门的不同建设人才,在广博的基础知识之上进行不同类型的专业教育,使其理论与实际相结合,全面发展与专业训练相结合,以培养出对各种建设事业胜任的专家,这就是新型高等教育为培养德才兼备的人才所应遵循的道路。这是高等教育的基本方针,也是综合大学的基本方针。

根据上述的基本方针,综合大学和其他专科性的高等学校各自分担不同的任务。专科性高等学校的任务,主要是培养技术科学方面的从事实际工作的专门人才。至于综合大学的任务,则主要是培养理论或基础科学(自然科学和社会科学)方面的从事研究工作或教学工作的人才,是为经济和文化部门输送研究和教学干部的。更具体地说,就是培养科学研究工作者和高等学校以及中等学校的师资。但就培养目标说来,以培养合乎一定规格的科学研究人才为主要目标,因为能做科学研究工作的人,也可以做高等学校和中等学校的教师。因此,综合大学的培养目标,首先要使学生具有较高深的理论水平与较广阔的科学知识,通晓一般的自然科学或社会科学的规律;然后在这个基础之上逐步进行专业训练,逐渐养成能够独立地、创造性地进行研究工作,并善于在马列主义方法论的基础上解决自己专业方面的某些理论和实际的问题(但这不是说刚毕业的学生就能做到,而是要经过相当时期的锻炼才行的)。综合大学所教育的程度比较深,而方面也比较广,学生毕业后就业的范围也比较广,因此培养目标并不因学生就业而有所影响。

我们的综合大学和苏联制的大学同一类型,而与英美制的普通大学或文理学院根本不同。在系科设置上,任务明确,内容只包括人文科学与自然科学的基础学问,与旧中国所仿行的美国式的普通大学文理政法财经工农医混合在一校截然不同;同时因其设有政治经济学及法律等专业,又与以前所谓文理学院也不一样。在学校内部组织上,我们的综合大学,不设院的一级,而以系为教学行政的基层组织,直接受学校行政的领导;同时又设有教研组或教学小组,作为教学和研究的基层组织。在培养方式上,我们采取专业教育,按照国家建设需要设置专业,并在马列主义的指导下,在深厚广博系统的基础知识上进行精深的专业学习,这样来培养既具有广博理论基础与专门科学知识而又更加切合实际的专家,这是与资产阶级所谓"通才教育"以及狭隘专门教育完全不同的。

综合大学主要是一个教学机构,同时也是一个研究机构。教学与研究工作是相互为用,相互提高的,是相互结合而不是相互矛盾的。所以综合大学还必须与各种科学研究机构及各个建设部门取得密切配合,才能更好地结合实际需要与发挥教学效能。

由此可见,综合大学在高等学校中所处的地位是重要的,它是各种专科性高等学校和各种科学研究机构的基础,它所培养出的研究干部的质量如何、科学理论的水平能否提高、研究机构和高等学校事业的能否提高,都与综合大学办得好坏有密切关系。所以综合大学是国家文化和科学发展的一个重要标志。认为综合大学无关重要的看法是不对的,但认为综合大学比其他高等学校的地位更高更重要也是不妥当的。它们相互间只能说是分工和任务有所不同。

综合大学在国家过渡时期总路线中的方针任务和培养目标,在这次全国综合大学会议上都已弄明确了。

综合大学为要贯彻上述的方针和任务,培养出德才兼备的科学研究人才,这就首先要求实行教学改革。为了稳步进行教学改革,我们必须坚决贯彻"学习苏联先进经验并与中国实际相结合"的方针。所谓教学改革主要是教学内容的改革,其中包括制订教学计划、教学大纲和教材内容,而首先要从教学计划的改革开始。高等教育部今年曾经分别约集各个大学的文法理各科的教师,共同修订了各科的教学计划,提交此次综合大学会议讨论,供各大学校采纳实施。

依据《修订综合大学教学计划的报告》,各个教学计划表现了下面六个特点:

第一,一切教学计划,首先是以马克思列宁主义的课程作为一切科学的共同基础。

第二,教学计划具有高度的计划性,所有课程都是必修。但成绩优良的学生可以加修一些课程。

第三,教学计划是一个有机的统一体,课程中无所谓"外来系"与"本系课"之分。

第四,综合大学所学的都是基础科学,各专业都需要有相当广博的基础知识。例如学生物学的要学地质学,学化学的要学理论物理,学政治经济学的要学工业企业组织与计划。

第五,教学计划中体现着结合实际,如学植物学的要学植物栽培,学物理的要学工艺力学等。

第六,综合大学各专业的一个特点,是设置专门化课程。专门化课程,是在基础课与专业课的基础之上,进一步提高其专长,并为毕业论文做好准备。按照苏联大学各专业,这专门化课程是不轻易多开的。

今年 7 月间中央高等教育部召开了全国高等工业学校行政会议,关于水利学院的方针任务及培养目标,也已明确规定。水利学院根据高等教育的基本方针,还应该贯彻"整顿巩固,重点发展,提高质量,稳步前进"的精神,在祖国大规模的水利建设事业中,担负起培养掌握高级水利工程技术专门人才的任务。这种人才,必须具有马列主义的世界观,全心全意为祖国建设事业服务。水利学院各专业的教学计划,都已修订出来,即将付诸实施。

教学计划订出以后,接着就要拟定教学大纲并确定教材。这就要求我们坚决执行"学习苏联先进经验并与中国实际相结合"的方针。首先我们要研究苏联的先进的教学经验,研究苏联教材,理解它的优越性,批判英美资本主义的教学思想和教材内容,逐步提高教师的教学水平。其次,我们要结合国家建设的各种需要,如工业和农业发展情况、财政经济情况、民主建设情况、社会改革情况、高等学校教学情况、科学研究机构的工作情况、中等学校教学情况,再结合综合大学本身的师资、设备和学生水平等具体条件,拟定教学大纲,组织教学内容等,以便培养出能够适合上述各方面要求的人才。

从拟定教学计划和教学大纲到确定教材,这就是教学内容的改革,是教学改革最基本的东西。其次,配合教学内容的改革,还须改革教学方法、教学组织,还要逐步进行科学研究工作。这样一系列的改革工作,当然具有长期性、复杂性和艰巨性,我们必须根据实际情况采取逐步过渡的方式,不能采取突击的方式。例如就教学计划问题而言,根据中央高教部的指示,此次综合大学会议中修订之教学计划,应自 1953 学年度入学的新生开始实行,至于原有在实行的教学计划,则应由各校按过去实行的教学计划,依据实行经验及具体情况,斟酌修改,而不是硬性的实施综合大学会议所确定的教学计划。贪多冒进,急于求成,就会出毛病,但止步不进,"抱残守缺",也是不对的。所以,我们在贯彻方针和任务来进行教学改革时,必须分别缓急,采取步骤,准备条件,逐步提高。

解放后四年多来,全校的同志们,参加了各项社会改革和政治改革工作,有了显著的进步。从 1952 学年度起,我们初步进行了院系调整,开始设置了专业,教学改革也有了良好的开端。现在经过院系调整,改为综合大学,除暂时留在校内的水利学院设有水工建筑、河港工程、农田水利三系和四个专业以外,综合大学本身设有中文、俄文、历史、政治经济学、法律、数学、物理、化学、生物等九系和一个图书馆学专修科,有 12 个专业。由于此次综合大学会议和高等工业学校行政会议的决议,综合大学和水利学院的方针任务和培养目标已经明确,而教学改革的方针和步骤都已有所决定,综合大学和工科学校在高等学校中所处的地位以及在国家过渡时期中所负的使命,都已经弄明白了。在这样的基础上,来贯彻会议的决议,办好我们的学校,虽然有困难,却是有办法、有希望的。今后除需要按照前面所说的,稳步地学习苏联先进经验,进行教学改革外,我们还必须从下面几个方面来努力。

第一,改进领导、加强团结、发扬民主、开展批评与自我批评。

改进领导,是做好我们工作的首要问题。全校各级教学与行政的领导干部,包括校长副校长在内,必须坚决克服过去工作中不同程度的官僚主义、主观主义和分散主义。一切工作,我们必须遵守毛主席的教导,不骄不躁,谨慎谦虚,老老实实地工作;必须从党和政府的政策出发,认真负责;必须深入调查研究,虚心听取群众意见,实事求是。我们要这样改变我们的领导作风、领导方法,使领导结合群众,来完成国家所交给我们的任务。在改进领导的同时,我们还要改善各方面的关系,加强团结。其中包括教师和学生间的团结,新老教师间的团结,学生间的团结,各单位内部和外部的团结以及院系调整新来校的师生员工与原在校的师生员工的团结等等。特别值得重视的:是学生对教师、对行政工作人员极端不尊重的情况,应该迅速纠正,这一点,我后面还要谈到。在加强团结上,特别是希望教工会、学生会、校内各民主党派和各团体,能做出更多的贡献。总之,我们要尽一切可能,使全校师生员工,紧密地团结起来,为实现高等学校的方针任务、为改造思想共求进步而努力奋斗。因此,我们这里所谈的加强团结不是要大家一团和气,而是有原则、有斗争的团结,这种团结是完全可以实现的。所以发扬民主,开展批评与自我批评,是非常重要的。希望全校的同志们,发挥当家作主的精神,做到知无不言,言无不尽,借以监督领导,加强团结,改进工作。

应该指出:过去在我们学校,一方面是民主空气不足,另一方面也存在着极端民主化的思想;一方面没有开展批评与自我批评,另一方面也有许多无原则的意见和纠纷。像这样的现象都是不健康,不正常的,领导上应负主要责任。今后我们应该健全民主生活,贯彻民主集中制,充分发扬民主;同时根据党和政府的政策,正确地开展批评与自我批评。在科学研究方面,也要开展批评与自我批评,因为在学问上只有展开不同意见的争论,展开自由批评,才能促进科学的发展。

教学工作是学校一切工作的中心,一切行政工作都服务于教学工作。我们行政工作人员,必须确立一切工作围绕于教学工作的思想,订立工作计划,建立工作制度,改正工作方法,提高工作效率,以便使教学工作能够顺利地进行。

第二,加强政治理论学习,尤其是教师们系统的马列主义的学习。

马克思列宁主义、毛泽东思想是我们工作的指南。全校师生员工必须重视政治理论的学习。过去学理、工科的同学,不少对政治课的学习不重视,认为学不学无所谓,这种看法是不对的。应该了解,只有提高了我们的马列主义水平,我们才有正确的学术观点,才能掌握科学知识,在科学的道路上得到指路的明灯。这里,我们还必须深刻认识到教师们系统学习马列主义的特别重要:首先,我们教学改革的中心问题是学习苏联。但苏联的教材、教学计划、教学方法等,都贯串着马列主义的立场、观点和方法,这都是要通过教师们来吸取和传播的。只有我们的教师们具有马列主义的立场、观点和方法,才能通晓它、掌握它,并使之结合中国的实际,收到改进教学的效果。其次,我们高等教育的基本方针,是要求培养具有马列主义的世界观,忠实于人民事业,掌握先进科学知识的科学研究人才,这种人才的培养,就要求着我们的教师通晓马列主义。

关于教师们系统的理论学习,中央已做了具体的规定,要求在四年内分别学习中国革命史、马列主义基础、政治经济学、辩证唯物主义与历史唯物主义这四门课程,每一学年度,学习一门。从上学期起,我们已经进行了系统学习的准备工作,本学年度的中国革命史的学习,即将正式开始了,除加强对学习的领导外,希望所有参加学习的教师,努力钻研,提高政治理论水平,成为既具有专门科学知识又掌握了马列主义的专家,为国家造就德才兼备的人才;同时也希望教工会,能作有力的配合,有助于搞好政治理论学习。

第三,加强教研组工作。

根据苏联的经验,教学研究指导组(简称教研组)是高等学校的基本教学组织,是直接领导一门或数门性质相近的课程的教学工作、进行科学研究工作、培养和提高师资的主要环节。凡属于教学计划的制定,教学大纲的编订,教材的准备,教学方法的运用和改进,对学生自习、实验和实习的指导,以及科学研究工作的开展等等,都是依靠教研组来进行的。因此,一个高等学校的工作成绩如何,在很大程度上,是要看教研组的工作成绩如何而定的。

目前我们由于师资和设备条件的限制,还只有一部分课程成立了教研组,其他课程一般只暂时先成立了教学小组。但无论是教研组还是教学小组,它们在当前高等学校教学改革中占有很重要的地位,都是异常显然而无可怀疑的。

过去四年来,本校前后成立的教研组和教学小组,在修订教学计划、学习苏联教材、改进教学方法等方面都曾起了了不起的作用,取得了一定的成绩。今后为了使我们的教学改革工作更好地进行,就必须在现有的基础上,继续加强教研组和教学小组的组织,以充分发挥它们的作用。要使教研组或教学小组能充分发挥它们的作用,我想至少有三点是必须做到的:

(1)每个教研组或教学小组,必须根据需要与可能,制定一定的工作计划,并建立必要的工作制度;

（2）全组的教师必须本着互助友爱的精神紧密合作，彼此能亲切地研究问题，毫无顾虑地讨论问题，争论问题，以求得问题的正确的解决；

（3）各系的负责同志，必须对所属的教研组或教学小组加强领导，并经常督促和检查其工作。

第四，培养师资。

目前一般高等学校，都感觉师资不足，本校也不是例外。要解决这个问题，必须从两方面下手，即一方面培养新的师资，一方面提高现有的师资。这两方面的工作，不可偏废，而应该很好地配合进行。这里只谈谈新师资的培养问题。

从长远方面来考虑，新师资的培养，是完全必需的。培养新师资的办法，除派遣一部分青年教师到苏联和东欧人民民主国家以及国内各大学去研究外，主要还靠我们自己来培养，即依靠我们原有的老教师，用带徒弟的办法，把一些研究生或毕业不久的青年教师，逐渐培养成为有一定教学能力的教师。

这几年来，本校在培养师资的工作上，也有过一定的成绩。今后还应该继续努力，更有计划、有步骤地来进行。而要做好这个工作，我认为最主要的关键，还在于教师们彼此间的紧密团结。新老教师的关系，过去是不够正常，影响了教学工作的改进和新老教师政治思想、业务水平的提高，尤其影响对青年教员的培养。以后新老教师必须认识各自的优点与缺点，取长补短、互相学习、互相帮助。尤其要求青年教师要克服急躁自满的情绪，尊重老教师，虚心地向老教师学习；老教师关怀年轻的教员、热情地、耐心地予以指导和帮助，通过全体教员的团结互助，把教学改革工作更加提高一步，只有在这样彼此敬爱、团结互助的基础上，培养新师资的工作才能取得较好的效果。

第五，逐步推进科学研究工作。

综合大学是教学机构，同时也是科研机构。教研组便是结合教学工作与研究工作的基本组织。为了提高教学水平、培养新的师资，推进科学进步，以促进国家建设事业的发展，综合大学必须有步骤地进行科学研究工作。

综合大学的科学研究工作的范围，大致可以分为下列几点：

（1）进行具有创造性的教学方法和教学内容的研究工作；

（2）编著现代先进科学的教科书和专论；

（3）一般科学理论问题的研究；

（4）具有国民经济意义的较大的理论性问题的研究；

（5）业务部门、科学研究机关、工矿、企业及其他单位所委托的科学研究工作；

（6）科学通俗化的工作。

综合大学是教学与研究相结合的机构，从现在起必须准备逐步开展科学研究工作。科学研究工作的目的是为国家的建设事业服务。但在目前，主要地是在于提高教学水平和培养新的师资。我们现有的教研组和教学小组必须首先从结合教学的需要出发，积极创造条件，开始做科学研究工作。高年级学生，在可能的条件下，也可以成立科学研究小组，在教师指导下进行科学研究工作。将来学生的毕业论文，应该是某一专题的科学研究的总结。

第六，加强对学生的纪律教育。

几年来，由于我们对学生的政治思想教育不够，特别是由于从"三反"运动和教师思想改造运动转向教学改革后，缺乏相适应的教育和纪律制度，再由于解放前学生运动思想的残余，旧大学自由主义作风的影响，学生个人的学习态度不端正，学习目的不明确等等，造成目前学生中的纪律观点差，学习生活纪律废弛的现象。这主要的表现在下列几方面：

（1）课堂纪律不好，迟到旷课的很不少，有些学生上课不专心，不按时交作业，做实验不交报告，也有学生考试舞弊，考试不及格、怪教员评分不合理，要求不补考；

（2）不按教学计划进行学习，有少数学生，凭个人兴趣观点，爱上哪门课就上哪门课，甚至向系行政乱提要求，要开那门课或不开那门课，主观上爱上的课，便把全部自修时间都用上去，不爱上的课便置之不理，影响了学业成绩；

（3）违反作息制度，不遵守生活秩序，有人考试开夜车，妨碍别人睡觉，有人中午不休息，高声叫喊，拉胡琴。此外，在学生中相互打骂、吵闹，也时常发生，个别学生的偷窃、酗酒行为，更为恶劣；

（4）不爱护公共财物，同学中损坏图书、仪器，打破玻璃，浪费食物的现象很普遍。例如水利学院四年专业各班，今年暑期测量实习一次，损失仪器价值达 1000 万元以上。有两个学生一连把两根钢尺拉断了四次，计损失 1400 余

万元,该院一学期来学生损坏仪器清册有两大本。还有同学在卫生组诊了病,把药抛掉不吃;

(5)对教师、对学校工作人员不够尊重,师生关系不正常。有些学生对教员提意见,轻率武断,态度傲慢,上课时随便提问题,递条子,不信任教师能教好;对教员的指示和意见,则是采取不闻不理的态度,还有任意提出调换任课老师等不合理的要求,使教员深感不快。另有一些学生,对于学校行政人员,尤其是对总务处的职工,一派"命令主义",稍不如意,就声色俱厉,严词质问,甚至拍桌、骂人、打人,造成行政工作秩序的混乱。学校教务处、总务处、政治辅导处等行政领导机构,经常有学生去提出某些不合理的问题要求处理,致使处级负责人员无法进行其他重要工作,各系系主任也忙着解决同学所提出的问题。还有些同学,经常在清晨、中午或是晚上,到行政人员家里,提出一些无关紧要的问题来谈,使行政负责人疲于接纳,严重地影响了他们的工作和休息。

除此之外,学生中不重视政治时事学习,不注意体育活动的,也很普遍。

以上这些情况,必须及时改善。现在学校已经拟定了《武汉大学暂行学则》即将公布实行,务求全校学生,自觉地遵守,改变过去某些错误的言语行动,克服违反纪律现象,特别是改善对教师们和学校工作人员的态度,改善师生关系,做到学生尊师爱员,教师员工爱护学生。说到这里,我要求全体同学们深刻认识到,遵守纪律是新中国青年的道德品质的表现,是共产主义觉悟的表现。只有我们今天能够自觉地遵守学校纪律,将来才能严肃地对待劳动纪律,成为自觉的劳动者,担当起祖国人民交给我们建设祖国、保卫祖国的光荣重任。学校院系调整后,各系将在系主任下增设教学秘书和行政干事,行政机构处一级以下设科。今后有关教学工作上的问题,学生首先向各系教学秘书提出,不应事无大小都集中到系主任或教务处负责人员的身上;关于行政工作上的问题,首先也应向各系行政干事及各科联系接洽,不要把一切问题都提到处一级解决。在学生会工作的同学,应领导全校同学,保证贯彻和执行学校的决议与计划,克服学运思想的残余。

第七,厉行精简节约,消灭浪费现象。

今年9月6日,人民日报发表了"增加生产,增加收入,厉行节约,紧缩开支,超额完成国家计划"的社论。大家必须明确,为了在一个相当长的时期内逐步实现国家的社会主义工业化;为了集中力量发展重工业,建设国家工业化和国防现代化的基础;为了在发展生产的基础上逐步提高人民物质生活和文化生活的水平;为了支援农民战胜自然灾害增加农业生产;也为了继续深入抗美援朝运动,支持中国人民志愿军,争取朝鲜停战协定的彻底实施,争取朝鲜问题的和平解决,援助朝鲜人民进行恢复工作;就必须大力开展增产节约运动。对于做了主人的中国人民来说,增产节约是我国进行国民经济建设的长期的、不可间断的、基本的方法,就今年的情况来说,它又是我们当前的中心任务。不如此,我们将不能有效地克服当前的困难,争取胜利地超额地完成五年计划第一年的国家计划。因此,全国各厂矿、各企业,都订出了增产节约的计划,各机关、各部队也订出了节约的办法,我们学校虽不是一个经济机构,不能增加生产,但应该厉行节约。从过去一个时期来看,根据不全面的统计数字,浪费的情况是相当严重的,每年图书、仪器、桌椅门窗的损坏很多,水电、学生膳团食物的浪费数字很不小,许多可节省的开支没有能够节省,突出的如今年暑假学生回家退膳费的问题,其他如时间上的不节约,人力的浪费,工作人员潜在能力的没有发挥,这些都是不符合节约的精神,不能令人满意的情况,务必大力改造。今后,教学和行政经费的开支,在不影响教学不降低工资的原则下,一切可削减的要削减,可推迟的推迟,可开支可不开支的坚决不开支。明年的教育经费的某些部分将会削减。无疑的在教学设备上将会感到某些不足和困难,但这是发展中的困难,是暂时的困难;到了生产发展工业化实现的时候,一切困难是可以解决的。在人力方面,一定要做到合理使用,贯彻统一领导,分层负责,建立工作中的责任制,同时,还要精简会议,紧缩开会时间,实行准时到会。这样将有助于学校工作任务的胜利完成。

全体师生员工团结起来,为办好新型的武汉大学而共同奋斗!

(原载 1953 年 10 月 23 日武汉大学校报《新武大》第 98 期,署名李达)

怎样学习《矛盾论》?*

（1953.11）

《矛盾论》和《实践论》一样,同是毛泽东思想的基础,是无产阶级政党的宇宙观,是革命行动和科学研究的指南,是思想方法和工作方法的统一。这两篇杰出的著作,都是为了纠正党内教条主义和经验主义的偏向,提高党员的马克思列宁主义的水平而作的。在革命与建设任务异常繁重的今天,我们千百万党与非党的工作干部,以及愿意站在工人阶级立场的知识分子,在学习了《实践论》之后,进一步来学习《矛盾论》,以提高思想水平,克服教条主义和经验主义的偏向,掌握正确的认识问题和处理问题的方法,就必然能够胜任自己所担负的工作,避免或减少错误,有效地为国家的建设事业和社会主义的前途而奋斗。

关于怎样学习《矛盾论》的问题,我想提出下列几点意见,供初学《矛盾论》的同志们参考。

一、联系《实践论》来学习《矛盾论》

《矛盾论》与《实践论》具有同一性。《实践论》是马克思主义的认识论,《矛盾论》是马克思主义的辩证法。根据列宁的指示,辩证法也就是认识论。为什么呢? 因为辩证法的对象是自然,社会和人类思维发展的一般法则,而思维的发展法则就是自然和社会的发展法则的反映;认识论的对象则是认识的

---

　　*　本文是 1953 年 10 月 26 日李达在中南财经学院为武汉市高校教师所作的报告,同年 10 月 30 日又以基本相同的内容为武汉大学全体教师作了一次报告,由陶德麟记录整理。——编者注

发展法则,而认识的发展法则也是自然和社会的发展法则的反映。二者的对象是同一的。其次,辩证法和认识论都是从知识的历史的见地去研究客观与主观的发展之同一的内容与联系的,二者同是人类知识的历史的总结和结论。因此,列宁说:"辩证法也即是(黑格尔及)马克思主义的认识论"。又说:"和其他一切科学领域一样,在认识论上,也要作辩证法的考察。"又说:"依照马克思的理解,以及据黑格尔看来,辩证法本身就包含有现今所称呼的认识论,这个认识论同样应当用历史眼光去观察自己的对象,研究并归纳认识的起源和发展,从不认识进到认识的过程。"①由此可见,辩证法和认识论具有同一性。这也就是说,《矛盾论》和《实践论》是具有同一性的。

虽然如此,《矛盾论》和《实践论》却是从不同的方面来说明唯物辩证法的根本原理的。

《实践论》是从认识论上说明马克思主义是理论与实践的统一的。首先,它说明认识对于实践的依赖关系,实践是人们对于外界认识的真理性的标准;其次,它说明认识的感性阶段与理性阶段的辩证关系,认识的感性阶段有待于发展到理性阶段,认识有待于深化,指出教条主义者和经验主义者的根本错误在于分裂了理论与实践的这种辩证关系;再次,它还说明理论必须联系实际,指出右倾和"左"倾机会主义者的错误根源是理论脱离了实际,离开了具体历史;最后,它又说明改造客观世界和改造主观世界的双重任务及二者间的关系。这些就是《实践论》的基本内容。

至于《矛盾论》的基本内容,则是《实践论》中所没有详细讲到的。我们知道,认识的基本规律,乃是由片面到全面,由现象到本质,由外部联系到内部联系。如毛主席所说:"认识的真正任务在于经过感觉而到达于思维,到达于逐步了解客观事物的内部矛盾,了解这一过程和那一过程间的内部联系,即到达于论理的认识。""要完全地反映整个的事物,反映事物的本质,反映事物的内部规律性,就必须经过思考作用,将丰富的感觉材料加以去粗取精、去伪存真、由此及彼、由表及里的改造制作工夫,完成概念和理论的系统,就必须从感性

---

① 《卡尔·马克思》。

认识跃进到理论认识。"①这是认识发生的实际过程,也是认识的唯一科学的方法,这种唯一科学的方法,就是辩证的方法。因为所谓事物的内部联系,就是事物内部矛盾的联系;所谓事物发展的过程,就是事物的矛盾发展的过程;事物发展之所以显现出阶段性,就是矛盾变化的反映。因此,《矛盾论》和《实践论》具有不可分离的有机联系。只有联系《矛盾论》的基本内容,才能彻底了解《实践论》;同时,也只有联系《实践论》的基本内容,才能真正了解《矛盾论》。

二、端正立场和处理问题的态度

唯物辩证法是无产阶级党的世界观,是无产阶级进行革命斗争时的精神武器。因此,只有无产阶级才能掌握唯物辩证法,要真正懂得唯物辩证法,真正懂得《矛盾论》,就必须首先站在无产阶级立场。毛主席在《反对党八股》一文中指示说:"什么叫问题? 问题就是事物的矛盾,那里有没有解决的矛盾,那里就有问题。既有问题,你总得赞成一方面,反对另一方面,你就得把问题提出来。"矛盾总是有两个方面的——正确的方面和不正确的方面,新生的方面和垂死的方面。你不是站在这一方面,就是站在那一方面,所以我们的立场和处理问题的态度是十分要紧的。研究问题时,我们的态度应该是完全客观的,不能掺杂一点主观性,只有这样才能确切地反映客观实际,正确地把握事物的矛盾。但是,当问题已经研究清楚,矛盾已经暴露,结论已经作出,因而在必须动手解决矛盾的时候,我们的态度就应该是主观的,这就是说,要发挥主观能动性,站在正确的、新生的方面,去反对不正确的、垂死的方面。这样认识问题,处理问题,才对工人阶级有利,这就是党性。如果立场是正确的,认识是客观的,问题就能够胜利地得到解决。不正确的认识必然会导致错误,但只要立场是正确的;就必然会为了党和工人阶级的利益而努力改正自己的错误,而其错误也确实可以在实践中加以纠正。但如果研究问题的态度是主观的,而解决问题的态度却是"客观"的,则不仅是错误,而且是丧失立场了。1927 年

———————————
① 毛泽东:《实践论》。

大革命时代的右倾机会主义者陈独秀,认为当时的民主革命应由资产阶级来领导,党和无产阶级只应该"帮助"资产阶级进行民主革命,从中得着些"民主"、"自由",这就是完全丧失立场的谬论,而陈独秀本人后来也由此走上了与托洛茨基分子结合进行反党活动的反革命道路。

毛主席在《矛盾论》中教导说:"研究问题,忌带主观性、片面性和表面性。"这就是说,我们研究问题的时候,要注意客观性、全面性和深入性,这是正确地认识问题所必须遵循的法则。

无产阶级的阶级利益要求彻底的科学性,对于世界本来面目的任何歪曲都不符合于无产阶级的利益,因此无产阶级的党性与科学性是完全一致的。只有从客观事物的内部矛盾出发,才能正确地认识事物。教条主义者则不是从客观事物的内部矛盾出发,而是从抽象的理论出发,把主观想象的矛盾强加于客观事物之上,妄定解决矛盾的方法,因此是无法避免失败的命运的。

为要避免观察问题的片面性,就必须严格遵守毛主席的"详细占有材料"的指示,充分地、全面地搜集与问题有关的一切材料。列宁说:"要真正地认识对象,就必须把握和研究它的一切方面,一切联系和'媒介'。我们决不会完全地做到这一点,可是要求全面性,将使我们防止错误,防止僵化。"[1]矛盾是对立的两面,必须同时了解双方,才算全面。《孙子兵法》上说:"知己知彼,百战不殆。"确是解决矛盾的至理名言。虽然事实上不可能做到绝对的全面,但为了避免错误,就应该尽可能地力求全面。片面的结果只能是错误,只能是有害于革命。例如当1924年到1927年间我们党和国民党成立统一战线的时候,右倾机会主义者实行了"一切联合,否认斗争"的错误政策;十年内战时,"左"倾机会主义者又实行了"一切斗争,否认联合"的错误政策。二者都使革命受到很大的损失,而两种错误又都是片面地看问题的结果。又如目前某些工作中的"单打一"的偏向,把"中心"当作"唯一"的偏向,也是片面地看问题的结果。

为要避免观察问题的表面性,就要不为事物的表面现象所拘泥、所迷惑,而要深入事物的本质。马克思在《资本论》中对商品的分析乃是深入本质的最好的典范。他从商品的使用价值和交换价值的矛盾出发;逐步深入地分析

---

[1]　转引自毛泽东:《矛盾论》。

到具体劳动和抽象劳动的矛盾、私人劳动和社会劳动的矛盾，最后他找出了资本主义社会的根本矛盾——生产的社会性和占有的私人性之间的矛盾，他从普遍的存在中找出了理论，这种理论是从商品的实际发展中分析得来的。教条主义者看问题就不是这样，他们不去精细地研究矛盾的总体和各方面的特点，而是"仅仅站在那里远远地望一望，粗枝大叶地看到一点矛盾的形相，就想动手去解决矛盾（答复问题、解决纠纷、处理工作、指挥战争）。这样的做法，没有不出乱子的"。① 例如在第二次国内革命战争时期，一些犯"左"倾错误的同志就只看到革命与反革命的尖锐的矛盾，却看不到国民党反革命统治内部的矛盾，因而错误地主张"一切打倒"；又如在抗日战争时期，一些犯右倾错误的同志只看到共产党及其军事力量的暂时的弱小和国民党的表面上的强大，就错误地主张"一切经过统一战线"（实际上是经过蒋介石和阎锡山）。这些都是表面地考察问题因而造成错误、危害革命的实例。

三、具体的分析与综合

必须对事物作具体的分析与综合，这是马克思主义者区别于教条主义者的重要标志之一。毛主席在《反对党八股》中所指出的提出问题和解决问题的方法，就是具体的分析和综合的基本规则。他说："什么叫问题？问题就是事物的矛盾。那里有没有解决的矛盾，那里就有问题。既有问题，你总得赞成一方面，反对另一方面，你就得把问题提出来。提出问题，首先就要对问题即矛盾的两个基本方面加以大略的调查和研究，才能懂得矛盾的性质是什么，这就是发现问题的过程。大略的调查和研究，可以发现问题，提出问题，但是还不能解决问题。要解决问题，还须做系统的周密的调查工作和研究工作，这就是分析的过程。提出问题也要分析，不然，对着模糊杂乱的一大堆事物的现象，你就不能知道问题即矛盾的所在。"由此可见，对于所提出的问题必须实行系统的周密的分析。才能发现基于基本的两个矛盾侧面所发生与发展着的许多次要的矛盾侧面，才能明瞭问题的全貌，因而才能做综合工作，才能很好地解决问题。

---

① 毛泽东:《矛盾论》。

在分析的过程中,还要运用归纳和演绎的方法,而两者又是不可分离的。马克思主义是循着特殊到普遍,普遍到特殊,再由特殊到普遍的规律,循环往复以至无穷地向前发展的。例如,毛主席把马克思主义的普遍真理在中国的特殊环境中作了创造性的运用,不但解决了中国革命的实际问题,同时也丰富了和发展了马克思主义。毛泽东思想就是马克思主义在中国特殊社会中的发展,是中国化的马克思主义,它对于世界各国的革命运动,特别是对于殖民地半殖民地国家的革命运动,是具有巨大的指导作用的。又如,毛主席所创导的"从群众中来,到群众中去"的领导方法,也是这一原理的具体运用:从许多个别指导中形成一般意见(从特殊到普遍),又拿这一般意见到许多个别单位中去考验(从普遍到特殊),然后集中新的经验、做成新的指示去普遍地指导群众(又从特殊到普遍),这样每一次循环,只要是确实按照科学方法去做的,就是比较地进到了高一级,就是一个进步,一个提高。我们不论分析问题,处理问题,都要严格遵循这样的科学方法去做。

四、链与环的关系——抓住中心环节

一个比较庞大、复杂的事物,总是包含着许多矛盾的,在一定的发展阶段上,这许多矛盾中必有一对矛盾是主要的;而每一对矛盾,在一定的发展阶段上,又有其主要的方面。我们的任务就在于抓住主要矛盾,抓住主要的矛盾方面。因为事物的性质,是由主要矛盾的主要方面规定的,它又规定着和影响着其他许多次要矛盾的发展。抓住了主要矛盾,抓住了它的主要方面,就算基本上抓住了问题的实质。例如就我国现阶段的形势来说,外部的主要矛盾是中华民族与帝国主义特别是美帝国主义的矛盾,内部的主要矛盾则是社会主义与资本主义的矛盾,解决这些矛盾的方法,就体现在党的政策之中。我们常常提到中心工作。什么叫中心工作? 中心工作就是为了解决主要矛盾而做的工作。我们的国家在解放四年来进行了一系列的斗争——抗美援朝、土地改革、镇压反革命、争取财政经济情况的根本好转、"三反"、"五反"等等,这些斗争都是为了解决当时的主要矛盾而作的,都是当时的中心工作。

解决矛盾的方法,必须根据不同质的矛盾用不同的方法来解决的原则,不能千篇一律地死套公式。例如我国在目前过渡时期的主要矛盾是社会主义与资本主义的矛盾,而第一个五年计划的基本任务中所规定的"首先集中主要力量发展重工业,以建立国家工业化和国防现代化的基础;相应地培养建设人才,发展交通运输业、轻工业、农业和扩大商业;有步骤地促进农业和手工业的合作化和进行对私营工商业的改造"。就是解决这一矛盾的方法,这种方法与苏联当时解决社会主义与资本主义的矛盾的方法是显然不同的。至于大规模的经济建设任务与生产资料之间的矛盾,则用重点地发展重工业的方法来解决;建设计划与干部数量和质量之间的矛盾,则用加强学校工作,培养建设人才的方法来解决。对于个人来说,也有主要矛盾,也有中心工作,也要用不同的方法来解决不同的矛盾;例如无产阶级思想与资产阶级思想的矛盾,用思想改造的办法来解决;祖国需要与个人能力的矛盾,用加强学习的方法来解决。只有抓住中心环节,才能把整个链条拖向一个总的方向。不仅要掌握现在,而且要预见将来。但抓住中心不等于放弃其他,"中心"不等于"唯一",这是做任何工作的同志必须了解的。

五、不仅要学习《矛盾论》的本文, 而且要学习其他有关的知识

如果我们仅看《矛盾论》的本文(《实践论》也是一样),不作比较广泛的研究,是不能真正了解《矛盾论》的精神实质的。首先,必须把哲学上的一些基本概念——存在、意识、唯物论、唯心论、物质、运动、时间、空间、本质、现象、必然性、偶然性等等——弄清楚,必须具备一些基本的哲学知识。其次,还要学习政治经济学,学习历史,学习时事政策,学习祖国建设事业的报道等等,对自己还不熟悉的东西,不要用公式乱套。此外,还要注意紧密结合《毛泽东选集》和斯大林的著作,基础较好的同志还可以进一步结合马克思、恩格斯、列宁的著作,进行钻研,这样,在相当广博的理论知识的基础上,我们会对《矛盾论》的精神实质理解得更为深刻的。

(原载 1953 年 11 月 4 日武汉大学校报《新武大》第 99 期,署名李达)

关于加强校刊工作和在校刊上
开展批评与自我批评的决定[*]

（1953.11）

一、校刊《新武大》是推动全校中心工作的集体的宣传者与组织者。创刊以来，在贯彻教学改革、指导学生学习、特别是在各项政治运动中起了一定的号召、推动与指导作用。但另一方面，校刊本身仍然存在着一些严重的缺点，主要是没有深入系统地反映教学工作的进展情况，提出和解决与群众生活密切关联的问题，并且没有适时地开展批评与自我批评。显然，在今后综合大学新的方针任务的指导下，校刊必须加强，批评与自我批评必须展开，对以往的缺点必须克服，只有这样才能适应形式和任务的需要。

二、校刊基本内容，至少应包括以下六个方面：

（一）对马克思列宁主义毛泽东思想的宣传教育，包括教师的理论学习及对苏联科学和教学上的先进经验的宣传。

（二）教师在教学工作和研究工作上的改进、心得和创造性的成就的宣传，并适当地组织对学术问题不同意见的自由辩论。

（三）广大青年学生在贯彻执行毛主席"身体好、学习好、工作好"的指示中活动情况的宣传。表扬先进，改掉缺点，批评错误。

（四）职工同志为教学服务的状况的宣传。着重为教学服务的思想基础上改进工作，提高效率，学习政治理论与文化的情况的报告。

（五）广大读者的来信，对学校各方面工作的批评和建议。

（六）党、教工会、各民主党派、青年团、学生会活动的报道。

---

[*] 此决定于 1953 年 10 月 30 日由李达校长签署。——编者注

三、为了贯彻学校总的方针任务与工作计划进行自我教育和自我改造,使师生员工同志们能从各方面监督与推动学校工作的开展,克服缺点,纠正错误,就必须在校刊上认真地开展批评与自我批评。为此,特规定:

(一)凡在校刊上刊载的批评稿件,由校刊编辑室负责。

(二)批评稿件在校刊上发表后,被批评者应迅速作出书面答复交校刊编辑室发表。如批评有部分失实,被批评者应接受其正确部分,对不实部分可作适当的解释。任何人对待批评,均应"采取热烈欢迎和坚决保护的革命态度"(中共中央:《关于在报纸刊物上开展批评与自我批评的决定》)。

(三)批评稿件的内容和精神应做到实事求是,与人为善,从革命利益出发。批评者应将真实姓名告诉校刊编辑室,但校刊编辑室得依批评者的请求予以保守秘密。

(四)校刊编辑应善于掌握批评的原则和精神,进行调查和研究,务使批评切合实际。

四、为保证校刊得以完成上述任务,还必须坚持全校办报的方针,全校师生员工,必须爱护和重视校刊,经常为校刊撰写稿件与提供情况,对校刊上登载的重要文章,必须认真阅读。尤其是各单位教学组织的负责人,必须把参与校刊工作,办好校刊作为经常的政治责任。

为了贯彻这一决定,不仅校刊编辑室工作人员应以高度严肃负责的精神对待工作,全校师生员工同志们也必须重视这一决定,务使校刊真正成为推动教学改革工作的有力武器。

(原载 1953 年 11 月 4 日武汉大学校报《新武大》第 99 期,署名校长李达)

国家在过渡时期的总路线

——高等教育工作的灯塔*

（1954.1）

国家在过渡时期的总路线，是照耀全国人民"各项工作的灯塔，各项工作离开它，就要犯右倾或左倾的错误"。就高等学校说，这条总路线是高等教育工作的灯塔，教育工作离开了它，就要犯盲目冒进或保守落后的错误。

中央高等教育部和教育部，去年召开了各种高等教育工作的会议，明确地规定了高等教育的基本方针，适应于国家建设的需要，培养具有马克思列宁主义世界观、掌握现代先进科学和技术、忠实于祖国建设事业的专门人才。这一基本方针，就是在国家总路线的灯塔照耀之下的教育工作的总任务。

我们高等教育工作者为要贯通这一基本方针，完成这一总任务，培养出各种为祖国建设所需要的专门人才，就必须认真地、有效地学习国家在过渡时期的总路线。至于如何学好这个总路线？我以为：

第一，要结合自己的思想来学习。通过总路线的学习，进一步改造思想，并建设思想，即清除资产阶级思想，建设工人阶级思想。毛主席说："思想改造，首先是各种知识分子的思想改造，是我国在各方面彻底实现民主改革和逐步实现工业化的重要条件之一。"解放四年多以来，我们教师们在思想改造过程中，初步接受工人阶级思想的领导，划清了与帝国主义、封建主义与官僚资本主义的思想界限，批判了自己的资产阶级思想，支援了各方面的民主改革。因而在学习苏联的先进经验改革教学工作的方面，有了初步的心得和成绩，对

---

* 本文亦发表于 1954 年 1 月 1 日武汉大学校报《新武大》第 102 期、《新建设》1954 年 2 月号。——编者注

人民的高等教育事业起了一定的积极作用，这是极其可喜的现象。但思想改造是一个长期的艰苦的过程，我们过去的成绩只是初步的。我们虽然要接受工人阶级思想的领导，而是否已经克服了自己的资产阶级思想，建设了工人阶级思想，这还是不能肯定地说的。特别是就国家工业化对我们的要求来说，则还是很不够的。所以，我们不能不继续进行思想改造。毋庸讳言。我们教师的绝大多数，都从旧社会中来，都受过资产阶级政治思想的深厚影响。这种影响不是在短时期内所能清除净尽的，它在学校教学的实际工作过程中或多或少地表现着。然而祖国的社会主义建设事业，却要求着我们彻底清除资产阶级思想，确立工人阶级思想，绝不能让我们把资产阶级思想带到社会主义社会去。马克思说："教育者必须受教育。"教师们自己如果不具有马克思列宁主义世界观，不能掌握现代先进的科学和技术，就决不能培养出适合于祖国建设的德才兼备的专门人才，这是很明白的。因此，教师们必须有勇气和决心地、继续深入地进行思想改造，克服资产阶级思想，建立工人阶级思想。而思想改造和思想建设的唯一的方法，就是学习马克思列宁主义，并使之与中国的革命建设相结合。

去年以来，全国高等学校教师，都已开始有系统地学习马克思列宁主义，学习了《实践论》和《矛盾论》，学习了中国革命史，当然有了一定的收获。现在我们来学习国家在过渡时期的总路线，对于马克思列宁主义的学习，就可以提高一步。因为我们国家在过渡时期的总路线，是根据马克思列宁主义关于过渡时期的理论结合中国的具体情况规定出来的。这条总路线就是："在一个相当长的时期内，逐步实现国家的社会主义工业化，并逐步实现国家对农业、对手工业和对私营工商业的社会主义改造。"我们知道，生产关系一定要适合生产力性质这一法则是一切社会经济的法则，特定的生产关系如果阻碍生产力的发展，必然引起社会革命，中国过去半殖民地、半封建社会的生产关系，极端地阻碍了生产力的发展。使得全国人民的生活陷于十分痛苦的深渊，这是中国人民革命的基本动力。由于中国人民革命的胜利，推翻了半殖民地、半封建的生产关系，即帝国主义的、封建主义的、官僚资本主义的生产关系，建立了新民主主义的生产关系，即以社会主义经济为领导的、五种经济并存的生产关系，使得生产力大大地发展了起来。这就表现着生产关系一定要适合生产力性质的法则获得了发挥作用的广阔场所。但是,以社会主义为领导的、五种经济并存的新民主主义的生产关系还只是过渡时期的生产关系,为要使生产力不断地向前发展,就要把那种过渡时期的生产关系改变为单一的社会主义的生产关系。我们就现在的五种经济成分来看,除了社会主义的国营经济,半社会主义的合作经济和在社会主义经济领导下,社会主义经济成分与资本主义经济成分结成经济联盟的国家资本主义经济以外,有私人资本主义的经济和容易滋生资本主义的个体经济。简化起来说,新民主主义经济包含着社会主义与资本主义两种对立的经济。

社会主义经济,受社会主义基本经济法则所支配,即是受发展生产,保证需要的法则所支配;资本主义经济则受资本主义基本经济法则所支配,但在人民的中国说来,这一法则所起的作用,不能不受到严格的限制。这是因为在工人阶级领导的人民政权之下,资产阶级不可能用奴役和掠夺其他国家人民特别是落后国家人民的办法,用旨在保证最高利润的战争和国民经济军事化的办法,来保证最大限度的利润。同时,由于工人阶级掌握了政权,私营企业的劳动时间、工资制度、劳动条件、安全保险与卫生设备等方面,在国家法令之下都有一定的规定。私营企业的利润中还要缴纳所得税,要提出一部分作为公积金、职工福利金与奖金,这也限制了私人资本,使其不能得到最大限度的利润。因此,我们必须很好地掌握着起主导作用的社会主义经济的基本法则,对于资本主义基本法则所起的作用。要使它服从于社会主义经济的领导和支配,加以利用、限制和改造。所以,过渡时期的主要矛盾,实质上是社会主义与资本主义的矛盾,而解决这个矛盾的方法,就是逐步实现国家的社会主义工业化,使社会主义成分的比重不断增长,并把私人资本主义经济纳入国家资本主义轨道,使由低级形式的国家资本主义经济发展到高级形式的公私合营的国家资本主义经济,即半社会主义经济,将来更进一步,使它变为全民所有制的生产关系。其次,对于农业和手工业个体经济的社会主义改造,则是经过互助合作的道路,以便建立集体所有制的生产关系。照这样,新民主主义的生产关系就转变为单一的社会主义生产关系,我们就完成了社会主义改造的工作,到达了社会主义社会。

实现国家总路线,是一件伟大的光荣的而又艰巨的任务,但是我们有中国共产党和毛主席的正确领导,有五亿多劳动勇敢而聪慧的人民,有广大的土地和无限丰富的资源,有苏联先进经验的指引和苏联人民的无私的援助,我国社会主义工业化和社会主义改造的事业,就必须顺顺利利地完成。

我们教育工作者,是工人阶级一部分,如果能够学好国家总路线,就能够真正懂得马克思列宁主义是关于社会主义共产主义建设的科学,就能够检查出自己的非工人阶级的思想,而坚决地站在工人阶级的立场,为社会主义建设事业而奋斗。

第二,要结合自己的工作,学习国家总路线。我们教师们的基本工作是教学工作。为要适应国家总路线,培养建设人才,就必须继续进行教学改革。而进行教学改革的基本方针是"学习苏联先进经验,结合中国实际情况"。苏联科学是为人民服务的科学,为社会主义共产主义建设的科学;它富有高度的政治性思想性,它贯穿着马克思列宁主义的立场、观点与方法,充满着爱国主义的精神;它继承了俄国科学文化的优良传统;它批判地吸收了资产阶级国家科学的积极成分,剔除了其中的唯心论的形而上的部分,并在唯物辩证法的基础上加以改进,使其具有完整的系统。苏联科学与社会主义生产密切地联系着,它促进社会主义生产的发展,而社会主义生产的发展又能反应过来促进科学的发展,所以苏联科学能有今日这样最高的成就。我们现在来学习苏联的科学,必须具有相当的马克思列宁主义的水平,并应用它的立场、观点和方法,才能对苏联的教材融会贯通,具有全面的理解。其次说到结合中国实际,首先就要结合国家总路线这个最大的实际,一切教学工作和研究工作都必须提高到国家总路线的水平来认识,都要围绕国家总路线来开展,还要结合全国各方面的情况,如工业和农业的发展情况、财政经济情况、民主建政情况、国家的政策和法令、高等学校和中等学校一般情况和本身的师资、教学设备及学生等具体条件,以拟订教学计划、教学大纲和组织教材内容等。教学改革的过程同时也是一个复杂的思想斗争和思想改造的过程,我们必须善于根据实际情况,分别缓急,分别主要与次要,有步骤地逐步完成,不可贪多冒进,硬搬硬套,弄了一套形式;也不可保守落后,停滞不前。因为这样不仅不能保证对国家供应德才兼备、体魄健全的人才,以贯彻国家总路线,相反地还妨碍了国家总路线的贯彻。

现在全国各高等学校都进行着专业的教育，每一个专业都应该适应于国家的建设计划来拟定整个的教学计划，每个专业的每个教研组和教学小组，也都应该拟订出每个课程的教学计划，计划拟订之后，就必须严格遵守，贯彻执行，否则就会流于形式，收不到计划教学的效果。

此外，还要加强对学生的共产主义和爱国主义的教育。我们必须认真地而又耐心地教育学生：国家工业化是我国人民百年来的愿望，社会主义会是我们美满的将来。青年们是有爱国热忱的。爱祖国，在今天就要热爱国家总路线。今天根据国家总路线的要求，对于青年学生的培养是有计划的，因此，学生们就应该热爱自己的专业，学好自己的专业，能这样，便是贯彻国家总路线的一种好的表现。同时还要教育学生：培养新的道德品质，遵守学校纪律，尊重教师，爱护公共财务。教师们不但要在政治课方面对学生进行马克思列宁主义的系统的教育，使他们具有马克思列宁主义世界观，而且在业务课方面也要贯穿马克思列宁主义的立场、观点和方法，使学生逐渐能够在马克思列宁主义的方法论的基础上，独立地进行自己专业的研究工作。

第三，要结合国家总路线，厉行精简节约。我们国家工业化的道路是以发展重工业为重点，因为正如斯大林所指出的："工业化的中心，它的基础，就是发展重工业。"重工业的特点，是暂时还是不能赢利，而是具有"牢固经久的高级赢利形式"的。因此，在国家工业化的开展时期，是特别需要多方面的积累资金的。而我们积累资金的方法，完全不像在资本主义国家那样，而是采取苏联社会主义的方法，这方法首要的就是增产节约。当然我们教育部门不是生产机关，不能在增产上提什么要求，但可以在人力、物力、财力方面实行精简节约。就师资说，我们要加强教研组的工作，使青年助教参加，培养他们早日开课。其次要团结新老教师，新教师要尊重老教师，向老教师虚心学习；老教师要帮助新教师搞好教学工作。凡课少或未开课的教师，应尽量争取早日开课，或帮助他们进修，或尽可能供给条件，让他有计划地做研究工作。其次，就设备说，应充分利用现有教学设备，凡属必要不可缺的器材，当然可以购置，但可买可不买的东西则不买，可推迟的则推迟。就经费说，学校行政应贯彻精简节约的精神，妥慎地掌握使用，不要浪费一文钱。大家要认识到："节省一文钱，便是为国家工业化增添一文资金。""做好精简节约工作，便是我们贯彻国家总路线的具体表现。"大家这样一齐来做,一个单位可能节省的数字纵使不大,全国的加在一起,便是一个庞大的数字了。必须认清,精简节约不但符合于国家的利益,也符合于学校和个人的利益。毛主席说:"没有工业,便没有牢固的国防,便没有人民的福利,便没有国家的富强。"我们如果没有了这些。还谈什么学校和个人呢?列宁在苏联建设的初期,曾再三强调为了"拯救和恢复重工业",要"到处节省,甚至节省学校"。我们现在实行国家工业化,不仅没有节省学校,还相应地发展学校,那么,学校有什么理由不履行节约,为国家工业化积累资金呢?

同时,我们个人的生活也要厉行节约。我们要把眼前的利益服从于长远的利益。国家的生产发展了,个人的利益就有了保证。我们要保持刻苦朴素的作风,在不降低生活水平的限度内,能够节省一点钱购买建设公债为社会主义工业化的基础添加及块砖,就可以增加社会主义成分的比重。

学习总路线,拥护总路线,宣传总路线,为总路线的实现而奋斗——这是工人阶级的光荣的任务。因此,教育工作者学习总路线的时候,必须端正学习的态度,老老实实地学习,结合自己的思想和工作去学习。只有深刻地认真地体会了总路线的精神和实质,才能清除非工人阶级的思想,建立工人阶级的思想,才能搞好本岗位的教学工作。

今年是五年计划建设的第二年。在去年的第一年,全国各地厂矿的工人兄弟们发挥了高度的劳动的积极性和创造性,完成和超额完成了第一年的建设任务。特别是鞍钢三大工程的开工,是轰动世界的大事件,鼓舞了我们向社会主义前进的勇气和信心。我们教育工作者,应当向厂矿工人兄弟们看齐,在教学工作上,也要发挥高度的积极性和创造性,完成国家交付我们培养建设人才的任务。

(原载 1954 年 1 月 4 日《长江日报》,署名李达)

关于开展普选工作的动员报告[*]

（1954.2）

各级人民代表大会的选举工作，已在全国范围内热烈地展开，这是我们全中国人民政治生活中一个伟大的事件，也是我们全校同志们政治生活中一个伟大的事件。由于我们的国家胜利地实现了一系列的社会民主改革和经济恢复工作，全国人民四年来受到了实际的民主教育与民主锻炼，已经有了比较丰富的民主选举的经验，因此，我们是完全有可能来实行过去久所渴望的普选的人民代表大会制度的。人民代表大会制度是我们国家的基本制度，是我国新民主主义及人民民主政权组织的基本形式，因为这种制度最本质地反映了我们人民的政权，最高度地保护了人民的利益并完全适合于我国目前经济、政治发展的情况。为了彻底地实现国家在过渡时期的总路线和总任务，就必须使我们的国家机关更密切地、更直接地联系广大的人民群众，根据选举法的精神，进行普选，实现人民代表大会制，把代行人民代表大会职权的过渡组织形式——人民代表会议——在现有的基础上提高一步，以充分发扬我国人民民主制度的优越性，加强人民政府与人民间的联系，发扬广大人民的积极性与创造性，来推进国家的建设事业。

我们国家的选举制度是属于社会主义范畴的选举制度，是任何资本主义国家的选举制度所不能比拟的，我们选举制度的优越性，最基本的有下面几点：

第一，选举权是普遍的，这就是说一方面，凡是年满 18 周岁的公民，不问

---

[*] 这是 1954 年 2 月 20 日李达为武汉大学全校师生员工所作的关于开展普选工作的动员报告的摘要。——编者注

民族、种族、性别、职业、社会出身、宗教信仰、教育程度、财产状况和居住期限，都应有选举权和被选举权。另一方面，我们必须分清敌我界限，对于那些尚未改变成分的地主阶级分子、已被剥夺政治权利的反革命分子以及其他依法剥夺政治权利的犯罪分子，都不应给以选举权和被选举权。当然只要他们遵守政府法令，努力劳动，改造自己，今天虽无权作主，但将来还是可以改变成分和政治待遇的。由此可见，我们的选举是名副其实的普选，在这样的普选基础上产生的各级人民代表大会将是具有最广泛的人民代表性的。至于资本主义国家，名义上虽然有普选权的规定，实际上则有性别、职业、民族、居住年限、财产多少、教育程度、宗教信仰等等极不合理的限制，美国的黑人和印第安人，由于种种的限制，实际上等于没有选举权，1950 年美国的选举中，就有二千七百万到达年龄的公民，被剥夺了选举权，资产阶级所以这样做，是因为他们的选举是为了巩固资产阶级专政，是因为他们害怕人民利用选举权的机会来反抗他们。只有社会主义国家、人民民主国家和我们新中国，才能真正实行普选制，才能在选举法上明确地规定普选权。

第二，选举权是平等的，平等选举权的意义是：每一选民只可登记一次，只有一个投票权、妇女与男子有平等的投票权、士兵与其他的公民有平等的投票权，这些在我国选举法中都有明确的规定。而在那些资本主义国家中，有产者常有几个或甚至十几个投票权，而广大的贫苦劳动人民和少数民族，则根本没有任何选举权；我们选举制度的优越性，还表现在选举法上所规定的：在乡、镇、市县区及不设区的市等基层单位实行直接的选举，而在县以上的则实行间接的选举，县以上采用无记名的投票法，而在基层政权单位，则一般地采用举手表决的投票方法，这是由于我们国家地区太大，交通还不大方便，人民的文化程度较低等实际情况所决定，所以我们的选举是具有民主的实质，而不是讲究形式。

在我们的选举法中还规定了"凡用暴力威胁、欺诈、贿赂非法手段破坏选举和阻碍选民自由行使其选举权和被选举权者，均属违法行为，应由人民法院或人民法庭给以二年以下之刑事处分"。这就充分保障了公民自由选举的权利。至于资本主义国家中的选举投票是充满了贿赂、收买、恐吓、暴力和欺骗，根本谈不到自由选举的。

特别值得提出来的,我们的选举经费是由国库开支的,这就从实际上保障了选民的参加选举。而在资本主义国家,则用选举经费来限制人民当候选人,例如英国每一候选人至少需准备 500 镑的竞选费,这就使一般广大的人民根本不能参加竞选。

为了使全国年满 18 周岁的公民都能依法参加选举,完满地体现我们普选的人民代表大会制度的优越性,必须做好登记选民的工作,但选民的登记又必须以人口登记为依据。而人口调查登记,是一件艰巨的大事,必须依靠大家同心合力来搞,要求做到不重复、不遗漏、又全面、又确实。方法上尽量做到简便易行。这就要求我们去进行人口登记的时候,必须报的确确实实,不能有所隐瞒或虚报。让我们在完成普选工作的同时胜利地完成人口调查登记的任务。

希望全校同志们认真学习和宣传选举法,认清普选主要的目的,是要积极发动和团结广大人民来建设我们的祖国,来实现我国过渡时期的总路线和总任务。希望全校同志们在选举进行中,更加努力岗位工作,努力学习国家过渡时期的总路线,用实际行动来庆贺选举。要求全校同志们做到既要办好选举,选出大家满意的和必要的人民代表,又要把工作和学习大大推进一步。为我们国家更加完备的人民民主制度、为建设伟大的社会主义国家而奋斗。

(原载 1954 年 2 月 24 日武汉大学校报《新武大》第 106 期,署名李达)

拥护和支持周恩来外长在
日内瓦会议上的正义斗争[*]

（1954.6）

全世界人民密切关心的日内瓦会议已经进行了 40 天。美帝国主义是极不愿意举行这个会议的，在会议举行前就尽量散布会议可能延期的谣言，对它的伙伴们施以压力，甚至要求皮杜尔和艾登在会议第 15 天跟着杜勒斯一道退出日内瓦会议，立即进行筹备签订太平洋公约的谈判。但是美帝国主义的活动进行得并不顺利，日内瓦会议终于召开了，而且正在进行着。这是美帝国主义的可耻的失败。会议开始以后，美帝国主义首先就在会议程序上进行阻挠，结果也没有达到目的。尽管现在美帝国主义还在继续进行破坏活动与冒险政策，但是现在关于恢复印度支那的和平问题已有了相当的进展。朝鲜问题虽遇到美帝国主义所设下的重重障碍，但苏、中、朝、越代表团争取和平的正义主张正获得日益增多的人民的热烈同情和支持，美帝国主义的"实力"政策是不能扭转历史车轮的。

在周外长率领下的我国代表团，在国际斗争中取得了很高的声誉，表现了大国的风度。他的发言代表着觉醒了的和正在觉醒中的亿万亚洲人民充满自信的宏大的声音，体现了亚洲人民争取和平、争取自由和民族独立的坚强意志，因而也就得到了亚洲人民的衷心拥护和全世界爱好和平人民的同情与支持。关于印度支那问题的协议，就是以周外长的六点建议为基础的。尽管美帝国主义现在还在尽力耍无赖，散布什么日内瓦会议即将结束的谎言，但是全

---

　　* 本文是 1954 年 6 月 4 日李达在武汉大学举行的关于日内瓦会议的座谈会上的发言摘要，标题系编者所加。——编者注

世界人民是支持日内瓦会议的,事实上会议正在进行着。我们的立场是明确的:我们为了实现千百万人的和平愿望,为了巩固亚洲及世界的和平,我们一定要进行坚忍不拔的努力;但是,我们也决不害怕外来的任何恫吓与挑衅,决不可以被欺侮,如果帝国主义者敢于发动战争,我们是要坚决予以回击的。为了巩固亚洲及世界的和平,我们必须尽一切可能增强我们保卫和平的力量。我们高等教育工作者,应该为"相应地培养建设人才"作重大的努力,使得旨在把我们的祖国建设成为一个伟大的社会主义国家的五年建设计划胜利完成。目前首要的任务,在于诚心诚意地学习苏联的先进经验,把我们的教学改革推进到一个新的阶段,以建设社会主义性质的高等教育。

我们完全拥护并坚决支持周外长在日内瓦会议的正义斗争。

(1954 年 6 月 12 日武汉大学校报《新武大》第 120 期,署名李达)

谈　宪　法[*]

（1954.6）

一、宪法是社会的上层建筑

列宁在《论国家》的讲演中说："我已经说过，未必还可以找到第二个问题有如国家问题被资产阶级的科学家、哲学家、法律学家、政治经济学家以及政治家有意无意地混乱得这样糊涂不堪。"^①同样，对于宪法问题，也可以这样说，也是被资产阶级社会科学家、哲学家、政法学家和法律学家"有意无意地混乱得这样糊涂不堪"。

资产阶级哲学家、政治学家和法律学家，是资产阶级有知识的管事人。他们为了拥护主子们的阶级利益，在不同的时期和国家中，基于统治者资产阶级的政治和经济的条件，创造了各种各色的巩固资产阶级的国家与法权的学说。要垄断前期的自由资本主义时代，那些学者们，在法国宪法中强调人民主权的原则，在德国宪法中强调国家主义的原则，在英国宪法中强调自由主义的原则。当资产阶级势力强大而封建势力衰弱的时候，他们主张民主立宪，实现资产阶级对无产阶级的统治；当资产阶级势力较弱而封建势力还相当强大的时候，他们主张君主立宪，伙同封建阶级来共同统治无产阶级。当各主要资产阶级国家都有了宪法的时候，他们就创造了"法治国"学说，主张国家受法权的约束，一切公民（包括无产阶级在内）都受到法律的保障，都是权利的主体。到了帝国主义和无产阶级革命时代，由于资产主义的危机引起了宪法的危机，

---

*　《谈宪法》发表于《新建设》1954 年 6 月号，并于 1954 年 6 月由中南人民出版社出版单行本，署名李达，曾被收入人民出版社 1988 年 8 月出版的《李达文集》第四卷。——编者注

①　列宁：《论马克思恩格斯及马克思主义》，解放社 1949 年版，第 406 页。

他们就创造了法西斯主义的国家与法权的理论,主张放弃民主,而承认资产阶级的胡作非为都合乎宪法。他们绞尽脑筋,创造了各种唯心论的反动学说来为法西斯专政辩护,甚至求救于黑暗中世纪神学的国家观与法律观。像这一类反动学说,他们还正在创造中。总之,资产阶级学者关于宪法问题的学说很多,派别也非常复杂,但它们却有一个共通之点,即资产阶级的立场、唯心论的观点与形而上学的方法。它们都不从实际出发,而从"观念"、"假说"、"理性"等出发,或者从制度和法律出发来说明宪法的原理,它们绝对不涉及社会的经济制度,反而主张经济制度是由一"观念"、"假说"、"理性"或法律制度创造出来的。它们绝对不谈到阶级对抗,反而主张宪法是超阶级的。它们的唯一目的就是要编造一些虚伪的、欺骗的、似是而非的理论,来拥护资本主义制度和资产阶级专政。所以这些"有意无意地混乱得这样胡涂不堪"的关于宪法问题的学说,是连一点科学气息都没有的。正如列宁所说:"人们把关于国家的学说用来辩护社会上的特权,辩护现存的剥削制度,辩护现存的资本主义……在这个问题上希望那些以具有科学精神自诩的人给你们拿出纯粹科学的见解,那就大错特错了。"①所以资产阶级的国家法学,也和资产阶级的其他社会科学一样,都只是辩护资产阶级专政的说教,绝不能称它是科学。

在科学的历史上,只有当马克思主义出世以后,我们才有了真正的社会科学,才有了关于国家与革命的科学,因而才有了关于宪法的科学。

马克思主义教导我们,政治、法律等观点和政治、法律等制度所由产生的来源,并不是要到人类头脑中去探索,不是要到"观念"或"理性"中去探索,也不是要到那些观念和制度本身中去探求,而是要到社会的生活条件中去探求,要到社会在特定历史时期所采取的生产方式中,即要到社会的经济制度中去探求。因为政治、法律等观点和政治、法律等制度原是社会的上层建筑,它们是从基础产生并反映基础的,我们必须从基础去说明上层建筑,绝不能从上层建筑去说明基础。斯大林说:"基础是社会发展在每一阶段上的社会经济制度。上层建筑是社会对于政治、法律、宗教、艺术、哲学的观点,以及适合于这些观点的政治、法律等制度。每一个基础都有适合于它的上层建筑。封建制度的基础有它自己的上层建筑,自己的政治、法律等的观点,以及适合于这些观点的制度;资本主义的基础有它自己的上层建筑;社会主义的基础也有它自己的上层建筑。"①由此可见,宪法是社会的上层建筑,它是从那个社会的基础产生并适合于那个基础的。宪法的来源必须从那个社会的经济制度中去探求。

经济上占居统治地位的阶级,就是那个社会的政治上的统治阶级。作为上层建筑的政治、法律等观点,只是那个国家的统治阶级的观点。统治阶级的那些观点,反映着符合于自己阶级利益的经济制度,表现着自己的经济生活的欲求,因而就形成统治阶级的阶级意志。于是统治阶级为了保障自己阶级的统治,便用法律的形式把符合于自己利益的经济制度和政治制度巩固起来,给以强制性的规定,这就是宪法的内容。所以宪法是统治阶级意志的表现,它巩固一国的社会制度和政治制度的基础。例如,资产阶级宪法是资产阶级意志的表现,它巩固并规定资本主义的经济制度和资产阶级的民主制度。正如《共产党宣言》对资产阶级的宣言告所说:"……你们的法权不过是被推崇为法律了的你们这个阶级底意志,而这种意志底内容是由你们这个阶级底物质生活条件来决定的。"②又如无产阶级宪法是无产阶级的阶级意志的表现,它巩固并规定社会主义经济制度和无产阶级的民主制度,并不像资产阶级宪法那样隐瞒自己的阶级性,把阶级意志粉饰为全民意志,把阶级民主粉饰为全民民主。

宪法是上层建筑,它是为基础服务的。斯大林说:"上层建筑是由基础产生的,但这绝不是说上层建筑只是反映基础,只是消极的、中立的,对自己基础的命运、对阶级的命运、对制度的性质漠不关心的。相反地,上层建筑一出现后,就要成为极大的积极力量,积极帮助自己基础的形成和巩固,采取一切办法帮助新制度来摧毁和消灭旧基础与旧阶级。"③所以宪法一经统治阶级制定并用国家权力保证其实施时,它就成为统治阶级的工具,成为阶级斗争的武器。譬如资产阶级宪法规定了所谓民主制,而这种民主制实际上只是资产阶

---

① 斯大林:《马克思主义与语言学问题》,人民出版社 1953 年版,第 1—2 页。
② 《共产党宣言》,人民出版社 1953 年版,第 38—39 页。
③ 斯大林:《马克思主义兴语言学问题》,人民出版社 1953 年版,第 3 页。

级民主制。民主与专政是同道,并不是对立物。资产阶级民主即是资产阶级专政。资产阶级利用专政的权力,废除封建制度与封建特权,促进资本主义经济的发展;镇压无产阶级的反抗,来巩固生产工具与生产资料的资本主义所有制;侵略他国领土来扩大本国领土,或是保护本国领土以防止他国侵犯。这是资产阶级宪法对于资本主义基础的作用。

又如无产阶级宪法所规定的民主制是无产阶级民主制,即是无产阶级专政。无产阶级专政有三个基本方面:

(1)利用无产阶级政权来镇压剥削者,保卫国家,巩固与其他各国无产者间的联系,保证世界各国革命底发展和胜利。

(2)利用无产阶级政权来使被剥削劳动群众完全离开资产阶级,巩固无产阶级与这些群众的联盟,吸收这些群众来参加社会主义建设事业,保证无产阶级对这些群众实行国家领导。

(3)利用无产阶级政权来组织社会主义制度,消灭阶级,保证过渡到无产级的社会,无国家的社会。①

由此可见,资产阶级宪法是巩固资本主义所有制,保持剥削制度,保持阶级对抗的;无产阶级宪法是巩固社会主义所有制,消灭剥削制度,消灭阶级对抗的。

但是,宪法也和其他上层建筑一样,"是同一基础存在着和活动着的一个时代的产物,因此上层建筑的生命是不长久的,它要随着这个基础的消灭而消灭,随着基础的消失而消失"。② 当一个经济基础消灭而为另一新的经济基础所代替时,那适合于旧经济基础和旧统治阶级利益的旧宪法,也就由适合于新经济基础和新统治阶级利益的新宪法所替代。所以资产阶级所宣传的万古长存的资本主义所有制和巩固这种所有制的资产阶级宪法,只是自欺欺人的幻想。

---

① 斯大林:《列宁主义问题》,莫斯科1950年中文版,第175页。
② 斯大林:《马克思主义与语言学问题》,人民出版社1953年版,第5页。

基础是特定社会的经济制度,即是特定社会的生产方式,即是适合于当时物质生产力的生产关系。基础的发展过程,受着"生产关系一定要适合生产力性质"这个经济法则所支配。当生产关系适合于生产力性质时,基础安定,上层建筑也安定;当生产关系与生产力相冲突时,基础动摇,上层建筑也动摇,终于随着这个基础的消灭而一同消灭。

但基础并不是自行消灭的。斯大林说:"……这并不是说,生产关系底变更以及由旧生产关系到新生产关系的过渡是一帆风顺地进行,而不经过什么冲突,不经过什么震动。恰巧相反,这样的过渡通常是表现于用革命手段来推翻旧生产关系而奠定新生产关系。……而当新生产力已经成熟时,现存的生产关系及其体现者的统治阶级就变成了'不可克服的',只有经过新阶级自觉活动,只有经过新阶级强力行动,只有经过革命才可扫除的障碍。"[1]因为在剥削阶级社会中,现存的生产关系是在法律上表现的财产关系,这是社会的衰朽力量即旧统治阶级所坚决拥护的。新兴的革命阶级为要消灭那种阻碍生产力发展的旧生产关系,只有进行强力的革命斗争,打破那种衰朽力量的反抗,推翻旧政权,建立自己的新政权,才能使"生产关系一定要适合生产力性质"这一法则获得发生作用的广阔场所。"在资产阶级革命时代,例如,在法国,资产阶级就会利用生产关系一定要适合生产力性质这个大家知道的法则来反对封建制度,推翻了封建的生产关系,建立了新的资产阶级的生产关系,并且使这种生产关系和在封建制度内部生长起来的生产力的性质相适合。"[2]法国资产阶级在战胜封建阶级,掌握国家政权,建立了资本主义生产关系以后,就制定了巩固自己所满意的经济统治和政治统治的宪法,作为国家的根本法。又如,苏维埃政权所以能够推翻剥削制度,"在空地上"建成了社会主义,如斯大林所说,也"仅仅是因为它依靠了生产关系一定要适合生产力性质这个经济法则。当时我国的生产力,特别在工业中的生产力,是具有社会性的,但所有制的形式却是私人的,资本主义的。苏维埃政权依据生产关系一定要适合生产力性质这个经济法则,把生产资料公有化了,使之成为全体人民的财产,因

---

① 斯大林:《列宁主义问题》,莫斯科 1950 年中文版,第 734 页。
② 斯大林:《苏联社会主义经济问题》,人民出版社 1953 年版,第 43—44 页。

而消灭了剥削制度,创造了社会主义经济形式"。① 俄国无产阶级在战胜资产阶级,掌握了国家政权,建立了社会主义生产关系以后,就制定了巩固自己所满意的经济统治和政治统治的宪法,作为国家的根本法。

由此可见,资产阶级宪法是随着资本主义基础的消灭而消灭,而社会主义宪法则随着社会主义基础的产生而产生,这是历史的规律。

人们或许要问:社会主义宪法将来是否也随着基础的消失而消失? 宪法是国家的根本法,国家如还保存,宪法也会保存的。至于社会主义社会发展到了共产主义社会的时候,国家是否还保存呢? 斯大林曾答复了这个问题。他说:"是的,会保存的,假如那时资本主义包围尚未消灭,而外来的武装侵犯危险尚未铲除的话。……不,不会保存而会消亡下去,假如那时资本主义包围已经消灭,而被社会主义包围所替代了的话。"②这就是说,当世界主要帝国主义国家完全消灭而社会主义国家到处出现的时候,共产主义国家将自行消亡下去,宪法也就随着自行消亡了。

二、宪法是阶级力量对比关系的表现

作为国家根本法的宪法,是近代初期资产阶级革命取得胜利并掌握了政权以后才出现的。依照初期资产阶级的说法,宪法如不规定代议制、分权制和公民权利等条款,就不成其为宪法。在这种意义上的宪法,是近代以前的封建国家和奴隶主国家所不曾有过的。宪法这个名词,原是我国的旧名词,是指"典章"和"法度"说的,"尚书"中所说的"鉴于先王成宪"和"国语"中所说的"赏善罚奸,国之宪法",就是现在的普通法的意思。现在我们所说的宪法是和古代统治阶级所说的宪法不同的。

当近代资产阶级在封建社会中壮大起来以后,它的经济势力已经可以左右封建阶级,但因为受到封建专制和封建特权的压迫,使得它的资本主义工商业不能顺利发展,甚至连生命财产都得不到保障。它为了自己阶级的利益,就

---

① 斯大林:《苏联社会主义经济问题》,人民出版社 1953 年版,第 5 页。
② 斯大林:《列宁主义问题》,莫斯科 1950 年中文版,第 793 页。

不断向着封建阶级争取权利和自由,因而展开了各种形式的阶级斗争。于是资产阶级的思想家便创造了各种阶级斗争的学说如"主权说"、"契约说"、"天赋人权说"之类,作为资产阶级对封建阶级斗争的理论武器。于是资产阶级便发出了争取自由和权力的口号,吸引广大的劳动群众来参加对封建阶级革命的斗争,终于爆发了1789年的法国大革命,法国资产阶级因而夺取了政权,并于1791年制定了欧洲大陆第一个成文宪法——资产阶级宪法。这个宪法总结了资产阶级革命斗争的经验,巩固了革命胜利的成果,巩固了资本主义生产关系和资产阶级民主制。这个宪法表明只是有产者才能享有自由和权利,而革命最出力的无产劳动大众(当年打破巴士梯监狱的就是他们)却没有自由和权利可言,他们被压抑到被统治阶级的地位,这是他们所断然要反抗的。所以资产阶级革命胜利才告完成,而无产劳动群众的革命斗争便开始了。

19世纪以来,无产阶级在马克思主义旗帜之下,有组织地进行了经济的政治的斗争,积累了很多的斗争经验。到了20世纪初期,十月革命一声炮响,在世界六分之一的土地上,出现了苏维埃社会主义国家,便随着出现了第一部社会主义宪法——苏俄宪法。这部宪法固定了无产阶级革命胜利的成果,总结了无产阶级革命斗争的经验,特别是巴黎公社以来的经验,以及十月革命以后无产阶级专政和组织社会主义生产的经验。列宁说:"工人阶级在取得政权之后,像所有阶级一样,要以改变财产关系与新的宪法来保持与保证政权,来巩固政权。"①列宁又说:"苏维埃宪法并不是依照什么'计划'写下来的,不是在书房内拟订出来的,也不是资产阶级的法律家强迫劳动群众接受的东西。不,这宪法是从阶级斗争发展进程中,随着阶级矛盾成熟程度而成长起来的。"②

十分明显,宪法是完全具有阶级性的。宪法的阶级性构成宪法的本质。所谓全民宪法或超阶级的宪法,只是资产阶级愚弄无产阶级的胡说。

列宁说:"宪法的本质就在于:一般国家的根本法以及有关选举代议机关的权利和代议机关的权限等方面的法律,都是表现阶级斗争中实际力量的对

---

① 《列宁全集》第三十卷,俄文第四版,第441页。
② 《列宁文选》第二卷,莫斯科1949年中文版,第494—495页。

比关系的。"①

首先,就苏维埃宪法和资产阶级宪法来作比较。

前者是无产阶级专政的宪法,后者是资产阶级专政的宪法,阶级斗争中实际力量的对比关系,在这两大类型的宪法中,是表现得非常明显的。然后,再看看每一类型宪法中所表现的阶级斗争中实际力量对比关系的变化。

1789年,法国资产阶级依靠无产劳动大众的力量取得了革命胜利,掌握了国家权力以后,就独吞革命的果实,把无产劳动大众摒弃于国家机关之外,因而激起了无产劳动大众的革命斗争。资产阶级因为害怕劳动大众的反抗,便与封建势力妥协起来,制定了1791年的第一个宪法,确立了一院制的君主立宪政体,把议会作为立法机关,规定私有财产神圣不可侵犯的条款,实行有资格限制的选举,把无产者和小资产者作为消极的公民,使他们不能参与立法和行政的工作。可是从此以后,法国动荡不安,直到第三共和国成立,80多年之间,爆发了多次的革命和政变。这些次数的革命,有的是工人阶级发动的,有的是资产阶级依靠工人阶级来发动的,但每一次革命的成果都为资产阶级所独占(只有巴黎公社的革命是例外)。大体上说来,资产阶级得势时,资产阶级就制定单独统治工人阶级的宪法。当封建势力复辟或工人阶级力量强大时,资产阶级就勾结封建势力制定半立宪制或君主立宪制的宪法,奉戴一个皇帝(拿破仑、路易十八、拿破仑第三都做过皇帝)组织政府,来镇压工人阶级的反抗。在这80多年之间,法国资产阶级制定了九个宪法,而这九个宪法的基本原则只有一个,就是巩固资本主义的经济制度。这些宪法的变更,都是阶级斗争所引起的。它们都反映了阶级实力的对比关系的变化。这种情形,在英国和德国也大致相同。

在无产阶级对资产阶级的斗争中,资产阶级的民主制,也成了无产阶级所利用的工具。因为无产阶级利用资产阶级的国会和普选制,可以把自己阶级团结起来,统一起来,组成整齐而有纪律的革命队伍,并可组织自己参谋部——无产阶级党,领导这个革命斗争。所以列宁说:"资产阶级的共和制度,国会和普选制,——所有这一切,从全世界社会发展方面来看,都是一种巨

---

① 《列宁全集》第十五卷,俄文第四版,第308页。

大的进步。人类是向资本主义进展了,也只有资本主义,由于有城市的文化,才使被压迫无产阶级有可能来认识自己的地位,并造成全世界的工人运动,造成现时在全世界上包括有千百万工人的政党,即自觉地领导着群众斗争的社会主义党。没有国会制度,没有选举制度,则工人阶级就会不能有这样的发展。"①

但当无产阶级能够选出自己极少数的代表进到国会时,资产阶级早已把国家工作从国会移到了后台办理。"……真正的'国家'工作是在后台办理,是由阁部、官厅、参谋部执行的。在国会里,仅仅专为愚弄'老百姓'而从事空谈。"②

到了帝国主义和无产阶级革命时代,特别是到了十月革命使全世界分成社会主义与帝国主义两大阵营以后,资本主义总危机也不能不反映于资产阶级宪法之中。资产阶级宪法,从前是建筑在自由资本主义的基础之上的,现在这个基础变为垄断资本主义的了。因此,从前资产阶级所标榜的所谓民主制宪法,不能不按照垄断原则大加修改,或者加以废弃,另行制定法西斯宪法,作为加强对无产阶级镇压的工具。这正如列宁所说"民主制是与自由竞争相适应的,政治上的反动是与垄断组织相适应的"。

按照资本主义的基本经济法则,资产阶级如不加紧压迫本国大多数居民,如不加紧侵略其他国家人民特别是落后国家人民,如不加紧挑动帝国主义战争,就不但不能取得最大限度的资本主义利润,并且自己阶级本身即将为无产阶级所推翻。于是"资本主义国家的统治阶级,也就极力设法把工人阶级所能利用去反对压迫者的国会制度和资产阶级民主制度底最后一点遗迹都尽行消灭,或化为乌有,把共产党人逼入秘密状态,并实行用公开的恐怖手段来保持自己的专政"。③ 过去希特勒德国和莫索里尼意大利,事实上都撕毁了旧宪法,取消了资产阶级民主制,用一些补充的法律,废除了人民的权利和自由,确立了垄断阶级的血腥的专政制度。现在,美帝国主义者跟着希特勒匪帮之后,制定了一系列法西斯法律,如塔夫脱—哈特来法、史密斯法、麦卡伦法、麦卡

---

① 列宁:《论马克思恩格斯及马克思主义》,解放社 1949 年版,第 420 页。

② 《列宁文选》第二卷,莫斯科 1949 年中文版,第 200 页。

③ 斯大林:《列宁主义问题》,莫斯科 1950 年中文版,第 571 页。

伦—华尔特法等，并组织了"联邦调查局"和"非美活动委员会"，专门压迫共产党、工人阶级、有色民族和进步的爱和平的民主人士，把公民最起码的权利和自由都取消了。资产阶级所喧称的"最民主的"美国宪法，在无产阶级看来，已经完全等于废纸。正如斯大林在苏共第十九次代表大会上的演说中所说："从前，资产阶级高唱自由主义，维护资产阶级民主的自由，从而在人民中间为自己树立了声望。现在，连一点自由主义的影子也没有了。所谓'个人自由'已经不再存在了，——现在，仅仅那些拥有资本的人们才被承认有个人权利，而其他的一切公民则被当作只适于供剥削的人料。人们平等和民族平等的原则被践踏了；这种原则已代之以从事剥削的少数人享有充分权利而公民中被剥削的大多数人则毫无权利的原则。资产阶级民主的自由这面旗帜已经被抛在一边了。"①现在，各国无产阶级，只有对帝国主义实行直接的冲击，高举真正的民主自由的旗帜前进，才能获得解放。

其次，再就苏联宪法的发展，来说明阶级力量对比关系变化的表现。

十月革命胜利以后，俄国无产阶级组织了无产阶级专政的政权即苏维埃政权。为了巩固苏维埃政权，就彻底打毁了旧的国家机关，建立了新的苏维埃国家。并废除了一切旧的封建制度和特权，铲除了一切反动的组织。无产阶级凭借国家权力，首先把土地收归国有，接着把一切大工业运输业和银行收归国有，从此，资产阶级、地主、反动官吏以及反革命政党的势力根本消灭了。苏维埃政权在工人阶级所领导的工农联盟的基础上大大地巩固了。当时城市小工商业者和农村中的富农虽被允许存在，但他们分别受到了工人的监督和贫农的压制。于是苏维埃国家就开始实行过渡到社会主义建设的新阶段，在组织上巩固了既得的胜利。1918 年的宪法，——苏俄宪法是在阶级斗争发展过程中制定的，它反映了当时阶级力量的对比关系。它巩固了无产阶级为推翻资产阶级建立苏维埃国家而斗争的成果，巩固了为争取和平而进行民主斗争的成果，农民夺取了土地的斗争的成果和压迫民族为争取民族解放和民族平等而斗争的成果。这个宪法指出了苏维埃政权进行社会主义经济建设的总任务，消灭剥削制度和阶级对抗，建成社会主义社会。所以这个宪法就成为动员

---

① 斯大林：《在苏联共产党第十九次代表大会的演说》，人民出版社 1952 年版，第 6 页。

并组织一切劳动人民社会主义而斗争的伟大力量。

苏俄宪法颁布以后,苏维埃国家的劳动人民,在组织社会主义生产的过程中,又和帝国主义武装干涉及资产阶级地主白卫的叛乱,进行了三年的英勇卫国战争终于取得了最后胜利,巩固了苏维埃政权,从 1921 年起,苏维埃国家就开始过渡到和平经济建设的轨道,实行新经济政策,来恢复备遭破坏的国民经济,振兴工业、运输业和农业。新经济政策是社会主义成分克服资本主义成分的必胜的武器。由于布尔什维克党和工人阶级在新经济政策道路上的坚忍的斗争,逐步完成了恢复国民经济的工作。在同一期间,各民族的工人和农民在布尔什维克党的领导之下,推翻了民族内部的剥削阶级,先后成立了苏维埃社会主义共和国。各民族苏维埃社会主义共和国,基于社会主义建设和国防的任务,必须在经济、政治,军事互助的基础上调整各族人民兄弟的合作,于是都感到有联合成为苏维埃社会主义共和国联盟的迫切需要,1922 年 12 月,第一次全苏联苏维埃代表大会,在列宁斯大林领导下,成立了苏维埃社会主义共和国联盟。苏联的成立,标志着工人阶级的队伍和力量更加强大,工农联盟的基础更加扩大,因而苏维埃政权就更趋于巩固。同时由于新经济政策的推行,国营的工业和商业的发展,许多小工商业者也消灭了,而农村中的富农则是受着限制的。1924 年的苏联宪法也表现了这一时期阶级力量的对比关系。这个宪法反映了国内阶级斗争的胜利、国民经济恢复后政治环境的改变和无产阶级专政的巩固。这个宪法为国家的社会主义工业化与农业集体化,为消灭城乡资本主义因素和展开反富农的斗争,为进一步扩展社会民主制和推行社会主义文化教育,都起了很大的作用。

1924 年以后,苏联人民在苏共领导之下,实现了社会主义工业化和农业集体化,完成了第一个五年计划,又进行着第二个五年计划;到了 1936 年,苏联国民经济已经完全改变了。资本主义成分已经完全消灭,社会主义体系在全部国民经济中都取得了胜利。社会主义工业是技术全新的装备,生产量已经超过战前七倍,社会主义农业即苏维埃农场与集体农庄,也已取得了绝对的胜利;全部商品都已集中于国家与合作社手中。生产工具与生产资料的社会主义所有制,在一切经济部门中已成为不可动摇的基础。一切剥削者都被消灭了。于是全国的居民中,就只有新型的工人阶级、新型的农民阶级和新型的知识分子,他们都是在社会主义社会中享有平等权利的一员,"这样,苏联劳动者之间的阶级界线已在愈益泯灭,旧时的阶级特殊性已在愈益消失。工人、农民以及知识分子间的经济上政治上的矛盾日益降低和泯灭。于是就造成了社会在道义上政治上统一底基础。苏联生活中的这些深刻变更,社会主义在苏联获得的这些有决定意义的成功,都在新苏联宪法中得到了反映"。①

三、苏联宪法的精神与实质

现在来说一说 1936 年苏联宪法(斯大林宪法)的精神与实质。

苏联宪法是马克思列宁主义思想的具体表现。

我们知道,无产阶级党领导无产阶级革命和社会主义建设的一切理论与政策,完全是根据马克思列宁主义所发现的社会发展规律拟订的。斯大林说:"无产阶级党在它的实际活动中,……应以社会发展规律,以及由这些规律中所得出的实际结论为准则。"②他又说:"由此可见,无产阶级党要想成为真正的党,首先就应精通生产发展底规律,社会经济发展底规律。由此可见,为了在政治上不犯错误,无产阶级党在制定自己的党纲以及进行实际活动时,首先应以生产发展底规律,应以社会经济发展底规律为出发点。"③

我们学习了苏联共产党的历史,就会知道斯大林的话是完全正确的。我们知道,苏联共产党根据列宁所发现的各资本主义国家经济上政治上发展不平衡的规律,以及由这一规律所作出的社会主义可能在单独一国取得胜利的结论,领导了无产阶级革命,果然取得了胜利。胜利了的无产阶级党,又根据马克思列宁主义所暴露的国家与革命的发展规律,建立了无产阶级专政——苏维埃政权。苏维埃政权又根据生产关系一定要适合生产力性质这个经济法则,剥夺资产阶级的生产工具和生产资料,收归国有,建立了社会主义的生产关系,促进生产力的发展。当社会主义经济形成的时候,社会主义的基本经济法则就开始发生作用。但因为国家遭受了四年帝国主义战争、三年武装干涉

---

① 《联共(布)党史简明教程》,莫斯科 1953 年中文版,第 421 页。
② 《联共(布)党史简明教程》,莫斯科 1953 年中文版,第 145 页。
③ 《联共(布)党史简明教程》,莫斯科 1953 年中文版,第 154 页。

和白卫叛乱,国民经济被弄得穷竭不堪,为要发展生产,保证需要,首先就要实行新经济政策,来恢复国民经济,并展开社会主义竞赛,在工业方面增进社会主义成分的比重来压倒资本主义成分,以解决"谁战胜谁"的问题。到了1924年,国民经济是恢复了,工业中社会主义部分的比重已占80%,资本主义部分还占20%。但工业方面的技术仍是落后的不丰富的旧技术。农业方面,细小个体的农户仍是一片汪洋大海,集体农庄和苏维埃农场只是这个大海中的一些小岛,富农阶级还有颇大的力量。为了解决上述矛盾,就必须提高技术,在高度技术基础上发展生产,并保证社会的需要。因此,苏维埃国家就实行社会主义工业化,变农业国为能够自力出产必需装备品的工业国。只有国家工业化了,才能推动农业集体化。但在社会主义生产发展的过程中,为了正确地计划社会的生产,实现社会主义的基本经济法则的要求,苏维埃国家就按照国民经济有计划发展的法则,制定了反映这个法则的要求的五年计划和年度计划付之实施。由于苏维埃国家这一切政策和计划都是符合于社会发展规律与社会经济发展规律的,所以能够取得了社会主义的完全胜利。

从十月革命到社会主义体系完全胜利——这一段历史是苏联劳动人民在苏共领导下消灭资本主义建成社会主义的历史。这一段历史,是社会主义革命和社会主义建设的实践中的马克思列宁主义。苏联宪法就是这一段历史的记录和总结,"它用简单明了的语句,几乎是用记录的体裁,来说明社会主义在苏联胜利的事实,来说明苏联劳动群众摆脱资本主义奴隶制度而得到了解放的事实,来说明扩展的最彻底的民主制在苏联胜利的事实"。[1]

苏联宪法是以"扩展的社会主义民主制原则为基础的社会主义新宪法"。这个宪法首先规定着苏维埃国家的阶级基础,即"苏维埃社会主义共和国联盟为工农社会主义国家"(第一条)。事实上,苏联只有全新的两个非常友好的阶级,即工人阶级和农民(新的劳动知识分子,从工农出身,并属于工农),此外再没有别种人民。所以"工农社会主义国家"是真正的、名副其实的、历史上第一次出现的全民国家。

其次,苏联宪法规定着苏维埃国家的经济基础,即"苏联之经济基础,为

---

[1] 斯大林:《列宁主义问题》,莫斯科1950年中文版,第85页。

社会主义经济体系及社会主义生产工具与生产资料所有制,此体系及所有制因铲除资本主义经济体系,废除生产工具与生产资料私有制以及消灭人对人剥削而业经奠定"(第四条)。社会主义所有制是苏联人民民主的物质基础,只有在社会主义经济基础上,人民才能完全行使其政治权力。

再次,苏联宪法规定着苏维埃国家的政治基础,即"苏联之政治基础,为劳动者代表苏维埃,此苏维埃因推翻地主资本家政权及争得无产阶级专政而业经发扬巩固"(第二条)。"苏联全部政权属于城乡劳动者,由劳动者代表苏维埃实现之"(第三条)。这两条规定,表现出苏维埃国家组织的基本原则。苏维埃是新的最高类型的民主的国家形式,它是由劳动者选举并受劳动者监督的机关,是劳动者行使国家权力的机关。这个政权机关保证着工人阶级对于国家的领导权。

苏维埃最高类型的民主,表现于选举制度即由全民选举并受全民监督的苏维埃全权制度之中。苏维埃与群众密切的联系,代表制与直接民主制的结合,立法与行政的统一,人民直接参加国家管理,代表对人民负责,——这一切是苏维埃国家的基本特征。

苏联宪法关于公民权利的规定,并不以规定公民的形式权利为限,而是着重保证着实现这些权利的物质条件。在生产工具和生产资料的社会主义所有制的基础上,事实上保证着劳动者确能享受这些权利。因为用高度技术发展生产来保证人民日益增长的物质和文化的需要,原是社会主义的基本经济法则。

苏联劳动者为争取社会主义的完全胜利的斗争,完全是在无产阶级党苏联共产党领导之下进行的。没有苏联共产党就没有苏维埃社会主义共和国联盟。所以苏联宪法特别规定:"工人阶级、劳动农民及劳动知识分子中最积极最觉悟之公民,则自愿结合于苏联共产党,即劳动群众为建成共产主义社会而奋斗中之先锋队,劳动群众所有一切社会团体及国家机关之领导核心"(第一二六条)。只有最积极最觉悟的劳动者日益增多地加入共产党,才更能加强党对于国家的领导,才更能加速由社会主义社会进到共产主义社会的步骤。

苏联宪法的基本原则是扩展的社会主民主制。这社会主义民主制表现于宪法的一切条款之中。在实际上,这社会主义民主制,已经扩展到苏联人民的国家生活、社会生活、经济生活和文化生活等一切方面,已经扩展到职工会,合作社、集体农庄、共青团、体育及国防组织、文化技术及科学会社等一切团体。所以苏联人民在苏联共产党领导之下,能够发挥组织的自动性和政治的积极性,来参加共产主义建设和国家管理工作。

社会主义民主制是建筑在社会主义经济的基础之上的,它能保证劳动人民物质的和文化的生活的不断提高,保证民主权利的完全实现,所以劳动人民能够用积极的劳动、高度的警觉和无限的忠诚,来巩固社会主义制度,保卫社会主义祖国,发扬崇高的苏维埃爱国主义精神。

社会主义民主制实现了民族平等。宪法规定着一切劳动人民,不分民族和种族,一律平等。这就表现出苏联各民族的友好、团结、互助、互信的精神,表现出苏维埃国际主义的精神。

社会主义民主制,保证着一切劳动人民的权利和义务的平等,不附带任何条件和限制。这就反映出苏联人民在精神上和政治上的团结一致,也巩固着和发展着苏维埃社会精神上和政治上的统一。

苏联宪法是世界上唯一彻底民主的宪法。这是和资产阶级的宪法完全相反的。资产阶级宪法的基本原则,是资本主义民主制。资本主义民主制是建筑在资本主义的经济基础之上的,它是专供资产阶级享受的民主制。可是资产阶级偏要宣传他们的民主是"纯粹"民主,是"全民"民主,这完全是虚伪、是欺骗。试问在生产工具和生产资料的资本主义所有制之下,被剥削者能与被剥削者平等么?试问在资产阶级控制着一切物质手段的时候,无产阶级能够实现自由权利么?还有资产阶级的选举制度,对选举资格附加了许多限制(如美国对劳动人民的权利有将近 50 种限制),试问无产大众能有几人行使选举权?所以资产阶级宪法,正如马克思和恩格斯当年评论英国宪法时所说,是"股份公司的宪法",是一个"弥天大谎"。

列宁在 1918 年所写的《无产阶级革命与叛徒考茨基》中说:"无产阶级的民主制比任何资产阶级民主制都要更民主一百万倍;苏维埃政权比最民主的资产阶级共和国都要更民主几百万倍。"[①]我们学习了苏联宪法,更能体会到

---

① 《列宁文选》第二卷,莫斯科 1949 年中文版,第 443 页。

列宁当年所说的话,是绝对完全正确。

苏联宪法是马克思列宁主义思想的具体表现,它在思想上武装着苏联劳动人民,变成了伟大的物质力量,它动员并组织一切工人、农民和知识分子为建成共产主义而斗争。苏联宪法在明文上"规定了一件有全世界历史意义的事实,即苏联已进入新的发展时期,已在完成社会主义社会建设和逐渐过渡到共产主义社会,过度到应以'各尽所能,各取所需'的共产主义原则为社会生活准则的社会"。①

苏联宪法的伟大力量,经受了反法西斯匪徒的卫国战争的考验而更加坚强,它动员着和鼓舞着苏联人民完成了第四个五年计划,现正完成着第五个五年计划,一步一步地走近共产主义。

苏联宪法反映了全世界无产阶级和劳动人民的共同思想和共同愿望,具有极深刻的国际主义的性质。这个宪法证明着:"凡在苏联所已实现的东西,是在其他国家里也完全可能实现的。"这个宪法对于苏联各族人民,是他们在为人类解放而奋门的战线上胜利的总结,而对于各种资本主义国家和殖民地的人民,则是他们的指路明灯和行动纲领。

社会主义阵线中各人民民主国家的宪法,都是社会主义类型的宪法。这些国家都处在到社会主义的过渡时期中,各自具有特殊的特点,其到达于社会主义社会的具体步骤不尽相同,但"凡在苏联所已实现的东西"在这些国家里"也完全可能实现",则是可以断言的。

中央人民政府委员会已经公布了《中华人民共和国宪法草案》,全国地方各级人民政府正在人民群众中普遍地组织对于宪法草案的讨论。因此,我们先学习苏联宪法并体会其精神实质,这对于我们参加宪法草案的讨论和学习是会有所帮助的。

---

① 《联共(布)党史简明教程》,莫斯科 1953 年中文版,第 423 页。

学习宪法　拥护宪法[*]

（1954.6）

中华人民共和国宪法草案公布了，它经过全国人民学习和讨论之后，即将提交全国人民代表大会通过，作为正式的宪法。这是中国人民历史上划时代的大事件，是全国人民政治生活中的大喜事，我们要为这个宪法草案的公布而欢呼，而庆贺！

中国人民30多年来，在中国共产党领导之下，英勇地进行着艰苦的革命斗争，不知牺牲了多少革命英雄，才取得了反对帝国主义、封建主义和官僚资本主义的人民革命的伟大胜利，建立了伟大的中华人民共和国。伟大的中华人民共和国成立以后，全国人民继续在中国共产党领导之下，没收官僚资本，建立了社会主义的国营经济；取得抗美援朝的胜利，保卫了祖国和远东的安全；实行土地改革，消灭了地主阶级；肃清反动残余，巩固了人民民主专政；恢复国民经济，进行着大规模的计划建设。这一连串的政治上经济上的新胜利，使得我们有必要和可能来制定我们人民自己的宪法，这多么值得我们欢欣鼓舞啊！我们多年来革命的胜利的果实都已固定在我们的宪法中，我们的先烈的鲜血不是白流的，这多么值得我们欢欣鼓舞啊！全国人民多年来的共同愿望是要在中国建成社会主义社会，现在这个共同愿望已经在宪法中反映出来了，这多么值得我们欢欣鼓舞啊！我们全国人民必须拥护这个宪法，遵守这个宪法，保障我们革命胜利的果实，决不让反动派来损伤来破坏。我们全国人民要动员起来，组织起来，遵照宪法的指示，为建成社会主义社会而奋斗。

---

[*] 本文略加修改后亦以"热烈参加宪法草案的讨论"为题发表于1954年7月2日《长江日报》。——编者注

我国宪法的基本精神,和苏联宪法、和各人民民主国家宪法一样,是社会主义民主制。

《宪法(草案)》第一条:"中华人民共和国是工人阶级领导的、以工农联盟为基础的人民民主国家。"这便规定了我们国家的阶级基础,是工农阶级和人民群众,保证着工人阶级对国家的领导。

《宪法》第二条:"中华人民共和国的一切权力属于人民。人民行使权力的机关是全国人民代表大会和地方各级人民代表大会。全国人民代表大会和地方各级人民代表大会,一律实行民主集中制。"这便规定了国家的政治基础,是实行民主集中制的全国和地方的人民代表大会,而人民代表大会是人民民主专政的最好的政权形式。我们的国家机构(第六章)是按上述原则组成的。这就说明:国家权力来自人民,并属于人民;全国和地方各级人民代表大会是真正代表全国人民意志的代表机关,它是由全国人民选举并受选民监督的国家权力机关,选民或选举单位有权撤换自己的代表;国家各级行政机关、法院和检察机关,都由全国和地方各级人民代表大会产生并受其监督,都要对人民代表大会负责并报告工作。人民代表大会对由它所产生的国家机关人员有权罢免。中央和国家权力的地方机关,是依据民主集中制建立起来的,这民主集中制,包含下级服从上级、地方服从中央的原则,并且还包含中央支持地方机关在经济和文化建设方面的积极性。所以人民代表大会是真正人民民主的权力机关,它是立法机关,同时是工作机关,实现立法权与行政权的统一。这就说明,我们的国家机关是真正人民自己的机关,能够吸引广大的人民群众来参加国家管理,能够集中人民群众的力量和智慧完成建成社会主义的艰巨任务。

至于宪法草案所规定的国家的经济基础,则是由新民主主义到社会主义的过渡时期的经济,是占据领导地位的社会主义成分与被领导的非社会主义成分并存的经济。这是我们国家过渡时期的特点。正如《序言》中所说:"从中华人民共和国成立到社会主义建成,这是一个过渡时期,国家在过渡时期的总任务,是逐步实现国家的社会主义工业化,逐步完成对农业、手工业和资本主义工商业的社会主义改造。"总纲第四条说:"中华人民共和国依靠国家机关和社会力量,通过社会主义工业化和社会主义改造,保证逐步消灭剥削制度,建成社会主义社会。"这就表明:过渡时期各种成分并存的经济必将转变为单一的社会主义经济。而人民民主专政的机关和广大人民群众的力量能够保证其实现。所以第四条虽然肯定了四种所有制,但实际固定了的东西是全民所有制和合作社所有制,而个体劳动者所有制和资本家所有制,在发展过程中,由于全民所有制的社会主义经济的发展,将逐步转变为集体所有制和全民所有制。因此,我们全国人民只有在共产党的领导下,遵照宪法的指示,共同努力于社会主义建设和社会主义改造,就必能建成繁荣幸福的社会主义社会。

为要保证逐步过渡到社会主义社会,国内各民族还必须进一步加强团结。如《宪法(草案)》序言中所说,"我国各民族已经团结成一个自由平等的大家庭",所以在总纲第三条规定:"中华人民共和国是统一的多民族国家","各民族一律平等","各少数民族聚居地方实行区域自治"。在第二章第五节中,对民族自治地方的自治机关,做了详细的规定。国家在经济建设与文化建设中,将充分照顾分民族的需要和特点。这些规定能加强各族人民的友好与合作,一同进入社会主义的大家庭。

为要保证逐步过渡到社会主义社会,如序言中所说,还必须巩固并发展以共产党为领导的各民主阶级、各民主党派、各人民团体的广泛的人民民主统一战线。"今后在动员和团结全国人民完成国家过渡时期总任务和反对内外敌人斗争中,我国的人民民主统一战线将继续发挥它的作用。"

《宪法(草案)》第三章对公民的基本权利和义务做了专门的规定。全体公民在法律上一律平等;年满 18 岁的公民都有选举权和被选举权;公民有言论、出版、集会、结社、游行和示威的自由,有宗教信仰的自由,有受教育的权利;国家保证公民有劳动的权利,劳动者有休息的权利,年老、疾病或丧失劳动能力的劳动者有获得物质帮助的权利。国家特别关怀青年的体力和智力的发展。公民有进行科学研究、文学艺术创作和其他文化活动的自由。妇女在政治、经济、文化、社会和家庭生活各方面,有和男子平等的权利。婚姻、家庭、母亲和儿童受国家的保护。国外华侨的权益受国家的保护。

权利和义务是分不开的,因此宪法草案规定了公民的几种义务:遵守宪法和法律,遵守劳动纪律,遵守公共秩序,尊重社会公德;爱护和保卫公共财产;依照法律纳税和服兵役。这些权利和义务,对于保卫我们的国家和人民的幸福都是必要的,对于社会主义建设和社会主义改造,又具有动员和组织的作用。

由此可见,我们的宪法草案贯彻着社会主义民主主义的精神,确实是一部真正的人民民主的宪法。正因为它是真正的人民民主的宪法,所以当它一经公布出来,就在国内外六万万人当中,响起了经久不息的欢呼声,不约而同地说出同一的话句:"这才是我们的党、我们的政府所制定的宪法,我们要用实际行动来拥护它。"

现在全国各地已经普遍地组织了宪法草案讨论会,我们要热烈地并且认真负责地参加讨论,提出自己对于宪法草案的意见,以备宪法起草委员会参考。所以我们现在参加讨论,提供意见,便算是参加了制定宪法的工作,这是一件非常光荣的任务。

在讨论宪法草案时,还是要深深地体会我们宪法的精神实质,满怀信心地,准备用自己的实际行动,向着宪法所指示的方向前进!

（原载 1954 年 6 月 28 日武汉大学校报《新武大》第 122 期,署名李达）

我国宪法是人民革命成果的
保障和为社会主义斗争的旗帜

（1954.8）

一

中华人民共和国宪法草案公布了，在经过全民的充分讨论后，它即将提请全国人民代表大会通过，成为我国第一部人民的宪法，这是中国人民革命史上的重大事件。

宪法是国家的根本大法。它是一个国家的统治阶级根据自己的意志，用法律形式巩固对本阶级有利的经济制度和政治制度，作为统治别的阶级的工具。这种意义的宪法，是近代资产阶级在推翻封建阶级掌握国家政权以后首创出来的。例如 18 世纪末叶，法国资产阶级推翻封建政权爬上统治阶级地位以后，就制定了 1791 年的宪法。这个宪法巩固了反封建阶级的革命胜利的成果，保障了资本主义经济制度和资产阶级民主制度，帮助了对无产阶级的统治。从此以后，许多国家的资产阶级在战胜封建阶级以后，都仿效法国资产阶级的先例，制定同样的资产阶级宪法，借以统治无产阶级。

同样，无产阶级在推翻资产阶级，建立自己的政权，创造对自己有利的生产关系以后，也要制定自己的宪法，来巩固革命胜利的成果，保障社会主义经济制度和无产阶级民主制度，作为镇压已被推翻的资产阶级和地主阶级的工具。列宁说过："工人阶级在取得政权之后，像所有阶级一样，要以改变财产关系与新的宪法，来保持与保护政权，来巩固政权。"[①]由此可见，工人阶级的

----

① 《列宁全集》第三十卷，俄文第四版，第 441 页。

宪法,是工人阶级用革命手段争取来的,绝不是由什么人恩赐的。正如列宁所说,"我们若不愿站到纯粹空想和徒托空言的立场上,那我们就要说,我们应当估计已往年代的经验,我们应当保障革命所夺得的宪法"。①

我国革命的具体情况虽然和苏联不同,但是我国工人阶级和人民群众在新民主主义革命的胜利以后,也必须制定自己的宪法,来巩固革命胜利的成果,巩固人民民主专政,并保证在中国建成社会主义社会。

1949 年公布的"共同纲领"曾经起过临时宪法的作用。但当时新民主主义革命刚刚基本结束,社会主义革命刚刚开始;大陆上蒋匪帮残余势力尚待肃清;美帝国主义侵略的威胁依然存在;官僚资本尚待处理;新解放区土地改革还未实行,地主阶级依然存在;财政经济的恢复工作刚刚开始。所以共同纲领中所说的是尚不存在的东西,是有待于争取其实现的东西。现在不同了。全国人民近 5 年来在中国共产党领导之下,进行了改革土地制度、抗美援朝、镇压反革命、恢复国民经济、"三反"、"五反"运动、知识分子思想改造等一系列的斗争,取得了伟大的胜利。在这一段时期中,人民民主专政巩固了,国民经济恢复了,社会主义经济在整个国民经济中的比重增长了。在 1953 年,我国开始了第一个五年计划建设,明确宣布了国家在过渡时期的总任务。新中国成立 5 年来这些伟大的成就,证明了共同纲领是完全正确的,是完全符合我国人民的利益和要求的,但现在其中有些东西已经实现了,有些东西已经过时了。由于社会主义革命形势的发展和阶级力量对比关系的变化,由于新中国成立以来经济上政治上的伟大成就,由于工人阶级和人民群众社会主义觉悟的提高,我们必须制定人民自己的宪法——中华人民共和国宪法,作为国家的根本法,来保障人民革命胜利的成果,并动员全国人民在已巩固的胜利的基础上继续努力,为建成社会主义社会而斗争。

二

世界上有两种敌对类型的宪法,即资本主义类型的宪法与社会主义类型

---

① 《列宁文选》第二卷,莫斯科 1949 年中文版,第 681—682 页。

的宪法。资本主义类型宪法的基础是资本主义民主制,它巩固生产资料的资本主义所有制和资产阶级民主,即资产阶级专政。帝国主义反动阵营中各国的宪法,都属于这一类型。社会主义类型的宪法的基础是社会主义民主制,它巩固生产资料的社会主义所有制和无产阶级民主,即无产阶级专政或人民民主专政。社会主义和平民主阵营中各国的宪法,都属于这一类型。

中华人民共和国宪法属于社会主义类型,它是以社会主义民主制为基础的宪法。

或许有人要问:我们的国家还处在由新民主主义到社会主义的过渡期,还不是社会主义国家,为什么说我们的宪法是社会主义类型的宪法呢? 这是因为我们的国家是以共产党为代表的工人阶级所领导的国家,它在过渡时期的总任务,是要建成社会主义。我们的宪法是以建成社会主义的总任务为出发点的,所以它是社会主义类型的宪法。列宁在俄罗斯苏维埃联邦社会主义共和国成立初期,说到俄罗斯苏维埃联邦社会主义共和国时,曾经指出,说它是社会主义的,并不是因为它内部已经实现了社会主义,因为在当时,这还是一个将来的任务;说它是社会主义的,是因为苏联人民已经走上了这条道路,表现了实行过渡到社会主义的决心。现在,我国工人阶级和人民群众在共产党领导之下,已经表现了实行过渡到社会主义的决心,并且已经走上了这条道路。

列宁在“无产阶级革命与叛徒考茨基”一书中说:苏维埃宪法“是从阶级斗争发展进程中,随着阶级矛盾成熟程度而成长起来的”。同样,我们的宪法,如上文所述,也是从阶级斗争进程中,随着阶级矛盾成熟程度成长起来的。宪法是国家的根本大法。我们的国家是阶级斗争的产物,因而我们的宪法也是阶级斗争的产物,并且是阶级斗争胜利成果的纪录。所以属于社会主义类型的我国宪法,首先要规定国家的阶级基础,这就是说首先要确定我国的国体。毛泽东同志说:“这个国体问题,从前清末年起,闹了几十年还没有闹清楚。其实,它只是指的一个问题,就是社会各阶级在国家中的地位。资产阶级总是隐瞒这种阶级地位,而用‘国民’的名词达到其一阶级专政的实际。这种隐瞒,对于革命的人民,毫无利益,应该为之清楚地指明。”①《宪法(草案)》第

---

① 《毛泽东选集》,第二版,第 669 页。

一条规定:"中华人民共和国是工人阶级领导的以工农联盟为基础的人民民主国家。"这便是说,工人阶级领导的工农联盟是我们国家的主体。工农联盟是我国人民革命胜利和国家建设胜利的保证。过去我们依靠这个联盟推翻了帝国主义、封建主义和官僚资本主义在中国的统治,在六万万人的国家中取得了人民民主革命的胜利。在这一革命胜利之后,即在中华人民共和国成立以后,我们又要依靠这个在工人阶级领导之下的联盟来巩固人民民主专政并建设社会主义,所以毛泽东同志在"论人民民主专政"中说:"推翻帝国主义与国民党反动派,主要是这两个阶级的力量。由新民主主义到社会主义,主要依靠这两个阶级的联盟。"

新中国成立以来,阶级力量的对比关系起了显著的变化。帝国主义走狗、官僚资产阶级和地主阶级已被推翻了。工人阶级队伍日趋于成长与壮大。工人们在党的领导下,发挥了高度的积极性和创造性,在生产战线上展开着社会主义劳动竞赛,进行着增产节约和技术革新运动,涌现了大批劳动模范,提前或超额完成了年度计划和季度计划。这充分表现着工人阶级社会主义觉悟的提高,树立了领导阶级的声望。其次,农民阶级在工人阶级的领导之下,日益接受社会主义,现在已经组织了近十万个农业生产合作社,向着农业集体化的前途迈进。成千上万的积极分子,光荣地加入了党的队伍。工农联盟的发展和巩固,保证着社会主义的必然胜利。再次,乡村的富农已经受到了限制,城市小资产阶级和资产阶级已经接受了工人阶级的领导。宪法草案反映了这种阶级力量的新的对比关系,规定了国家的阶级基础,并保证着工人阶级对于国家的领导权。

三

《宪法(草案)》反映了我国过渡时期的经济关系,同时也反映了我国过渡时期社会经济发展的规律,这便是由社会主义所有制与非社会主义所有制并存的经济转变为单一的社会主义所有制的经济。

《宪法(草案)》序言首先表明:工人阶级领导的人民民主专政的政权,"保证我国能够通过和平的道路消灭剥削和贫困,建成繁荣幸福的社会主义社会"。接着指出："国家在过渡时期的总任务,是逐步实现国家的社会主义工业化,逐步完成对农业、手工业和资本主义工商业的社会主义改造。"这就是我国到达社会主义社会所通过的和平的道路。

新中国成立以来,国家利用生产关系一定要适合生产力性质这个经济法则,没收了官僚资本主义企业使之变为社会主义的企业,建立了社会主义的国家银行,并在全国范围内建立了社会主义国营商业和合作社商业。由于社会主义国营经济的形成,生产力获得了空前的发展。其次,国家实行了改革土地制度,没收了地主的土地,分配给无地少地的农民,解放了农村的生产力,并在此基础上,领导农民逐步走上了互助合作的道路,因而提高了农业生产。再次,国家对资本主义企业实行利用、限制和改造的政策,采取了国家资本主义的措施;有些私人工商业已经逐步改变为国家资本主义企业,其生产力比较一般资本主义企业都提高了。这些政策和措施,就是要逐步改变非社会主义的生产关系,促进生产力的发展。到 1952 年,国民经济的恢复工作已经完成。由于国家掌握了国家经济命脉,社会主义国营经济已成为国民经济中的领导力量和国家实现社会主义改造的物质基础,于是社会主义的基本经济法则在国民经济中开始发生了作用。为了发展生产,保证需要,国家就依照国民经济有计划的按比例的发展法则,制订了第一个五年计划,从 1953 年起付之实行。五年计划的基本任务是集中主要力量发展重工业,建立国家工业化和国防现代化的基础;相应地培养建设人才,发展交通运输业、轻工业、农业和商业;有步骤地促进农业、手工业的合作化,继续进行对资本主义工商业的改造,同时正确地发挥个体农业、手工业和资本主义工商业的积极作用;保证国民经济中社会主义成分的比重稳步增长,保证在发展生产的基础上逐步提高人民物质和文化生活的水平。在宪法颁布时,我国已是第一个五年计划的第二年。《宪法(草案)》反映了过渡时期经济发展的实际情况,列举了四种所有制,即国家所有制(全民所有制)、合作社所有制、个体劳动者所有制、资本家所有制;规定了国家过渡时期的总任务的实际步骤,即国家保证优先发展社会主义国营经济,促进社会主义工业化,扩大社会主义改造的物质基础,以便继续进行改变非社会主义的生产关系为社会主义的生产关系。《宪法(草案)》还规定:国家保护合作社财产,鼓励、指导和帮助合作社经济的发展,并促使半社会主义性质的合作社转变为社会主义合作社。国家依法保护个体劳动者的土地、生产资料及其他财产所有权,鼓励他们自愿组织供销和信用合作社,特别是组织生产合作社;对于富农则采取限制和逐步消灭的政策。国家依法保护资本家的生产资料及其他财产所有权,同时鼓励资本主义工商业逐步转变为各种不同形式的国家资本主义经济,逐步以全民所有制代替资本家所有制。照这样发展下去,我国就将逐步过渡到社会主义社会。

以上是《宪法(草案)》所指示的通过社会主义工业化和社会主义改造,建立社会主义社会的具体道路。这完全是符合于我国过渡时期社会经济的发展规律的。这样的转变是有保证的,这个保证就是国家机关和社会力量,就是工人阶级领导的人民民主专政的政权从上而下地领导和工农群众从下而上的直接支持。

四

《宪法(草案)》还规定着国家的政治基础。这就是规定我国的政体。毛泽东同志说:"政体问题,那是指的政权构成的形式问题,指的一定的社会阶级取何种形式去组织那反对敌人保护自己的政权机关。没有适当形式的政权机关,就不能代表国家。中国现在可以采取全国人民代表大会、省人民代表大会、县人民代表大会、区人民代表大会直到乡人民代表大会的系统,并由各级代表大会选举政府。但必须实行无男女、信仰、财产、教育等差别的真正普遍平等的选举制,才能适合于各革命阶级在国家中的地位,适合于表现民意和指挥革命斗争,适合于新民主主义的精神。这种制度即是民主集中制。只有民主集中制的政府,才能充分地发挥一切革命人民的意志,也才能最有力量地去反对革命的敌人。"①这样的民主集中制是从前老解放区革命政权组织的原则。新国家成立时,中国人民政治协商会议就执行着全国人民代表大会的职权。新中国成立 5 年来,各省市都召开了各界人民代表会议,也代行了地方人民代表大会的职权。经验证明:人民代表大会是最能发挥广大人民的力量进

---

① 《毛泽东选集》,第二版,第 670 页。

行革命与建设的政体。所以《宪法（草案）》总结这些经验，规定"中华人民共和国的一切权力属于人民。人民行使权力的机关是全国人民代表大会和地方各级人民代表大会。全国人民代表大会、地方各级人民代表大会和其他国家机关，一律实行民主集中制"。这就表明，我国的政体，我国的政治基础，是实行民主集中制的人民代表大会。

人民代表大会的权力，来自人民，并属于人民。人民代表大会的代表，是由年满18周岁的公民真正普遍平等地选出的，都是选民所认为满意的和必要的人。代表如果违反人民意志，选民或原选举单位可以依法撤换。所以人民代表大会是真正能够代表人民意志的权力机关。

《宪法（草案）》规定：全国人民代表大会是最高国家权力机关，又是行使国家立法权的唯一机关。它握有全部权力。修改宪法，制定法律及其他一切国家大政都由它决定；国家机关的首长都由它产生，它并有权罢免。

全国人民代表大会、地方各级人民代表大会和其他国家机关，一律实行民主集中制。只有实行民主集中制"才既能表现广泛的民主，使各级人民代表大会有高度的权力；又能集中处理国事，使各级政府能集中地处理被各级人民代表大会所委托的一切事务，并保障人民的一切必要的民主活动"。①

全国人民代表大会和地方各级人民代表大会，是国家权力机关，又是工作机关。全国人民代表大会，不单是制定法律，并且监督宪法的实施。它组织国家机关和人民群众来执行法律。它实现着立法权与行政权的统一。

人民代表大会的代表，大都是从工农和市民、部队、干部中选出的，他们带着群众的意见出席大会；会毕以后，又带着大会的决议回到工作岗位，对自己的选举单位作传达，这就是从群众中来，到群众中去。所以我们的人民代表大会，能够敏感地听取群众的呼声，执行人民的意志，保护人民的利益。正因为我们的权力机关和行政机关具有极广泛的群众基础，所以能够吸引群众参加国家管理，能够集中群众的智慧，制定切合于群众利益的政策和计划，完成社会主义建设和社会主义改造的总任务。

为了完成国家在过渡时期的总任务，人民在社会的、经济的、政治的、文化

---

① 《毛泽东选集》，第二版，第1085页。

的生活各方面,必须贯彻社会主义民主主义的精神,即必须享有如《宪法》第三章所规定的公民的各种基本权利,动员起来并组织起来,参加国家的政法、财经和文化各方面的工作,发挥出高度的积极性和创造性,贡献出自己的智慧和能力,来建设自己的国家。同时,人民必须遵照宪法的规定,担负各种义务,遵守宪法和法律,遵守劳动纪律,遵守公共秩序,尊重社会公德,爱护和保卫公共财产,依法纳税、服兵役,来保卫我们的祖国。在我们的国家里,国家的利益与人民的利益是一致的,人民的权利与义务也是一致的。这样的一致,就会产生出人民在政治上的一致,就会使人民共同为巩固人民民主专政和建成社会主义的伟大事业而奋斗。

<h2 style="text-align:center">五</h2>

综上所述,我们的宪法从中国革命的具体实践和历史实际出发,正确地反映了过渡时期社会的发展规律以及根据这规律而制定的国家的总任务,指出了工人阶级和劳动人民为实现社会主义而斗争的具体道路。所以这个宪法是马克思列宁主义关于宪法的理论和中国革命的具体实践的结合,它是以社会主义民主制为基础的宪法。

我们的宪法是在我国社会物质生活的发展已在社会面前提出社会主义革命的新任务之后产生出来的。它一经产生出来,就会成为动员、组织和改造的伟大力量。它能够深入人民群众的意识,使人民群众动员起来,组织起来,扫除前进路途上的一切障碍,解决这个在社会物质生活发展过程中业已成熟的新任务。这个《宪法(草案)》一经全国人民代表大会通过作为正式宪法颁布以后,它的顺利地、彻底地实施,是有充分的保证的。这充分的保证,就是中国共产党的领导与工农群众的热诚的拥护和支持。中国共产党过去领导新民主主义革命,取得了伟大的胜利;现在领导社会主义革命,也必能取得伟大的胜利。社会主义革命是一场严重的阶级斗争。宪法草案序言中所说的"和平的道路",只是表明社会主义革命任务的完成不是经过推翻现存政权和建立新政权来实现(因为政权掌握在工人阶级和人民群众手里),但阶级斗争仍是很严重的。在过渡时期中,我国存有两种基本矛盾:第一种是国内的,即工人阶级与资产阶级的矛盾。第二种是国外的,即中华人民共和国与帝国主义国家的矛盾。在社会主义革命的斗争中,一方面,外国帝国主义,绝不会袖手旁观;另一方面,国内那些已被打倒的阶级绝不会甘心于自己的死亡,那些将被消灭的阶级决不会没有反抗,他们中的坚决反革命分子必然要和外国帝国主义勾结起来,利用每一个机会来破坏共产党和人民的事业,企图使中国革命事业归于失败,使反动统治在中国复辟。因此,工人阶级和劳动人民必须在党的领导下提高警惕,对国内外反动派实行坚决的阶级斗争。我们的宪法正是阶级斗争的武器。我们必须在党的领导下,善于掌握和运用这个犀利的武器来对付国内外的敌人。工人阶级和劳动人民必须认清自己阶级的使命,遵守宪法和法律,来巩固人民民主专政,保障社会主义的利益。同时工人阶级和劳动人民必须努力发展生产,加强国防设备,促进国防现代化,并担负起保卫祖国的神圣职责,随时准备粉碎帝国主义的进攻,巩固国家的独立与安全。

在共产党领导下的人民民主统一战线中的各民主阶级、各民主党派、各人民团体,必须按照宪法的规定,动员和团结全国各民族人民,反对国内外的敌人,完成国家在过渡时期的总任务。同时,全国人民必须在共产党的领导下,与苏联人民和各人民民主国家的人民,以及其他国家爱好和平的人民,加强友谊与团结,组成广大的国际统一战线,来反对战争危险,来保卫世界的持久和平。

我们的宪法是为社会主义而奋斗的旗帜,我们要在党的领导下,高举着这面旗帜前进!

(原载 1954 年 8 月 2 日《人民日报》,署名李达)

学习中华人民共和国宪法

（1954. 10）

一

　　中华人民共和国宪法正式公布了，我全国人民有了自己的宪法了，这是中国人民破天荒的重大政治事件。我们要为这个宪法的公布而欢呼，而庆贺；同时，我们要认真的学习这个宪法，热烈地拥护这个宪法，并且要以实际行动遵循着宪法所指示的方向前进！

　　宪法是一个国家的根本大法。宪法是阶级斗争的产物，是阶级斗争实际力量的对比关系的表现。当一个国家中新兴的革命阶级，在推翻反动统治阶级，取得革命胜利，夺取政权以后，就根据自己阶级的意志制定于自己有利的宪法。18 世纪的美国和法国及其以后各国的资产阶级宪法，都是资产阶级在战胜了封建阶级掌握政权以后才制定出来的。十月革命以后，俄国社会主义宪法，是无产阶级推翻了资产阶级掌握了政权以后才制定出来的。

　　中华人民共和国宪法属于社会主义宪法的类型。中国工人阶级和广大人民群众在中国共产党领导之下，推翻了帝国主义者、地主阶级和官僚资产阶级在中国的反动统治，建立了人民民主专政的中华人民共和国，制定了起临时宪法作用的共同纲领，把人民革命胜利的成果巩固起来。新国家成立以后 5 年来，由于一系列的政治上、经济上的新胜利，由于地主阶级和官僚资产阶级的消灭，由于工人阶级领导的加强和工农联盟的巩固，阶级斗争的实际力量的对比关系，发生了新的变化。于是《共同纲领》已经完成了它的临时宪法的作用，而反映阶级斗争力量对比关系的新变化的宪法就成为必要了，这是我国宪法诞生的一个动力。所以我国宪法是工人阶级领导的人民革命运动的胜利成果,它巩固着人民民主专政的政权,反映着社会主义建设和社会主义改造的总路线。

我们知道,我国宪法的草案,是宪法起草委员会接受了中国共产党中央所提出的草案初稿,在毛泽东主席的领导和参加下起草的。中国共产党根据社会发展的规律,由新民主主义社会到社会主义社会发展的规律,制定了国家在这个过渡时期的总任务,并把这个总任务表现于宪法之中。所以宪法草案的初稿,总结了中国人民百多年来革命经验,特别是 30 多年来中国人民在共产党领导下的革命经验和组织经验,以及新国家成立以来革命和建设的伟大成就,指出了我国有建成社会主义社会的实在可能性以及由这可能性转变为现实性的物质条件。因此,这个宪法,贯彻着辩证唯物的观点,一切从客观实际出发,丝毫不杂有主观的臆造的成分。并且,那个宪法草案初稿,曾由宪法起草委员会征集了各党派各团体的许多人士的意见,就宪法的结构、条文和字句作了某些修改,然后提交中央人民政府委员会作为宪法草案批准公布。宪法草案批准公布以后,又交由全国人民广泛讨论并提意见。宪法起草委员会综合了这些意见,再加修改,又由中央人民政府委员会修正通过,提交第一届全国人民代表大会第一次会议讨论通过,才作为正式宪法公布。由此可见,我国的宪法是全国人民大众的共同意志的表现,它绝不是几个法学家在书籍里写出来的东西,所以我们学习这个宪法,必须结合客观的革命实际和社会实际,来理解它的基本精神。我们决不可以从主观的理想如资产阶级法学家所说的"最高理性"或"伟大观念"出发,来认识我们的宪法,也决不可以拿资产阶级宪法来衡量我们的宪法。我们的宪法是社会主义类型的宪法,它和苏联宪法及各人民民主国家的宪法一样,同是马克思列宁主义的宪法学说的表现,但各自有其不同的特点。我们的宪法当然参考了苏联宪法和各人民民主国家宪法,吸取了国际的经验,但它密切地联系着我国的具体情况。

我们的宪法是由新民主主义到社会主义的过渡时期的宪法,它表现了国家在过渡时期的总任务。这一过渡时期社会是飞速发展中的社会,它的发展完全是辩证法的发展。我们是在国外和国内的两大基本矛盾中来建设社会主义的。其一,是国外的基本矛盾,既中华人民共和国与帝国主义国家的矛盾。现在,美帝国主义者用军事势力三面包围着中国,并且支持蒋介石卖国集团盘踞台湾企图回到大陆上复辟。我全国人民必须在共产党领导之下,更加坚强地团结起来,解放台湾,冲破美帝国主义的包围,来确保我国的和平建设。其二,国内的主要矛盾是社会主义成分与资本主义成分的矛盾(其阶级的表现是工人阶级与资产阶级的矛盾)。这个矛盾的解决方法是逐步实现社会主义工业化与对资本主义工商业的社会主义改造。还有一个大矛盾,是大规模的工业建设与汪洋大海的小农经济之间的矛盾。这个矛盾的解决方法,是引导小农经济走上互助合作的道路,逐步实现农业集体化。宪法从现实出发,肯定了四种所有制,但四者之中真正固定了的东西是社会主义所有制,即全民所有制和完全的集体所有制。在国民经济发展的过程中,个体劳动者所有制和劳动群众部分的集体所有制将转变为完全的集体所有制,资本家所有制将转变为全民所有制。由于国民经济的发展,人民的物质和文化水平将不断地提高,人民的自由和权力将充分地得到物质保证。过渡时期社会的一切的发展都是辩证的发展,我国的宪法反映了过渡时期社会的辩证法,我们必须用辩证的观点来学习这个宪法,才能体会它的基本精神。

为要深入地理解我国的宪法,还必须学习中国革命史,学习党的理论和政策,学习毛泽东同志的著作,才能够真正懂得:这个宪法是马克思列宁主义的宪法理论与中国革命的具体实践的结合。

二

中国共产党所领导的整个中国革命运动是经由新民主主义革命转变到社会主义革命,争取社会主义社会和共产主义社会的最后完成。中华人民共和国的成立,标志着新民主主义革命的胜利结束和社会主义革命的开始。社会主义革命的过程既是由新民主主义社会过渡到社会主义社会的过程。

建成繁荣幸福的社会主义社会是国家在过渡时期的总任务。这也就是:逐步实现国家的社会主义工业化,逐步完成对农业、手工业和资本主义工商业的社会主义改造,使生产资料的社会主义所有制成为我们国家和社会的唯一经济基础。我们实现这个总任务,是已经具备了必要条件和物质基础的。新国家成立以来,我们没收了官僚资本的企业建立社会主义的企业,消灭了官僚资产阶级;进行了土地改革,使耕者有其田,消灭了地主阶级;取得了抗美援朝的胜利,保卫着祖国的安全;恢复了国民经济,开始了五年计划的建设,社会主义国营经济在国民经济中的比重逐年增加了;国民经济的命脉已经掌握在国家手中了;工人阶级发挥了高度的积极性,展开着社会主义劳动竞赛;农民阶级在工人阶级领导下,已经走上了互助合作的道路;工人阶级领导的工农联盟加强了,人民民主专政的基础巩固了。知识分子的思想改造已经有了成就,工人阶级思想成了领导思想,资产阶级思想受到了批判。资本主义工商业,多数已变为国家资本主义的中级形式,其中已有12%改变为公私合营的国家资本主义的高级形式,现在私人工商业申请公私合营的也日益增多了。由此可见,我国为建成社会主义社会而进行斗争的必要条件已经具备,并且有了雄厚的物质基础。

我们的宪法巩固了我国人民的革命成果和中华人民共和国建国以来政治上、经济上的新胜利,并且反映了国家在过渡时期的根本要求和广大人民建设社会主义社会的共同愿望。这完全是符合于中国的历史实际和社会实际的。这样的宪法,是社会主义类型的宪法。由于有了上述的经济上、政治上、思想上的必要的条件和物质基础,全国人民继续努力,社会主义社会的实现是稳有把握的。并且,建成社会主义社会,不但是工人阶级和劳动人民的共同愿望,而且是他们正在逐步实践着的光辉的现实。我们的国营工业逐年发展着,到1953年,在全国工农业总产值中,现代工业占31%左右,工场手工业占8%左右,个体手工业和手工业生产合作社占7%左右。在全国工业总产值中,国营工业约占53%,合作社营和公私合营工业约占9%(其中有社会主义成分),私营工业约占38%。特别是从1953年起,141项大规模企业正在新建与扩建着。由此可见,国营工业在全国现代工业中已占到压倒的大优势。1953年,国内市场商品批发总额中,国营与合作社营的商业约占70%左右,在对外贸易总额中,国营部分约占92%。在农业方面,到1953年10月,全国参加互助合作的农户,约占农村总户数的43%,其后还陆续增加;至于农业生产合作社,在1953年仅有14900多个,到1954年即已增加到94000个了。这些数字表现着工人阶级和农民群众不但对于建成社会主义社会有共同愿望,并且他们早已走上了社会主义的道路,正在建设着社会主义。

在我国建成社会主义社会,具有充分的有利的内外条件。这些保证首先是中国共产党的领导以及党所领导的各民主阶级、各民主党派、各人民团体的广泛的统一战线。这个统一战线在新民主主义革命斗争中,在新中国成立以来的政治的、经济的、社会的改革斗争中,都发挥了巨大的作用;今后在社会主义建设、社会主义改造和反对国内外的敌人斗争中,将继续发挥作用。

其次的保证是全国各民族的大团结。我国是统一的多民族的国家,除汉族以外,还有几十个少数民族。各少数民族和汉族都是勤劳勇敢的民族,都有其自己的历史和文化。但在过去长期的历史中,各少数民族一直是受着反动统治阶级的民族压迫政策的摧残,所受的痛苦比较汉族更为深重。中华人民共和国成立以后,国家实行自由平等的民族政策的结果,我国各民族已经团结成为一个自由平等的民族大家庭。现在宪法规定着各民族在平等基础上友好互助合作的许多条款,保证着各民族的大团结必将继续加强,一切民族内部和外部的敌人必将趋于消灭,一切反动统治时代遗留下来的大民族主义和地方民族主义的旧思想,必将遭到批判。同时,国家在经济建设和文化建设的过程中,将照顾各民族的特点和要求,帮助各少数民族发展政治、经济和文化事业,使落后民族进到先进民族的行列,一同走向社会主义。全国各民族大团结的巩固和加强,是把我们国家建成为社会主义国家的保证。

第三个保证是国际统一阵线。我国已经和苏联以及其他各人民民主国家建立了牢不可破的友谊,组成了和平、民主与社会主义阵营。这个阵营以苏联为领导,以中苏联盟为中坚,它具有保卫世界和平与远东安全的伟大力量。几年以来,我们的阵营日趋强大,而反动、侵略与帝国主义阵营却日趋削弱。日内瓦会议的成就标志着我们阵线上的胜利。和平、民主、社会主义阵营的强大,不但有助于我国能够在和平环境中建成社会主义,并且由于我们兄弟国家之间经济和文化的交流,特别是由于苏联政府和人民的无私援助,更可以加速我国社会主义建设的进行。

三

根据巴黎公社和苏联的经验,我们在新民主主义革命取得了伟大的胜利以后,就彻底地打碎了封建的、买办的、法西斯的国家机器,建立了崭新的人民民主专政的中华人民共和国。新中国成立5年来,由于我们取得了社会改革、民主改革、经济改革等一系列的新胜利,阶级斗争的实际力量的对比关系发生了新的变化。官僚资产阶级和地主阶级消灭了;工人阶级的队伍壮大了,领导力量加强了;农民、手工业者及其他个体劳动者在工人阶级领导下,逐步走上了互助合作的道路,工农联盟巩固了;富农阶级受到了限制;民族资产阶级正在接受着工人阶级的领导,进行着社会主义改造。宪法反映这样的阶级力量的对比关系,指出了社会各阶级在国家中的地位,规定着国家的阶级基础。《宪法》第一条规定:"中华人民共和国是工人阶级领导的、以工农联盟为基础的人民民主国家。"这便是说,工人阶级和工人阶级所领导的工农联盟,是我们国家的阶级基础。工农联盟是我国新民主主义革命与社会主义革命的胜利的保证,正如毛泽东同志所说:"推翻帝国主义与国民党反动派,主要是这两个阶级的力量。由新民主主义到社会主义,主要依靠这两个阶级的联盟。"宪法规定了国家的阶级基础,保证着工人阶级对于国家的领导权。

宪法在规定了国家的阶级基础以后,接着就规定国家的政治基础。前者规定我国的国体,后者规定我国的政体。毛泽东同志在"新民主主义论"中曾就国体问题和政体问题作了精辟的论述,国体问题是指"社会各阶级在国家中的地位"的问题,这在上文已经说明了。至于政体问题,是指政权构成形式的问题,即是指"一定社会阶级采取何种形式去组织那反对敌人保护自己的政权机关"。毛泽东同志主张中国人民政权的形式是人民代表大会。而人民代表大会制的原则即是"民主集中制"。人民代表大会制是最能发挥广大人民的力量进行革命和建设的政权形式,是人民民主专政的最有效的形式。所以《宪法》第二条规定:"中华人民共和国的一切权力属于人民。人民行使权力的机关是全国人民代表大会和地方各级人民代表大会。全国人民代表大会、地方各级人民代表大会和其他国家机关,一律实行民主集中制"。这就说明,我国的政体,我们国家的政治基础,是建筑在民主集中制之上的人民代表大会制。

根据由人民代表大会制组成的国家机关,是人民民主专政的最有效的工具,它保证我国能够通过和平的道路,建成社会主义社会。人民民主专政的国

家机关,必须坚决地、彻底地执行如下的三个职能:

第一个职能,是镇压国内已被推翻的帝国主义走狗、官僚资产阶级和地主阶级。对于这些阶级的人,要剥夺他们的政治权利,只许他们规规矩矩,不许他们乱说乱动。他们绝不会甘心于自己阶级的死亡,必然要利用一切机会来破坏我们的社会主义建设,企图使我们的事业归于失败,使反动统治复辟,所以《宪法》第十九条规定"中华人民共和国保卫人民民主制度,镇压一切叛国的和反革命的活动,惩办一切卖国贼和反革命分子"。

第二个职能,是组织国防力量防御帝国主义进攻,保卫人民的祖国。帝国主义者自从被我国人民赶出中国大陆以后,无时无刻不想卷土重来以奴役我们。特别是当我们要建设社会主义、消灭资本主义的时候,帝国主义者决不会袖手旁观,而要千方百计来破坏我们、攻击我们。现在美帝国主义用军事力量威胁着我们,并盘踞我们台湾,伙同蒋介石卖国集团,企图进攻中国大陆,其目的无非是要使中国成为它的殖民地,这要我们时时警惕着的。所以《宪法》第二十条规定"中华人民共和国的武装力量属于人民,它的任务是保卫人民革命和国家建设的成果,保卫国家的主权、领土完整和安全"。因此,中华人民共和国的公民必须把服兵役作为光荣义务,把保卫祖国作为神圣职责。

第三个职能,是经济组织工作与文化教育工作。这是人民民主专政的基本的机能。我们所说的经济组织工作,就是要实现国家在过渡时期的总任务,建成社会主义社会,也就是逐步实现社会主义工业化和社会主义改造。社会主义工业化是实现社会主义改造的物质基础和领导力量。只有实现社会主义工业化,才能有强大的重工业,才能出产足够的工业装备和农耕机器,才能有现代的国防工业,因此也才能使现代化工业能够完全领导整个国民经济而在工农业生产总值中占居绝对的优势,使社会主义的工业成为我国唯一的工业。只有实现社会主义工业化,才能加速资本主义工商业的社会主义改造,才能迅速地实现农业的集体化,才能建立和巩固现代化的国防。只有实现社会主义工业化,才能大规模地发展社会主义商业,大大地加强工农联盟,不断地提高国家财政经济的力量和人民的收入,使全体人民的物质和文化生活水平不断地提高,保证国民经济中社会主义经济的比重不断地增长。宪法反映了过渡期经济发展的规律,所以规定"国营经济是全民所有制的社会主义经济,是国民经济中的领导力量和国家实现社会主义改造的物质基础。国家保证优先发展国营经济"。只有社会主义所有制的国营经济不断地发展,才能逐步使个体劳动者所有制的农业和手工业的经济转变为集体所有制的合作社经济,才能逐步使资本主义所有制的经济转变为社会主义所有制的经济。宪法明文规定,国家要鼓励农民和其他各种个体劳动者走合作化的道路,要鼓励、指导和帮助合作社经济的发展;国家也要对资本主义工商业实行利用、限制和改造,一方面,保护资本家的生产资料所有权和其他资本所有权;另一方面,禁止资本家中的危害公共利益、扰乱社会经济秩序、破坏国家经济计划的一切非法行为。

经济组织工作必然伴随着文化教育工作,两者是相辅而成的。毛泽东同志说:"随着经济建设的高潮到来,不可避免地将要出现一个文化建设的高潮。"经济组织工作的发展能够促进文化教育工作的发展,反之,文化教育工作的发展又能加速经济组织工作的发展。在过渡时期中,国家的经济组织工作和文化教育工作的根本目的是创造社会主义的物质条件和精神条件。

处在这个社会主义改造的时代,不但客观世界要实行社会主义改造,并且主观世界也要实行社会主义改造。因此,我们的国家必须对全国人民进行社会主义的文化教育工作。要在六万万人口的大国中建成社会主义社会,如果没有社会主义的文化教育革命,是不可能想象的。毋庸讳言,我国国民的文化是落后的,在占全国人口中绝大多数的工人和农民中,文盲要占大多数;我国的科学研究事业还很不发达。并且新国家成立不久,大多数人带着旧时代的非工人阶级思想进到新时代来。为要在中国建成社会主义,国家必须对全国人民进行普遍的社会主义的思想教育,必须进行扫除文盲的工作,逐步提高人民的文化水平;必须发展科学、文学、艺术和其他文化事业。工人阶级是社会主义建设的领导者,但仍须继续提高社会主义觉悟,并且要学习科学和技术。"严重的问题是教育农民。"目前农村工作的基本任务,是开展以互助合作为中心的农业生产运动,逐步实行对农业的社会主义改造。为要实现这个任务,不但要提高农民的社会主义觉悟,还要提高农民的文化水平。其次,科学、教育、文学、艺术工作者,近年来在思想改造方面已经有了一些成绩,接受了社会主义思想的领导,批判了非工人阶级思想,但仍须学习马克思列宁主义,学习苏联先进经验并结合我国实际情况，对祖国社会主义建设作积极的创造的贡献，并为国家培养出合格的社会主义干部。还有民族资产阶级也必须接受社会主义教育，在社会主义改造事业中，尽自己一分力量。国家只有对广大人民进行社会主义的文化教育工作，才能使他们脱离资产阶级思想的影响，积极地参加社会主义建设。

四

前面说过，我们国家的政治基础是全国人民代表大会和地方各级人民代表大会。人民代表大会是行使国家权力的机关。人民代表大会制是社会主义类型的代表制，是社会主义民主制的表现。

宪法规定全国人民代表大会是最高国家权力机关，又是行使立法权的唯一机关；地方各级人民代表大会是地方国家权力机关，它受全国人民代表大会的领导。

全国人民代表大会有最高的全权，如《宪法》第二十七条所列举的，它有权修改宪法、制定法律、监督宪法的实施、决定国民经济计划、决定战争与和平及其他国家大事。它有权选举中华人民共和国主席、决定国务院总理和国务院组成人员的人选，选举最高人民法院院长和最高人民检察院检察长，并且可以对他们行使罢免权。它的权力是无限制的，凡是它认为应当由它行使的其他职权它都可以行使。

全国人民代表大会人数众多，不能经常集会，为了随时行使某些职权，特设立全国人民代表大会常务委员会，作为常设机关，授以《宪法》第三十一条所列的各项职权，它对全国人民代表大会负责并报告工作。

中华人民共和国主席对外代表国家，他的职权是根据全国人民代表大会和全国人民代表大会常务委员会的决定行使的。主席在必要时召开最高国务会议，商讨国家重大事务，但也只是把意见提交全国人民代表大会、全国人民代表大会常务委员会、国务院和其他有关部门讨论并作出决议。所以按照宪法的规定，中华人民共和国主席的职权和全国人民代表大会及其常务委员会的职权是结合着行使的。正如刘少奇同志所说："我们的国家元首职权由全国人民代表大会所选出的全国人民代表大会常务委员会和中华人民共和国主席结合起来行使。我们的国家元首是集体的国家元首。同时，不论常务委员会或中华人民共和国主席，都没有超越全国人民代表大会的权力。"

《宪法》规定："中华人民共和国国务院，即中央人民政府，是最高国家权力机关的执行机关，是最高国家行政机关。"最高行政机关负有统一领导全国一切行政机关的使命。

国务院行使《宪法》第四十九条所列举各项职权，其任务是在全国人民代表大会及其常务委员会的领导下，在政治生活、经济生活、文化生活和社会生活各方面，具体地实现国家在过渡时期的总任务，即镇压国内反动派，执行经济组织工作和文化教育工作。国务院的主要活动是根据宪法、法律和法令，规定行政措施，发布决议和命令，并且审查这些决议和命令的实施情况。根据具体情况，国务院可以发布命令来实现上述的任务，这是国家行政机关对于国家生活的创造性的业务领导。

国务院必须向全国人民代表大会负责并报告自己的工作；对于全国人民代表大会代表所提的质问，必须予以答复。这种关于国务院的职责和报告的规定，保证着最高国家权力机关对于最高国家行政机关的领导。

地方各级人民代表大会是地方国家权力机关，其代表受原选举单位的监督。它在本行政区域内，行使《宪法》第五十八条的职权。它不但保证法律法令的遵守和执行，并能按照本行政区域的具体情况，规划地方的经济建设、文化建设和公共事业，发挥其积极性和创造性。

地方各级人民委员会即地方各级人民政府，是地方各级人民代表大会的执行机关，是地方各级国家行政机关。地方各级人民委员会在本行政区域内行使《宪法》第六十四条、第六十五条所列举的各项职权。地方各级人民委员会都对本级人民代表大会和上一级国家行政机关负责并报告工作，它们都是国务院统一领导下的国家行政机关，都服从国务院。

各少数民族聚居的地方实行区域自治。民族自治地方的自治机关的组织，依照关于地方国家机关的组织的基本原则。自治机关的形式可以依照实行区域自治的民族大多数人民的意愿规定。

人民法院的审判权是保护新社会秩序的基础，它镇压人民的敌人，并以人民民主的法制的精神来教育公民忠于祖国,自觉地遵守法律。人民法院的任务是审判刑事案件和民事案件,并且通过审判活动,惩办一切犯罪分子,解决民事纠纷,以保卫人民民主制度,维护公共秩序,保护公共财产,保护公民的权利和合法利益,保障国家的社会主义建设事业和社会主义改造事业的顺利进行。法院独立进行审判,只服从法律,不受任何其他国家机关干涉。

人民检察院的检察权,也是保护新社会秩序的基础。人民检察院的主要活动,是对国务院所属各部门、地方各级国家机关、国家机关工作人员和公民是否遵守法律,行使检察权。地方各级检察院受最高人民检察院的垂直领导,依照法律的规定行使检察权。

从以上所述,我们可以看出人民代表大会制的国家机关,具有下述几个特点:

第一,人民代表大会制度表现着我们国家权力的完整和统一;

第二,一切国家机关贯彻着民主集中制,表现着全国的统一领导。它是民主的,又是集中的,在高度民主基础上的集中,在高度集中领导下的民主;

第三,立法工作与行政工作的统一;

第四,能发挥批评与自我批评的精神,防止官僚主义,保证人民群众直接地参加国家管理,能够充分发挥人民群众的积极性和创造性;

第五,在国家生活中,各民族一律平等。

以上这些特点,表现着人民代表大会制是社会主义民主制。

五

在从前反动统治时代,我们工人阶级和人民群众丝毫不能享受民主的权利和自由,在政治上受到法西斯专政的压迫和摧残;更不要说过问国家大事,在经济上受到残酷的剥削,感到失业和饥饿的威胁。中国人民革命的目的就是要推翻反动统治的政权,夺取民主的权利和自由,创立人民的国家,建设社会主义。由于新民主主义革命的胜利,我们建立了中华人民共和国,夺得了民主的权利和自由,并把这些权利和自由写在共同纲领中了(《共同纲领》第四、五、六条)。新中国成立 5 年来,我们人民运用这些权利和自由从事于政治的、经济的、文化的各种活动,发扬了高度的民主精神。特别是运用言论、出版、集会、结社等自由,广大人民已分别加入了工会、互助组、合作社、民主妇联、民主青联、学联、文艺协会、科学技术团体、工商联等;这表示着中国人民已经组织起来;使我们人民共和国的基础更加坚强和巩固了。由于国民经济的逐年发展,人民民主的权利和自由,已经扩展了,如劳动权、劳动者休息权、年老疾病的劳动者的获得物质帮助的权利、教育权、科学研究的自由、文艺创作的自由等——这些都是正在实现着的东西,现在已经记录在宪法之中了。

宪法中所列举的公民的权利和自由,包括政治的、经济的、文化的和社会的各方面,人民必须在政治生活、经济生活、文化生活和社会生活各方面,充分地正确地运用这些权利和自由,发扬民主精神,贡献自己的智慧和力量,来建设我们的国家,过渡到社会主义社会。

我们的国家是人民代表大会制的国家。全国人民代表大会和地方各级人民代表大会是人民行使国家权利的机关。人民必须行使选举权和被选择权,选出自己的代表组成人民代表大会,代表人民的意志,行使国家权利,参加国家管理。人民必须有言论和出版的自由,才能发表出自己对于国家大事的意见和要求;才能展开批评与自我批评,指出国家机关工作人员的缺点和错误,以便改好他们的全部工作;才能自由的发表自己的著作,对国家作积极的贡献。人民必须有集会和结社的自由,才能组织各种群众团体,发挥集体主义精神,动员群众来推行国家的政策,搞好本岗位的工作。人民必须有示威和游行的自由,才能号召全国人民对国内外敌人作斗争。

我国是工人阶级领导的国家,必须给公民以劳动权,逐步消灭失业的现象。近年来,党和政府已采取减少失业的措施、已有许多失业劳动者就业。随着国民经济的发展,失业的现象必将归于消灭。其次,我国的工人已经发挥了领导阶级的力量,把劳动看作光荣的事情,他们展开着社会主义劳动竞赛,发挥了劳动的积极性和创造性,提出了无数的合理化建议,推行着技术革新运动,涌现了许多劳动模范和先进工作者。为了鼓励公民在劳动中的积极性和创造性,国家必须给劳动者以休息权,其实施的办法是规定工人和职员的工作时间和休假制度,逐步扩充劳动者休息和休养的物质条件。为了救济年老、有病或丧失劳动能力的劳动者,必须给他们以获得物质帮助的权利,其实施办法是举办社会保险、社会救济和群众卫生事业。

为了建成社会主义社会,国家必须提高广大人民的文化水平,必须鼓励从事科学、教育、文学、艺术和其他文化事业的公民的创造性工作,所以宪法规定公民有受教育的权利(这种权利将随着经济的发展而扩大其范围,提高其程度),规定"保障公民进行科学研究、文学艺术创作和其他文化活动的自由"。

以上仅就公民的主要权利和自由略加说明,其他不再逐项列举了。现在就宪法中所记录的权利和自由,指出其中的几个特点:

第一,年满18岁的公民(有精神病的人和依法被剥夺选举权和被选举权的人除外)一律有选举权和被选举权,不附带任何限制;

第二,公民的自由和权利的享受,由国家给以物质的保证。这种物资保证将随着国民经济的发展而逐步扩大;

第三,公民的权利和自由,不分民族和种族,一律平等享受;

第四,劳动者享有劳动权,休息权和物质帮助权等经济权利;

第五,宪法对于妇女的权利有专条的规定。

现在来谈谈公民的义务问题。在人民民主国家中,公民的义务和权利是不可分离地结合着的,公民享了权利必尽义务,公民尽了义务,权利更能得到保证。因为人民民主国家是人民自己当家作主的国家,国家大事是人民自己的大事,国家的利益是人民自己的利益,两者是一致的,但必须先谋国家的利益然后才有人民自己的利益;只有国家的利益,国家的社会主义事业发展了,人民自己的利益才跟着发展起来。人民既然运用公民的权利参与国家权力的行使,参与国家事务的管理,就必须尽公民的义务来建设自己的国家,保卫自己的国家。这些义务就是:遵守宪法和法律,遵守劳动纪律和公共秩序,尊重社会公德,爱护和保卫公共财产,依照法律纳税,依照法律服兵役,保卫祖国。这些义务是完全符合于国家的利益的,也符合于人民自己的利益的。

刘少奇同志说:"我国人民愿意贡献自己的力量来保卫我们的祖国,来不断地加强人民民主制度,来参加伟大的社会主义事业,当然也就是因为我们的祖国越是强盛,我们的人民民主制度越是强有力,我们的社会主义事业越是向前发展,人民的自由和权利也就越有保障,越能够扩大。"

国家的利益和人民的利益是统一的,公民的权利和义务也是统一的,这样的统一就产生出人民在政治上的统一,共同为建成社会主义的伟大事业而奋斗。

中华人民共和国宪法是社会主义类型的宪法,是工人阶级和人民群众的共同意志的表现。这个宪法的诞生,对于全国人民具有动员组织和改造的伟大力量。正如刘少奇同志所说:"这个宪法既然是表达了人民群众的亲身经验和长期心愿,它就一定能够在我国的国家生活中起巨大的积极的作用,一定会鼓舞人民群众为保卫和发展我们的胜利成果而斗争,为粉碎一切企图破坏我国社会制度和国家制度的敌人而斗争,为促进我国建设事业的健全发展和加速我国建设的进度而斗争。"

中华人民共和国宪法是马克思列宁主义关于宪法的理论在中国的具体的表现,是我们全国人民学习社会主义的教科书,我们必须认真地、虚心地学习这个宪法,广泛地、深入地宣传这个宪法;"必须按照宪法所规定的道路,在中国共产党的领导下,加强团结,继续努力,为保证宪法的完全实施而奋斗,为把我国建设成为一个伟大的社会主义国家而奋斗。"(刘少奇同志语)"我们的目的一定要达到。我们的目的一定能够达到。"(毛泽东同志语)

(原载 1954 年《新建设》10 月号,署名李达)

向社会主义社会前进的里程碑

—— 出席第一届全国人民代表大会第一次会议的感想和体会

（1954. 11）

第一届全国人民代表大会第一次会议是在 1954 年 9 月 15 日下午三时开幕的,它标志着我国人民民主制度已经发展到了新的阶段。

全国人民群众用普遍平等的方式选出的全国人民代表大会的代表,一共是 1226 人,除了十几位年老有病和因公出国的人以外,都在这日三时以前,齐集在富丽堂皇的怀仁堂会场。代表中包括了各民主阶级的代表人物,有 98 位工业劳动模范,57 位农业劳动模范,147 位妇女代表,177 位少数民族代表,30 位华侨代表,60 位武装部队英雄,有著名的文学、艺术、科学、教育工作者,有工商业家和宗教界的代表人物,有毛主席和政府首长,许多代表在过去反动统治时代,都曾受到反动派的敌视、歧视、轻视、贱视、压迫、迫害,甚至受到非刑拷打,在监狱中度过漫长的岁月,现在都一齐翻了身做了国家的主人,来讨论国家大事、制定人民民主宪法,并按照宪法选举新的国家领导工作人员了。全体代表都满怀兴奋和愉快的心情,融融洽洽,欢聚一堂,这充分表现出中国共产党所领导的各民主阶级、各民主党派、各人民团体的广泛的人民民主统一战线的坚强的团结一致,表现出我们的国家是一个伟大的自由平等的民族大家庭。

三时整,毛主席携同政府各首长步上主席台举行开幕式并致开幕词的时候,全场起立鼓掌,经久不息,充分表现了全体代表代表全国人民对于人民领袖的热烈敬爱。这次会议的任务是:

制定宪法,即通过中华人民共和国宪法;制定五个组织法,即全国人民代表大会组织法、国务院组织法、地方各级人民代表大会及各级人民委员会组织法、人民法院组织法和人民检察院组织法；

听取刘少奇同志《关于中华人民共和国宪法草案的报告》，并进行讨论；

听取周恩来同志的《政府工作报告》，进行讨论并予以通过；

选举新的国家领导工作人员，即选举中华人民共和国主席和副主席；选举全国人民代表大会常务委员会委员长、副委员长、秘书长和委员；决定国务院总理人选；选举最高人民法院院长和最高人民检察院院长。此外还根据主席的提名决定国防委员会副主席和委员的人选；根据总理的提名决定国务院组成人员的人选；通过第一届全国人民代表大会民族委员会、法案委员会和预算委员会的主任委员和委员的人选。

上述任务都按照会议日程，于9月28日胜利地完成了。我对于这次会议的总的感想是：代表着全国六万万人的意志的1200多位代表，实现了政治上的一致。这可以从下列各点看出来。

第一，全体一致庄严地投票通过了中华人民共和国宪法。当执行主席郑重地宣布投票表决的结果："中华人民共和国宪法已由中华人民共和国第一届全国人民代表大会第一次会议于1954年9月20日通过。"这时全体起立，暴风雨般的掌声和欢呼声经久不息。

第二，在讨论大会上，各省代表分组所推举的发言代表包括工商业家代表，都兴奋地表示热烈拥护我们的宪法并同意刘少奇同志关于宪法草案的报告，都表示在宪法公布后，要坚决遵守宪法，执行宪法，宣传宪法，为宪法的贯彻实施而努力。其次，讨论政府工作报告时，发言的代表都表示同意这个报告，为报告中所提出的今后行政方针的贯彻而努力。代表们在发言中还根据宪法的精神进行了批评和自我批评，对政府各方面的工作做了批评和建议。

第三，当执行主席郑重地宣布选举结果："毛泽东由会议全体一致选举为中华人民共和国主席，朱德由会议全体一致选举为中华人民共和国副主席"的时候，全体起立，掌声雷动，欢呼"中华人民共和国万岁"、"中国共产党万岁"、"毛主席万岁"、"万岁"，经久不息。其次，当执行主席宣布刘少奇同志当选为全国人民代表大会常务委员会委员长、表决周恩来同志为国务院总理时，全场也一致起立鼓掌，表示热烈的欢迎。这充分地说明：全体代表对于中国共产党、毛主席和各位领袖是衷心拥护的；并且坚决信任在民主基础上的高度集中的最高国家权力机关和最高国家行政机关确实能够保障人民的民主权利和保障社会主义建设的。全体代表这种政治上的一致,是全国人民的共同利益和统一意志的表现。

我们学习这次会议的文件,主要是结合毛主席的开幕词、刘少奇同志的关于宪法草案的报告和周恩来同志的政府工作报告来认真地深入地学习我们的宪法。关于宪法草案的报告可说是宪法起草的理由书。刘少奇同志在报告中,首先说明了宪法序言的基本精神,说明宪法"是中国人民一百多年以来英勇斗争的历史经验的总结,也是中国近代关于宪政问题和宪政运动的历史经验的总结",并且"又是中华人民共和国成立以来新的历史经验的总结"。根据这些经验,刘少奇同志指出"我国只有社会主义这条唯一的道路可走,而且不能不走,因为这是我国历史发展的必然规律"。并且"从中华人民共和国成立以来,我国已经走上社会主义的道路"。全国人民现在都称赞这个宪法草案,就因为它正确地总结了我国的历史经验,它是我国人民利益和人民意志的产物。

刘少奇同志更进而说明宪法的基本内容,其一说明我国国家的性质问题,指出"工人阶级领导和以工农联盟为基础,标志着我们国家的根本性质",并说明工农联盟应当包括个体手工业者和非农业的劳动者;又说到我国知识分子是从各个不同的社会阶级出身,除极少数坚持反动立场的知识分子外,国家必须注意团结他们,并帮助他们进行思想改造。至于对民族资产阶级则仍采取又联合又斗争的政策,与之结成统一战线,使他们经国家资本主义改造为社会主义。其二说到由新民主主义过渡到社会主义的过渡形式和步骤以及和平改造的道路。其三说到我国人民民主的政治制度,着重阐扬民主集中制是高度的民主和高度的集中的结合,是以高度的民主为基础的高度的集中,它和资产阶级国家的中央集权制即官僚集权制毫无共同之点。报告又说到公民的权利和义务,指出两者的一致,指出国家利益和个人利益的一致,个人利益要服从国家利益,人民只有贡献自己的力量保卫祖国,加强人民民主制度,发展社会主义事业,人民的自由和权利才更有保障、更能扩大。报告中还有专门一节说到民族自治问题,对于宪法中有关民族问题各条款做了说明。我们学习了这个报告,更容易理解宪法的基本内容和基本精神。

　　周恩来同志的政府工作报告,说明了新中国成立 5 年来在经济上和政治上的新胜利,这些新胜利正是宪法所巩固着的东西。其一,在经济上,第一个五年计划已从 1953 年起实施,几种重工业已发展到 1949 年的 4 倍半;现代工业产值在工农业总产值中已占 31%,国营工业、合作社营和公私合营工业的总产值在工业总产值中的比重达到了 71%。这就表明我们国家正在向着工业化的目标前进,向着社会主义的目标前进。其二,农业方面在土地改革以后有了新的发展,粮食和棉花产量都超过了战前最高年产量;参加互助组和合作社的农户已达到全体农户 60%,农业生产合作社已发展到 10 万个,1955 年春天将发展到 50 万个,这表明农业的社会主义改造,已经有了初步的成就。其三,商业方面,国营商业已经可以掌握有关国计民生的主要商品的全部或大部,并且管制了全部对外贸易;商业合作社社员人数已达到一亿六千多万人,成为国营商业强大的助手。其四,公私合营工业的产值在 1954 年将达到 1949 年的 18 倍,中级形式的资本主义工业总产值在私人工业总产值中的比重也很大。这说明资本主义企业已经开始走上了国家社会主义的道路。从以上各点,可以证明宪法所规定的社会主义的道路是有现实物质基础的。

　　政府工作报告中所说的人民民主政权的建设、巩固和发展,正是表明国家机关的健全是社会主义建设和社会主义改造的伟大力量。另外还说到新中国成立 5 年来和平外交政策的伟大成就。中苏友好互助同盟成了保卫远东安全和世界和平的坚强堡垒,两国兄弟般的友谊与日俱增。这种友谊已经写在我们宪法序言中,这表示着这种友谊是永远不可磨灭的。我国还和欧洲、亚洲 10 个人民民主国家建立了兄弟般的友谊,一同构成以苏联为首的和平、民主和社会主义阵营。此外,我们还和欧洲几个资本主义国家建立了外交关系。在亚洲方面,我们和印度、缅甸、印尼、巴基斯坦等国建立了外交关系,特别是中印总理和中缅总理所声明的关于和平共处的五项原则,我们认为是应该适用于我国和亚洲其他国家的关系之中和一般国际关系之中。报告中所报告的经济上政治上和外交上的成就,正是证明我们的宪法的制定是完全以事实为根据的。

　　我们学习这次会议的文件的要求,就是要深刻了解我们的宪法是为建成社会主义社会而奋斗的宪法,明确认识当前全国人民最主要的任务,就是要发挥出高度的积极性和创造性,在中国共产党领导下,为建成社会主义社会而奋斗。因此,我们要严格遵守宪法和法律,爱护和保护公共财产,爱护我们伟大的祖国。我们还要进一步了解:为集中力量建设我国的重工业,必须树立个人利益服从国家利益、目前利益服从长远利益、局部利益服从集体利益的观点,必须树立艰苦奋斗、厉行节约的思想,了解新中国成立以来新胜利和新发展的意义和建设的具体道路,具有克服前进道路上的一切险阻的信心和勇气。我们要遵照毛泽东同志在大会中的指示,"努力工作,努力学习苏联和各国家的先进经验,老老实实,勤勤恳恳,互勉力诫任何的虚夸和骄傲,准备在几个五年计划内,将我们现在这样一个经济上文化上落后的国家,建设成为一个工业化的具有高度现代文明的伟大的国家"。

(原载 1954 年 11 月 15 日《长江日报》,署名李达)

维护欧洲和平和安全
反对复活德国军国主义

（1954. 12）

一、复活德国军国主义是对欧洲和
世界和平的最大威胁

德国问题是当前国际上和平与战争势力斗争的焦点之一，也是全世界人民所最关心的问题之一。这个斗争的实质，就是一方面以美帝国主义为首的侵略阵营，坚持分裂德国，复活德国军国主义，从而准备和发动新的侵略战争；另一方以苏联为首的和平民主社会主义阵营，坚决主张把德国变为独立、统一、民主、和平的国家，制止德国军国主义的复活，从而保障欧洲和世界的和平与安全。这次在莫斯科举行的欧洲国家会议，就是这一斗争的新的具有历史意义的发展。为了说明这一斗争的严重意义，说明德国军国主义对欧洲和世界和平的严重威胁，我们有必要回忆一下德国的历史。

从 1871 年普鲁士战胜法国后，德意志帝国成立。在德意志帝国成立后，德国资本主义经济迅速发展，很快就赶上了先进的帝国主义国家，变为后起的帝国主义强国，并积极向外侵略，参加帝国主义瓜分殖民地的斗争，终于在1914 年爆发了帝国主义重新瓜分殖民地的第一次世界大战，军国主义的德国是发动这次战争的魁首之一。

在第一次世界大战中，德国被打败了，根据巴黎和约的规定，德国的军事力量受到很大的限制，还要支付巨额的赔款。但是英美帝国主义为了反苏反共，镇压人民革命运动，在战后却不惜多方扶植德国军国主义的复活。在他们的支持下，1933 年初，希特勒纳粹分子取得政权，就立即疯狂扩军备战，妄图称霸世界。1939 年,希特勒在欧洲发动了战争,掀起了第二次世界大战,1941年又背信弃义地进攻苏联。由于苏联军队的英勇反攻,到 1945 年 5 月,苏联攻下希特勒的窝巢柏林,纳粹德国终于无条件投降。

由此可见,正是德国军国主义以及与之相勾结的一些帝国主义国家,制造了两次世界大战,使欧洲和全世界人民,包括德国人民在内,遭到了不可估计的牺牲和无穷的祸害。历史证明德国军国主义是欧洲和世界人民,首先是德国人民的最大敌人。

第二次世界大战以后,根据雅尔达和波茨坦协定,首先就是要采取措施,根除德国军国主义,使德国真正成为一个独立、统一、民主、和平的国家。同时,根据战时情况,规定战后德国由苏、美、英、法四国分区占领,实行军事管制,这样做其目的也是为了便于肃清德国军国主义。又规定设立四国外长会议,负责准备对德和约和处理有关德国问题,这也就是说,在解决德国问题上,四国负有特别的责任。几年以来,苏联是一贯忠诚地履行了雅尔达和波茨坦协定所赋予它的职责,在东部苏占领区,根除了德国军国主义和纳粹分子,扶助德国民主和平力量的成长;而在另一方面,美、英、法三国在西部占领区内,却完全违反了国际协议,不断地扶植德国军国主义的复活。到 1949 年 9 月,它们更进一步在西德扶植阿登纳建立傀儡政权,合并美、英、法占领区成立所谓"德意志联邦共和国",使德国进一步陷于分裂。它们这样做,就是为了更便于复活德国军国主义,企图把西德武装起来,作为进攻苏联和东欧人民民主国家的基地。在这种情势之下,为了更有效地为争取德国民主统一而斗争,东德的民主力量,在苏联的大力支持之下,就在 1949 年 10 月 7 日,成立了德意志民主共和国。正如斯大林同志所指出的,德意志民主共和国的成立,是"欧洲历史的转折点"。由于民主德国在苏联支持下不懈地为反对德国的分裂,反对复活德国军国主义而斗争,愈来愈多的西德人民就看清了自己摆脱苦难命运的出路,愈来愈积极地参加了争取和平统一德国的斗争。苏联的和平统一德国的政策以及德国人民的斗争,也愈来愈获得欧洲和全世界人民的广泛同情和支持。

正因为这样,以美帝国主义为首的西方国家就更着了慌,更加积极地要武装西德,复活德国军国主义。他们在"欧洲军"计划破产以后,最近更签订了公开武装西德的伦敦和巴黎协定,使欧洲和世界和平遭到了更严重的威胁。正如莫洛托夫外长指出的,这种局势"引起了爱好和平的各国人民的不安是理所当然的"。爱好和平的各国人民,包括德国人民在内,当前的任务就是加强自己的团结,用一切努力反对批准伦敦和巴黎协定,反对武装西德,制止德国军国主义复活,以保障欧洲和世界的和平与安全。

二、对德问题上的两条路线的斗争

第二次世界大战结束已经 9 年多了,但对德和约还没有缔结,德国还陷于分裂局面,这个结果完全是美、英、法三国统治集团的分裂政策造成的。

在解决德国问题上,战后一直存在两条路线的斗争。根据雅尔达协定和波茨坦协定的规定,苏、美、英、法四国在战后应当采取措施,解除德国武装,根除德国军国主义和纳粹主义,取消德国军事工业,以防止德国作为一个侵略国而复活,使德国真正成为一个独立、统一、和平、民主的国家。苏联忠实地执行了这些国际协定的规定,在苏联占领区(即东德),采取了一系列的措施,肃清了军国主义与纳粹残余势力,建立和发展了和平经济,发展和巩固了人民民主力量。而在西德,却与此完全相反,在美、英、法三国占领者的纵容和扶植下,德国军国主义和纳粹主义又在逐渐复活,军事工业也在迅速恢复,这些做法是彻头彻尾违反西方国家所承担的国际义务的。

根据波茨坦协定的规定,解决德国问题的正当途径是召开和会,缔结对德和约;并规定设立四国外长会议,作为负责准备对德和约和处理有关德国问题的专门机构。从 1946 年到现在,四国外长会议一共举行了六次会议,在历届四国外长会议上,苏联一贯坚持促进德国的统一,早日准备和缔结对德和约,并在公平合理的基础上解决有关德国问题,以巩固欧洲和世界的和平。而以美帝国主义侵略集团为首的西方三国则千方百计反对苏联关于和平解决德国问题的一切合理建议,坚持分裂德国的政策,阻挠破坏对德和约的准备,致使历届四国外长会议都没有得到应有的结果。早在 1946 年 7 月在巴黎举行的第一届四国外长会议上,苏联就提出了关于德国命运与对德和约问题的全面意见,主张建立全德政府,以准备缔结对德和约,并提出发展德国和平经济的积极意见。可是,美国侵略集团及其英法追随者在这第一次四国外长会议上,就完全违背国际协议,而提出把德国分裂为一些"自治的"国家、使德国联邦化的计划,并要剥夺德国和平经济发展的机会,使德国永远处于分裂的、被奴役的地位。其后,在 1947 年春在莫斯科举行的第三届四国外长会议上,同年年底在伦敦举行的第四届四国外长会议上,1949 年 5 月在巴黎举行的第五届四国外长会议上,苏联每次都提出了关于对德和约和恢复德国统一的具体的建议,这些建议不但完全体现了苏联在对德问题上的一贯和平政策,而且也完全符合欧洲各国人民首先是德国人民的利益,但是这些建议每次都为西方三国无理拒绝,这样,德国问题就一直没有得到解决。

但是,美国侵略集团及其英法追随者并不以阻挠破坏外长会议为满足,它们还要进一步分裂德国。1948 年,美、英、法纠集比、荷、卢在伦敦举行了"六国会议",非法通过合并美、英、法三国占领区的决定,从政治上分裂德国;接着又在西德实行单独的货币改革,从经济上分裂德国;到了 1949 年 9 月,它们就更进一步扶植阿登纳傀儡政权,建立所谓"德意志联邦共和国",企图永远陷德国于分裂。以美帝国主义为首的侵略集团,所以要这样处心积虑地分裂德国,其目的就是为了便于复活德国军国主义,并以武装了的西德为核心,建立军事集团,以发动对苏联和东欧人民民主国家的侵略,挑起新的世界战争。它们这样做,只是为了满足以华尔街为首的垄断资本的利益,与它们本国人民、与欧洲各国人民特别是德国人民的利益是根本相违背的。

在西德傀儡政权公然建立起来、侵略战争的危险空前加剧的紧急情势之下,为了继续并加强反对分裂、反对复活德国军国主义、反对侵略的斗争,东德苏占区的民主力量,在人民的一致拥护下,在苏联的支持下,1949 年 10 月 7 日正式成立了德意志民主共和国。德意志民主共和国的成立,奠定了统一德国的基础,为和平解决德国问题开辟了道路。

可是在这以后,西方三国分裂德国、复活德国军国主义的阴谋活动更是变本加厉。1951 年 7 月,三国片面宣布了"结束对德战争状态";1952 年 5 月,三国又与西德签订了所谓"一般性条约"(波恩条约),规定要占领西德达 50 年之久;同时又签订了把西德拖入北大西洋侵略集团的所谓"欧洲防务集团条约"(巴黎条约),企图以西德为骨干建立所谓"欧洲军"。侵略战争的威胁是越来越严重了。在这种严重的形势之下,苏联仍本着一贯的和平政策,坚持不屈不挠的斗争。在苏联的一再努力争取和全世界人民的要求的巨大压力之下,根据苏联的建议,在今年1月底,恢复了由于美、英、法三国无理阻挠中断了近5年的四国外长会议,在柏林举行了第六届四国外长会议。会上,苏联又提出了解决德国问题的明确方案和一系列的建设性的建议,除了继续主张早日缔结对德和约及召开和会外,并主张举行全德自由选举,从速撤退驻德占领军;此外,为了从根本上保障欧洲的和平和安全,更进一步提出建立欧洲集体安全体系的具体建议。可是,由于美国侵略集团及其英法追随者根本害怕和平,苏联的这些正义主张仍然为三国所无理拒绝。即使在这样的情况之下,苏联仍不放弃努力,先后于本年3月、7月、8月、9月、10月五次照会美、英、法等国政府,要求协商解决德国问题及建立全欧集体安全体系问题。然而这些诚意的努力,都由于西方三国统治集团的坚持阻挠,没有得到具体结果;反之,它们却在所谓"欧洲防务集团"遭到欧洲人民的唾弃而宣告破产之后,更进一步在今年9月到10月签订了公开武装西德、建立侵略集团的伦敦和巴黎协定,使欧洲局势更为紧张,欧洲和世界和平遭到日益严重的威胁。在这样的紧急关头,这次苏联和欧洲各人民民主国家在莫斯科举行了讨论保障欧洲和平和安全的欧洲国家会议,并发表了宣言,重申和平解决德国问题和维护欧洲和平与安全的决心与信心。这是在对德问题两条路线斗争上又一具有历史意义的发展。可以预料,在这次会议之后,欧洲人民和全世界人民将受到更大的鼓舞,进一步团结起来,更有力地粉碎了美、英、法统治集团分裂德国、复活德国军国主义的阴谋,维护欧洲和世界的和平与安全。

三、德国人民争取和平统一
反对军国主义化的斗争

德国军国主义在25年之中发动了两次世界大战,都给欧洲和世界人民带来莫大的牺牲,同时也给德国人民带来了莫大的灾难;直到现在,德国仍陷于违反德国民族利益的分裂局面。德国人民在自己的切身经验中,深深地认识到德国军国主义是他们的死敌,因此战后9年来,不论在东德和西德,他们对

以美帝国主义为首的西方国家分裂德国和重新复活德国军国主义的政策,进行了不屈不挠的反抗斗争。早在 1947 年 12 月,当西方三国分裂德国的阴谋日益显露的时候,德国人民就在德国统一社会党的号召下,由东德和西德代表共同在柏林举行了"争取统一与公正和约"的第一届德国人民代表大会,大会代表全德人民的意志,向当时在伦敦举行的四国外长会议提出要求,要求恢复德国政治上与经济上的统一并缔结和约。在 1948 年 3 月举行的第二届德国人民代表大会的两千名代表中,就有 550 名是来自西德的。人民代表大会要求统一德国和缔结和约的活动纲领,获得了全德人民的支持并加强了东西两部人民团结斗争的力量。

1949 年 9 月,以美国为首的西方三国所扶植的西德傀儡政权宣告成立,使德国进一步陷于分裂的局面。这种分裂局面只有利于西方三国统治集团复活德国军国主义,有利于阿登纳统治集团所代表的一小撮德国垄断资本的利益,而直接违反了全体德国人民首先是西德人民的利益。为了更有力地粉碎西方三国分裂德国的阴谋,争取德国在和平民主基础上的统一,东德民主力量于 1949 年 10 月 7 日,正式成立德意志民主共和国。在共和国成立的当天,民主德国全国阵线就发表宣言,明确地提出要在和平民主的基础上统一德国,争取尽早缔结对德和约,反对使德国加入侵略性的军事集团,而为了达到这一目的,首先就要求东德和西德达成谅解,以便促进德国问题的解决。为此,几年以来,民主德国会一再向西德当局建议召开有东西德代表参加的会议,讨论通过自由选举恢复德国统一和迅速缔结对德和约以及恢复双方经济文化交流等问题,一再发出"德国人,到一张桌子上旁边来!"的呼吁,表现了最大的诚意。在西德,1953 年 3 月也正式成立了"西德争取和平解决德国问题委员会",广泛展开了要求达成东西德互相谅解的运动。但是这些建议和呼声,都遭到出卖德国民族利益的阿登纳集团所无理拒绝。虽然如此,民主德国政府仍不放松努力,并进一步主动采取有利于东西德接触的具体措施,在 1953 年 6 月共和国政府宣布的新的政治方针中,除了采取措施以提高共和国境内的劳动人民的生活水平之外,并重新制定关于批准西德及西柏林区居民到共和国来访问的决定,放宽区际通行证的制度,以便利东西德之间的交通。毫无疑问,这些措施是有利于增加东西德居民间的相互了解,有利于促成东西德达成相互谅解,从而有利于促成德国问题的解决的,因而获得全德人民的热烈欢迎。然则这却使得美帝国主义和阿登纳卖国集团格外害怕,因此他们就进一步拿出了极端无耻的手段,于这年 6 月 17 日在柏林民主区和民主德国其他城市中策动了法西斯挑拨,企图阻挠民主德国新方针的实施。这次挑拨在民主德国政府和人民的密切配合下,很快地被镇压下去了。

由于美国侵略集团及其英法追随者分裂德国的目标就是要便于武装西德,以发动新的侵略战争,所以德国人民争取和平统一的斗争,是和反对武装西德的斗争联系在一起的。早在 1951 年 4 月,在西德就成立了西德人民反对重新军国主义化中央委员会,领导西德人民开展反对重新军国主义化的运动。1952 年 5 月,西方国家签订复活德国军国主义的"欧洲防务集团条约"(即欧洲军条约),激起了德国人民的强烈反对。今年 6 月,东德和西德人民响应民主德国人民议院的号召,就下面这样一个重要问题举行了投票,这个问题是:"你赞成和约和撤退外国占领军队呢? 还是赞成'欧洲防务集团条约'和'一般性条约'以及让占领军继续留驻 50 年呢?"在民主德国参加投票的共有1330 余万人,其中有 90%以上的人要求缔结和约,反对"欧洲防务集团条约"。在西德,广大劳动人民不顾当局的阻挠和迫害,也积极地参加了投票运动,表示了同样的意志,加在格莱克参加了投票的居民中,就有 9256 人赞成和约,270 人弃权,只有 108 人赞成"欧洲防务集团条约"。在德国人民和欧洲其他各国人民、特别是法国人民的强烈反对和巨大压力下,"欧洲防务集团条约"终于宣告破产,但美帝国主义没有在这次失败中汲取教训反而变本加厉,又于今年 9 月和 10 月,先后纠集追随美国战争政策的西方国家,签订了公开武装西德的伦敦和巴黎协定。这个露骨的侵略协定,严重地威胁着欧洲和平,更严重地违反着德国人民的利益,全体德国人民正广泛地开展运动以阻止这个协定的实施。最近在莫斯科举行的有民主德国政府代表团参加的欧洲国家会议,是反对这个协定的实施和争取建立欧洲集体安全体系的一个具有历史意义的重大发展,会议的成就及联合宣言,获得了全体德国人民的热烈拥护。

德国人民的斗争不是孤立的,他们得到欧洲和全世界爱好和平的人民首先是苏联人民的坚决支持。只要德国东西两部人民继续加强团结并且继续加强和欧洲各国人民的团结,继续不懈的斗争,德国的和平、统一、独立、民主的愿望最后一定能得到实现。

四、复活德国军国主义的伦敦协定和巴黎协定

分裂德国、复活德国军国主义、组织以西德武装为骨干的侵略性的军事集团,以进攻苏联和东欧各人民民主国家,挑起世界大战,这是以美国为首的侵略集团的一贯阴谋。战后9年来,美国侵略集团为了实现这一罪恶的阴谋,曾经有计划、有步骤地采取了一系列的措施。早在1948年美国即策动英、法、荷、比、卢等五国签订了《布鲁塞尔公约》,组织"西欧联盟";1949年又扩大"西欧联盟"组织,由美国直接参加并把加拿大、挪威、丹麦、冰岛、葡萄牙和意大利等国拉拢进来,签订了《北大西洋公约》,成立了《北大西洋联盟》。到了1952年5月,美国就进一步指使法、意、荷、比、卢等五国和西德签订《欧洲防务集团条约》,直接将西德拉入侵略集团,计划建立以重新武装起来的西德军队为骨干的"欧洲军",使爱好和平的欧洲国家和人民受到严重的战争威胁。

但是,爱好和平的欧洲各国人民,尤其是德国和法国人民,它们是坚决反对复活德国军国主义,反对建立"欧洲防务集团"的。今年8月30日法国国民议会在法国人民强大的压力下,否决了《欧洲防务集团条约》,终于使美国侵略集团的罪恶阴谋遭到了可耻的失败。这正使欧洲局势有了缓和的希望,可是,害怕和平的美国侵略集团却更感到恐慌,更急于复活德国军国主义并企图使之合法化,即先后于今年9月27日和10月18日在伦敦和巴黎召开了美、英、法、西德、意大利、荷兰、比利时、卢森堡、加拿大等九国外长会议,分别签订了《伦敦协定》和《巴黎协定》。

《伦敦协定》和《巴黎协定》内容主要有如下几点:一是扩大英、法、荷、比、卢等国于1948年3月签订的《布鲁塞尔条约》为《西欧联盟》,让西德和意大利参加。二是西德在参加《布鲁塞尔条约》之后,立即参加《北大西洋公约》。三是恢复西德"主权",美、英、法三国仍继续在西德驻军到1998年。《伦敦协定》就上述各项有关问题确定了一些原则,《巴黎协定》则加以补充和具体化并最后定案。根据《伦敦协定》和《巴黎协定》,西德的复仇主义势力将被允许重建一支50万到52万人的军队,其中包括高度机械化装备的陆军、拥有

1300 架飞机的空军和攻击力相当强大的海军以及军事参谋本部；西德的军事工业也将正式大规模的生产军火。而且还允许西德军队可以拥有原子武器，可以进行原子的研究工作。这种公开武装西德、复活德国军国主义的罪恶阴谋，显然比《欧洲防务集团条约》的战争性质更进了一步，对爱好和平的欧洲各国和世界各国人民的威胁也就更大了。

《伦敦协定》和《巴黎协定》虽然规定了对于西德军队水平的"限制"和对《布鲁塞尔条约》国家军备"监督"的办法，以及英美继续在西欧驻军来予以"保证"等等。但是，这种"限制"、"监督"和"保证"完全是掩耳盗铃的做法，是毫无实际价值的。事情很明白，以美国为首的侵略集团既然一心一意要武装西德，又怎能"限制"它的水平，又怎能够"保证"德国军国主义和复仇主义者不走上复仇主义的道路？过去的历史事实清楚地告诉了我们：当德国的命运为德国军国主义者所掌握的时候，它就必然要废弃一切诺言和保证，走上战争和侵略的道路。从第一次世界大战到第二次世界大战，25 年间，德国军国主义者先后发动了两次残酷的战争，使欧洲和世界各国人民包括德国人民饱受了战争的痛苦。同时历史事实也清楚地告诉了我们：德国军国主义者是善于利用机会来迅速建立其战争机器的。人们记得很清楚，当希特勒上台之后，他是怎样一步步地实现他的侵略野心和计划的。今天美国侵略集团武装西德的阴谋，正和第二次世界大战前美英帝国主义扶植希特勒同样性质，而且更加露骨、更加危险。

以上事实说明：武装西德、复活德国军国主义的罪恶阴谋如果一旦实现，将使欧洲局势大大复杂化，使战争的危机大大加深，因而严重地威胁着爱好和平的欧洲国家的安全，特别是德国邻国的安全；同时也将破坏解决悬而未决的欧洲问题首先是解决德国问题的可能性。爱好和平的欧洲国家对此深感不安，是理所当然的。从现实和历史教训中可以看到：要想防止德国军国主义的复活，要想避免欧洲再度遭受到战争灾难的唯一道路，只有和平解决德国问题，恢复德国的统一，使德国成为一个独立、民主、和平的国家，并建立欧洲的集体安全体系，共同来保障欧洲的和平与安全。这次在莫斯科举行的欧洲国家会议正是在这样的基础上召开的。会议宣言号召各国人民进一步团结起来，继续为反对《伦敦协定》和《巴黎协定》，反对复活德国军国主义、维护欧洲和世界和平与安全而斗争。这对各国人民是一个新的极大的鼓舞,必将推动各国人民进一步加强斗争,彻底粉碎美国侵略集团的阴谋。

五、建立欧洲集体安全体系,保卫欧洲和平

从11月29日到12月2日,在莫斯科召开了欧洲国家保障欧洲和平和安全会议。四天的会议表明:欧洲爱好和平的国家对于制止西德军国主义复活、防止欧洲新战争的威胁的意志完全一致;对于拯救欧洲和平和建立欧洲集体安全,具有充分的决心与信心。

第二次世界大战结束九年来,美国及其英、法追随者一直拖延缔结对德和约,坚持分裂德国,积极复活德国军国主义,并企图把一个重新武装了的西德拖入侵略性的军事集团,因而日益严重地威胁着欧洲的和平与安全。为了不使欧洲重遭德国军国主义分子的蹂躏,苏联在战后一贯致力于使德国成为一个统一、和平、民主的新国家,并积极为建立欧洲集体安全而努力。在今年一月在柏林举行的四国外长会议上,苏联又一次提出一系列的和平解决德国问题的建设性建议,并且针对美国侵略集团积极组织以武装西德为核心的"欧洲防务集团"的阴谋,进一步提出了关于保障欧洲安全的建议和保障欧洲集体安全的全欧条约的原则草案。按照这个条约的基本原则,欧洲所有的国家,包括德国在内,不论它们的社会制度如何,都可以参加这个条约;缔约国之间不得发动任何进攻,不得使用威胁和武力;如果任何一个缔约国为欧洲将发生一个或一个以上的缔约国受到武装进攻的危险,所有的缔约国就要磋商,以便采取有效步骤消除危险,维护欧洲的安全;任何一个或一些国家对一个或一个以上的缔约国发动武装进攻,将被认为是对所有缔约国的进攻;此外,缔约国不得参加与欧洲集体安全条约的宗旨相抵触的任何同盟或协定。很显然,缔结这样一个条约,欧洲一切国家的安全就能得到可靠的保障,同时也就能更有效地防止德国军国主义的复活,并大大有利于德国问题的和平解决。

苏联这个合理主张提出之后,当时就受到欧洲各国人民的热烈欢迎和拥护,但却被美国及其英、法追随者所断然拒绝。可是,为了欧洲和世界的和平,苏联并没有因此而放弃了自己的努力。今年7月24日、8月4日、9月10日、

10 月 23 日，苏联又一再照会法、英、美等国政府，建议召开全欧会议，讨论建立欧洲集体安全体系问题；并建议召开法、英、美、苏四国外长会议，来讨论在和平民主的基础上恢复德国的统一，以及筹建欧洲集体安全体系的问题。所有这些努力，都得到欧洲各国人民的广泛响应和支持，并给予各国人民反对武装西德争取欧洲和平的斗争以极大的鼓舞。

在欧洲各国人民特别是法国人民的反对下，臭名昭著的"欧洲防务集团"终于在今年 8 月宣告破产了。这件事的本身，就充分反映了欧洲各国人民反对复活德国军国主义、要求建立欧洲的集体安全的共同愿望。但是美国统治集团及其英、法追随者却全然不顾欧洲各国人民的愿望，在"欧洲防务集团"垮台之后，赶忙又在今年 9 月和 10 月，签订了公开武装西德的《伦敦协定》和《巴黎协定》。很显然，如果《巴黎协定》一旦被批准，不仅恢复德国的和平统一成为不可能，而且使侵略战争的威胁大大加深。因此它立刻遭到欧洲各国人民的普遍反对。由于害怕《巴黎协定》又像"欧洲防务集团"一样再遭覆灭，美国及其英、法追随者一方面欺骗各国人民，说是当《巴黎协定》的有关国家批准了《巴黎协定》之后，西方国家就打算和苏联就德国问题和欧洲集体安全问题举行谈判；一方面则竭力胁迫《巴黎协定》有关国家的议会，赶快在今年12 月间批准《巴黎协定》，局势到了这样紧急的关头，欧洲面临着和平与战争的抉择，因此，苏联建议在 11 月 29 日也就是在欧洲有关国家议会讨论批准《巴黎协定》以前，召开全欧会议，来讨论建立欧洲集体安全体系问题，这是完全适时和必要的。

苏联这一建议提出后，得到各国人民的热烈支持和拥护。欧洲各人民民主国家都派出参加欧洲会议的政府代表团，我国政府也派出自己的代表作为观察员出席这次欧洲会议。其他许多欧洲国家的政府也在原则上赞同苏联的建议，只有美国侵略集团及其英、法追随者则悍然拒绝了苏联的建议。但是，讨论建立欧洲集体安全体系的会议并没有因为它们拒绝参加而不能举行，也没有因为它们拒绝参加而减少会议的重大意义。在莫斯科举行的欧洲国家会议上，会议参加国一致通过了一项联合宣言。宣言详细地分析了由于美国及其英、法追随者缔结的《巴黎协定》所造成的严重局势，指出批准《巴黎协定》将阻塞和平解决德国问题的道路，并使欧洲和平受到更大的威胁。宣言中再一次地呼吁欧洲各国共同研究欧洲集体安全体系的问题,指出只要各国具有在和平、民主基础上解决德国问题的诚意,具有谋求欧洲和平、安全的诚意,那么即使在现在,德国问题和欧洲的和平、安全问题也是能够合理解决的。宣言同时也坚决地宣布:如果西方国家竟然不顾一切批准了《巴黎协定》,那时,所有参加这次会议的国家,为了保障自己人民的和平劳动,保障自己的国界不受侵犯,保证击退可能发生的侵略,它们将坚决地在组织武装力量和司令部方面采取共同措施,并且还要采取加强它们国防力量所必需的其他措施。这一切,都完全符合于欧洲各国人民的利益,而对于美国侵略集团及其英、法追随者则是又一次沉重的打击。事实证明,这次欧洲会议是保障欧洲和平的新的里程碑,会议的成功及其宣言,必将大大地鼓舞欧洲各国人民进一步加强团结,为反对武装西德、反对批准《巴黎协定》、建立欧洲集体安全体系而斗争。

(原载 1954 年 12 月 4、6、8、10、11 日《长江日报》,署名白鸽)

反对美蒋"条约"　坚决解放台湾

（1954.12）

一、美蒋条约是一个露骨的侵略条约

12月2日美国政府和蒋介石卖国集团签订的所谓"共同防御条约"，是美国侵略集团企图永久强占我国领土台湾、并准备扩大对我国和亚洲侵略的条约。这样一个彻头彻尾的侵略性的战争条约，美国侵略集团竟想欺骗世人，说它是"防御性质"的，是"维持和平"的。那么，我们来看看事实究竟怎样吧！

美国政府在1950年发动侵略朝鲜战争的同时，就用武力侵占了我国领土台湾。现在朝鲜战争已经停止，美国政府不能再用来作为侵占台湾的借口，它就索性制造个美蒋"条约"，公开霸占我国领土台湾和澎湖，想使它的侵略行为合法化。美蒋"条约"第七条公然规定：美国有"在台湾、澎湖及其附近为其防卫需要而部署美国陆海空军之权利"。在太平洋彼岸的美国，竟要跑到5000英里以外的中国领土上来建立军事基地，这不是公开侵略是什么？这哪有半点说得上是为了"防御需要"？值得注意的是美国占领部队，除了现在经常驻扎我国台湾、澎湖的海、空军以外，还要包括陆军，也就是说还要加强它的侵略军事力量。"条约"第十条又规定"本条约将无限期有效"，更是露骨地表明了美国侵略集团要永久霸占我国领土的野心。

美蒋"条约"虚伪地用了许多"和平"的字眼，但是实际上却表明美国侵略集团坚决与我国人民为敌，企图阻挠我国人民解放台湾。"条约"第二条规定：美蒋将"以自助及互助之方式维持并发展其个别及集体之能力，以抵抗武装攻击及……共产党颠覆活动"；第五条又规定美蒋要"采取行动，以对付此共同危险"；第四条并规定美蒋之间"就本条约之实施随时会商"。这些都是公开宣布,如果中国人民要解放台湾,美国就要采取行动,也就是要进行干涉。美国国务卿杜勒斯更公然扬言:如果中国人民要解放台湾,美国就要"在它自己所选择的地方用它自己所选择的手段进行报复"。谁不知道,台湾自古以来就是中国的领土。解放台湾,消灭蒋介石卖国集团,完全是中国的内政,完全不是什么"外来攻击"。解放台湾,是六万万中国人民不可动摇的决心,任何人都不能阻挡。而美国侵略集团不但要"采取行动"阻挠我解放台湾,并且在我国解放台湾时还要"进行报复",就是说要扩大对我国的进攻,这还不够清楚说明杜勒斯之流的美国统治集团是怎样侵略成性、好战成性么?

美蒋"条约"的侵略战争性质还不止此。"条约"第六条进一步规定:"第二条及第五条之规定并将适用于经共同协议所决定之其他领土。"蒋贼的所谓外交部次长沈昌焕在本月 3 日就曾解释说:"所称其他领土……在我方为除列举之台湾、澎湖以外之全部中国领土","双方可随时会商协议决定将缔约区域扩展至我国领土之任何区域";他又说:这个条约"并无限制我反攻大陆之规定"。而华盛顿官员在同一天就表示同意沈昌焕的解释,说这个条约"并不阻止台湾政府向共产党大陆发动攻击"。再联系看杜勒斯的所谓"进行报复",这就清楚说明了美国侵略集团不但决心要阻挠我国人民解放台湾、澎湖和沿海岛屿,而且要支持和利用蒋介石卖国集团进攻中国大陆,要进一步扩大对中国的侵略。这样做的深远目的,就是企图使蒋介石集团在中国大陆复辟,把全中国变为美国的殖民地。这是何等恶毒的阴谋!

美蒋"条约"既是这样一个露骨的侵略条约,美国侵略集团当然就"一不做,二不休"。就在美蒋"条约"签订的同一天,美国国防部就宣布将在我国台湾海峡的第七舰队划归太平洋舰队司令指挥,以扩大它的侵略军事机构的体系。连日以来,美蒋正积极进行关于美国对我国台湾的全面占领的安排活动,并在台北联合成立所谓"军事计划委员会",作为"最高的"机构;美国陆海空军人员,源源不断地赶到台湾,著名的战争贩子、参谋长联席会议主席雷德福也将在月底到我国台湾,和蒋贼会商"条约"实施的具体办法。此外,在 12 月上半月,美国还出动它的远东海空军在我国东海海面举行了大规模的军事演习,并派飞机数度侵入我国领空,蓄意对我国进行武力威胁和挑衅。这一切都为美蒋"条约"的侵略战争性质做了清楚的注脚。任何所谓"防御"、"和平"

的字眼,再也骗不了任何人了。

中国人民热爱和平,但是决不会牺牲自己的领土权去乞求和平。中国人民坚决反对战争,但是决不会被战争的威胁所吓倒。美蒋"条约"是非法的,蒋介石卖国集团是无权出卖中国领土主权的。中国人民对美蒋"条约"的答复是:为了制止侵略,为了保卫领土主权的完整和远东与世界的和平,不解放我国台湾决不罢休!

二、美蒋"条约"严重威胁亚洲和世界和平

美蒋"条约"是个彻头彻尾的战争性和侵略性的条约。根据这个"条约",我国台湾就成为美国的陆海空军的军事基地,蒋介石卖国集团就成为美国随时可以利用它来到处挑衅的工具;而且"条约"第五条还规定:在"缔约国"采取共同行动以后,还要联合国安全理事会来"采取措施",也就是说,那时美国侵略集团还要打起联合国的旗子,操纵联合国并强迫其他国家跟它一道进行侵略战争,像它在侵略朝鲜战争中所做的一样。美国国务卿杜勒斯在 12 月 1 日的声明中,还公开宣称这个"条约"是美国在太平洋地区建立的所谓安全体系中的"另一个环节"。这些都证明了美国侵略集团不但要继续侵占我国领土台湾,扩大对我国的侵略,而且还要准备新的战争,扩大对太平洋地区的侵略。

美国统治集团所采取的这种侵略战争政策不是偶然的。第二次世界大战一结束,它在远东就立刻走上了过去日本帝国主义的老路。当它的势力被赶出中国大陆以后,它对中国人民更是特别仇恨。不久它就发动了侵朝战争,想以朝鲜作为侵略我国的跳板,同时直接用武力侵占了我国领土台湾,并加紧对印度支那战争的干涉。由于朝鲜、中国、越南人民坚决进行了反抗侵略的斗争,由于以苏联为首的和平民主社会主义阵营和各国爱好和平人民的坚持努力,连续打败了美国侵略集团的各种阴谋和行动,终于使得朝鲜战争停止,印度支那和平恢复,远东局势已开始有了和缓。然而害怕和平的美国侵略集团却更加着了慌,它就赶忙拉了英、法、澳、新、泰、菲和巴基斯坦等国家,于 9 月间在马尼剌签订了所谓"东南亚集体防务条约",加深它对东南亚各国的控

制,以便于准备和发动新的战争。马尼刺条约公然把柬埔寨、老挝和所谓"自由越南"划入了它们的军事联盟之内,直接破坏了日内瓦协议。同时,它还想拼凑有日本和李承晚、蒋介石两个卖国集团参加的东北亚侵略集团,好与东南亚集团联系起来。最近又进一步签订了这样一个侵略性的美蒋"条约"。除此以外,几年来美国还和李承晚集团、和日本、和菲律宾、和澳大利亚及和新西兰,分别签订了所谓"防御条约"或"安全条约"。以上这些,就是杜勒斯口中的所谓美国在太平洋地区"安全体系"的各个"环节",而美蒋"条约"就是这许多"环节"之一。很显然,美国一道道地扣住这许多环节,就是要在太平洋地区形成一个统一的军事侵略体系,使它更便于奴役这一地区的各国人民,更便于准备和发动新的侵略战争。现在,由于美蒋"条约"的签订,它又多了一个发动侵略战争的工具,而这个"条约"的战争性质又是如此之露骨,这对于亚洲和平和安全的威胁的严重,难道还不清楚吗?

美国统治集团的一贯侵略战争政策,不但在亚洲如此,在欧洲也是一样。它在欧洲老早就拉了一些仆从国家,拼凑了一个北大西洋侵略集团,这还不够,还要竭力把武装了的西德拉进去。当复活德国军国主义的"欧洲防务集团条约"在欧洲和世界各国人民的反对下宣告破产以后,它又进一步胁迫英法等仆从国家,签订了公开武装西德的伦敦和巴黎协定,目前正在加紧压迫有关国家议会予以批准。另一方面,它却坚决反对苏联提出的、为欧洲人民和世界人民所热烈拥护的举行全欧会议、建立欧洲集体安全体系的建议。与此同时,它还积极策动组织中东侵略集团,好把它在东方和西方的侵略体系整个联结起来。美国侵略集团在欧洲和中东这种做法,和它在太平洋地区缔结的一系列的侵略条约都是互相呼应,密切配合的,其总的目的,就在于加深世界的分裂,加紧准备和发动新的世界战争。美蒋"条约"也正是它总的侵略战争政策的一个组成部分。因此,这个"条约"的缔结,也就增加了对世界和平的威胁。

由上所述,我们就可以得出结论:造成今天远东世界紧张局势的根源,不是任何别的,就是美帝国主义的侵略政策。反对美蒋"条约",坚决解放我国台湾,击破美国侵略政策的这一环节,就能缓和远东紧张局势,就是对亚洲和世界和平的重大贡献。

三、美蒋"条约"破坏了联合国宪章

美蒋"条约"一再提到联合国宪章,并声称它是维护联合国宪章的。这是彻头彻尾的谎话。联合国宪章明确地规定了它的宗旨和原则是:必须尊重国际义务,维持国际和平及安全,不许任何国家侵害别国的领土完整和政治独立,不得干涉别国的内政。让我们来看看美蒋"条约"到底和这些宗旨和原则有无共同之点吧!

联合国宪章的序文规定:要"创造适当环境,俾克维持正义,尊重由条约与国际法及其他渊源而起之义务……"这就是说各国受国际法和国际协定的约束,履行国际义务,维持国际正义,以维护国际和平。大家知道,1943 年开罗宣言会庄严地宣布:"日本所窃取中国人民之领土,例如满洲、台湾、澎湖列岛等,归还中国。"1945 年波茨坦协定又确认了这一点,这两个国际协定美国都是参与并签了字的。事实上,日本投降后,台湾和澎湖列岛也已重归于中国。而现在美国却完全背弃了这些国际协议,公开用武力霸占我国领土台湾,并企图使台湾永久从中国分裂出去。这难道和联合国宪章必须尊重国际义务的原则有任何共同之处吗?

联合国宪章第一条第一款规定,它的宗旨和原则是:"维持国际和平及安全,并为此目的,采取有效集体办法,以防止且消除对于和平之威胁,制止侵略行为或其他和平之破坏。"然而美国政府自从 1950 年武装侵占台湾以来,一直在支持蒋介石卖国集团对中国大陆进行骚扰性和破坏性的战争;现在美国又企图通过美蒋"条约",无限期侵占我国领土台湾,并以我国台湾为基地,进一步扩大对中国的侵略。杜勒斯还公开宣称,这个"条约"是美国在太平洋地区建立的所谓安全体系中的"另一个环节",也就是说,它还要把这个"条约"和美国在太平洋地区签订的其他战争条约联系起来,形成一个在东方的总的侵略体系,准备和发动新的战争,这些就使得远东局势更加紧张起来。这难道和联合国宪章维持国际和平及安全的原则有任何共同之处吗?

联合国宪章第二条第四款规定:"各会员国在其国际关系上不得使用威

胁或武力,或以与联合国宗旨不符之任何其他方法,侵害任何会员国或国家的领土完整或政治独立。"台湾自古以来就是中国的领土,这个历史事实是谁也改变不了的。现在美国不但企图通过美蒋"条约",无限期地侵占我国领土台湾,并且公开恫吓要用武力阻挠我国解放台湾,公开鼓励蒋介石卖国集团"反攻大陆",扩大对我国的侵略。这难道和联合国宪章所规定的任何国家不得侵害别国领土完整或政治独立的原则有任何共同之处吗?

联合国宪章第二条第七款又规定:"本宪章不得认为授权联合国干涉在本质上属于任何国家国内管辖之事件⋯⋯"这说明不干涉别国内政也是联合国宪章的庄严原则之一。而解放台湾,消灭蒋介石卖国集团,完全是中国的内政,绝不允许任何外力的干涉。现在美国侵略集团竟企图通过美蒋"条约",以武力阻挠我国解放台湾,也就是公然干涉我国内政。而且美蒋"条约"还规定在它们在采取共同行动后,要联合国安全理事会也"采取措施",也就是说要操纵联合国、并打着联合国的招牌来干涉我国内政,这难道与联合国宪章不干涉别国内政的原则有任何共同之处吗?

从上面的分析可以看出,美蒋"条约"正是彻头彻尾地破坏了联合国宪章的宗旨和原则,但美国侵略者却企图以联合国宪章来作为它罪恶野心的掩饰,这是欺骗不了任何人的。

与美国侵略者完全相反,我国人民一贯坚持强制维护国际和平和安全,反对侵略战争政策。中印两国总理和中缅总理的会谈公报中所公布的五项原则,也是中苏两国政府联合宣言中所共认的原则,即互相尊重领土完整和主权、互不侵犯、互不干涉内政、平等互利、和平共处的原则,完全符合于联合国宪章的宗旨和原则,并得到了全世界人民特别是亚洲人民的热烈欢迎和支持。如果世界各国都能遵守这五项原则,努力建立和扩大和平地区,避免制造分裂局面,那么,不同社会制度的国家就能够和平共处,世界的集体和平和安全体系就能够建立起来,联合国宪章的宗旨和原则也就能够真正得到贯彻。中国人民坚决反对美蒋"条约",一定要解放台湾,并坚持在国际事务中贯彻五项原则,维护国际和平和安全,也就是维护联合国宪章宗旨和原则的实际努力。

四、驳斥一切为美国侵占台湾张目的谬论

中国大陆全部解放后,美国侵略者千方百计地阻挠中国人民解放台湾。与此同时,美、英统治集团和他们的宣传机器,还放出许多所谓关于"台湾地位"问题的荒谬论调。如有的主张把台湾交"联合国托管",或交"中立国代管",有的主张台湾"中立化"和制造"台湾独立国",总之,是企图为美国侵略者侵占台湾找到合法的根据。美蒋侵略"条约"签订以后,英国帮凶者和他们的报纸竟又重弹这些荒谬论调,说什么美蒋"条约""既防止中共进攻台湾,又限制蒋介石进攻大陆",所以这种做法是与英国一向所主张的"台湾中立化"不谋而合,而且英国外交副大臣里丁竟还公然说什么"台湾的地位是一个在国际法上有困难的地位",并说现在不存在规定台湾地位的国际文件。

但是这些荒谬言论是完全没有根据的。我国台湾是不存在什么"地位"问题的。全世界的人都知道,台湾自古以来就是中国的领土。远在两千年以前,还在我国秦朝、汉朝的时候,台湾就和中国大陆发生了关系;远在1300多年以前,还在我国隋朝的时候,台湾就成为我国领土;600年前我国元朝的时候,就正式在台湾设立了地方政府,而这时候美洲还没有被发现。自1895年起,我国台湾虽然被日本帝国主义占领过50年,但是在第二次世界大战期间中,美、英三国签订的"开罗宣言"明白地规定:"三国的宗旨,……在使日本所窃取于中国的领土例如满洲、台湾、澎湖群岛等,归还中国。"后来,由中、美、英共同签署的波茨坦公告中也确认了这点。因此,在中国人民抗战胜利之后,台湾就重新回到祖国,成为中国的一个行省。

台湾是中国神圣的领土,也是美国政府在第二次世界大战以后屡次声明中所承认的。在1950年1月5日美国国务卿艾奇逊所发表的声明中,就承认台湾在法律上和事实上都是中国领土的一部分。同年2月9日,美国国务院又曾发表声明说:"包括美国在内的各盟国,在过去四年中认为台湾是中国的一部分";而且这个声明还说道,如果企图使台湾脱离中国,那就会使人"认为我们的政府违反了我们的义务,并与和我们一向尊重中国领土完整的政策相矛盾",这就表明,美国政府不仅早就承认台湾是中国不可分割的领土,而且

认为以任何方式来分割台湾也是与美国所负担的义务不相容的。因此,美国侵略集团在1950年6月起就公然命令第七舰队侵占我国领土台湾,最近又公然签订美蒋侵略"条约",进一步企图使强占我国领土台湾合法化,并将我国台湾变成它的扩大侵略的基地的做法,就是完全不顾历史事实、背弃国际协议的强盗行为。

因此,所谓台湾"由联合国托管"、"台湾中立化"、"台湾独立国"等荒谬的论调,也是完全不顾事实,不顾信义的说法,其目的不过是为美国侵占我国台湾张目。我们知道,联合国宪章明白规定联合国会员国的领土不适用托管制度,而中国是联合国的创始国,且为安全理事会的常任理事国,中国的领土,联合国是无权来接受托管的。中国人民要解放台湾,完全是中国的内政问题,根本就不存在什么"中立"与否的问题。事实上,住在我国台湾的人民绝大部分都是汉族,20万左右的高山族,是伟大的中华民族大家庭中的成员之一,连美国国务院所编的"中美关系"白皮书中也承认"在日本占领期间,台湾人民最大的希望为重归祖国"。今天,我国台湾八百万同胞在美蒋血腥统治之下,处身水深火热之中,更是渴望获得解放,重回祖国的怀抱。至于蒋贼卖国集团,那是六万万中国人民的公敌,一定要彻底予以消灭。因此就更不存在什么台湾"独立"问题。上述那些荒谬的主张,实际上都是企图割裂中国领土,侵犯中国主权,干涉中国内政,替美国侵占我国台湾的横蛮行为辩护,都是中国人民绝对不能同意的。

周外长在关于"美蒋共同防御条约"的声明中已代表我国六万万人民郑重宣告:"台湾是中国的领土,中国人民一定要解放台湾。"任何外国干涉,都不能阻止中国人民解放自己的领土的决心,任何恫吓和威胁,也不能动摇中国人民保卫自己领土主权的坚强意志和行动。任何帮凶者的荒谬论调,也必然会为事实所彻底粉碎。

五、只有反抗侵略才能保卫和平

美国侵略集团企图通过美蒋"条约"使它侵占我国领土台湾的行为合法化,并以我国台湾作为扩大对我国进行侵略的军事基地。同时,美国侵略集团还企图把这个"条约"与它在太平洋地区所缔结的一系列的侵略条约联结起来,构成美国在东方的侵略体系;并且企图进一步将它在东方和西方的侵略体系整个联结起来,构成分裂世界和发动新战争的总的侵略体系。可见美蒋"条约"不但是美国侵略集团对中国人民的严重战争挑衅,而且也是对亚洲和世界和平的严重威胁。面对美国侵略集团这种变本加厉的侵略行为,中国人民决不能置之不理,亚洲和全世界人民也必须提起高度警惕。

我国人民一贯热爱和平,一贯推行和平外交政策。我们认为一切社会制度不同的国家都可以和平共处。我们积极推行国际间和平共处的五项原则,主张建立和扩大和平地区。我们这样做,是因为我们需要一个和平的环境来建设一个繁荣幸福的社会主义的新中国。但是我们热爱和平,并不是等于容忍侵略,更不是说可以牺牲自己的领土和主权去乞求和平。历史的事实告诉我们:牺牲自己的领土和主权绝不能换得和平,相反的,只有招致更大的侵略。我国人民清楚地记得:1931年日本帝国主义发动"九·一八"事变,侵占我国的东北,当时蒋介石卖国集团政府顺从美英主子们的意旨采取了不抵抗政策,以为这样就可以"维持现状";但是日本帝国主义者的侵略行为,则是得寸进尺,在侵占东北后的6年,又大举对我国发动进攻,企图侵占全中国,使我国人民受到空前未有的灾难。在欧洲,1938年的"慕尼黑"事件,也是美、英、法等国政府想牺牲捷克去满足希特勒的侵略野心,并把希特勒的侵略刀锋指向苏联,以为那样就可以把战火燃向东方,暂时维护西欧的"和平";但是希特勒吞并捷克不久,就和法西斯的日本、意大利勾结在一道,迅速发动了大规模的侵略战争,掀起了第二次世界大战,造成了2700万人的死亡,其他财产的损失更是不可估计。

中国人民从切身的教训和许多历史事件中深刻认识到一个真理:只有坚决反抗侵略,才能保卫和平。正因为这样,当美国侵略者发动侵朝战争,同时以武力侵占我国台湾,并把战火烧到我国边境的时候,我国人民并没有在美国侵略者的战争威胁面前退缩,而是坚决地高举抗美援朝的旗帜,组织了中国人民志愿军,与朝鲜人民并肩作战。在中朝人民军队的坚决打击和以苏联为首的全世界爱好和平人民的强大压力下,终于迫使美国侵略者在朝鲜停战协定上签字。印度支那战争的停止与和平的恢复,也是越南人民在全世界爱好和平人民的同情和支持下 8 年来不断进行反殖民主义反侵略斗争的胜利的结果。朝鲜和印度支那的停战,使得国际局势开始有了和缓,也就是中、朝、越人民对远东和世界和平作出了极具重大的贡献。

现在,美国侵略集团竟企图通过美蒋"条约",阻挠我国人民解放自己的领土台湾,并扩大对我国和亚洲各国的侵略。面对着美国侵略集团这一战争挑衅,我国人民的严正立场,仍然是坚决解放我国台湾,予侵略者以应得的打击。我国人民深深懂得,只有坚决解放我国台湾,消灭蒋介石卖国集团,才能保障我国领土主权完整,才能保护我国社会主义的建设成果;也只有这样,才能粉碎美国侵略集团的侵略企图,进一步保卫亚洲和世界和平。

美国侵略集团的战争阴谋是世界性的,反对美国侵略、保卫世界和平和安全是全世界人民共同的斗争。因此,我们不但坚决反对美蒋战争条约、坚决解放我国台湾,同时也积极支援欧洲人民反对巴黎协定的斗争,支持建立欧洲的集体安全。我们坚决主张贯彻恢复印度支那和平的协议,主张召开与朝鲜问题有关的国家的会议,进一步解决朝鲜问题。我们的正义斗争,也必然会得到全世界爱好和平人民的支持。我们相信,只要全世界爱好和平的人民进一步地团结起来,坚决反对侵略和加强保卫和平的斗争,美国侵略集团的任何侵略和战争阴谋,都必然会失败。

(原载 1954 年 12 月 24、25、28、30、31 日《长江日报》,署名白鸽)

胡适的学术思想批判[*]

（1954.12）

  最近,思想战线上展开着对于俞平伯研究《红楼梦》的错误思想的批判。参加论战的人一致认为俞平伯的思想是受了胡适的资产阶级思想的影响。为了清算俞平伯在学术上的错误思想,就不能不清算这种思想的根源,即胡适的资产阶级思想。

  胡适写过一篇《介绍我自己的思想》的文章,他说:

    从前禅宗和尚曾说:"菩提达摩东来,只要寻一个不受人惑的人。"我这里千言万语,也只是教人一个不受人惑的方法。被孔丘、朱熹牵着鼻子走,固然不算高明;被马克思、列宁、斯大林牵着鼻子走,也算不得好汉。我自己绝不想牵着谁的鼻子走。我只希望尽我微薄的能力,教我的少年

---

  * 本文是武汉大学校刊编辑室根据 1954 年 12 月 10 日李达在武汉大学所作的报告记录整理的,略加修改后曾以《胡适思想批判》为题发表于《新建设》1955 年 1 月号。新中国成立初期,党在思想文化领域领导组织了对资产阶级唯心主义思想的批判,其中,对胡适思想的批判是由批判俞平伯《红楼梦》研究中的观点开始的。1954 年,李希凡、蓝翎先后合作撰写和发表了《关于〈红楼梦简论〉及其他》(《文史哲》1954 年第 9 期)和《评〈红楼梦研究〉》(《光明日报》1954 年 10 月 10 日"文学遗产"栏)的文章,对俞平伯《红楼梦》研究中所沿袭的胡适的唯心主义观点进行了批判,文章的发表过程颇为曲折。1954 年 10 月 16 日,毛泽东给中央政治局和其他有关同志写了一封《关于〈红楼梦〉研究问题的信》,指出李希凡、蓝翎的两篇文章"是 30 多年以来向所谓《红楼梦》研究权威作家的错误观点的第一次认真的开火",认为"这个反对在古典文学领域毒害青年三十余年的胡适派资产阶级唯心论的斗争,也许可以开展起来了"。毛泽东的信把对俞平伯的红学观点的批判与同胡适派资产阶级唯心论的斗争明确联系起来,提出的问题十分尖锐,引起了文化思想界的高度重视。从 10 月 24 日起,中国文联和中国作协先后多次召开座谈会、主席团扩大联席会,对俞平伯《红楼梦》研究的立场、观点和方法进行了批判。12 月 2 日,中国科学院和中国作家协会主席团召开联席会议,对在全国批判胡适派唯心论思想做了部署。作为中国科学院学部委员,李达对胡适思想的批判就是按照这一部署来进行的。——编者注

朋友们学一点防身的本领,努力做一个不受人惑的人。

这就是他对一般青年的"教导",其目的是要使青年们被他牵着鼻子走。事实上,当年被胡适牵着鼻子走的他的同时代的人,现在还大有人在;当年受到他的"教训"的他的少年朋友们,现在也过了中年,快到老年了。这类人在古典文学方面,在国故学方面,在历史学方面,在其他的社会科学方面,仍然广泛地散布着胡适的反动的资产阶级思想和治学方法。这种现象,在我们今天这样的社会主义大改造的时代,是绝对不能容忍的。因此,我们必须展开对胡适的学术思想的总批判。

要批评一个人的学术思想,必须弄清楚他的立场、观点和方法。

首先,我们必须弄清楚胡适是站在什么阶级立场的。

胡适属于什么阶级呢?他对中国人民做了些什么事呢?现在可以作他的结论了。

胡适于1891年出身在一个官僚资产阶级家庭,1905年,他到上海读书;1910年,他到美国留学(学费是在美国掠夺中国人民的"庚子赔款"项下开支的),在美国学了一些哲学和文学。1917年回国,担任北京大学教授。从这个时候起,他在陈独秀所办的《新青年》杂志的影响下,提倡白话文,主张文学改良,反对孔教,宣传易卜生主义(即他自己所说的19世纪维多利亚时代的陈腐思想),传播实验主义,并且还请了他的老师杜威到中国来大讲其实验主义的哲学。这是"五四"运动前夕的胡适。这时,胡适充分地表现了他是站在资产阶级立场,反对封建主义,参加了新文化运动的。不过这时的胡适却从来没有谈过政治。

但是,十月革命给我们送来了马克思主义。以李大钊同志为首的马克思主义派宣传了马克思主义,庆祝了布尔什维主义的胜利,介绍了苏维埃俄罗斯的真相。马克思主义派在那时已经取得了新文化运动的领导地位,而伟大的"五四"运动,就是在马克思主义派的领导之下爆发的。"五四"运动胡适并没有参加。当时他正在他的原籍安徽办理他母亲的丧事,接着又回到上海等候欢迎他的老师杜威到中国来讲学。"五四"运动是由旧民主主义革命到新民主主义革命的转折点,胡适本人不但没有参加,毋宁是不表赞成的。所以,当中国工人阶级在"六三"运动中登上了政治舞台,并开始用马克思列宁主义世界观考察中国命运的时候,胡适"趑趄徘徊"了。他看到当时传播马克思主义的书报太多,他"看不过"、"忍不住"了,就在这年(1919年)7月,他发表了《多研究些问题,少谈些主义》的"警告",企图欺骗青年,教大家不研究马克思主义。从这时起,胡适已经开始反对马克思主义了。

中国无产阶级先进分子用马克思主义考察了中国的命运,得到了"走俄国人的路"的结论,1921年,它的先锋队中国共产党成立了。中国共产党是马克思主义与中国工人运动的结合。所以党从成立的那一天起,就立即投入了轰轰烈烈的革命运动,展开了反帝国主义反封建主义的斗争。这是,胡适就更加"看不过""忍不住"了,于是,在1922年创办了《努力周报》,以反对共产党,并勾结北洋封建军阀,辩护帝国主义。他在这一年10月,发表了题为《国际的中国》的一篇文章,以反对《向导周报》上所发表的反帝国主义、封建主义的主张。他断然地说:"老实说:现在中国已没有很大的国际侵略的危险了。"他说,他确实知道,英国、美国、日本,这些国家,并不曾援助各派军阀的内战,外国人借债给中国是为了中国好,为了希望中国的和平统一。对于各国在中国操纵金融财政、把持海关、驻扎军队、行使领事裁判权、独占中国市场、支持各派军阀等侵略行动,他认为这些都是和国内政治问题有密切关系,而与帝国主义没有关系的。他又说:"在政治紊乱的时候,人民只觉得租借和东交民巷是福地,总税务司是神人,外国货币将是金不换的货币,海关邮政操在外国人手里是中国人的幸事。"这就是说,帝国主义侵略中国是很好的,对于中国人大有益处(什么人有益处呢? 买办资产阶级有益处)。他说了这些话之后又说:"我很恳切地劝我的朋友们(指《向导周报》)努力向民主主义的一个简单目标上做去,不必在这时牵涉什么国际帝国主义问题。"他一方面为帝国主义者辩护,一方面又为北洋政府献策、上条陈。他邀集了16个人,在1922年5月发表了《我们的政治主张》,提倡"好政府主义",要求军阀的政府成为一个宪政的政府,成为一个公开的政府,并主张召集"猪仔国会"、制定《宪法》等等。这个主张发表以后不久,果然得到了北洋军阀政府的采纳,演出了以王宠惠为首的内阁滑稽戏,落得了"向盗贼献条陈"的结果。从此以后,他还主张各派军阀联省自治,向北洋军阀政府提出了一个建议,实现封建势力大统一的国家。

1927 年大革命失败后,中国共产党单独领导了第二次国内革命战争。这时,蒋介石卖国集团统治着国内广大的地区,在白区的党转入了地下,表面上出现了革命的低潮。胡适在这个时候认为蒋介石的政府已经稳如泰山,很想卖身投靠,于是又邀集一班人创办了《新月月刊》。《新月月刊》表面上是谈文学,事实上是反共反人民,拥护帝国主义和封建势力,希望因此引起蒋介石匪帮的重视。他对于当时革命的低潮,幸灾乐祸而又慨叹地说,他早就发出了"多研究些问题,少谈些主义"的警告,你们不听,"如今已经隔了十多年了,当年和我讨论的朋友,一个被杀死了(指李大钊),一个也颓废了(指陈独秀),十几年前所预料的种种危险,现在都一一显现在眼前了"。他所说的危险是什么? 就是资产阶级快要倒了。这时他和他的一些朋友(《新月月刊》的朋友)也想提出政治主张,讨论怎样解决中国的问题。这时,他的朋友们推定他提出一个概括的引论,他就在《新月月刊》上发表了《我们走哪一条路》的那篇文章。在这篇文章中,他说他客观地观察了中国社会的实际需要,找出他们所要铲除的和所要建立的东西。他们所要铲除的东西是什么呢? 就是贫穷、疾病、愚昧、贪污、扰乱这五个鬼、五个敌人。这五个敌人,资产阶级是不在内的,因为中国没有资产阶级,只有几个小小的富人。封建势力也不在内,因为封建制度在两千年以前就已经崩溃了。还有帝国主义也不在内,因为帝国主义不能侵犯五鬼不入之国。他认为只要毁灭了这"五鬼",就可以建立新的国家。他们所说新的国家,是"一个治安的、普遍的、繁荣的、文明的、现代的统一国家",这样的国家,在我们看来,就是百分之百的资产阶级国家。那五个鬼怎样会毁灭呢? 新的国家怎样建设起来呢? 他说:"要革五鬼的命,只有集合中国的人才、智力,充分采用世界的科学知识和方法,一步一步地做自觉的改革,一点一滴收到不断的改革之全功,不断的改革收功之日,即是我们到达目的地之日。"像这样拥护帝国主义、封建主义的胡适政论文章,竟卑劣到这种地步。

胡适在《新月月刊》一面宣传反共反人民,一面也煞有介事地发表了几篇批评国民党的文章,他的用意是在于引起蒋介石匪帮的重视,和他讨价还价。果然,他的计划实现了,蒋介石向他说:《新月月刊》不要办了,将来请你出来做事罢。果然《新月月刊》就停办了。不久,他做了所谓东北政治委员会委员、中英"庚款"委员会委员和农村复兴委员会委员。从这个时候起,他就做了"过河卒子"了。

过了河的卒子，当然只有努力向前，立功报效，所以胡适在1932年5月就办起《独立评论》来了。既然做了帝国主义、封建主义、官僚资本主义三位一体的政府的卒子，那就非拥护这三位一体的东西不可，所以他对于日本吞并东北的问题，主张中国应该依照日本在国联提出的五项原则，自动的主张东三省解除军备，东三省的军队在关内进行编遣，中日两国缔结条约，确立中日两大民族可以共存共荣的基础。说这样的话的人是中国人还是外国人？恐怕很难分清楚罢。所以当国联调查团报告发表后，他极力称赞说这个报告是"一个代表世界公论的报告"，他主张接受这个报告。持这样的主张的胡适，究竟是哪国人，当时青年不知道，1932年10月15日《时事新报》发表了一篇一个女国民声讨胡适的电报，说胡适是一个"异族"，是"张邦昌"，是"李完用"，这当然是很正确的。

"过河卒子"还向他的主子上了奇怪的条陈，就是主张"无为政治"，在《独立评论》上大谈其"无为政治"，主张裁兵裁官、停止建设。因为买办资产阶级是不要建设，只要做生意的，他恰好就上了这个条陈，他说，这种无为政治，可以使人民休养生息，免得把人民送到共产党那边去，以为只要有警察维持治安就够了，人民自然要用自己的力量发展他们的事业的。这所谓"无为政治"，就是让帝国主义自由侵略，让资产阶级自由剥削我们中国人民。

胡适为了拥护帝国主义、封建主义，是曾经卖了很大的力气的，所以蒋介石政府给了他驻美国大使的职位，作为对他的酬劳。做了大使回来后，他就做了北京大学的校长，还做了伪国民大会代表、伪国民大会主席。这时，北京大学学生正进行着争民主争自由的斗争，胡适就勾结蒋介石特务镇压学生运动。北大的学生当时请他援助，他表示得很冷淡，事实上他与蒋介石政府预先就商量好了的。1948年蒋介石政府快要倒台时，他又到处进行反苏、反共的讲演，可是终究没有挽回蒋介石的灭亡，最后只有到美国去做白华了。这是对胡适的一个"考证"。我们说胡适是买办资产阶级，是一点也没有冤枉他的。

其次，在谈到胡适的哲学思想。

胡适的哲学是美国的实用主义。实用主义的英文是Pragmatism，译作实用主义是正确的，胡适却故意把它译作"实验主义"，也许他觉得"实验"比"实用"好听一点。"实验主义"好像和"实践论"有些含混，实际上两者根本不同。实践论是无产阶级哲学，"实验主义"是资产阶级哲学，两者是敌对的。

实用主义的根源是马赫主义，即马赫的经验批判论，它是用来反对辩证唯物论的。经验批判论的祖宗则是英国的主教贝克莱的主观唯心论，它是用来反对当时的（18世纪的）一般的唯物论的。从贝克莱的主观唯心论到马赫的经验批判论，到詹姆士的实用主义，这一系列的主观唯心论及其变种，列宁早在他的《唯物论与经验批判论》中予以彻底地批判和粉碎了。这里，我们只就实用主义作补充的批判。

我们知道，哲学上的根本问题是物质与意识的关系如何的问题。主张物质是第一性、意识是第二性的哲学，属于唯物论的党派；主张意识是第一性、物质是第二性的哲学，属于唯心论的党派。实用主义对于这个根本问题是怎样处理的呢？这就要对实用主义的实在论、真理论、方法论做批判的检讨。

这里先批判实用主义的"实在论"。"实在"是什么？辩证唯物论告诉我们，实在就是离开我们的意识而独立又为我们的意识所反映的客观物质世界。但是，实用主义的实在论与此相反，它主张实在是由三个部分组成的：第一是感觉，第二是感觉与感觉、意象与意象之间的种种关系，第三是原来有的真理。这里所说的感觉、意象、真理，在实用主义者说来就是主观的经验，就是我们头脑中的东西，与外界没有关系。他们认为主观的经验好像塑造人物像的石膏原料一样，可以用它塑造出物质世界来，可以用它塑造出上帝来，也可以用它塑造出妖魔鬼怪来。所以实用主义者说："实在是一个很服从的女孩子，她百依百顺地由我们将她涂抹起来，装扮起来。"又说："实在好比一块大理石，到了我们手里可以由我们雕成什么相。"①由此可见，实用主义就是主张物质世界是由人类意识创造出来的。这是十足的主观唯心论。从这种实在论中产生了他们的人生观。他们说，实在论中有一种进化观念。这种观念据说是由达尔文的学说中得来的。他们把达尔文的《物种由来》中的"种的变异"的部分弃去不顾，而仅仅抽取其"渐变"部分，构成他们所说的"进化观点"。他们说，世界是一点一滴一分一毫地长成的，并把这样的"进化观念"移到实在论中，

---

① 见胡适写的《实验主义》一文。

说他们的主张经验中的宇宙也是一点一滴一分一毫地进化的。所以胡适说:"实用主义的宇宙是一篇没有完成的草稿,正在修改之中,将来修改成怎么样便怎么样,但是永远没有完篇的时期。"因为人的经验是要进化的。实用主义者从经验论的宇宙论造出了实用主义的人生论,胡适说:"这种实在论和实验主义的人生哲学,和宗教观念都有关系。总而言之,这种创造的实在论发生了一种创造的人生观,这种人生观,詹姆士叫它是改良主义。这种人生观不是悲观的厌世主义,也不是乐观的乐天主义,乃是一种创造的'淑世主义'。"这种"淑世主义"或改良主义的目的,据说是要拯救世界。拯救什么世界呢? 拯救资产阶级的世界。因为无产阶级世界革命的时代已经到来了,资本主义的丧钟已经敲响了,詹姆士为了拯救资产阶级的世界,他要冒险地实行"淑世主义",一点一滴一分一毫地实行改良,把资产阶级的世界做到完美无缺的地位。这种改良主义的见解,杜威在其社会哲学和政治哲学的讲演中也是同样强调的。他认为学者们对于一种社会制度和政治制度有两种相反的见解:第一种见解主张完全拥护,第二种见解主张完全推翻。他认为这两种见解都是不对的,他提出了他的第三种见解,即主张慢慢地改良。这种见解其实与第一种见解是一致的,即主张拥护资本主义制度,在维持资本主义制度的条件下做一点改良。所以实用主义就是改良主义。实用主义的实在论,就是如此。

再说到实用主义的真理论。真理是什么? 辩证唯物论告诉我们,真理是人们的认识正确地反映了客观世界的规律性,即主观符合于客观。认识如果不能正确地反映客观世界的规律性,或者歪曲了客观世界的规律性,就是谬误,即主观不符合于客观。真理和谬误由什么标准来决定呢? 唯一的标准就是毛主席在《实践论》中所指出的社会的实践。在社会实践中(在物质资料生产的过程中,在阶级斗争的过程中,在科学实验的过程中),人们能够依照自己的头脑所反映出来的客观世界的规律性作出预定的结果来,这个认识就是正确的,就是真理。这是辩证唯物论对真理的理解。

但是实用主义者是怎样说的呢? 他们说:科学的律例是"人造的",是"假定的"。也即是说真理是人造的。他们又说,真理要和他们所说的"实在"相符合。这句话要弄清楚,因为我们也主张真理要与客观实在相符合,实用主义者的主张和我们的主张很容易混淆。必须注意：实用主义者所说的"实在"并不是客观实在，而是主观的经验，真理在他们看来是主观的东西，实在在他们看来也是主观的东西，那么，实用主义者所说的真理要与实在相符合，就变成为主观的东西要与主观的东西相符合了。实用主义者也说要用实验来鉴别真理，这即是说要鉴别主观的东西与主观的东西是否符合。怎么知道符合不符合呢？就是看有用无用。对他们有用的就是真理，无用的就不是真理。所以实用主义者说："真理原是人造的，是为人造的，是人造出来供人用的，是因为它们大有用处，所以才给它们以真理的美名的。我们所说的真理原不过是人的一种工具，真理和我们手里的这张纸、这条粉笔、这块黑板、这把茶壶是一样的东西，都是我们的工具。"

真理应不应该以有用或无用作为衡量的标准呢？列宁在《唯物论与经验批判论》中就指责过马赫派关于真理说的谬论。马赫说道："认识是……生物学上有用的（Förderndes）心理经验。""只有效果才能区分认识与谬误……"列宁指责了这种谬误，他说："在马赫那里，这类命题是与他的唯心论的认识论并列在一起的，而并没有决定在认识论上选择这个或那个确定的路线。只有在它反映不依存在于人的客观真理时，认识才能是生物学上有用的，在人底实践中有用的，在保存生命上、在保存种族上有用的。"我们说正因为是真理才于我们有用，而并不是因为有用才是真理，这点是要很好地区别的。

其次，谈到实用主义的方法论。詹姆士说：实用主义的方法，就是"要把注意之点从最先的物事移到最后的物事，从通则移到事实，从范畴移到效果"。所谓"最先的物事"，就是通则、定理、范畴等等。所谓"最后的物事"，就是人生经验。所谓"从最先的物事移到最后的物事"，就是把那些所谓"最先的物事""现兑"做"人生经验"，看这些东西有没有效果。实用主义者说，这方法就是实用主义的根本方法，"这个方法有三种运用：（甲）用来规定事物的意义，（乙）用来规定观念的意义，（丙）用来规定一切信仰的意义"。依照实用主义者说，所谓"事物的意义"，就是那个事物对于人们的感想所起的"实际的影响"。所谓"观念的意义"，就是那个观念在人们的经验中所起的作用。胡适在这里表明了这个商人哲学的意思说："一个观念（意思）就像一张支票，上面写明可支若干效果；如果这个自然银行见了这张支票即刻如数兑现，那支票便是真的——那观念便是真的。"①所谓"信仰的意义"就是信仰的影响的效果。胡适在《不朽》一文中曾说:"灵魂既是神秘玄妙的事,自然不能用科学试验来证明,也不能用科学试验来驳倒它,既然如此,只好用实验主义的方法,看这种学说的实际效果如何,以为评判的标准。"胡适所说明的实用主义的方法论,就是如此。在唯物论者说来,要规定对象的意义,必须在实践的过程中认识这个对象的规律性,然后根据这种认识拿到实践中去验证,如果能够达到认识中所预想的结果,这认识便符合于客观对象,便是真理。而真理是有用的,我们就可以利用它来为社会谋福利。这样,这个对象的意义就可以弄明白了。实用主义者的见解与此相反,他们是从对象影响和效果来规定对象的意义,他们这种方法论,是与他们的实在论和真理论密切联系着的。他们所说的事物,和观念、信仰一样,全是主观的经验。他们认为科学法则、真理、效果等等都是人造的。对于他们有效果的东西,就是真理,就是科学法则。例如"上帝"这个观念"能使我们安心满意,能使我们发生乐观,这可以算它是真的了"。② 由此可见,实用主义是完全把观念当作工具看待的,不论是上帝、幽灵、神仙、鬼怪,只要能发生效果,就是真的。由此可见,实用主义是以效果作为真理标准的主观唯心论的支流,是资产阶级唯利是图的说教。这种专以资产阶级的实用为目的而穿上了哲学外套的实用主义,可以说是一种唯心论阵营中最低能最下乘的买卖人的哲学。

现在我们再来谈谈胡适本人的思想和方法。胡适自称他的思想,受杜威的影响最大。杜威的实用主义偏重于方法论。杜威认为经验就是生活,生活就是应付人类的环境,而应付环境的工具是思想。他把思想的作用看得很重要,因而把哲学上的根本问题改变为"解决'人的问题'的方法"。至于物质与意识的关系如何,他是置之不谈的。这就是杜威的实用主义。这样在哲学方面,不谈哲学的根本问题,而只谈思想方法,胡适就说这是"哲学革命",即杜威本人所说的"哲学的光复"。杜威说:"哲学如果不弄那些'哲学家的问题'了,如果变成对付'人的问题'的哲学方法了,那时候便是哲学的光复的日子

---

① 以上引号中的话,均见胡适所著《实验主义》一文。
② 胡适:《实验主义》。

到了。"①这真可怜！哲学不先解决哲学上的根本问题，就没有了认识论，没有认识论的哲学，还算什么哲学呢？"哲学革命"，实际上是"革"了哲学的"命"，剩下来的只有方法，这真是充分表示了资产阶级哲学的末日到来了！单谈方法的著作很多，有科学方法论，有形式逻辑等等，何必在建立什么"哲学"呢？但杜威却把它的方法穿上一个"哲学"的外套，叫它是实用主义方法论。

杜威的思想方法又是什么呢？据胡适介绍，杜威的思想叫做"五步法"：第一步：疑难的境地；第二步：指定疑难之点究竟在什么地方；第三步：提出种种假定解决的方法；第四步：决定哪一种假设是适用的假设；第五步：证明。胡适就继承了这个"五步法"，把五步缩短为两步，即假设和求证。

胡适的思想是用实用主义装扮了的买办资产阶级思想。资产阶级思想的基本原则是个人主义，个人主义思想在社会方面表现出来就是改良主义。胡适在《介绍我自己的思想》一文中，极力鼓吹个人主义，说易卜生的个人主义是"最健全的个人主义"，说"救出自己的唯一法子就是把自己这块材料铸造成器"。因此，他对"少年朋友们"说，你们不要以为个人主义是过时的，"欧洲有了十八九世纪的个人主义，才造出了无数爱自由过于面包，爱真理过于生命的特立独行之士，方才有今日的文明世界"。他又说："现在有人对你们说：'牺牲你们个人的自由，去追求国家的自由。'我们对你们说：'争取你们个人的自由，便是为国家争自由！争取你们个人的人格，便是为国家争人格！'自由平等的国家，不是一群奴才建造得起来的。"他自己承认易卜生主义代表了他自己的个人主义，代表着他自己的人生观，代表着他自己的宗教，因而教"少年朋友们"跟着他走。所以他勤于研究学问，总是说："求一种学问，不可以国家需要与否来做标准，当以自己的性情和能力而定。"他对读书、写文章、做人、处事，到处都以"我"为标准，到处都有一个"我"在，他的一切著作都贯穿着这种个人主义思想。

这种个人主义思想是社会主义思想的敌人，它在社会方面必然表现为资产阶级的改良主义，即在拥护现有社会制度的条件下，做一点一滴的改良，反

---

① 胡适在《实用主义》一文中所引。

对社会主义革命。他说:"社会的改革一定是零碎的改造——一点一滴的改造,一尺一步的改造……社会的改造是这种制度那种制度的改造,是这种思想那种思想的改造,是这个家庭、那个家庭的改造,是这个学堂、那个学堂的改造。"这几句话把改良主义说得非常清楚。这种改良主义是从实用主义出发的,他说:"实验主义注重具体的事实与问题,所以不承认有根本的解决。它只承认那一点一滴做到的进步,——步步有智慧的指导,步步有自动的实验——才是真进化。"这是胡适的根本思想。

胡适的崇美亲美思想也可以谈谈。胡适说世界上有 570 种资本主义,美国的资本主义是最好的一种。美国是不会有革命的,但它又天天在革命。你看,美国的工人、黑人都可以购买大股份公司的股票,人人都可以做资本家,哪里还用得着什么革命! 他曾说他见过一个什么面色苍白的老年工人(其实就是工人贵族),穿着礼服,戴着硬领,在那里宣讲美国资本主义制度的成绩,使他大为感动,认为"这才是真正的社会革命!"他赞不绝口地说,美国的汽车文明比中国的人力车的文明不知道要高明多少倍。总之,一切都是美国的好,连月亮都是美国的好!

胡适的个人主义、改良主义是欺骗不了人的。他自己就说过,他的《新生活》一文编在中学的教科书里,至少有一千万人读过它。他的《胡适文存》,刊行过十多版。他的《中国哲学史大纲》也是如此。不知道欺骗了多少青年! 其方法就是要大家不谈主义,跟着他走。当马克思主义最初在中国传播的时候,他认为非常"危险"(对买办资产阶级当然是危险的!)就发出了"多研究些问题,少谈些主义"的所谓"警告"。他说:"一切主义只可认做一些假设的(待证的)见解,不可认做天经地义的信条;只可用作参考印证的材料,不可奉为金科玉律的宗教;只可用作启发心思的工具,切不可用作蒙蔽聪明、停止思想的绝对真理。"他骂讲主义的人是"阿猫阿狗",而他自己则大宣传其实用主义、个人主义和改良主义,倒不是阿猫阿狗么? 他说马克思主义是"假设待证的见解",而他的实用主义则可以是天经地义的信条么? 他污蔑讲主义的人是"奴隶",他自己不是实用主义的奴隶么? 他说讲主义的人"只是个懒",他自己靠宣传实用主义、个人主义、改良主义、易卜生主义过活,从来不"研究"什么"问题",倒不是懒么?

胡适还广泛地散布民族自卑感的思想。他主张"全体西化",认为中国文化落后,说不上"太丰富"的梦话。他在《信心与反省》一文中说:"我们所独有的宝贝是骈文、律诗、八股、小脚、太监、姨太太、五世同堂、贞节牌坊、地狱活现的监狱、板子夹棍的法庭。"我们中国的文化原来就是这个东西么?我们知道,在我们民族的历史上,出现过多少伟大的思想家、政治家、科学家、发明家、文学家、艺术家,积累了多么丰富的文献,这些胡适都看不见,他对自己的历史一点也不知道,还自命为讲历史方法的呢!在胡适看来,我们不论在政治、经济、文化、艺术等等方面,都不如别人。这就是要大家都崇拜美国,教大家看不起自己的民族、祖国,造成对别的民族的卑躬屈节的心理。这都是胡适这个文化买办的反革命思想。

现在我们再来谈谈胡适的"治学"方法。胡适自己鼓吹他的治学方法是实用主义的方法,即所谓"实验室的方法"和"历史的方法",还有所谓"大胆的假设,小心的求证"的方法,这就是他的所谓"科学的方法"。他又把这种"科学方法"分别为实证法、实验法和归纳法。"实证法"是在于"求证",即所谓"拿证据来!"据说这是受了英国大生物学家赫胥黎的影响,其实不过是俗话所说的"捉贼捉赃"、"讨债要借帖"的意思。"实验法"是创造证据的方法,并不是实验某种假设符合不符合于客观真理,而是实验有用无用。"归纳法"是举例为证的方法,即成立假设的方法。他所鼓吹的"科学方法"就是如此。这种方法是何等的幼稚可笑,粗枝大叶,挂一漏万。根据他的"科学方法",他每谈一个问题,只是表面地观察问题,从许多事实中选择一些片面的合乎他主观见解的事实作为说明的对象,更根据主观的见解来做结论,并把这个结论说成是"假设",此后再就他所选择了的事实来说明那个主观的假设,只要能够自圆其说,那个假设就算是有用的东西,就是"真理"了。这种主观地、表面地、片面地看问题的方法,不论应用于什么方面,都只能得到错误的结论。因为时间不够,不能一一分析,现在只就它在社会方面的应用约略地说一说。

辩证唯物论告诉我们,社会观是世界观的一部分。胡适既然"革"了哲学的"命",抹杀了哲学上的根本问题(即物质和意识的关系问题),于是在他的哲学理论上就没有了世界观。实际上他是存在着资产阶级世界观的,因此他只好根据他那"大胆的假设"把中国的问题做了一番反革命的假设。根据他的"假设"，中国社会没有资产阶级，只有几个小小的富人；没有封建主义，因为封建主义已经在两千多年以前被秦始皇"废"掉了；也没有帝国主义侵略，因为帝国主义是"希望中国好"，"希望中国的和平统一"，如果认为帝国主义侵略中国，那就是"乡下人谈海外奇闻，几乎全无事实的根据"。那么，中国人民的敌人是什么呢？是"五鬼"——"贫穷、疾病、愚昧、贪污、扰乱"。于是，胡适就作出了要打倒"五鬼"建立一个"治安的、普遍的、繁荣的、文明的、现代的统一国家"（实际上是百分之百的资产阶级国家）的结论，作为他解决中国问题的假设。他认为这个假设有反共反人民的效果，"大有用处"，就算是他自己所创造的"真理"了。这就是胡适所写的据说是旨在解决中国问题的文章《我们走哪一条路》的基本精神（他所写的反革命文章很多，都是这一类的）。不难看出，胡适所谓"大胆的假设"，就是大胆地作出反革命的假设；所谓"小心的求证"，就是要证明他的假设有反革命的效果，如此而已。胡适的思想，是彻头彻尾的买办资产阶级的反动思想。

或许有人问，胡适的思想虽然反动，他的治学方法虽不能用于对社会的研究，但他在整理国故方面，总还有些成绩吧！对这个问题的确还要说明几句。胡适在《清代学者的治学方法》中，把汉学家的方法分为四项：（一）汉学家建立一种新见解，必须有物观的证据；（二）汉学家的证据完全是例证，例证就是举例为证；（三）举例为证就是归纳的方法；（四）汉学家的归纳的手续是能用假设的。由此可见，胡适在整理国故时所用的假设求证的方法原来仍不过是汉学家的老方法。胡适在假设求证之外，加上了"实用"一项，似乎特别新奇；但汉学家也早已说过"通经致用"呢。不同之处，在于胡适是提倡扩大研究范围，而汉学家则只注重对经书的研究。此外，胡适还能够把所谓西方的科学方法附会于汉学家的方法，并用所谓"实验主义"哲学名称来吓唬一般老先生。例如他在《诗三百篇言字解》中，曾标榜过"以经解经，参互考证"的方法，这本是个老方法，但胡适把它说成是"西儒归纳论理之法"，就显得格外新奇了。

若问胡适在整理国故方面的成绩怎样，不能不大略地谈谈他的《中国哲学史大纲上卷》。这本东西是胡适的平生得意之作。当时蔡元培曾经称赞它，梁启超也赞之为"不废江河万古流"，而胡适更得意忘形，自夸这本书是中国哲学史的"开山"。其实这本书纯粹是杂乱无章的东西，连参考的价值都没有。现在时间有限,来不及详细批判,只举出几点来谈谈。我们先看他对哲学怎样下定义吧:"凡研究人生切要的问题,从根本上着想,要寻一个根本的解决,这种学问叫做哲学。"这不过是实用主义的人生论,怎能说是哲学的定义呢? 我们知道,哲学是认识世界、改造世界的科学,是阐明世界发展的一般规律,并依照这一般的规律来改造世界的科学。胡适抹杀了客观世界的规律性,抹杀了世界的矛盾的发展,抹杀了社会上的阶级斗争,他对哲学的解释是完全错误的、反动的。他说,哲学史的三大目的是明变、求因和评判,而所谓评判就是看那种哲学是否合乎实用主义。他认为中国哲学的怀胎时代是西周的诗人时代,说西周的诗孕出了老子的贵族反动哲学来,实在滑稽可笑。哲学的起源由于精神劳动和肉体劳动的分工。只有在精神劳动者免除了肉体劳动,仰赖他阶级的劳动维持生活而有必要闲暇从事于自然和社会的现象的研究的时候,哲学才得发生。哲学是社会的经济基础的上层建筑,也是反映基础的。要说明春秋战国时代的诸子的哲学,必先说明这时代的经济制度和阶级关系;说明诸子的哲学各自代表什么阶级,说明诸子哲学如何解决物质和意识的关系的问题,即属于唯心论或属于唯物论;说明某一哲学体系(古代哲学包括自然哲学、社会哲学、政治哲学、法律哲学、论理学等部门);说明一种哲学和别种哲学或其他知识部门的关系(哲学又是唯物论与唯心论斗争的历史);说明一种哲对于当时社会经济生活的反映(哲学的发展虽然有相对独立性,但总要反映当时的经济生活和阶级关系)。但是胡适所写的诸子哲学和我们所说的研究方法完全相反,他只是主观地、恣意地、随便拉扯拼凑地叙述一番。他在"中国哲学结胎时代"那一章中,列举了四种现象,即"(一)战祸连年,百姓痛苦;(二)社会阶级渐渐消灭;(三)生计现象贫富不均;(四)政治黑暗百姓愁怨"。他把这种现象作为中国哲学的起源,这显然是错误的。这四种现象中的(一)(三)(四)三项,只能作为某一种哲学发生的背景,不能作为哲学的起源。实际上在阶级社会中任何一个时代都有上述三种现象。至于他所说的春秋时代"古代封建制度的种种社会阶级渐渐消灭了"的一句话,更是胡说。其次,他对于春秋和战国时代的经济基础和阶级关系怎样? 各家哲学各自代表什么阶级? 谁家哲学是唯物论或唯心论? 胡适一点也不愿提及。再次,他对于各家哲学的叙述层次凌乱,并没有为各家哲学梳理出一个系统来。胡适所做的工作,只是就自己主观的见解把各家学说肢解起来,任意拼凑,或者就一字一句加以注解,或者把西方学说附会起来(例如把老子的"无为而治"比拟于资产阶级的放任主义,把庄子《秋水篇》中的"自化"说成是生物进化论,等等),借以哗众取宠。当年此书所以能博得一部分国学家的欣赏,只是因为他根据资产阶级学者的常识,搬弄了一些新术语,做了一些大胆的注释,使人们感到新奇罢了。现在这部书已经受到很多人的批判,已经不能引起人们的重视了。但在胡适之后,用资产阶级学者的立场观点和方法研究古代哲学的人是不少的,因此,扫除胡适反动学术思想影响,便成了一件有普遍意义的事。

胡适在国故研究方面,成绩是很少的,比较算是有点成绩的,是考证部分,但非常浅薄,错误百出,给人们留了很坏的影响。研究古人的著作,无论是历史的、经济的、政治的、文艺的著作,当然要考证作者所处的时代和那个时代的社会生活、阶级关系、著作的真伪等等,这是研究工作的一部分。但研究的目的是在于阐明那著作的内容及其著作中所反映的社会的实况,来了解那著作的意义。但若照胡适那样单以考证代替研究,为个人兴趣而考证,为考证而考证,试问这种研究有什么意义呢?这样的研究完全是资产阶级思想的表现。胡适的这种资产阶级思想,在许多历史研究者、古典文学研究者及其他学术研究者之中,是有深厚的影响的,现在正是到了要彻底清算的时候了。

"不破不立,不塞不流,不止不行。"在今天社会主义大改造的时代中,人们的思想也必须实行社会主义的大改造。新中国成立5年多以来,我们知识分子虽然不断地进行着思想改造,但在研究学问的时候是否已经清除了资产阶级的学术思想和治学方法,这是我们要彻底检讨的。假设脑子里还有残留着资产阶级思想,就没有空间容受工人阶级思想。当我们对胡适的反动思想进行批判的时候,我们必须诚心诚意地学习马克思列宁主义,用马克思列宁主义的立场、观点和方法,指导我们的学术研究;必须老老实实、诚诚恳恳学习苏联的先进经验,结合中国的具体情况,改造我们的学习。只有这样,我们才能在学术研究的领域中作出创造性的贡献,来为社会主义建设服务。

(原载 1954 年 12 月 25 日武汉大学校报《新武大》第 134 期,署名李达)

胡适的政治思想批判*

（1954.12）

　　胡适是实用主义的信徒,他的政治思想是实用主义在政治方面的应用。胡适自己在《我的歧路》中说过:"我谈政治只是实行我的实验主义。"

　　实用主义是美国帝国主义的御用哲学,它是马赫主义即经验批判论的一个分派,同是 18 世纪英国主教贝克莱的主观唯心论的变种,都是资产阶级用来反对马克思主义哲学的工具。

　　实用主义是美国皮尔士首创的,詹姆士和杜威是这一派有名的代表。实用主义者的立场是资产阶级的立场,实用主义的内容可归结为下述四点:(一)实用主义者在"经验"这个名词下面贩卖主观唯心论,他们把全部自然和社会都包括在人的感觉经验之内,于是就把世界当成了依赖于人的意识而存在的东西。詹姆士和巴克莱站在一起,认为物质"是我们许多感觉的一定组合的名称"①,显然这正是主张意识是第一性的,物质是第二性的。(二)实用主义者否认真理的客观性,主张"科学法则是人造的","真理原来是人造的……,是人造出来供人用的"②。用什么标准鉴别真理和假理呢? 实用主义者说,这标准就是实验。实验就是看哪种见解实行起来对于资产阶级的人生有无实用,有实用或有效果的便是真理,否则便是假理。因为科学法则和真理既然是人造的,是主观的,就不必再问它们是否与客观事实相符合了。(三)实用主义的方法是假设和求证。这就是说,实用主义凭着主观经验考察一个问题时,就片面地、表面地观察那些和问题有关的事实,挑选其中合乎主观见

---

　*　本文亦发表于《政法研究》1955 年第 1 期。——编者注
　①　詹姆士:《实用主义》。
　②　胡适:《实验主义》。

解的东西作为对象来考察,提出一个主观的假设来,然后再去求证。所谓求证,就是再拿那些挑选过的事实来对证一下,如果能够自圆其说,那个假设便算是成立了,便合乎他们的实用,即成为真理了。(四)实用主义者还从庸俗进化论取来进化这个观念导入于实用主义之中,说他们经验中的宇宙是"一点一滴一分一毫"地进化的。由于这样的逻辑,就成立了"一种创造的人生观"。胡适说:"这种人生观,詹姆士称为'改良主义'。这种人生观,……乃是一种创造的'淑世主义'。"胡适还说,这种淑世主义的目的在于拯救世界,"我们尽一分的力,世界的拯救就赶早一分。世界是一点一滴一分一毫的长成的,但是这一点一滴一分一毫全靠着你和我和他的努力贡献"①。实用主义者要拯救的世界是资本主义世界,因为资本主义的丧钟敲响了,资产阶级不能不利用改良主义或淑世主义去拯救它。所以实用主义是对于资产阶级有实用的主义。

以上是实用主义的主要内容。胡适的政治思想是从这样的实用主义出发的。现在,我们来解剖胡适的政治思想。

胡适的政治思想是反革命的思想,这是大家所熟知的。但是他的反革命的政治思想,也还有其一套"理论"的,在展开对胡适的思想的批判时,不能不批判他的政治"理论"。

胡适的政治理论的基础,是他的个人主义的社会观。他在《不朽》那篇文章中,把社会比做"大我",把个人比做"小我"。他做了一番烦琐的说明以后,得出这样一个结论:"我这个现在的'小我',对于那永远不朽的'大我'的无穷过去,须负重大的责任;对于永远不朽的'大我'的无穷未来,也须负重大的责任。我须要时时想着,我应该如何努力利用现在的'小我',方才可以不辜负了那'大我'的无穷过去,方才可以不贻害那'大我'的无穷未来。"这些话的意思就是说,社会中的每一个人要对过去的社会负责,又要对将来的社会负责。如何负责呢? 就是每一个人要把自己造就为好的个人。胡适在《非个人主义的新生活》那篇文章中,也说出了这样的意见。他说:"个人是社会上无数势力造成的。改造社会须从改造这些造成社会,造成个人的种种势力做起。改

---

① 胡适:《实验主义》。

造社会即是改造个人。"怎样改造社会呢？他说："这种改造一定是零碎的改造，——一点一滴的改造，一尺一步的改造。……社会的改造是这种制度那种制度的改造，是这种思想那种思想的改造，是这个家庭那个家庭的改造，是这个学堂那个学堂的改造。"谁来做这样一点一滴的改造呢？他说，这是要有志做这样一点一滴的改造的个人来改造。这样的个人"必须要时时刻刻存研究的态度，做切实的调查，下精细的考虑，提出大胆的假设，寻出实验的证明"。他认为"这种生活是要奋斗的。……这种'淑世'的新生活……是一定要招起反对的。……我们对于反对的旧势力，应当作正当的奋斗，不可退缩"。他认为"淑世"主义者只要坚持向旧势力奋斗，一点一滴地去改造，就可以"使旧社会变为新社会"。

但是要问：那种做一点一滴的改造的"淑世"主义者如何造成呢？胡适主张那样的"淑世"的人，必先把自己造成为个人主义者。这种个人主义就是"把自己铸造成器，方才可以希望有益于社会。真实的为我，便是最有益的为人"。他认为只有先把自己铸造成为"自由独立的人格"，成为"特立独行之士"，才能做一点一滴的改造。我们再问他：要怎样才能"把自己铸造成器"呢？胡适在《介绍我自己的思想》那篇文章中，介绍他自己所写的 22 篇文章，叫他的"少年朋友们"去学习，并且说明那些文章都贯彻了科学态度、科学精神和科学方法，即都是合乎实用主义的，只要照着他所说的那样去做，就可以"把自己铸造成器"，可以成为"特立独行之士"。他还叮嘱少年朋友们不可以"牺牲你们个人的自由，去求国家的自由"，而是要"争你们个人的自由，便是为国家争自由"。他一面教他们学习他的用实用主义方法所写的东西，一面告诫他们不要学习马克思主义，以免"蒙蔽聪明"，"被马克思、列宁、斯大林牵着鼻子走"。他还在别的地方教别人读书的方法，要根据个人的个性去选择书籍，读时要有一个"我"在，"求一种学问不可以国家需要与否来做标准"。胡适这一些说教，是要教少年们跟着他走，把自己造成为"真的个人主义者"，即"淑世"主义者，对历史传承下来的旧社会负责，一点一滴地改良它，在有生之年种一点好因，算是对社会的未来负责。这就是胡适的个人主义社会观。这种社会观又可说是实用主义的社会观。它是胡适的政治理论的基础。

胡适在《我的歧路》中说："我是一个注意政治的人。当我在大学时，政治经济的功课占了我 1/3 的时间。当 1912 年至 1916 年,我一面为中国的民主辩护,一面注意世界的政治。我那时是世界学生会的会员,国际政策会的会员,联校非兵会的干事。……1916 年,我的国际非攻论文曾得最高奖金。……1917 年 7 月我回国时,船到横滨,便听见张勋复辟的消息,……我方才打定 20 年不谈政治的决心,要想在思想文艺上替中国政治建筑一个革新的基础。"胡适根据他那样的决心,就努力宣传实用主义,宣传易卜生的个人主义,还做了提倡文学改良和白话文的工作,从不曾谈过政治。据他说,他做这一类的工作,虽然未谈政治,却与政治有关,因为"没有不在政治史上发生影响的文化"。的确,在"五四"以前,胡适站在资产阶级的立场,参加反对封建文化的运动,还算是进步的。但历史的车轮在继续前进时,胡适就公开反动了。

十月革命一声炮响,给我们送来了马克思主义,当时以李大钊同志为代表的共产主义知识分子,宣传了马克思主义,庆祝了布尔什维主义的胜利,介绍了苏维埃俄罗斯的真相。马克思主义派在当时已经取得了新文化运动的领导地位,1919 年的"五四"运动是在马克思主义派的领导之下爆发起来的。这一伟大的运动,胡适当时并没有参加。他在"五四"以前,回到安徽原籍办理他母亲的丧事,事后他到上海住着,等候迎接他的老师杜威到中国宣传实用主义①。所以胡适不但没有参加"五四"爱国运动,他骨子里毋宁是不赞成这个运动的,这可以从他在"五四"以后两个月的事实看出来。

当中国无产阶级大众在"六三"运动中登上了政治斗争舞台时,当各种宣传马克思主义的刊物继续涌现时,胡适气急败坏了,他说:"国内的'新'分子闭口不谈具体的政治问题,却高谈……马克思主义。我看不过了,忍不住了,——因为我是一个实验主义的信徒,——于是发愤要想谈政治。我在每周评论第三十一号里提出我的政论的导言,叫做'多研究些问题,少谈些主义'!"他在 1919 年 7 月写的这篇什么"导言"中,破口大骂那些"不去研究人力车夫的生计,却去高谈社会主义"的人是"懒",是"阿猫阿狗",是"新典主义的奴隶"。他说:"我谈政治只是实行我的实验主义。""实验主义自然也是

---

① 胡适:《我对于丧礼的改革》。

一种主义。……实验主义注重在具体的事实与问题,故不承认根本解决。他只承认那一点一滴做到的进步,——步步有智慧的指导,步步有自动的实验,——才是真进化。"①胡适的话说得很明白,他谈政治是高谈社会主义的人们把他激起来的,他谈政治是实行他的实用主义。因为他是实用主义的信徒,所以他为忠实于他的主义起见,必须拥护资本主义反对社会主义,而实行那一点一滴的改造的改良主义或淑世主义。因此,他"宁可不避反革命之名",反对马克思主义。"五四"运动,就我们人民说来,是新民主主义革命的开端;就胡适说来,是他的反革命活动的序幕。

中国无产阶级用马克思主义世界观考察了中国命运,得出了"走俄国人的路"的结论,1921年它的先锋队——中国共产党正式成立了。中国共产党是马克思主义和工人运动结合的产物,它一经宣告成立,就立即发动了轰轰烈烈的反帝国主义反封建主义的革命运动。从这个时候起,《新青年》杂志变成了公开宣传马克思主义理论和苏联实况的刊物,《向导》周报则是宣传党的主张和政策的机关刊物。工人阶级和人民群众逐渐集合于中国共产党的旗帜之下,革命的潮流高涨起来了。在这个时候,"不避反革命之名"的胡适,又气急败坏了,又要谈政治了。他说:"我等候了两年零八个月,中国的舆论界仍然使我大失望。一班'新'分子天天高谈……马克思社会主义,高谈'阶级斗争'与'赢余价值'",他"实在忍不住了",于是他根据那"多研究些问题,少谈些主义"的所谓"导言",于1922年5月7日创刊了《努力》周报,来对抗《向导》周报了。胡适创办《努力》周报的目的是:反共反人民,拥护北洋军阀政府和帝国主义。所以他在《努力》周报第二期就发表了《我们的政治主张》,宣称"好政府"主义。他向北洋军阀政府提出三个基本要求,即要求一个"宪政的政府",一个"公开的政府"和一种"有计划的政治";还提出了一些具体主张,如要求北洋军阀政府和平地实现南北统一,要求召集旧国会制定宪法之类。这是胡适宣传"好政府"主义去拥护封建势力的第一幕。其后,胡适看到要求和平统一的计划不能实现时,又主张北洋军阀政府允许各省军阀实行联省自治。他还向北洋政府建议,提出了政治和财政几条平庸的计划,自己还说:

---

① 胡适:《我的歧路》。

"一个平庸的计划,胜于没计划!"胡适这样热诚拥护封建势力,大概也是为了实行他的实用主义,向封建势力作"淑世"运动的。但结果只落得"向盗贼上条陈","实用"是没有的。

胡适办《努力》周报的第二个目的,是为帝国主义侵略辩护。他发表了《国际的中国》一篇文章,反对《向导》周报所登载的一篇宣言。他说,那篇宣言中所说的国际帝国主义支持各派军阀打内战,"很像乡下人谈海外奇闻",他说他自己知道英、美、日各国确实没有这一类的事,特别是美国决不会和日本携手共同利用北洋政府。他说:"我们要知道:外国投资者的希望中国和平与统一,实在不下于中国人民的希望和平与统一。"他认为从前外国人所以捧袁世凯做皇帝,"大部分是资本主义者希望和平与治安的表示"。他认为美国所发起的新银行团是为了抵制日本单独借款给中国,对中国并无恶意。"况且投资者的心理,大多数是希望投资所在之国享有安宁与统一的"。"所以我们现在尽可以不必去做哪怕国际侵略的噩梦。"因此,他把中国共产党所说的国际帝国主义者操纵中国金融财政、把持海关、驻屯军队、行使领事裁判权、独占中国市场、支持各派军阀等等侵略行动,都认为是"和国内政治问题有密切关系的。政治混乱的时候,全国陷入无政府的时候,或者政权在武人奸人的手里的时候,人民只觉得租界与东交民巷是福地。外币是金不换的货币,总税务司是神人,海关邮政权在外人手里是中国的幸事!……所以我们很恳挚地奉劝我们的朋友们……不必在这个时候牵涉到什么国际帝国主义的问题。"胡适这样为帝国主义侵略辩护,十足地表现了他是一个文化买办。总起来说,胡适在《努力》周报中所发表的"政论",在其希望北洋军阀政府恩赐宪法实现和平统一这一方面,可说是资产阶级的妥协性和软弱性的表现;在其为帝国主义侵略辩护这一方面,则是买办资产阶级意识的表现。中国共产党领导人民反帝国主义反封建主义,胡适却拥护帝国主义拥护封建主义,这是革命和反革命的鲜明的对照。

1927年大革命失败以后,中国共产党独自领导着中国革命,进行着第二次国内革命战争。在白区方面,蒋介石匪帮统治着广大的地区,白区的党组织转入了地下,表面上呈现了革命的低潮。这时候,胡适认为蒋介石匪帮的政权稳如泰山,很想卖身投靠,因此又纠集了一班人,于1930年创办了《新月》月刊。《新月》月刊表面上是谈文学,实际上是反共反人民,拥护帝国主义和封建势力,企图因此引起蒋匪帮的重视。他对于当时的革命低潮幸灾乐祸而又慨叹地说,他早就发出了"多谈些问题,少谈些主义"的"警告","于今已隔了十几年,当日和我讨论的朋友,一个已被杀死了(指李大钊),一个也颓唐了(指陈独秀),……十几年前我所预料的种种危险……——都显现在眼前了"①。他于是约集了《新月》的朋友讨论"我们怎样决中国的问题?"他的朋友们推定他提出一个概括的引论。这"引论"就是在《新月》上发表的《我们走那条路》的政治论文,时间是1930年4月10日。胡适在这篇论文中,首先说明要"自觉的探路",不能左也不能右,孙中山和中国共产党的路都是不能走的。他要充分用自己的知识,"客观的观察中国今日实际的需要,决定我们的目标"。他把这个目标分消极的和积极的两种:消极的目标是铲除"贫穷、疾病、愚昧,贪污、扰乱"这"五大仇敌"即"五鬼",积极的目标是"建立一个治安的普遍繁荣的文明的现代的统一国家"(即十足的资本主义国家)。他认为"这五大仇敌之中,资本主义不在内,因为我们还没有资格谈资本主义。资产阶级也不在内,因为我们至多有几个小富人,哪有资产阶级?封建势力也不在内,因为封建制度早已在两千年前崩坏了。帝国主义也不在内,因为帝国主义不能侵害那五鬼不入之国。"他于是找了一些资产阶级学者的资料来证实中国确有"五鬼"。他承认这"五鬼"是铲除的对象以后,就来说明铲除"五鬼"的方法了。他于是分析了演进和革命的两种方法。他认为"革命和演进只有一个程度上的差异,并不是绝对不同的两件事"。"但革命的根本方法在于用人功促进一种变化,而所谓'人功'有和平与暴力的不同。"胡适把"和平的人功促进"叫做和平革命,也叫做"一步一步地作自觉的改革";把暴力革命叫做"武力斗争","你打我叫做革命,我打你也叫做革命"。他的意思是说,过去军阀用武力互相斗争,就是互相革命。胡适是这样来污蔑共产党所领导的人民革命的。他不承认中国有封建势力和帝国主义侵略,而共产党却把中国所没有的东西作为革命对象来实行暴力革命,所以他宁可"不避反革命之名"来反对共产党的革命。他是主张"一步一步地做自觉的改革"那种"真革命"的。

---

① 胡适:《介绍我自己的思想》。

他认为"打倒这五大敌人的真革命只有一条路,就是认清了我们的敌人,认清了我们的问题,集合全国的人才智力,充分采用世界科学知识与方法,一步一步地做自觉的改革",总有到达目的地的一天,也许"我们能在几十年中完全实现"。胡适这一类反革命的梦话,实在是滑稽可笑。他还自以为这是合乎他的个人主义社会观的。他在很多的文章中说中国所以糟到现在的地步,完全是"祖宗积的德、造的孽",现在的人要对过去负责,即"对于那永远不朽的'大我'的无穷过去"负责,要自己"知耻","不要把罪恶尽推在外国人身上",应当像他自己那样喊几声革"五鬼"的命,"一步一步地做自觉的改革",就算是"对于那永远不朽的'大我'的无穷未来"负了重大责任了。胡适这些反革命的梦话,蒋介石匪帮是认为满意的。胡适还前进一步,像煞有介事地发表了批评国民党的文章,还要求蒋介石匪帮恩赐宪法,来勾搭一下,以便讨价还价。果然双方默契成立,胡适把《新月》月刊停办了。从此胡适被任命为东北政治委员会委员、农村复兴委员会委员和中英庚款委员会委员(每年薪金 1600镑)了,胡适做了过河的卒子了。

过了河的卒子,自然要立功报效,去拥护那帝国主义、封建主义和官僚资本主义三位一体的政府了。因此,胡适就纠合了蒋廷黻、丁文江等在 1932 年5月("九一八"以后 8 个月)办起《独立评论》来了。这个独立评论办了 4 年多,出了二百多期,发表了一千多篇文章。它的宗旨,据胡适说:"在这最严重的时期,我们只能用笔墨报国,这本来是很无聊的事。"但他说也有几点值得提倡:(一)"独立的精神":发挥特立独行之士的精神,虚心、公道,尊重事实,排斥"时髦的引诱",排斥反帝反封建的主义或成见。(二)"反省的态度":"我们今日所受的苦痛和耻辱,都只是过去种种恶因种下的恶果。……必须自己认错了,然后肯死心塌地地去努力学上进。"(三)"工作的人生观":"趁现在中国还是我们的,我们正应该起日暮途穷之感,拼命的工作。虽然我们觉悟已经太晚了,也许神明之胄,天不绝人,靠我们今日的努力能造下复兴的基础。说到极点,即使中国暂时亡了,我们也要留下一点工作的成绩叫世界上知道我们还不是绝对下等的民族"①。

---

① 胡适:《独立评论的一周年》。

由此可见,独立评论虽然是蒋介石卖国集团的一班孤臣孽子所发出的亡国的哀鸣,而其基本精神是在于:第一,反苏、反共、反人民。例如反对共产党和共产主义、歪曲苏联社会主义建设的报道、把人民比拟于阿斗,此拟于贫穷、疾病、愚昧的化身等文章,都属于这一类。第二,拥护蒋介石卖国集团,例如那些谈到外交、内政和文化的许多文章,都是向这个卖国集团献策和上条陈的东西,并且贯彻了反共的精神。

胡适在这个时期的"政论"首先表现了亡国路线。他在《对日外交方针》中主张蒋政府依据日本在国联提出五项原则进行交涉,主张解除东三省军备,在关内的东三省军队应逐渐编遣,日本可在东三省租借土地,"中日两国缔结新条约,不但应该解决积年久悬的争端,并且应该远瞩将来,确立远东两大民族可以实行共存共荣的基础"。他在"九一八"周年写的《惨痛的回忆与反省》中,又把祖宗责备一番,说"我们的老祖宗造孽太深了,祸延到我们今日","自己如不长进,如不铲除病根,打倒帝国主义什么都说不上",因此,他希望国民党造出一个重心来。当国联调查团李顿报告书发表主张国际共管满洲时,他赞美那个调查团的"审慎的考查,公平的判断,为国际谋和平的热心","值得感谢和敬礼"。因而他认为这是"一个代表世界公论的报告"。伪"满洲国"成立以后,他在《全国震惊以后》那篇文章中说:"我们今天最大的教训,是要认清我们的地位,要学到'能弱',要承认我们今日不中用,要打倒虚骄夸大的狂妄心理,要养成虚怀愿学的雅量,要准备使这个民族低头苦志做 30 年的小学生。"他又写了《我们可以等候五十年》,主张对满洲采取"不承认主义",且等50 年再说,"在一个国家千万年的生命上,四五年或四五十年算得什么"。阿Q 临刑时说过:再等 18 年就是好汉,胡适说:"我们可以等候 50 年。"他始终不承认美国伙同各国宰割中国的说法,他反对那种说"国际帝国主义者在日内瓦用政治外交方法解决满洲由日本独占或国际共管"的说法,认为这是"杜撰"和"无识"。他赞成蒋廷黻的说法,"华府会议以后,在华只图通商的国家,切望中国的自强更加热烈,有时比中国人过而不及"。到了后来,日本提出"广田三原则"之时,他写了《调整中日关系的先决条件》一文,由不承认伪"满洲国"变为承认伪"满洲国",只主张保全华北了。当"何梅协定"缔结以后,何应钦把一些军政机关静悄悄地从北京撤退了。胡适就写了《沉默的忍受》一篇妙文说:"在这沉默的忍受的苦痛之中,一个新的民族国家已渐渐形成了。能在这种空气里支持一种沉默、一种镇静、一种秩序,这是力量的开端。……这是国难的训练,这是强邻的恩赐,……多难兴邦的老话是不欺人的历史事实,我们不必悲观。"亡国之音,真正可怜! 胡适对于日本帝国主义的侵略,始终是主张逆来顺受的,始终反对抵抗。他在《我的意见不过如此》中说:"我不能昧着我的良心出来主张作战。……我自己的理智与训练都不许我主张作战。"(据说胡适在"七七"事变后,曾加入低调俱乐部反对抗日战争,这是可信的)他认为"一言可以兴邦,一言可以丧邦",不能随便开这句口。他的个人主义是主张要对"大我"的无穷过去负责,又要对"大我"的无穷未来负责,只有自怨自艾,努力工作,做一个有成绩的亡国奴。所以当时的上海各报上都登载了反对他的新闻,还有一批女国民通电声讨他,说他是"异族胡适",是张邦昌,是李完用。这种声讨是完全正确的。

胡适不但自己甘愿做亡国奴,还劝青年学生做亡国奴。当"一二·九"学生救国运动发生时,他劝学生不要受共产党的煽动,赶快复课,努力读书,只能做合法运动。他说大难当前,一切耸听的口号是无用的,喊一声抗议是可以的,而学生的责任还是读书求知识来报国。他曾经教青年学费希特那样,在拿破仑践踏普鲁士时办柏林大学;学巴斯德那样,在法国被普鲁士打败时还在做细菌学研究。"救国须从救出你自己下手",这是胡适的"真正的个人主义"的说教。他现在流亡于美国,可以说是他的个人主义的实用了。

胡适在《独立评论》中还发表了许多政论,如关于《建国》、《建设》、《宪法》、《政治统一》之类的文章,都是为蒋介石上条陈的,值不得批判。其中只有论《无为政治》的几篇,大发思古之幽情。他把老子的无为比拟于资产阶级的放任主义①,主张蒋匪帮不要建设,这就是说,放任帝国主义侵略,放任官僚资产阶级搜括。这却是符合蒋介石卖国集团不要建设,只要搜括的意旨的。

《独立评论》的反共拥蒋是收到一些"实用"的,这"实用"就是胡适和几个社员做了蒋记的大官僚。

抗日战争的发动出乎胡适的意料之外,实用主义者便夤缘机会做了蒋记

———
① 胡适:《中国哲学史》。

的驻美大使,到美国考《水经注》去了。他回国之后大叫做了过河的卒子,实际上他这时已不是卒子而是捍卫主帅的"仕"和"相"了。他荣任了北京大学校长,勾结特务军警压迫学生的革命运动;他荣任了伪国大的代表和主席,拥出蒋匪做总统。他还背起反苏反共十字架到处宣传反苏反共,宣传自由主义,希望借此为蒋介石皇朝苟延残喘。但是终于不能挽救那个皇朝的灭亡,结果,只得跑到美国做"白华"去了。实用主义者变为无用主义者了。

(原载 1954 年 12 月 31 日《人民日报》,署名李达)

胡适反动思想批判*

（1955.1）

引　言

最近思想战线上展开了对于俞平伯的红楼梦研究的错误思想的批判,论战者一致指出俞平伯那种错误思想是受了胡适的资产阶级思想的影响。这可以证明胡适的资产阶级思想对于我国学术界的影响还是很大的。胡适在他的《介绍我自己的思想》中说:

> 从前禅宗和尚曾说,"菩提达摩东来,只要寻一个不受人惑的人"。我这里千言万语,也只要教人一个不受人惑的方法。被孔丘朱熹牵着鼻子走,固然不算高明;被马克思列宁斯大林牵着鼻子走,也算不得好汉。我自己决不想牵着谁的鼻子走。我只希望尽我的微薄的能力,教我的少年朋友们学一点防身的本领,努力做一个不受人惑的人。

胡适在过去的中国资产阶级学术界横行了 30 多年,他的一贯的反动思想,是反对马克思列宁主义,反苏反共反人民。事实上,当年和胡适同时而又受过他的影响的人,受过他的影响的当年的"少年朋友们",现今还大有人在。这些人在古典文学、国故学、历史学、教育学和其他社会科学的研究中,或多或少地都掺杂着胡适的思想和方法。这种现象,在我们这个社会主义改造的伟

---

* 《胡适反动思想批判》于 1955 年 1 月由湖北人民出版社出版,同年 3 月再版,署名李达,其第三节的内容曾以"胡适反动思想在政治上的表现"为题发表于《长江文艺》1955 年 2 月号。——编者注

大时代中,是绝对不能容忍的。

胡适的思想和方法都是实用主义的。说到实用主义,它的影响在过去的中国可太大了。胡适不但自己宣传实用主义,还请了他的杜威老师到中国来同演实用主义的双簧。据胡适在《杜威先生与中国》中说,杜威在中国宣传实用主义达两年零两个月之久,宣传的地区是11省,宣传的5种讲演录发行了十多版,他出席的讲演会"几乎数也数不清","我们可以说,自从中国与西洋文化接触以来,没有一个外国学者在中国思想界的影响有杜威先生这样大的"。胡适还说,杜威在中国的影响"仍旧永永存在,将来还要开更灿烂的花,结更丰盛的果"。胡适的话未免太夸张了。实用主义在中国并不曾开过"灿烂的花",也不曾结过"丰盛的果",但实用主义在过去中国资产阶级学术界的影响却是很大的。我们现在在思想战线上对实用主义发动总攻击,就是要清除实用主义在中国的影响。并且我们不但要清除实用主义的影响,还要清除一般资产阶级思想的影响。

"不破不立,不塞不流,不止不行。"在今日社会主义大改造的时代中,人们的思想也必须实行社会主义的大改造。新中国成立以来,我们知识分子虽然不断地进行着思想改造,虽然反对资产阶级思想,要和资产思想划分界限,但脑子里是否已经没有资产阶级思想,在研究学问的时候是否已经清除了资产阶级的学术思想和治学方法,这是我们要彻底检讨的。假使脑子里还残留着资产阶级思想,就没有空间容受工人阶级思想。当我们展开对胡适思想的批判的时候,我们必须诚心诚意地学习马克思列宁主义,用马克思主义的立场、观点和方法,指导我们的学术研究;必须老老实实、诚诚恳恳学习苏联先进的人文科学和自然科学,结合我国建设社会主义的具体情况,来改造我们的学习。只有这样做去,我们在学术研究的领域中才能有创造性的贡献,来为社会主义建设服务。

我过去在白区的大学里教书多年,却从来不曾看过胡适的著作和他在杂志上所发表的文章。我只知道他是美帝国主义的文化买办,一直是对他采取不理会的态度。这在客观上好像是两种思想可以和平共处似的。现在追想起来,我当年是太缺乏斗争性了。现在为了批判胡适,才搜集了胡适的一些著作,但还有一些没有搜集到手。单就所已搜集的这一部分来看,已经有好几百万字了。单只他的《文存》和《选集》就有 13 册,还有《中国哲学史大纲》和《治学近著》,还有些在杂志上发表了的东西。他那些著作有的发行过十几版。还有,反动时代的中学教科书中也选录了他的作品。胡适自己也说他的某些散篇著作曾经有一千多万人读过,他还因此引以为自豪哩!

胡适的思想毒素的散布面实在太广了。现在来翻看他那些反动著作,内容竟是那么样的露骨而又浅薄,实在有点动气。可是为了批判他,又不能不看,越看越动气。现在经过一个月的忍耐工夫才写成这个小册子,总算是把胡适的反动思想梳理出了一个系统,他的反动面貌也当众展览出来了。可是我还是在动气。

站在太平洋彼岸的胡适不要自鸣得意啊!不要以为自己的著作又在国内大行其时啊!我们并不是在欣赏他的著作,而是在做消毒的工作。因为要消毒,多少总要用一点气力的。

第一节　胡适哲学思想批判

一、实用主义是什么

胡适的反动思想的基础是美国资产阶级的实用主义哲学。为要批判胡适的反动思想,必先批判实用主义①。

实用主义是美国皮尔士首创的,詹姆士和杜威是这一派有名的代表。胡适在《实验主义》中说,皮尔士最先发表了《科学逻辑的举例》和《如何能使我们的意思明白》两篇东西,前者说明实用主义和科学方法的关系,后者说明实验法实行时所得的效果能把观念弄明白。这就叫做实验室的态度。实用主义是从实验一个观念的效果这件事发生的。胡适引用皮尔士的话说:"一个观念的意义完全在于那观念在人生行为上所发生的效果。凡试验不出什么效果来的东西,必定不能影响人生的行为。所以我们如果能完全求出承认某种观念时有那么些效果,不承认它时又有那么些效果,如此我们就有这个观念的完

---

① 实用主义的英文是 Pragmatism,胡适故意误译为实验主义。表面上,"实验主义"好像和毛泽东同志的"实践论"容易混同,但两者绝对相反。"实践论"是无产阶级哲学,"实验主义"是资产阶级哲学,两者绝无共通之点,希望读者注意。

全意义了。除了这些效果之外更无别种意义。这就是我主张的实用主义。"胡适把皮尔士这一段话加以解释说:"一切有意义的思想都会发生实际上的效果。这种效果便是那思想的意义。若问那思想有无意义或有什么意义,只消求出那思想能发生何种实际的效果;只消问若承认它时有什么效果,若不承认它又有什么效果。若不论认它或不认它都不能发生什么影响,都没有实际上的分别,那就可说这个思想全无意义,不过是胡说的废话。"由此可见,实用主义是资产阶级这样一种说教:对于一种思想,资产阶级承认它时,于自己发生何种实用(即效果),不承认它时又发生何种实用,这样,那思想的意义便完全明白了。譬如说,对于马克思主义这种思想,资产阶级若果承认它便会自取灭亡,即于资产阶级没有实用,便认为它是"胡说的废话"。又如说,对于法西斯主义这种思想,资产阶级若果承认它便可苟延资本制度的生命,即于资产阶级有实用,这法西斯主义的意义便完全明白了。所以实用主义就是把求得一种思想对资产阶级有无实用一事来说明那思想的意义的一种学说。

詹姆士发挥了皮尔士的实用主义,说实用主义"不过是几个老法子换上一个新名目"。实用主义用那些老法子换了新名目呢? 它从什么哲学的源流发生的呢? 胡适在述说詹姆士的《实用主义》一书时,直率地说:"实用主义"是詹姆士"综合皮尔士、席勒、杜威、倭斯袄①、马赫等人的学说,做成一种实用主义的总论。"这话说得很明白,实用主义的根源和马赫主义的一样,同是18世纪英国主教贝克莱的主观唯心论。实际上,詹姆士在他的《实用主义》一书中,继承了贝克莱的学说,并承认贝克莱也是实用主义者。贝克莱的主观唯心论是用来反对17、18世纪的一般唯物论的;马赫主义和实用主义是用来反对辩证唯物论的。这一系列的主观唯心论及其变种,列宁早在《唯物论与经验批判论》中彻底批判了粉碎了的,这里只就实用主义作补充的批判。

二、实用主义的"实在论"

我们知道,哲学的根本问题是物质和意识的关系如何的问题。主张物质是第一性,意识是第二性的哲学,属于唯物论的党派;主张意识是第一性,物质

---

① 今译为"奥斯特瓦尔德"。——编者注

是第二性的哲学,属于唯心论的党派。现在,我们来看实用主义对于这个根本问题是怎样处理的呢?

詹姆士说,实用主义有三个方面,即方法论、真理论和实在论。这里先检讨实用主义的实在论。

实在是什么?在唯物论说来,实在即是存在,即是物质。"物质是作用于我们的感觉器官而引起感觉的东西,物质是在感觉中给予我们的客观的实在。"①实用主义怎样解释"实在"呢?詹姆士说,"实在"是由三部分构成的:第一是感觉,第二是感觉和感觉、意象和意象之间的种种关系,第三是旧有的真理。感觉是什么?詹姆士认为感觉本身就是物质。他说:"我们所知道的物质,是我们所得的颜色、形状、硬性等等的感觉。这些感觉是所谓物质的兑现价值。物质存在或不存在,于我们所发生的差别,就是我们有没有这些感觉。"他还引用贝克莱的主张,说"物质是这些感觉的一个名词"②。他又说,"所以我们若说到人的思想以外独立的实在,是一个很难寻得的物"③。这样的主张,和贝克莱主教所说物是"色、味、香、冷、热、软、硬等感觉的集合"或物是"观念的集合"是完全相同的,和马赫所说物是各种感觉的"要素的复合"或物是"感觉的复合"是完全相同的。这就是说,感觉完全是主观的东西,它并不是外界事物的反映。另外,实用主义者所说的意象,不用说也是主观的。至于所说的"旧有的真理",实用主义者说它是人造的,是"先存的概念",它更是主观的了。因此,实用主义者所说的感觉、意象和旧有的真理,都完全是主观的东西。这些主观的东西,就是实用主义者所说的经验,就是他们所说的实在。由此可见,实用主义就是唯心论的经验论。詹姆士自己也说:"实用主义代表哲学上一种完全习见的态度,就是经验主义者的态度。但是我看起来,它所代表的经验派的态度,比以前的样子更是极端,并且更少可以非议的地方。"④詹姆士这段话,就是表明实用主义是彻底的唯心论的经验论。

经验是什么?在辩证唯物论说来,经验要以离开人类意识独立的客观世

---

① 列宁:《唯物论与经验批判论》,人民出版社,第173页。
② 詹姆士:《实用主义》中译本,商务版,第60页。
③ 詹姆士:《实用主义》中译本,商务版,第165页。
④ 詹姆士:《实用主义》中译本,商务版,第34页。

界的存在为前提。经验是人类在生产斗争和阶级斗争中所得到的关于自然和社会的知识。人在生产斗争和阶级斗争中,外界事物反映于感觉器官,形成感觉,积累起感性经验。这些感性经验是思维的材料,经过了去粗取精、去伪存真、由此及彼、由表及里等一系列的思维过程,就把那些感性经验提高为理论。这些理论再经过生产斗争和阶级斗争来证明其正确。一切自然科学和人文科学的知识就是这样地形成起来的。在这里,我们可以说,上升为理论的经验,即是科学的知识。现在我们学习苏联的先进经验,就是学习苏联的自然科学和人文科学及其在社会主义和共产主义建设中的应用。

实用主义者否认经验与客观世界的关系,而只是承认经验与自己的感觉和情感有关系。实用主义者杜威,对于经验的解释非常狡猾,而且故弄玄虚,粉饰其主观主义。他认为经验是人和环境所起的交涉,是物观世界受了人的反动而发生的变迁。杜威这样的主张,就是在说经验是物质和意识的结合,这正和马赫主义者所说经验是物理的东西和心理的东西的结合一样,同是改装了的主观唯心论。所以实用主义者认为感觉和经验不是客观世界的反映,而是人的意识中所固有的东西。

由此可见,实用主义者所说的"实在"就是经验,经验就是"实在",这是我们要特别注意的。实用主义者把经验当作塑造人物的原料一样,可以用这种原料塑出任何物质的东西。所以实用主义者说:"实在是我们自己改造过的实在。这个实在里含有无数的人造分子。实在是一个很服从的女孩子,她百依百顺的由我们替她涂抹起来,装扮起来。""实在好比一块大理石,到了我们手里,由我们雕成什么像。宇宙是经过我们自己创造的功夫的。"这话说得很明白,实用主义者是把经验当作"实在",利用经验就可以塑造出"事实"、"事物"、"世界"、"宇宙"一类的东西来。

实用主义者还认定他们的经验是不断进化的怪物。他们把庸俗进化论的"进化"观念引入于"实在论"之中,认为他们的经验是一点一滴一分一毫地进化的。因此,他们说,他们经验中所产生的宇宙是"一篇未完成的草稿,正在修改之中,将来改成怎样便怎样,但是永远没有完篇的时期"[1]。这便是说,他

---

[1] 胡适:《实验主义》。

们的经验是一点一滴地渐进而没有突变的,由经验所产生的宇宙也是一点一滴地渐进而没有突变的。因此,实用主义者便依据这种庸俗进化论的观念,造出了实用主义的人生观。胡适说:"这种实在论和实用主义的人生哲学,和宗教观念都有关系。总而言之,这种创造的实用论发生一种创造的人生观。这种人生观,詹姆士称为'改良主义'。这种人生观,也不是悲观的厌世主义,也不是乐观的乐天主义,乃是一种创造的'淑世主义'。"这种淑世主义或改良主义的目的,据说是要拯救世界。拯救什么世界呢? 当然是拯救资产阶级世界。因为在詹姆士生存的时代(他死于 1910 年),无产阶级世界革命时代到来了,资本主义丧钟敲响了。詹姆士为了拯救资产阶级世界,要冒险实行淑世主义,一点一滴一分一毫地实行改良,把资产阶级世界做到完满无缺的地位。这种改良主义的见解,杜威在他的社会哲学、政治哲学的讲演中也同样地强调着。他认为人们对于一种社会制度有两种相反的见解:第一种主张完全拥护,第二种主张完全推翻。他自己提出第三种见解,主张逐步实行改良。这第三种见解和第一种是一致的,即主张拥护资本主义制度,只实行一点改良。所以实用主义即是资产阶级改良主义。

三、实用主义的真理论

真理是什么? 在辩证唯物论说来,真理是人们的认识正确地反映了客观世界的法则性。这即是说,主观符合于客观。反之,认识如果不能正确地反映客观世界的法则性,或者歪曲了客观世界的法则性,便是谬误。这即是说,主观不符合于客观。至于鉴别真理和谬误的标准,只能是社会的实践。只有在社会的实践的过程中(即在生产斗争过程中、在阶级斗争过程中、在科学实验过程中),人们按照所认识的客观世界的法则去实践而得到了符合于那个法则的效果时,这认识便是真理了。所以列宁说过:"从生动的直觉到抽象的思维,从抽象的思维到实践,这是认识真理、认识客观实在之辩证法的路程。"辩证唯物论的真理论就是辩证唯物论的认识论。它认定:(一)真理是客观的;(二)真理是在实践中认识的;(三)科学法则是人们在实践中认识了客观事物的法则并得到实践证明的论理认识,它是客观真理的反映。所以科学法则是"不以人们的意志为转移的客观过程的反映,人们能够发现这些法则,认识它们,研究它们,在自己的行动中估计到它们,利用它们来为社会谋福利,但是人们不能够改变或废除这些法则,尤其不能制定或创造新的科学法则"①。利用科学法则来为社会谋福利的意思,就是说,要根据所发现的科学法则去行动,来求得预想的结果,来为社会谋福利。正因为科学法则符合于客观的过程,所以人们才能够利用它为社会谋福利即在实践中实现预想的结果。这实践的结果恰恰又是证明那科学法则符合于客观过程的。辩证唯物论对于真理的说明,大致就是这样(还有相对的和绝对的真理论,这里不详细说明了)。

实用主义的真理论和辩证唯物论的真理论完全相反。实用主义者从根本上否认客观世界,否认客观的真理,否认客观的科学法则。他们说,真理是人造的,科学法则是人造的。詹姆士说:"凡真理都是我们能消化受用的,能考验的,能用旁证证明的,能够稽核查实的,凡假的观念都是不能如此的。"胡适解释说:"真理原来是人造的,是为了人造的,是人造出来供人用的,是因为它们大有用处所以才给它以真理的美名的。我们所谓真理,原不过是人的一种工具,真理和我手里这张纸,这条粉笔,这块黑板,这把茶壶,是一样的东西,都是我们的工具。"他又说:"科学律例是人造的","是假定的,——是全靠它解释事实能不能满意,方才可以定它是不是适用的"②。实用主义者究竟怎样自造真理、自造科学法则呢?实用主义者既然否认客观世界而认为主观经验就是一切,那么,他们的认识就不是认识客观世界而是认识主观经验了。实用主义者用主观经验去认识主观经验,就只要专凭自己的推想力去捏造一种什么观念或思想,认识过程便结束了。于是,他们就在认识过程终结以后,把所捏造的什么观念或思想拿到实践中去实践,看看那种观念或思想能发生什么"效果",或者看它"解释事实能不能满意"。如果有了"效果",或者解释得满意,那个观念或思想便成了真理。这便是实用主义的真理论。

我们绝不要被实用主义者所说的"实践"或"实验"的名词所迷惑。他们是在认识过程终结以后才拿出所谓观念或思想去实践的。在他们的认识过程中始终没有实践。他们根本不接触到客观世界,而只是开动脑筋把主观经验

---

① 斯大林:《苏联社会主义经济问题》。
② 胡适:《实验主义》。

组织为一个观念或思想,根本用不着实践。所以他们的认识论是离开实践的(也许有人要问:他们开动脑筋算不算得实践? 我的答复是:把开动脑筋当作实践,那是唯心论者的说法,辩证唯物论者所说的实践是生产斗争,是阶级斗争,是科学实验,这是和唯心论者所说的开动脑筋是根本不同的。唯物论者在实践中运思的时候,也是开动脑筋的,却不算是实践)。我们切要注意辩证唯物论所说的实践这个概念的意义。实用主义者要实践,只是要试试自己所捏造的思想或观念有无效果,或解释事实能否满意,这就是他的目的。

我们也不要被实用主义者所说的"效果"或"实用"的名词迷惑。前面说过,我们利用科学法则从事于生产斗争和阶级斗争,是希望得到预想的效果或实用,来为社会谋福利。我们所以能够得到预想的实用或效果,完全是因为根据科学法则去实践的缘故;同时这种实践中实用或效果恰恰证明了那个科学法则正确地反映了客观的过程。正因为科学法则正确地反映了客观过程,正因为它是客观的真理,所以我们才能利用它来得到预想的实用或效果。共产党的一切政策和计划都是以客观的社会发展法则为准则的,所以能够得到生产斗争和阶级斗争的胜利,这是大家所知道的。

实用主义者所说的实践,只是把主观上所捏造的思想或观念拿去实行,看它能生什么效果或者解释事实是否满意。他们只是注意那种思想所发生的效果,并不是实验那种思想是否与客观过程相符合,因为他们根本否认客观世界或客观过程,而只要把效果来证明那种思想与他们的主观经验即由经验所构成的"实在"相符合。我们说:实践的效果证明主观与客观相符合。他们说:实践的效果证明主观与主观相符合。总之,实用主义者把主观中捏造的思想投到实践中去看效果,有效果便是真理(实际上假理)。效果、效果,这是实用主义者所需要的唯一的东西。所以实用主义把有效果的东西当作真理的一种歪理论。

列宁在《唯物论与经验批判论》中指斥过马赫关于真理的谬论。马赫说:"认识是……生物学上有用的心里经验","只有有效果才能区别真理与谬论……"。列宁指斥说:"在马赫那里,这类命题是与他的唯心论的认识论并列在一起的,而并没有决定在认识论上选择这个或那个确定的路线。只有在它反映不依存于人的客观真理时,认识才能是生物学上有用的,在人的实践中有用的,在保存生命上、在保存种族上有用的。对于唯物论者,人的实践的'效果'证明着我们的表象与我们所感知的物的本性之符合。对于唯我论者,'效果'是我在实践中所需要的一切,实践是可以同认识论分离开来的。"列宁这个指斥,对于马赫主义分支的实用主义,完全适当。米丘林派的"遗传与变异"的学说,在农业生产的实践中证明了它是客观的真理,所以它在生物上、在保存生命上、在保存种族上都是有用的。农业生产中的效果证明着"遗传与变异"的学说是和生物界的发展过程相符合的。实用主义者只要"效果",只坚持自己主观的真理。实际上,主观的真理是没有的。它只是歪理。

主观唯心论是和宗教相一致的。实用主义既然否认客观世界,否认客观真理,而坚持主观真理,结局必成为信仰主义。因为实用主义者的主观真理,是根源于自己的信仰而来的。他们信仰了某一观念确实于自己有好处,那观念便是真的。有好处的东西即是"善",因而"真"即是"善","善"即是"真"。詹姆士说:"一个观念,只要我们信仰了它是有益于我们的生活,就是'真'的。你们自然承认它是善的,因为它既然有益到这个限度。倘使我们因它的帮助所做的事是善的,这观念自身也一定是善到那个限度。……让我现在单说,'真'是'善的一种',不是如平常所假设的,于善以外,别为一范畴而与善同等的。凡在信仰上是善的,并且因为确定的可指示的理由而是善的,这就是真的。"①实用主义者这样地把"真"和"善"混同起来,完全是信仰主义者必然的归结。

由于实用主义是信仰主义,就必然皈依于上帝。詹姆士说:"如果神学的观念于具体的生活能有价值,它在实用主义上就是真的,就真到这个限度。"②詹姆士又说:"在他方面,上帝的观念,纵没有如数学观念的明了,却有一个实际上的大优点,就是保证一个理想的秩序,可以永久存在。"③又说:"你自己个人经验,给了你一个上帝以后,上帝的名词,至少给你休息日的利益。"④够了!实用主义原来是资产阶级的宗教!上帝这个观念之所以是真理,就因它能保

---

① 詹姆士:《实用主义》中译本,商务版,第52页。
② 詹姆士:《实用主义》中译本,商务版,第50页。
③ 詹姆士:《实用主义》中译本,商务版,第72页。
④ 詹姆士:《实用主义》中译本,商务版,第74页。

证资本主义制定的永久存在,并能给一般人以休息日的利益! 实用主义的真理论不过如此。

四、实用主义的方法论

实用主义者说:实用主义只是一个方法,只是几个老法子换上一个新名目。他们的方法究竟怎样呢? 据詹姆士说,实用主义的方法是"要把注意之点从最先的物事移到最后的物事,从通作移到事实,从范畴移到效果"①。这所谓"最先的物事"就是通则、范畴、定理等等;所谓"最后的物事"就是人生经验。所谓"从最先的物事移到最后的物事",就是把一些通则、定理、范畴等等"现兑"做"人生经验",看那些事物(即经验)观念、信仰等于人生有什么影响或效果,因而决定它是不是真理。胡适在这里表明了这个商人哲学的意思说:"一个观念(意思)就像一张支票,上面写明可支若干效果;如果这个自然银行见了这张支票即刻如数兑现,那支票便是真的——那观念便是真的。"②

列宁在《唯物论与经验批判论》中指出了哲学上的两条基本路线:第一是唯物论的路线,它从存在到思维,从物质到感觉;第二是唯心论的路线,它从心理的东西到物理的东西,从自我到环境,即从思维到存在,从感觉到物质。实用主义的方法论是唯心论的路线。

杜威的实用主义是偏重于方法论的。他对于实用主义的方法说得比较详细。他认为经验就是生活,生活就是应付人类的环境,而应付环境的工具是思想。他把思想的作用看得很重要,因而把哲学上的根本问题"改变为解决人的问题"的思想方法。杜威的思想方法分为五步:(一)"疑难的境地";(二)"指定疑难之点究在什么地方";(三)"提出种种假定解决的方法";(四)"决定那一种假设是适用的假设";(五)"证明"。这是杜威的有名的思想五步法,胡适继承这五步的方法,把它缩短为两步,即"大胆的假设和小心的求证"。杜威的这个五步法,是唯心论的形而上学的方法,后面还要批判。

胡适说,杜威在哲学史上是一个大革命家。因为杜威把实用主义归着于

① 胡适:《实验主义》。
② 胡适:《实验主义》。

方法论,把哲学上的根本问题改变为"解决人的问题的思想方法",因而把哲学上的一切唯心论和唯物论的争论都看做是不成问题的争论,都可"以不了了之"。照这样,杜威是把认识论革掉了,大概这就是所谓哲学革命吧!杜威自己也说:"哲学如果不弄那些'哲学家的问题'了,如果变成对付'人的问题'的哲学方法了,那时候便是哲学的光复日子到了。"①杜威说"哲学的光复",胡适说它是"哲学的革命",意思是相同的。哲学不谈唯物和唯心的问题,即是不谈认识论而只谈方法了,这是真的把资产阶级哲学的命革掉了。单谈方法的著作是很多,何必把所谓"方法"穿上哲学的外套呢?胡适在"哲学是什么"的讲演中,也重复了同样的意见。他认为从来哲学所研究的各种问题,现在都有各种科学去做专门研究了。科学比哲学要精确得多,科学所研究的东西,就无需哲学再去研究了。科学夺去了哲学的许多地盘,现在给哲学留下的东西就只有人生问题。将来研究人生问题的社会科学如果也比哲学更精确了,那时哲学便消灭了。胡适在别的地方还会讲演过"哲学的将来"这个题目,有人用文言记录了他的大意,还里摘录几句。他说:"凡是科学能解决之问题,哲学家应充分接受,而曰是,是,不可再妄发议论。……凡科学家认为非关重要,不成问题者,不必再去研究,以不了了之可也。总之,以后对于哲学问题或有批评之人,只可称之曰思想家与理论家,不能独树一帜而曰哲学家。以上所说,均系经验之谈,盖鄙人吃'哲学饭'十有余年,自知错误,不敢再自害害人,故今日在此'盘账','宣告休业'云云。"②"哲学"快消灭了,这真是资产阶级哲学的悲哀!胡适的话是对的!资产阶级哲学是要随着资产阶级本身的消灭而一同消灭的。至于我们的马克思主义哲学却如同旭日东升,光芒万丈,它随着世界的发展而更趋发展,它的光芒照耀着全世界人民向着共产主义的大道前进。

总起来说,实用主义原是资本家的商品主义。资本家买卖商品,只注意商品的效用,效用就是商品的价值,再不讲什么道理。实用主义者玩弄观念,只注意观念的效果,效果就是观念的价值,再不讲什么道理。这样的实用主义又

---

① 胡适:《实验主义》。
② 见《现代中国人名人外史》,所引的话,大概是听讲人的笔记。

变成了美帝国主义的蛮不讲理的、实力政策的哲学。美帝国主义只注意实力政策可以威胁全世界人民,掠取最大限度的资本主义利润。最大限度的资本主义利润就是实力政策的价值,再不讲什么道理。御用哲学家要用实用主义来对抗马克思主义哲学,正和用雪球对抗太阳一样,阳光一照,雪球自会消散的。

胡适反动思想的基础,就是这样一种实用主义。

第二节　胡适社会思想批判

一、社会不朽论

胡适出身于官僚资产阶级家庭,自幼读过一些古书,受过封建思想的教育,之后到上海澄衷和中国公学读过几年,20 岁时被北京中美庚款文化委员会考选为留美学生(美国人叫这种学生为"赔款学生")。他在美国留学 7 年,习惯了美国生活方式。他先在美国康奈尔大学读书,得过文学博士;后又到哥伦比亚大学读书,得过哲学博士。他饱受了资产阶级教育的熏陶,除文学和哲学外,还涉猎过资产阶级的政治学和经济学。他自己认为对于实用主义造诣很深,自称为"实用主义的信徒",所以他常说哲学是他的专业,文学是他的娱乐。他在美国学成归国以后,看到中国仍然是落后、黑暗,一切都不顺眼,和美国比较起来,真有天渊之别。但他是中国人,不能不拯救中国,所以他决定要做"改良主义"、"淑世主义"的斗士,做一番拯救中国的事业。

胡适的拯救中国,是有一套理论的,他的理论就是他的淑世主义的社会视,或个人主义的社会观。他在《不朽》那篇文章中,提出了他的"社会不朽论"。他说:

> 社会的生命,无论是看纵剖面,是看横截面,都像一种有机的组织。从纵剖面看来,社会的历史是不断的;前人影响后人,后人又影响更后人;没有我们的祖宗和那无数的古人,又那里有今日的我和你?没有今日的我和你,又那里有将来的后人?没有那无量数的个人,便没有历史,但是没有历史,那无数的个人也绝不是那个样子的个人。总而言之,个人造成

历史,历史造成个人。从横截面看来,社会的生活是交互影响的;个人造成社会,社会造成个人;社会的生活全靠个人分工合作的生活,但个人的生活无论如何不同,都脱不了社会影响;若没有那样这样的社会,绝不会有那样的我和你,若没有无数的我和你,社会也绝不是这个样子。

从上文看来,胡适认定社会单是由无数个人组织起来的,古往今来的无数个人的交互影响,造出了历史,造出了社会。他从这种交互影响的社会观,造出了他的"社会不朽论"。他于是把社会比作"大我",把个人比作"小我",做了下面烦琐的说明。

> 我这个"小我"不是独立存在的,是和无量数"小我"有直接或间接的交互关系的;是和社会的全体和世界的全体都有互为影响的关系的;是和社会世界的过去和未来都有因果关系的。种种现在的因,种种现在无数"小我"和无数他种势力所造成的因,都成了我这个"小我"的一部分。我这个"小我"加上种种从前的因,又加上了种种现在的因,传递下去,又要造成无数将来的"小我"。这种种过去的"小我",和种种现在的"小我",和种种将来无穷的"小我",一代传一代,一点加一滴,一线相传,连绵不继,一水奔流,滔滔不绝,——这便是一个"大我"。"小我"是会消灭的,"大我"是永远不灭的。"小我"是有死的,"大我"是永远不死,永远不朽的。"小我"虽然会死,但是每一个"小我"的一切作为,一切功德罪恶,一切语言行动,无论大小,无论是非,无论善恶,——都永远留存在那个"大我"之中。那个"大我"便是古往今来一切"小我"的纪功碑,彰善词,罪状判决书,孝子慈孙百世不能改的恶谥法。这个"大我"是永远不朽的,故一切"小我"的事业,人格,一举一动,一言一笑,一个念头,一场功劳,一椿罪过,也都永远不朽。这便是社会的不朽,"大我"的不朽。
>
> 以我个人看来,这种"社会的不朽"观念,很可以做我的宗教了。我的宗教的教旨是:
>
> 我这个现在的"小我",对于那永远不朽的"大我"的无穷过去,须负重大的责任;对于那永远不朽的"大我"的无穷未来,也须负重大的责任。

我须要时时想着,我应该如何努力利用现在的"小我",方才可以不辜负了那"大我"的无穷过去,方才可以不遗害那"大我"的无穷未来?

胡适把上面所说的那种社会观,作为他自己的宗教的教旨,他的一切言论和行动都是根据于他的这种宗教的。在我们看来,胡适的社会观,完全是资产阶级的形式主义的社会观。我们知道,人类社会的历史,顺次出现了原始社会、奴隶制社会、封建社会、资本主义社会、社会主义社会五个阶段,现在正向共产主义社会迈进着。各特定阶段上的社会,都是当作特定生产关系总体看的社会。在特定生产关系(在敌对社会中即是阶级关系)总体的基础之上,有和它相适应的上层建筑,这上层建筑就是社会对于政治、法律、宗教、艺术、哲学的观点,以及适合于这些观点的政治法律等制度。这便是社会的构造。至于社会发展的原动力,是生产力和生产关系的矛盾。当生产关系适合于生产力的性质时,那种社会构造是安定的;当生产关系障碍生产力的发展时,那种社会构造便动摇起来,就会发生社会革命。进步的革命的阶级就起来推翻那种旧生产关系,建立起适合于生产力发展的新生产关系。所以生产关系一定要适合生产力性质这一法则,是一切阶段上的社会的发展的共通法则。而各个阶段上的社会本身,又各有特殊的发展法则(这里不再详说了。)至于资产阶级形式主义的社会观,并不提及社会的构造,只谈一些"交互影响"的废话,既不提及社会的经济制度和政治法律等制度,也不敢触及阶级关系。那样的社会观,对于任何阶段上的社会都是适用的。那样的社会观也谈到"因"和"果",但那并不是什么因果关系的法则,而只是说到"因果报应",如同说前人积德则后人受惠,前人造孽则后人受罪之类。这简直是因果报应的社会观。

此外,胡适还有所谓"秃头的历史观"和"科学的人生观"都是和他的"社会不朽论"相同的。

他和陈独秀辩论人生观问题时,曾提出了"秃头的历史观"一个名称。这"秃头的历史观"好像是多元的历史观,据说"知识、思想、言论、教育等等"可以和经济一样地去说明历史。但是他自己还是要用"知识、思想等等"去说明历史的。这仍然是唯心的历史观。这是他和陈独秀辩论时,强词夺理地提出来的一个名称,没有什么道理。

其次，胡适在"科学与人生观序"中，把吴稚晖的"漆黑一团的人生观"和"人欲横流的人生观""总括"了一下，"加上一点扩充和补充"，提出一个什么"新人生观的轮廓"。他把这些"轮廓"杂凑了十条。其中第一条到第九条，列举了天文学、物理学、地质学、古生物学、生物学、心理学、化学等自然科学名称，用它们来说明"人生"和"社会"。这完全是"扯淡"。但是他自己并不重视前九条，而注重他自己加进去的第十条，这是他在"介绍我自己的思想"中特别向他的"少年朋友们"介绍的。这第十条是：

> 根据于生物学及社会学的知识，叫人知道个人——"小我"——是要死灭的，而人类——"大我"——是不死的，不朽的；叫人知道"为全种万世而生活"就是宗教，就是最高的宗教；而那些替个人谋死后天堂净土的宗教乃是自私自利的宗教。

胡适上面所说的那几句话算得什么"科学的人生观"，那仍然是实用主义的人生观，仍然是主观唯心论的"社地不朽论"。

二、社会改良论

胡适基于他的"社会不朽论"，创造了他的社会改良论。他认为社会是过去、现在和未来的无穷"小我"一代传一代、一点加一滴地造成起来的，即社会是逐渐进化而来的，因而社会的改造一定是一点一滴地改造，决不能有根本的改造。但是他所说的进化这个概念并不是和革命的概念相对立，反而把革命也包含在进化之中。他说："进化有两种：一个是完全自然的演进；一个是顺着自然的趋势，加上人工的督促。前者可叫做演进，后者可叫做革命。"①胡适这种说法，可说是荒谬已极。进化和演进是同义语，都是意味着改良，意味着维持一种社会制度；革命则是意味着推翻那种社会制度而建立新社会制度。革命和改良是完全不同的。革命是由革命的阶级实行的，怎么可以把革命包括在进化的范畴之中呢？

---

① 胡适：《白话文学史》。

胡适根据他自己的反革命的进化观念,制造了他的反革命的社会进化论,并且故意含糊其辞,希图混淆人们的视听。他说:

> 革命和演进本是相对的、比较的,而不是绝对相反的。顺着自然变化的程序,如瓜熟蒂落,如九月胎足而产婴儿,这是演进。在演进的某一阶段上,加上人工的促进,产生急骤的变化;因为变化来的急骤,表面上好像打断了历史上的连续性,故叫做革命。其实革命也都有历史演进的背景,都有历史的基础。
>
> 政治史上所谓"革命",也都是不断的历史演进的结果。美国的独立、法国的大革命、俄国的 1917 年的两次革命,都有很长的历史背景。莫斯科的"革命博物馆"把俄国大革命的历史一直追溯到三四百年前的农民暴动,便是这个道理。中国近年的革命至少也可以从明末叙起①。

但是,斯大林教导我们:"既然由缓慢的量变进到迅速的突然的质变是发展的规律,那么由被压迫阶级所实行的革命的变革,当然也就是完全自然而必不可免的现象。""由此可见,为了在政治上不犯错误,便要做革命家,而不要做改良主义者。"②可是改良主义者却坚持社会只有量变(即演进)而没有革命,或者把演进和革命等同起来。胡适虽知道革命由演进所准备,却把演进和革命等同起来,认为没有什么根本上的差异。特别是他利用莫斯科的"革命博物馆"作为提倡改良主义的论据,更是荒谬可笑。且看他说:

> 所以革命和演进只有一种程度上的差异,并不是绝对不相同的两件事。变化急进了,便叫做革命;变化渐进,而历史上的持续性不呈露中断的现状,便叫做演进。但在方法上,革命往往多含一点自觉的努力,而历史演进往往多是不知不觉的自然变化。……
>
> 但革命的根本方法在于用人工促进一种变化,而所谓"人工"有和平

① 胡适:《我们走哪条路》。
② 《联共党史简明教程》,外国文出版局莫斯科版,第140页。

的与暴力的不同。宣传鼓吹,组织与运动,使少数人的主张逐渐成为多数人的主张,或由立法,或由选举竞争,使新的主张能代替旧的制度,这是和平的促进①。

我们知道,革命是革命阶级推翻旧政权建立新政权,推翻旧社会制度建立新社会制度;演进则是保守阶级继续掌握政权,并维持有利于自己的现社会制度,胡适怎么能说这两者"只有一个程度上的差异"呢?特别荒谬的是把革命的根本方法说成是"用人工促进一种变化",并把和平的人工促进说成是和平的革命,表示与暴力的或武力的革命不同。而他自己则是主张和平革命反对暴力革命或武力革命的。

他始终坚持他的社会改良论,他说,他是"一个实验主义的信徒","实验主义注重在具体的事实与问题,故不承认根本的解决。它只承认那一点一滴做到的进步,——步步有智慧的指导,步步有自动的实验——才是真进化"②。

以上是胡适的社会改良论。

三、个人主义论

胡适根据他的"社会不朽论"和社会改良论,认定社会是过去、现在和未来的无数个人组织起来的。"前人影响后人,后人又影响更后人",现在的各个人也互相影响。因此社会是由古往今来无数个人的相互影响连缀起来的。在这样的社会中,没有阶级的差别,无论是资本家和工人、地主和农民,都是组成社会的个人,照这样阶级就在抽象的个人中解消了。其次,他主张现在的社会是由过去的祖先传承下来的,未来的社会是由现在的个人遗留下去的,因此,现在的个人要对过去的社会负责,又要对未来的社会负责。善有善报,恶有恶报。祖宗积的德,造的孽,使现在的人受其果报;现在的人积的德,造的孽,后代的人也受其果报。因此,现在的个人对于过去社会传承下来的种种势力应当作一点一滴的改良,做"和平的人工促进",使社会能够进步,但是,对

---

① 胡适:《我们走那条路》。
② 胡适:《我们走那条路》。

于现社会却不能用暴力革命来做"根本的解决"。

现在的个人如何对过去和未来的社会负责？如何对现社会实行一点一滴的改良呢？胡适答复这些问题，就提出了他的"个人主义"论。他说，他的杜威老师把个人主义分为"假个人主义"和"真个人主义"两种，他自己觉得还有第三种的个人主义，即"独善的个人主义"。他反对"假个人主义"，因为它是"为我主义"，只顾自己的利益，不管群众的利益；也反对"独善的个人主义"，因为它只顾改造自己的个性，不管社会的改造。他很赞成那种"真的个人主义——就是个性主义"。他说，真的个人主义的"特性有两种：一是独立思想，不肯把别人的耳朵当耳朵，不肯把别人的眼睛当眼睛，不肯把别人的脑力当自己的脑力；二是个人对于自己思想信仰的结果要负完全责任，不怕权威，不怕监禁杀身，只认得真理，不认得个人的利害"。① 他认为这种"真个人主义"是"淑世"主义。这种"淑世"主义的个人是要改造社会的种种势力的，而"这种改造一定是零碎的改造，——一点一滴的改造，一尺一步的改造"。"因为要做一点一滴的改造，故有志做改造事业的人必须要时时刻刻有研究的态度，做切实的调查，下精细的考虑，提出大胆的假设，寻出实验的证明。"因为要做"淑世"运动，就要反对旧势力做"正当的奋斗"②。

胡适虽然反对独善的个人主义"改造社会要从改造个人做起"的说法，而主张"改造社会即是改造个人"，主张"改造个人也是要一点一滴的改造那些造成个人的种种社会势力"，但说来说去，他仍旧是主张先改造个人的。他非常崇奉易卜生的个人主义，说它代表了他自己的人生观，代表了他自己的宗教。他引用易卜生的话说："你要想有益于社会，最好的法子莫如把你自己这块材料铸造成器。……有的时候我真觉得全世界都像海上撞沉了船，最要紧的还是救出自己。"他自己接着说：

> 这便是最健全的个人主义，救出自己的唯一法子便是把你自己这块
> 材料铸造成器。把自己铸造成器，方才可以希望有益于社会。真实地为

① 胡适：《非个人主义的新生活》。
② 胡适：《非个人主义的新生活》

我，便是最有益地为人。把自己铸造成了自由独立的人格，你自然会不知足，不满意于现状，敢说老实话，敢攻击社会上的腐败情形，……这个个人主义的人生观，一面教我们学娜拉，要努力把自己铸造成个人；一面教我们学斯铎曼医生，要特立独行，敢说老实话，敢向恶势力作战。少年的朋友们，不要笑这是 19 世纪维多利亚时代的陈腐思想！我们去维多利亚时代还老远哩。欧洲有了 18、19 世纪的个人主义，造出了无数爱自由过于面包，爱真理过于生命的特立独行之士，方才有今日的文明世界①。

胡适的个人主义是地道的真个人主义，他拿维多利亚时代的陈腐思想来蒙蔽青年，要青年们在撞沉了的中国大船中先救出自己，先把自己"这块材料铸造成器"，且不要顾虑中国大船的沉没。因此他更进一步对青年们说：

现在有人对你们说："牺牲你们个人的自由，去求国家的自由！"我对你们说："争你们个人的自由，便是为国家争自由！争你们自己的人格，便是为国家争人格！自由平等的国家不是一群奴才建造得起来的。"②

在横受帝国主义侵略的当时的中国，胡适却诱导青年们只争个人的自由，不要争国家的自由，这是何等反动的个人主义思想。胡适是一贯地用这种反动思想蒙蔽青年的，每逢青年学生做救国运动时，他总是教青年们先救自己不要先救国家。当 1925 年"五卅"惨案发生时，全国青年学生起来做反帝国主义运动，胡适却对青年们大泼冷水，又重复了他的"救国须从救出你自己下手！"那个反动口号。他要青年学生学德国葛德那样，在"拿破仑的兵威逼迫德国最厉害的时期里，葛德天天用功研究中国的文物"；学德国费希特那样，当普鲁士被拿破仑践踏之后筹办柏林大学。他还说：

我们不期望人人都做葛德与费希特。我们只希望大家知道：在一个

---

① 胡适：《介绍我自己的思想》。
② 胡适：《介绍我自己的思想》。

扰攘纷乱的时期里跟着人家乱跑乱喊,不能就算是尽了爱国的责任,此外还有更难更可贵的任务,在纷乱的喊声里立定脚跟,打定主意救出你自己,努力把你这块材料铸造成个有用的东西①。

胡适自己做了"真个人主义"者,还要教青年们做"真个人主义"者。他的目的是要牵着青年们的鼻子走上反革命的道路。所以他教青年们读书的方法要按照自己个性去选择书籍,读时要有一个"我"在,"求一种学问不可以国家需要与否来做标准"。但他自己却拼凑自己所写的文章,叫做"胡适文选",教青年们去学习。他还写了一篇自序,介绍他自己的思想,并说明选集中的22篇文章都合乎实用主义的,青年们读了就可以把自己"铸造成器"即成为"真个人主义"者,可以做"淑世"主义运动,不至于让马克思、列宁、斯大林牵着鼻子走。

胡适为了蒙蔽青年,还做了一件毒害青年的工作,就是引诱青年到故纸堆中去搞国故学。他欺骗青年说,考证一个字的意义等于发现一颗恒星。他还替那些即将到美国留学的清华学生开了"一个最低限度的国学书目",共数百种,线装书数千册。留学生把几千册线装书带到美国去读,还留什么学呢? 自从他提倡整理国故以后,当时青年们跟着他"到故纸堆中乱钻"的不少,他天良发现了,在"治学方法与材料"中说不该错把青年引上"死路",但是又劝那些"在科学实验室有了好成绩"的人才读线装书,以便"一拳打倒顾亭林,一拳打倒钱竹汀",这真正荒乎其唐! 反动派毒害青年是不择手段的。

四、民族自卑论

真个人主义者胡适为了做"淑世"主义运动,对中国社会的过去和未来负责,就不能不考察中国社会的现状。他怎样考察中国现状呢? 就是要"照照镜子",并且要"大家来照照镜子"。这镜子是什么呢? 是西方文明国家,特别是美国。他选定了镜子以后,就戴起主观主义的有色眼镜,看到镜子中所显现的中国的现象竟是那么丑恶、野蛮、落后,觉得自惭形秽。他于是运用实用主

---

① 胡适:《爱国运动与求学》。

义的方法来对中国社会作"纵剖面"和"横截面"的分析了。

在"纵剖面"方面,胡适认为"我们的固有文化实在太贫乏了,谈不到太丰富的梦话"。他接着说:

> 我们且谈谈老远过去时代罢。我们的周秦时代当然可以和希腊罗马相提并论,然而我们如果平心研究希腊罗马的文字、雕刻、科学、政治,单是这四项不能不使我们感觉我们的文化的贫乏了。尤其是造型美术与算学的两方面,我们真不能不低头愧汗。我们试想"几何原本"的作者欧几里得正和孟子先后同时;在那么早的时代,在两千多年前,我们在科学上早已太落后了! 从此以后,我们所有的,欧洲也都有;我们所没有的,人家所独有的,人家都比我们强①。

我们看,胡适的有色眼镜只看到我们固有文化那些方面,而对于我国历代出现的许多伟大的思想家、科学家、发明家、政治家、军事家、文学家和艺术家以及丰富的文献等等,胡适是一点也不愿称道的。他还自己夸张地说:

> 我们的固有文化究竟有什么"优""长"之处呢? 我是研究历史的人,也是个有血气的中国人,当然也时常想寻出我们这个民族的固有文化的优长之处。但我寻出来的长处实在不多,说出来一定叫许多青年人失望。依我的愚见,我们的固有文化有三点是可以在世界上占数一数二的地位的:第一是我们的语言的"文法"是全世界最容易最合理的;第二是我们的社会组织,因为脱离封建时代最早,所以比较是很平等的、很平民化的;第三是我们的先民,在印度宗教输入以前,他们的宗教比较的是最简单的、最近人情的;……这样的宗教迷信的比较薄弱,也可以算是世界稀有的。……此外,我想了 20 年,实在想不出什么别的优长之点了②。

---

① 胡适:《信心与反省》。
② 胡适:《三论信心与反省》。

　　自称是历史学家的胡适想了 20 年,只想出"最简易合理的文法,平民化的社会构造,薄弱的宗教心"三点作为中国固有文化的"优长之点",这真是他的"愚见"。我国语言的"文法"是否"最简易合理"尚待讨论,我们觉得"文法"越复杂才越能显出那国文化的高度。至于说中国的"宗教迷信"的薄弱也是不合于事实的(此处不拟详论)。其中"平民化的社会构造"一点更是胡说。中国社会从西周到鸦片战争完全是封建时代,从鸦片战争到中华人民共和国成立是半封建半殖民地时代,在这时代以前的社会能说它是平民化的社会吗?实际上,就胡适的"愚见"说来,中国固有的三个优点都是靠不住的,他或者可以说中国文化是绝无优点的,所以他在另一个地方作出如下的结论:

　　　　我们必须承认我们自己百事不如人,不但物质机械上不如人,不但政治制度不如人,并且道德不如人、文学不如人、音乐不如人、艺术不如人、身体不如人①。

　　　　依照胡适的结论:中国"百事不如人",这真是帝国主义代言人所说的"中国民族是劣等民族"了。因此,他从中国社会的"横截面"指出了中国社会的许多劣点,这些劣点是"五鬼"、"三害"和"十一宝"。

　　　　"五鬼"——贫穷、疾病、愚昧、贪污、扰乱。

　　　　"三害"——鸦片、小脚、八股。

　　　　"十一宝"——骈文、律诗、八股、小脚、太监、姨太太、五世同居的大家庭、贞节牌坊、地狱活现的监狱、廷杖、板子夹棍的法庭。

　　依胡适看来,那"五鬼"、"三害"和"十一宝"是使中国成为劣等民族的大病原。这些大病原,与封建主义的压迫和剥削无关,与帝国主义无关,而始终坚决地认为"是我们的老祖宗造孽太深了,祸延到我们今日"。胡适认为:中国今日的落后、黑暗和罪恶既然是祖宗积的德、造的孽,便必须对祖宗负重大的责任。怎样去负重大的责任呢? 依胡适说,就是自己要"认错",要"反省",要"知耻"。且看他说:

---

　　①　胡适:《介绍我自己的思想》。

我们还想把这个国家整顿起来,如果还希望这个民族在世界上占一个地位,——只有一条生路,就是我们自己要认错①。

我们民族的信心必须站在"反省"的唯一基础之上。反省是要闭门思过,要诚心诚意地想,我们祖宗的罪孽深重,我们自己的罪孽深重;要认清了罪孽所在,然后我们可以用全副精力去消灾灭罪。

今日的大患在于全国人不知耻,所以不知耻者,只是因为不曾反省。

真诚的反省自然发生真诚的愧耻。孟子说得好:"不耻不若人,何若人有?"真诚的愧耻自然引起向上的努力,要发宏愿努力学人家的好处,铲除自家的罪恶。经过这种反省与忏悔之后,然后可以起新的信心;要信仰我们自己正是拨乱反正之人,这个担子必需我们自己来挑起②。

我们光荣的文化不在过去,是在将来,是在那扫清了祖宗罪孽之后重新改造出来的文化。替祖国消除罪孽,替子孙建立文明,这是我们人人的责任。古代哲人曾子说得最好:士不可以不弘毅,任重而道远。③

上面所引的那些话是胡适反革命思想的精髓。我们所认定的半殖民地半封建的社会,他认为那是祖宗罪孽深重造成的社会;我们认定必须进行反帝反封建的革命,才能求得中国的自由,他认为要中国人知耻、认错和闭门思过,替祖宗消除罪孽,以便使中国民族在世界上站一个地位。胡适坚持他的反革命路线,教人们做淑世主义运动。"铲除过去的罪孽只是割下已往种下的果。我们要收新果,必须努力造新因。当然应该有比祖宗高明千百倍的成绩,才对得起这种新鲜的世界。"④因此,他主张中国应当像日本那样能学外国,最好是学美国。

五、崇美亲美论

买办的职责是贬低国货的价值,提高洋货的价值。文化买办的职责是贬

---

① 胡适:《介绍我自己的思想》。
② 胡适:《介绍我自己的思想》。
③ 胡适:《再论信心与反省》。
④ 胡适:《信心与反省》。

低本国文化,推崇西洋文化。所以作为美国文化买办的胡适一面宣传民族自卑的思想,一面又宣传崇美亲美的思想。对于中国这样"一分像人九分像鬼的不长进民族""肯认错了,方才肯死心塌地地去学人家。不要怕模仿,因为模仿是创造的必要预备工夫。"为要"救这衰病的民族,救这半死的文化,……无论什么文化,凡可以使我们起死回生、返老还童的,都可以充分采用,都应当充分收受。我们救国建国,正如大匠建屋,只求材料可以应用、不管他来自何方。"胡适所要"采用"或"收受"的文化究竟来自何方呢? 他是主张"向西去"的,即来自除了俄国以外的西方,最主要的是来自美国。

胡适要"大家来照照镜子",是要把中国"落后"的文化和美国先进的文化来对照一下。他把美国的特务安诺德所制成的三张表说成三面镜子,第一表是中国人口分配表。第二表是中国和美国的经济状况比较表,"叫我们照照镜子,照出我们自己的百事不如人"。"美国铁路有 250000 英里,摩托车 2200万辆;中国只有铁路 700 英里,摩托车 2200 辆。""美国人每人有 30 个机械奴隶,中国人每人只有 1 个机械奴隶。""人家早已在海上飞了,我们还在地下爬。""我们的工人是苦力,人家的工人是机械奴隶的指挥官。"第三表是"美国人在地界上占的地位,也是给我们做一面镜子用的",叫我们"生一点羡慕,起一点惭愧"。这三张表照出了"我们百事不如人"。"不要尽说帝国主义者害了我们。那是我们自己欺骗自己的话。""我们自己要认错","要死心塌地去学人家"。这就是说,要承认自己百事不如美国,要死心塌地去学美国。

胡适说:"资本主义不止 570 种",美国资本主义是 570 种之中的最好的一种,人们不能拿一个资本主义来抹杀一切现代国家。他首先歌颂美国摩托车的文明。他说:"摩托车的文明的好处真是一言难尽。""美国人口平均每 5人有车 1 辆。""这真是一个摩托车的国家。木匠泥水匠坐了汽车去做工,大学教员自己开着汽车去上课,乡间儿童上学都有公共汽车接送,农家出的鸡蛋牛乳每天都自己用汽车送上火车或直接进城。"美国摩托车文明比中国人力车文明不知要高多少倍,这是胡适要中国向美国学习的东西。

其次,胡适歌颂美国资本主义的好处。他说:

我可以武断地说:美国是不会有社会革命的,因为美国天天在社会革命之中。这种革命是渐进的,天天有进步,故天天是革命。……美国近年的变化却是资本集中而所有权分散在民众。一个公司可以有一万万的资本,而股票可由雇员与工人购买,故一万万元资本就不妨有一万人的股东。……人人都可以做有产阶级,故阶级战争的煽动不能发生效力。①

照胡适那么说来,美国人人都可以买大公司的股票做有产阶级,美国真是有产阶级的国家了。但是他说美国资本主义的好处还不止于此。他说,他在纽约曾经被邀参加"两周讨论会",会上有一个工会代表(大概是一个工贼罢)站起来演说,使他大为惊奇。胡适记录这件事实说:

> 他一开口便使我诧异。他说:我们这个时代可以说是人类有历史以来最好的最伟大的时代、最可惊叹的时代。……他在 12 分钟之内描写世界人类各方面的大进步,证明这个时代是有史以来最好的时代。
>
> 我听了他的演说,忍不住对自己说道:这才是真正的社会革命。社会革命的目的就是要做到向来被压迫的社会分子能站在大庭广众之中歌颂他的时代为人类有史以来最好的时代。②

胡适听了一个工贼的报告,便说这是美国的"真正的社会革命",真是胡说。社会革命是无产阶级的革命,是推翻资本主义建立社会主义的革命,胡适竟把这个社会革命滥用起来。并且在胡适听了那个工贼报告之后不过 3 年,即 1929 年,美国就卷入了世界大危机的漩涡,工厂停业,银行倒闭,股票狂跌,工人失业者千余万。当 1933 年胡适出席了太平洋国交讨论会归国以后,也不得不说:"吾人应注意现在世界已到达'不得了时代',即如马克思主义所谓资本主义没落期之最后阶段。"③胡适自己打自己的嘴巴了!

总起来说,胡适的反动思想是资产阶级的个人主义。他认为中国之所以成为"劣等"民族,完全是祖宗罪孽深重所造成的,不能归罪于帝国主义(特别

---

① 胡适:《漫游的感想》。
② 胡适:《漫游的感想》。
③ 胡适的讲演稿,《北平晨报》1933 年 12 月 1 日。

是美帝国主义),也不能归罪于"已不存在"的封建主义,而是要自己"认错",自己"反省",自己"知耻",自己"闭门思过",先把自己救出来,"把自己这块材料铸造成器",然后做"淑世主义"运动,对这个社会做一点一滴地改良,以便消灾灭罪,种一点好因,以便子孙收一点好果。至于这样一点一滴的改良要到什么时候才能收到功效呢? 他的答复是:

> 成功不必在我,也许在我千百年后,但没有我也决不能成功。毒害不必在眼前,"我躬不阅,遑恤我后!"然而我岂能不负这毒害的责任。今日的世界便是我们的祖宗积的德、造的孽,未来的世界全看我们自己积什么德、造什么孽。世界的关键全在我们手里,真如古人说的"任重而道远",我们岂可错过这绝好的机会,放下这绝重大的担子。①

胡适的"淑世"主义运动"也许在我千百年后"才能"成功",但帝国主义侵略日益加紧,国亡无日,怎能等待到千百年后? 为什么不去抵抗帝国主义的侵略呢? 为什么不实行武力革命呢? 他回答说:"一言可以兴邦,一言可以丧邦",不能随便开这句口。所以当日本帝国主义侵占了东北又侵入华北的时候,他说:"我不能昧着良心出来主张作战。"他还说:"趁现在中国还是我们的,我们正应该起日暮途穷之感,拼命地工作。……即使中国暂时亡了,我们也要留下一点工作成绩,叫世界上知道我们还不是绝对下等的民族。"②胡适的"淑世"主义竟是这样地教人们做无抵抗而有工作成绩的亡国奴。他的"真个人主义"竟变成了"假个人主义"、"独善的个人主义",甚至变成亡国主义了。

至于胡适所说的在亡国主义路线下的"拼命地工作"和"工作成绩"究竟是怎样的? 就他的30年来的经过来说,不外是"研究问题,输入学理,整理国故,再造文明"这四句话。他这四句话的总意思就是输入实用主义的学理(但排斥马克思主义的学理)来研究一些改良问题(但不研究革命问题),并用实

---

① 胡适:《介绍我自己的思想》。
② 胡适:《独立评论一周年》。

用主义整理国故,看那些国故合乎实用,于是把研究问题的实用和整理国故的实用综合起来,这样就可以再造出实用主义的新文明了。胡适在 30 年中确曾做过这一类"工作"的,但他的"工作成绩"却很贫乏,他的"提倡有心,创造无力!"幸而人民群众跟着共产党走,终于使中国得到了解放,胡适的亡国主义由他自己带到美国去了。

第三节　胡适政治思想批判

一、"五四"以前的政治面貌

现在我们来谈谈胡适的反动思想在政治上的表现。胡适的政治思想的表现,大概可以分为"五四"以前和"五四"以后的两个阶段来说明。"五四"以后的阶段又可划分为《努力》周报时期、《新月》月刊时期和《独立》评论及其以后的时期。

胡适自己说,他在美国留学的时候是爱谈政治的,但自从选定了哲学做他的专业、文学做他的娱乐以后,暂时不谈政治了。他说:

> 我是一个注意政治的人。当我在大学时,政治经济的功课占了我三分之一的时间。当 1912 年至 1916 年,我一面为中国的民主辩护,一面注意世界的政治。我那时是世界学生会的会员、国际政策会的会员、联校非兵会的干事。1915 年,我为了讨论中日交涉的问题,几乎成为众矢之的。1916 年,我的国际非攻论文曾得最高奖金。但我那时已在中国哲学史的研究上寻着我的终身事业了,同时又被一班讨论文学问题的好朋友逼上文学革命的道路了。从此以后,哲学史成了我的职业,文学做了我的娱乐。①

胡适在美国留学的时候究竟怎样为中国民主做了辩护呢?据说胡适那时对于辛亥革命是持反对态度的。当时留美学生中谈到辛亥革命时,他总是用

---

① 胡适:《我的歧路》。

英语说:"我赞成渐进,不赞成革命。"①胡适的反革命思想原来是从这个时候开始的。其次,胡适在1915年"讨论中日交涉问题"为什么成为"众矢之的"呢?原来当1915年袁世凯准备接受日本所提出的"二十一"条之时,他看到"留美学生都赞成即与日本开战",就"写了一封公开的信给中国留美学生月报,劝告处之以温和,持之以冷静",就是"被斥为卖国贼",也置之不顾。在袁世凯签字的次日,他在自己札记中这样写着:"吾国此项对日交涉,可谓知己知彼,既知持重,又能有所不挠,能柔亦能刚,此为历来外交史所未见。"袁世凯死后,他还深为惋惜,说:"袁氏当是时,内揽大权,外得列强之赞助,傥彼果能利用此千载一时之机会,以致吾国于治安之域,则生荣死哀,固意中事耳。"②这样看来,胡适在美国留学时代,既反对辛亥革命,又赞成袁世凯做皇帝,甚至赞成袁世凯接受日本的"二十一条",宁可不避"卖国贼"的恶名。照这样,他的反革命的政治思想在这时已经表现出来了。但是当他在1917年归国以后却宣称不谈政治而谈哲学和文艺了。他说:

> 1917年7月我回国时,船到横滨,便听见张勋复辟的消息;到了上海,看了出版界的孤陋,教育界的沉寂,我方才知道张勋的复辟乃是极自然的现象,我方才打定20年不谈政治的决心,要想在思想文艺上替中国政治建筑一个革新的基础。③

胡适的话是确实的。他从归国到"五四"以前,为了"要想在思想文艺上替中国政治建筑一个革新的基础",是曾经"写过八九十万字的文章"的。他在思想方面努力宣传了美国资产阶级的实用主义。他除了自己做宣传以外,还特别邀请了实用主义大师杜威到中国来做宣传。据胡适说,杜威在中国讲演实用主义达两年零两月,讲演的地区为辽宁、河北、山西、山东、江苏、江西、湖北、湖南、浙江、福建、广东11省,他的五种长期讲演录发行在十版以上。杜威的讲演都是胡适自己做翻译的。这叫做师徒合演双簧。他说,杜威在中国

---

① 转引自曾文经:《五四运动前后胡适的政治面目》。
② 转引自曾文经:《五四运动前后胡适的政治面目》。
③ 胡适:《我的歧路》。

讲学的影响很大,"我们还可以说,自从中国与西洋文化接触以来,没有一个外国学者在中国思想界的影响有杜威先生这样大的"。又说:"杜威先生真爱中国,真爱中国人;他这两年之中,对我们中国人,他是我们的良师益友,对于国外,他还替我们做了两年的译人与辩护士。""杜威先生虽去,他的影响仍旧永永存在,将来还要开更灿烂的花,结更丰盛的果。"①这是胡适在实用主义思想上替中国政治建筑革新基础的一方面。至于实用主义在中国思想界的毒素确是有的,这是我们今天还在批评实用主义的原因。

其次,胡适在文艺方面也做了一些工作。他提倡文学改良,提倡白话文,是曾经写过一些东西的。特别是宣传易卜生的个人主义思想,大卖了力气(曾为《新青年》杂志编出了易卜生专号)。他率直地承认了易卜生的个人主义代表了他自己的宗教和人生视(这在前面已经指出过)。这是胡适在个人主义文艺上替中国政治建筑革新基础的一方面。

由此可见,胡适在归国以后,"五四"以前,虽然没有谈过政治,却抱着很大的政治野心,要用资产阶级的实用主义思想和个人主义文学来建立中国政治的革新基础,这比较他谈政治的影响还要深刻,还要恶毒。但就另一方面来说,这个时期的胡适还属于新文化运动的右翼,他站在资产阶级立场,参加过反对旧文化的运动,在表面上是伪装着进步的。但历史的车轮在继续前进时,胡适就抛弃了进步的伪装,率直地把他旧有的反革命的政治面貌揭开了。

二、由"五四"到《努力》时期的反动面貌

十月革命一声炮响,给我们送来了马克思主义,以李大钊同志为首的马克思主义派,宣传了马克思主义,庆祝了布尔什维主义的胜利,介绍了苏维埃俄罗斯的真相。马克思主义派在当时已经取得了文化运动的领导地位,1919 年的"五四"运动是在马克思主义派的领导之下爆发起来的。这一伟大的运动,胡适当时并没有参加。他在"五四"以前,回到安徽原籍办理他母亲的丧事,事后他又到上海住着,等候迎接他的杜威老师来中国宣传实用主义。所以胡适不但没有参加"五四"运动,他骨子里毋宁是不赞成这个运动的,所以他回

---

① 胡适:《杜威先生与中国》。

到北京以后,很担心"教育一定要瓦解",劝告学生复课。当中国无产阶级大众在"六三"运动中登上政治斗争舞台时,当各种宣传马克思主义刊物不断涌现时,胡适气急败坏了。他说:"国内'新'分子开口不谈具体的政治问题,却高谈什么无政府主义与马克思主义。我看不过了,忍不住了。……因为我是一个实验主义的信徒,……于是发愤要想谈政治。我在每周评论第三十一号里提出我的政论的导言,叫做'多研究些问题,少谈些主义'。"①他在 1919 年 7 月写的这篇什么导言中,破口大骂那些"不去研究人力车夫生计却去高谈社会主义的人"是"懒",是"阿猫阿狗",是"新典主义的奴隶"。但他自己却大谈个人主义和实用主义,却不算是"懒",不算是"阿猫阿狗",不算是"新典主义的奴隶"。他说:"我谈政治只是实行我的实验主义。""实验主义自然也是一种主义。……实验主义注重在具体的事实与问题,故不承认根本解决。他只承认那一点一滴做到的进步,——步步有智慧的指导,步步有自动的实验——才是真进化。"②胡适的话说得很明白,他谈政治是高谈社会主义的人把他激起来的,他谈政治是实行他的实用主义。他为忠实于实用主义起见,不能不反对马克思主义而拥护资本主义,主张那实行一点一滴改良的"淑世"主义。因此,他宁可不避反革命之名,反对马克思主义。"五四"运动,就我们人民说来,是新民主主义革命的开端;就胡适说来,是他的反革命历史的新篇。

1921 年 7 月,中国共产党正式成立了。中国共产党是马克思主义与工人运动的结合,它一经宣告成立,就立即发动了轰轰烈烈的反帝国主义反封建主义的革命运动。从这个时候起,《新青年》杂志变成了公共宣传马克思主义和苏俄实况的刊物,《向导》周报则是宣传党的主张和政策的机关刊物。工人阶级和人民群众越来越多地集合于中国共产党的旗帜之下,革命的潮流高涨起来了。在这个时候,不避反革命之名的胡适更加气急败坏了,又要谈政治了。他说:"我等了两年零八个月,中国的舆论界仍然使我大失望。一班'新'分子天天高谈,无政府主义和马克思社会主义,高谈'阶级斗争'和'赢余价值'。""……实在忍不住了。我现在出来谈政治,虽是国内的腐败政治把我激出来

---

① 胡适:《我的歧路》。
② 胡适:《我的歧路》。

的,其实大部分是这几年的'高谈主义而不研究问题'的'新舆论界'把我激出来的。我现在的谈政治,只是实行我那'多研究些问题,少谈些主义'的主张。"①胡适所说的"新舆论界"主要地是指《向导》周报和当时的《新青年》杂志说的,胡适在这时候谈政治,主要地是反对中国共产党所领导的革命。中国共产党反对帝国主义和封建主义,胡适偏要拥护它们。他在 1922 年 5 月创办《努力》周报的目的和动机,正是如此。

胡适在《努力》第二期发表了"我们的政治主张",宣传"好政府"主义。他向北洋军阀政府提出了三个基本要求,即要求一个"宪政的政府",一个"公开的政府"和一个"有计划的政治"。他还提出了一些具体主张,如要求军阀政府和平地实现南北统一,要求召集旧国会制定宪法之类。这是胡适宣传"好政府"主义拥护封建势力的一幕。其后胡适看到要求和平统一的计划不能实现时,又主张北洋军阀政府允许各省军阀实行联省自治。他还向军阀政府建议,提出了政治和财政几条平庸的计划。他自己还说:"一个平庸的计划胜于没计划。"胡适这样热心拥护封建势力,大概也是为了实行他的实用主义,向封建势力作"淑世"运动的。但结果只落得"向盗贼上条陈","实用"是没有的。

胡适办《努力》周报的第二个目的是拥护帝国主义。他发表了《国际的中国》一篇文章,反对中国共产党所发表的一篇宣言。他说那篇宣言中所说的国际帝国主义支持各派军阀打内战,"很像是乡下人谈海外奇闻"。他说他自己确实知道英、美、日各国并没有这一类事,特别是美国决不会和日本携手共同利用军阀政府。他说:"我们要知道:外国投资者希望中国和平与统一,实在不下于中国人民的希望和平与统一。"他认为从前外国人所以捧袁世凯做皇帝,"大部分是资本主义者希望和平与治安的表示"。他认为美国所发起的新银行团是为了抵制日本单独借款给中国,对中国并无恶意。"况且投资者的心理,大多数是希望投资所在之国享有安宁与统一。""所以我们现在尽可以不必去做哪怕国际侵略的噩梦。"因此,他把中国共产党所说的国际帝国主义者操纵中国金融财政、把持海关、驻屯军队、行使领事裁判权、独占中国市

---

① 胡适:《我的歧路》。

场、支持各派军阀等等侵略行动,都认为是"和国内政治问题有密切关系的。在政治混乱的时候,全国陷入无政府的时候,或者政权操在武人奸人手里的时候,人民只觉得租界与东交民巷是福地,外币是金不换的货币,总税务司是神人,海关邮政权在外人手里是中国的幸事,……所以我们很恳切奉劝我的朋友们……不必在这个时候牵涉到什么国际帝国主义的问题"。胡适这样为帝国主义特别是为美帝国主义辩护,十足地是一个文化买办。胡适为美国做代言人的效果,比较美国花若干美元在中国做特务工作的效果还要大得多。总之,胡适在《努力》周报上所发表的"政论",其主要目的是反对中国共产党所领导的反帝国主义反封建主义的人民革命。他不但拥护帝国主义和封建主义,并且主张帝国主义和封建主义合作,共同压迫中国人民。这完全是买办资产阶级意识的表现。

胡适曾经见过溥仪,尊称溥仪为皇上,克尽臣子之礼,事后金梁上溥仪的奏折中说:"胡适觐见皇上,大受皇上所感化。"可见胡适对于封建残余是很拥戴的。1925年,"五卅"惨案发生后,群众反帝国主义的情绪非常高涨,中国共产党召开中央会议,通过了进一步反帝国主义的策略,号召全国人民起来举行罢工罢市罢课,并组织了一个行动委员会来领导反帝的三罢运动。6月11日,上海工商学各界20多万人举行群众大会,通过了反对帝国主义的十七条交涉条件。这些条件包括撤退外国在华海陆军,取消领事裁判权,华人在租界有言论出版结社的自由,工人有罢工自由、组织工会权利等等。但英日等帝国主义者对上海民族资产阶级一面以"司法调查"和"关税会议"相利诱,一面又通过胡适和戴季陶来和它们进行"友谊协商"。胡适等和帝国主义者进行"友谊协商"的同时,买办虞洽卿乘机修改十七条,并决定单独停止商人罢市,和克扣各地募交工人的救济费,压迫工人复工。因此当时工商学的反帝统一战线便被破坏了,这是和胡适的"友谊协商"大有关系的。胡适破坏这个反帝统一战线以后,还发表了《爱国运动与求学》的文章,劝学生不要"打倒英日强盗",说"救国事业需要有各色各样的人才,真正的救国预备在于把自己造成一个有用的人才"。他又重复了易卜生的话说:"真正的个人主义在于把你自己这块材料铸造成个东西",喊出了"救国须从救出你自己下手!"的臭调。

三、《新月》时期的反动面貌

　　1927年大革命失败以后，中国共产党独自领导着中国人民革命，进行着第二次国内革命战争。在白区方面，蒋介石匪帮统治着广大的地区，白区的党转入了地下，表面上呈现了革命的低潮。这时候，胡适认为蒋介石匪帮的政权稳如泰山，很想卖身投靠，因此又纠集了一班人，于1930年创办了《新月》月刊。《新月》月刊表面上是谈文学，实际上是反共反人民，拥护帝国主义和封建势力，企图因此引起蒋匪帮的重视。他对于当时的革命低潮幸灾乐祸而又慨叹地说，他早就在1919年发表了《多谈些问题，少谈些主义》的"警告"，"于今隔了十几年，当日和我讨论的朋友，一个已被杀死了，一个也颓唐了。但这些话字字句句都还可以应用到今日思想界的现状。十几年前我所预料的种种危险……——都显现在眼前了"①。他于是约集了《新月》的朋友们讨论"怎样解决中国的问题？"他的朋友们推定他提出一个概括的引论。这"引论"就是他在《新月》上发表的《我们走哪条路》的政治论文。胡适在这篇论文中，首先说明要自觉的探路，不能左也不能右。孙中山和共产党的路，他认为都是不能走的。他要充分用自己的知识，"客观地观察中国今日实际的需要，决定我们的目标"。他把这个目标分为消极的和积极的两种：消极的目标是铲除"贫穷、疾病、愚昧、贪污、扰乱"这"五鬼"，积极的目标是"建立一个治安的普遍繁荣的文明的现代的统一国家"。他认为这"五鬼"即"五大仇敌"之中，"资本主义不在内，因为我们还没有资格谈资本主义。资产阶级也不在内，因为我们至多只有几个小富人，哪有资产阶级？封建势力也不在内，因为封建制度早已在两千年前崩坏了。帝国主义也不在内，因为帝国主义不能侵害那五鬼不入之国"。他于是找了一些资产阶级学者所调查的资料，证实了中国确有"五鬼"存在，因而承认这"五鬼"是革命的对象，就进而说明铲除"五鬼"的方法。他就"进化"、"演进"、"革命"这个概念作了一番烦琐的混乱的分析以后，认为"打破这五大敌人的真革命只有一条路，就是认清了我们的敌人，认清了我们的问题，集合全国的人才智力，充分采用世界的科学知识与方法，一步一步

――――――――――

　　① 胡适：《介绍我自己的思想》。

地做自觉的改革,在自觉的指导之下一点一滴地收到不断的改革之全功。不断的改革收功之日,即是我们的目的地到达之时"。他认为这样的路子也许是"最快捷的路子,也许人家需要几百年逐渐演进的改革,我们能在几十年中完全实现"。胡适这一段反革命的梦话,他自己还夸称对社会国家负了"重大责任","兢兢业业地去思想"过的哩。

胡适那些反革命的梦话,是博得了蒋介石匪帮的重视的。胡适还前进一步,像煞有介事地批评过蒋匪帮政府,如说蒋政府"不肯建立监察制度,不肯施行考试制度,不肯实行预算审计制度",并主张制定约法宪法,实行"专家政治"之类,都是略带批评而类似上条陈的东西。不久,蒋胡之间默契成立,《新月》停办了。胡适除了荣任美国退还庚款所组成的中华文化教育基金会的董事外,又荣任了东北政务委员会委员、农村复兴委员会委员、中英庚款委员会委员了。胡适加入蒋介石买办集团了。

四、《独立评论》时期的反动面貌

胡适加入蒋介石买办集团以后,为了效忠于他所属的集团起见,就纠合了蒋廷黻、丁文江等一些反动分子,在1932年5月("九一八"以后8个月)办起《独立评论》来了。这个《独立评论》办了四年多,出了二百多期,发表了一千多篇文章。它的宗旨,据胡适说,"在这最严重的时期,我们只能用笔墨报国,这本来是很无聊的事"。办《独立评论》虽说是"很无聊的事",却也有几点值得提倡:(一)"独立的精神":发挥特立独行之士的精神,虚心,公道,尊重事实,排斥"时髦的引诱"(即排斥反帝反封建的主义或成见)。(二)"反省的态度":"我们今日所受的痛苦和耻辱,都是过去种种恶因种下的恶果,……必须自己认错了,然后肯死心塌地的去努力学上进。"(三)"工作的人生观":"趁现在中国还是我们的,我们正应该起日暮途穷之感。虽然我们觉悟已经太晚了,也许神明之胄,天不绝人,靠我们今日的努力能造下复兴的基础。说到极点,即使中国暂时亡了,我们也要留下一点工作的成绩,叫世界上知道我们还不是绝对下等的民族。"①照胡适所说的看来,《独立评论》的宗旨是他和他的

---

① 胡适:《独立评论一周年》。

同道准备在国家将亡的时候，用笔墨搞些"无聊的事情"作为工作成绩，以便在亡国以后不被世人看作是"绝对下等的民族"。但他们虽然在作亡国的哀鸣，却仍念念不忘反苏反共反人民。例如反对共产党和共产主义、反对苏联的报道以及把人民比作"五鬼"化身的文章，都属于这一类。其次是拥护蒋介石买办集团，例如那些谈到外交内政和文化的文章，都是向那个集团上条陈的东西，并且还贯彻着反共的精神。胡适在这个时期的政论，主要地坚持了他的亡国路线。他在《对日外交方针》中主张蒋政府依据日本在国联提出的五项原则进行交涉，主张解除东三省军备，在关内的东三省军队应逐渐编遣，日本人可在东三省租借土地，"中日两国缔结新条约，不但应该解决积年久悬的争端，并且应该远瞩将来，确立远东两大民族共存共荣的基础"。他在"九一八"周年写的《惨痛的回忆与反省》中，又把祖宗责备一番，说"我们的老祖宗造孽太深了，祸延到我们的今日"，自己如不长进，如不铲除病根，什么都说不上，因此，他希望国民党造出一个重心来。当国联调查团李顿报告书发表主张国际共管满洲时，他赞美那个调查团的"审慎的考查，公平的判断，为国际谋和平的热心"，"值得感谢和敬礼"，因而他认为这是"一个代表世界公论的报告"（这是他那篇文章的题目）。后来伪"满洲国"成立了，他在那篇《全国震惊以后》的文章中说："我们今天最大的教训，是要认清我们的地位，要学到'能弱'，要承认我们今日不中用，要打倒虚骄夸大的狂妄心理，要养成虚怀愿学的雅量，要准备使这个民族低头苦志做三十年的小学生。"他又写了《我们可以等候五十年》的文章，主张对伪"满洲国"采取"不承认主义"，且等五十年再说，"在一个国家千万年的生命上，四五年或四五十年算得什么。"阿Q临刑时说过，再等十八年就是好汉，胡适的说法和阿Q完全一样。他始终不承认美国伙同各国宰割中国的说法，他反对说"国际帝国主义用政治外交方法解决满洲由日本独占或由国际共管"的说法，认为这是"杜撰"和"无识"。他赞成蒋廷黻的说法："华府会议以后，在华只图通商的国家，切望中国的自强更加热烈，有时比中国人过而不及。"

往后日本提出了所谓"广田三原则"之时，胡适就写了一篇《调整中日关系的先决条件》一文，由不承认伪"满洲国"变为承认伪"满洲国"，而只主张"保全华北"了。当"何梅协定"缔结以后，何应钦把一些军政机关悄悄地从北京撤退了。胡适看到这种情况,就写了《沉默的忍受》一篇妙文说:"在这沉默的忍受的苦痛之中,一个新的国家已渐渐形成了。能在这种空气里支持一种沉默,一种镇静,一种秩序,这是力量的开端。……这是国难的训练,这是强邻的恩赐,……多难兴邦的老话是不欺人的历史事实,我们不必悲观。"这真是亡国奴才的梦话。何梅协定是蒋介石匪帮答应从华北撤退而把华北让给日本的一种密约,它所以静悄悄地撤退军政机关,完全是害怕人民群众起来反对。这完全是蒋匪帮卖国的勾当,而胡适却认为"民族国家已渐渐形成","我们不必悲观",这完全是欺骗人民的卖国者的口气。

胡适对于日帝国主义者的侵略,始终是主张逆来顺受的,始终反对反抗。他在《我的意见不过如此》中说:"我不能昧着我的良心出来主张作战。……我自己的理智与训练都不许我主张作战。"(胡适在"七七"事变后,曾加入南京的"低调俱乐部"主张投降,反对抗日战争)他认为"一言可以兴邦,一言可以丧邦",不能随便开口主战。他的个人主义是主张要对"大我"的无穷过去和无穷未来负责的,所以当着亡国的时候,只有自怨自艾,努力工作,做一个有成绩的亡国奴。当时上海几个报纸曾登载了反对他的新闻,还有一批女国民通电声讨他,说他是"异族胡适",是张邦昌,是李完用,这声讨是完全正确的。

胡适这类亡国主义的主张,大概是受了秦桧的影响。胡适在 1924 年 10 月 30 日,曾经写了《南宋初年的军费》一文,登载在《现代评论》第 1 卷第 4 期,大意是说秦桧当年主和是由于军费困难,迫不得已。他说:"秦桧有大功而世人唾骂他至于今日,真是冤枉。"他的亡国路线的论调,很像他所申冤的那个秦桧的主张。后来吕思勉等为蒋介石亲日外交辩护,说秦桧是忠臣,岳飞是军阀,又受了胡适那篇文章的影响。

胡适不但自己甘愿做亡国奴,还劝青年学生做亡国奴。当"一二·九"学生救国运动发生后,他发表了《为学生运动进一言》和《再论学生运动》的文章,劝导学生不要受人煽动,赶快复课,努力读书,只能做合法的运动。他说:"在这个大难里,一切耸听的口号标语固然都是空虚无补,就是在适当时机的一声抗议至多也不过临时补漏救弊而已。青年学生的基本责任到底还在平时发展自己的知识与能力,社会的进步是一点一滴的进步,国家的力量也靠这个那个人的力量。"当蒋介石匪帮出卖华北并让日本策动宋哲元搞华北自治的时候,胡适劝学生只可抗议一声,读书还是要紧。"救国先从救出你自己下手!"这是胡适亡国主义的说教。

胡适在"九一八"以后的时期,除了宣传他的亡国路线以外,还念念不忘反共反人民,他的其他许多政论文章,如关于"建国"、"建设"、"无为政治"等类,一面为蒋匪帮献策,一面贯彻着反共的精神。在这个期间,他还曾漫游各地,为军阀们作讲演,名利双收。他在1933年曾到长沙为刽子手何键讲学,何键曾送了他5000银元的程仪。事后上海《字林西报》发表了胡适的谈话,赞成何键毒杀共产党员和革命青年的行为。他说:"任何一个政府都应当有保护自己而镇压那些危害自己的运动的权利。"当时鲁迅先生对胡适的无耻和反动,作了四首七言诗来斥责他。这里摘录其中的第一首和第四首如下:

(一)文化班头博士衔,人权抛却说王权,朝廷自古多屠戮,此理今凭实验传。

(四)能言鹦鹉毒于蛇,滴水微功漫自夸,好向侯门卖廉耻,五千一赠未为奢。①

胡适在独立评论时期的反共拥蒋,是曾收到一些"实用"的,这"实用"就是胡适和几个反共分子做了蒋记的大官僚。

五、"做了过河卒子"以后的反动面貌

抗日战争的爆发,完全出于胡适意料之外,他为了"救国先从救出你自己下手",便乘机活动做蒋匪帮政府的驻美大使,到美国安全避难去了。他在美国的期间,做了一些反共和卖国的工作。他一方面宣传反苏反共,把蒋匪反共的事实作为宣传资料,来取媚于美帝国主义,并向蒋匪上条陈,赞襄"限共"、"溶共"政策,反对陕甘宁边区的民主政权。另一方面,他代表蒋匪哀求美帝出兵保护,准备把中国变为美帝的殖民地,并勾结许多美国流氓特务到中国来,开辟出卖中国的道路。

① 转引自《人物杂志三年选集》。

抗日战争结束以后,美帝的海陆空军已经进驻在中国,美帝的商品已经独占了中国市场,战争贩子马歇尔已成了蒋匪帮政府的太上皇。事实上,蒋匪帮已经完全把中国出卖给美帝,中国已经变成了美帝的殖民地。在这个时候,胡适的反革命任务就是:为美帝侵略辩护,帮助美帝争取中国的人心,使中国人对美帝感恩图报;为蒋匪法西斯统治辩护,帮助蒋匪搞什么"宪政"运动,用伪宪法掩饰法西斯专政,并为蒋匪反共反人民划策。

所以胡适在 1946 年 7 月到达北平时,在记者招待会上,首先,歌颂美帝,说美帝"百年来的政策没变化,一直盼望中国团结强盛现代化,也注意门户开放"①。这就是说,美帝侵略中国是为了中国好,中国应该大开门户欢迎它。其次,当日本帝国主义投降以后,美帝为了反苏反共,就着手武装日本,作为进攻苏联的基地,并压迫中国革命势力。当时中国人民曾发起了反对美国扶助日本的运动。美帝驻华大使司徒雷登曾为此事发表了欺骗性的演说,说美国没有扶助日本的意思,并指斥了反对美国扶助日本的主张。胡适跟着做应声虫,说"我和司徒大使的意见完全一样",他也用同样的口吻指责中国人为"过虑",为"神经过敏"。他说:"我很相信,美国不致糊涂到听日本恢复武装和侵略力量"。胡适简直是美帝的代言人了。再次,当美帝兽兵强奸北大女生沈崇事件发生时,全国人民大为愤怒,一致声讨美帝兽军的暴行,要求兽军撤离中国,但胡适偏要为兽军的暴行卸罪,把它曲解为"纯法律事件",说"暴行与美军撤退系两事",又说"美陆战队之声明颇为切实"②。这表明着胡适已经不是中国人了。

当蒋匪帮政府崩溃前夕,蒋匪要搞一套伪宪法,召开伪国大,窃取总统宝座时,胡适仰承蒋匪意旨,做文章送到外国杂志上发表。他恭维蒋匪说:"欧美舆论对于主席实行宪政,……一致赞扬,……这是中国划时代的大事。"③胡适被蒋匪委派为伪国大的代表并兼任伪国大主席,他亲自把伪宪法授予蒋匪,说"这是世界上最民主的宪法",真是无耻之极。他还仰承蒋匪意旨,在伪国大中提出了进攻共产党和人民的《戡乱条例》,并且说了一大串理由,还高声

① 转引自《新建设》杂志 1955 年 2 月号,第 24、25 页。
② 转引自《新建设》杂志 1955 年 2 月号,第 24、25 页。
③ 转引自《新建设》杂志 1955 年 2 月号,第 24、25 页。

说："我们所提出的戡乱条例就是仿效美国国会的办法,让我们未来的总统有处置紧急事变的权力"。胡适的反动透顶,于此可见。

胡适"荣任"北大校长时,首先对学生大讲其"善未易明,理来易察"的糊涂哲学,企图淆惑学生的视听,使他们不跟着共产党走。特别是当蒋匪帮遭到人民解放军的沉重打击快要总崩溃的时候,胡适为忠实他的主子起见,背起反苏反共的十字架,到处宣传法西斯匪徒所说的"自由主义"。他在《自由主义是什么》一文中说:"自由主义成为'和平改革主义'的别名,……是'不革命主义'……自由主义者不觉得有暴力革命的必要。"①实际上,胡适的"自由主义"完全是反革命主义。他还在几篇文章中,说帝国主义阵营是"自由主义"的"大中心",而社会主义阵营则是"专制集团,……是反动逆流",因而断定那个"大中心"必将统一全世界②。但是他这些反革命的梦话的宣传,仍然不能挽救蒋匪皇朝的灭亡。

胡适在逃跑以前,在北大还演过一幕丑剧,他放任特务训导长陈雪屏伙同匪徒镇压革命的学生,他自己却装出笑面虎的态度,说"大学里没有治外法权",说"学校当然要给你们以自由,独立是你们自己的事。……你们不要毁了学校"③。后来他逃到了南京以后,还假惺惺似地说:"我丢了几千学生呀!"这真是滑稽之至。学生们难道跟他到美国去做"白华"吗?

胡适的反革命始终是一贯的。他在美国留学时就已经把自己造就为美国文化买办。他反对辛亥革命,赞成袁世凯接受日本的"二十一条",赞成袁世凯做皇帝。在 1917 年归国以后,"五四"以前,他虽宣称不谈政治,却宣传反动的实用主义和维多利亚时代陈腐的个人主义,企图为中国政治建立革新基础,做的仍然是反革命的勾当。"五四"以后,他抓破反革命的面幕,公然反对马克思主义、反对中国共产党、反对中国人民,拥护封建势力、拥护帝国主义特别是美帝国主义,加入蒋介石卖国集团,宣传亡国主义。他以反革命始,以反革命终,真不愧是一名美国文化买办了。

最近听说胡适对于美蒋《共同防御条约》表示欢迎,他说他对于该约第六

---

① 转引自《新建设》杂志 1955 年 2 月号,第 24、25 页。
② 转引自《新建设》杂志 1955 年 2 月号,第 24、25 页。
③ 转引自《新建设》杂志 1955 年 2 月号,第 24、25 页。

条最后一句(即美帝可以进攻中国大陆)很感兴趣。胡适幻想美蒋匪帮能在中国复辟吗？我六亿人民在中国共产党领导之下是能够粉碎美帝任何进攻的。胡适且把那个幻想带到坟墓中去吧。

第四节　胡适治学方法批判

一、实用主义的方法和观点的关系

胡适的思想完全是反革命的。这个结论,大家都会完全同意。但是,有人要问:胡适的治学方法总还有些可取,不能以人废言吧。这是我所要讨论的问题。

胡适的治学方法是实用主义的方法,它是受实用主义的观点所指导的。

前面说过,列宁在《唯物论与经验批判论》中指出了哲学上的两条基本路线:第一是唯物论的路线,它从存在到思维,从物质到感觉;第二是唯心论的路线,它从心理的东西到物理的东西,从自我到环境,即从思维到存在,从感觉到物质。实用主义的方法属于唯心论的路线,它是主张"从最先的物事移到最后的物事,从通则移到事实,从范畴移到效果"的。所谓"最先的物事"是指"通则"和"范畴"说的,所谓"最后的物事"是指"事实"和"效果"说的。所以实用主义的方法是受实用主义的观点所指导的。实用主义的方法受哪些观点所指导呢？

第一,实用主义是主观唯心论,实用主义的方法受主观唯心论所指导。实用主义把纯粹经验作为第一性,把物质世界作为第二性。在纯粹经验之中,有物理的东西和心理的东西;"事实"、"事物"、"实在"、"宇宙"、"物观世界"等等属于物理的东西,感觉、意象、真理、推论、思想、知识、假设等等属于心理的东西。这些物理的东西和心理的东西都被包括在纯粹经验之中。纯粹经验又是什么东西？它是排斥了客观的物质世界的纯粹心理的东西。纯粹心理的东西又包含了物理的东西和心理的东西——这就是纯粹经验。

实用主义者认为知识从经验发生又归结于经验,即知识始于经验终于经验,所谓知识,即是经验自己知识自己。经验怎样自己知识自己呢？实用主义者是把一部分的经验作为知识主体(即思想、知识),把另一部分作为知识对象的,而所谓知识作用只不过是经验的各部分相互间的特殊关系而已。实用主义者从经验的各分子中挑选知识的对象时,还有一定的挑选方法的。詹姆士说:"一切心的作用(知识思想等)都起于个人的兴趣和意志;兴趣和意志定下选择的目标,有了目标方才从已有的经验里面挑选出达到这目标的方法器具和资料。"①这话说得很明白,实用主义者是先按照自己的兴趣定下自己的目标,然后才从自己的经验中挑选出自己所需要的资料来作为研究对象的。

但是主观唯心论者也时常谈起新事物、新事实或新问题的,这些新东西是不是他们的经验中所固有的呢? 主观唯心论者是这样答复的:"这个和那个我是从经验知道的";"这个和那个是经验";或者"是从经验产生的","是依存于经验的"②。所以实用主义者偶然说起遇到新事实时,总根据旧有的经验知识去理解。总之,实用主义的方法是从经验出发又回到经验,认识的主体是经验,认识的对象也是经验。认识是经验自己认识自己。

第二,实用主义是资产阶级的人生哲学,又叫做"改良主义的人生观"。实用主义的方法是杜威所说的"解决人的问题的哲学方法"。这样的方法必须受改良主义人生观所指导。改良主义人生观认为"世界是一点一滴一分一毫地长成的",因而人们对于世界的努力也是"一点一滴一分一毫地"去认识它,改良它。所以实用主义者从自己的经验中挑选出来的研究的对象或问题,总是和改良主义有关系的枝枝节节、琐琐碎碎的东西,至于那些和改良主义无关或和它相反的东西,则加以否认,或者说那是他的经验中所没有的。实用主义者运用他们的方法研究任何问题时,头脑中总是浮现着改良主义的观点。

第三,实用主义对于任何思想或观念,只注重它对于资产阶级有何实用或效果。这种实用或效果的观点,也指导着实用主义的方法。因为他们的方法是"解决人的问题的哲学方法",而"人的问题"都是和资产阶级有关系的问题,所以当使用那种方法解决"人的问题"的时候,头脑中必然要浮现着对于资产阶级的实用或效果的观点,因而他总是按照一定的目标,从经验中挑选那些可以造出合乎目标的假设的各种资料。杜威说:"疑难的问题定思想的目

---

① 胡适:《实验主义》。
② 列宁:《唯物论与经验批判论》,人民出版社版。

的,思想的目的定思想的进行。"所以实用主义者处理问题时,总是预先挑选出创造假设和证明假设的资料,而那个假设又必须是合乎资产阶级的实用的。

上述实用主义的三个观点是指导实用主义的方法的。在了解了实用主义的方法和观点的关系以后,我们进而批判胡适的治学方法。

二、胡适的实验法批判

胡适常说他自己的思想受杜威和赫胥黎的影响最大,杜威教给他思想方法,赫胥黎教给他"拿证据来"。杜威教给他的方法是"实验的方法"和"历史的方法"。杜威的"实验的方法"是前面提过的思想"五步法"。胡适师承杜威的五步法把它简化为自己的"三步法"。因为最后一步是"证明",他就把从赫胥黎那里学来的"拿证据来"四个字大声喧叫,来加强那"三步法"的分量。这里先批判他的实验的方法即三步法,然后批判他的"历史的方法"。他的三步法如下:

> 凡是有价值的思想,都是从这个那个具体的问题下手的。先研究了问题的种种方面的种种事实,看看究竟病在何处,这是思想的第一步工夫。然后根据于一生的经验学问,提出种种的解决方法,提出种种医病的丹方,这是思想的第二步工夫。然后用一生的经验学问,加上想象的能力,推想每一种假定的解决法应该可以有什么样的效果,更推想这种效果是否真能解决眼前这个困难问题。推想的结果,拣定一种假定的(最满意的)解决,认为我的主张,这是思想的第三步工夫。凡有价值的主张,都是先经过这三步工夫来的。①

胡适所说的第一步相当于杜威的第一步和第二步,所说的第二步即是杜威的第三步,所说的第三步相当于杜威的第四步和第五步。胡适这个三步法是在《多研究些问题,少谈些主义》中第一次提出的,以后在别的文章中也还重复地提出过,他认为这是"科学方法在哲学的应用",时常教别人学习它。

① 胡适:《杜威先生与中国》。

但是后来胡适又把这三步法缩短为两步法，简直变成了一个口号：

大胆的假设，小心的求证。

三步法变成"十字法"了。不管他如何说法，他的实用主义的方法，不过是"问题—假设—效果（即证明）"这个公式，现在来加以检讨。

胡适的方法是"解决人的问题的哲学方法"，他当然是喜欢谈"人的问题"的。他谈的问题很多。社会上、政治上、宗教上、文学上的各种问题，他都谈过。他不仅谈了"这个那个具体的问题"，并且还谈了很大的问题，如"中国问题"。他所做的许多反革命的"政论"文章都是谈中国问题的。现在我们来查查他究竟怎样谈问题的？他研究问题的"第一步工夫"是要研究"问题的种种方面的种种事实"，这说得多么好听！这简直是说要从事实出发，要对问题做全面研究了，好像是合乎唯物论了。但他是主观唯心论者，我们绝不要轻信他这一句话。他所说的"种种事实"是从他的资产阶级经验中挑选出来的。他所说的"尊重事实"就是这样的"事实"。他所挑选的那些"事实"是供他利用来造出改良主义的假设，并能证明那个假设的效果的"事实"。至于那些不合乎它的目标的许多事实，他是不挑选的，他可以说那些事实是他的经验中所没有的。例如他在那篇《我们走那条路》的文章中，第一步工夫是挑选了"贫穷、愚昧、疾病、贪污、扰乱"这"五鬼"的事实，因为这些事实是帝国主义者批评中国的滥调，也是文化买办胡适的经验中所固有的东西。这些事实正是他要创造反革命的假设的适当的资料。至于帝国主义侵略中国和封建势力压迫人民的大量事实，他是绝不挑选的。他凭着他的经验说，租界和东交民巷是他的福地，外币是金不换的货币，总税务司是神人，外国人要袁世凯做皇帝是为中国谋治安，外国人比中国人更希望中国的和平和统一，哪有帝国主义的侵略？他又说，封建制度早已在两千年前崩坏了，哪有封建势力？胡适这样地挑选了"五鬼"作为中国问题的"种种事实"加以研究之后，就断定中国的病就是"五鬼"。于是他的思想就跨进第二步，要创造假设了。

说到假设，我要多谈几句。假设在科学研究上当然是很重要的，科学的研究如不利用假设就不能前进。但问题是在于造假设的人是采取唯物论的路线或采取唯心论的路线？站在唯物论路线上所造出的假设是科学的假设；站在唯心论路线上所造出的假设，只是主观臆造的假设，决不能僭用科学的称号。

笛卡儿是二重性的哲学家,他的物理学是唯物论的,所以能造出能量守恒的假设。康德是二元论者,他在自然认识的领域中还能运用唯物的观点,所以能够造出星云假说(已由新假说代替)。古来有许多关于自然方面的科学的假说,虽然有些是唯心论哲学家创立的,但那些科学假说的创立,却是离开了唯心论的观点研究了客观的自然过程的结果。至于过去许多伟大的自然科学家的大发现,则都是站在唯物论的路线,并且自发地运用了辩证的方法的。"自然是辩证法的证明。"

马克思主义的自然科学家和人文科学家,在生产斗争和阶级斗争的过程中,很熟练地运用唯物辩证法这个犀利的武器,分析自然和社会的客观过程中的矛盾的发展的倾向,创造出合乎客观过程的规律的假设,再根据这个假设到生产斗争和阶级斗争中去证明,因而得到了反映不以人的意志为转移的客观过程的科学法则。苏联科学界所以能有今日这样伟大的成就绝不是偶然的。

现在来看胡适怎样来造假设,即"提出种种解决的方法,提出种种医病的丹方"呢?他说,这一步工夫是"根据于一生的经验学问"。他"一生的经验学问"是什么?是资产阶级否认社会的阶级构造和剥削制度而唯利是图的经验学问。就前例说,他专凭主观地从自己经验中挑选出一些事实(在我们看来,他只是片面地、表面地看到一些现象)作主观的研究,就断定中国的病源是"五鬼",于是根据资产阶级的经验学问(即实用主义、改良主义哲学)来开医病的丹方即成立假设了。他解决中国问题的假设就是:反革命可以救中国,或改良可以救中国。他所说的只要铲除"五鬼"就可以建立资产阶级国家,就是这个意思。

"闭门造车"是难事。主观唯心论者单凭主观的空想,虚构出解决问题的假设,又要对资产阶级有效,又要使人信用,这确是不容易。所以胡适说:"我们……应该知道这一步在临时思想的时候是不可强求的;是自然涌上来,如潮水一样,压制不住的;它若不来时,随你搔头抓耳,挖尽心血,都不中用。"[①]主观唯心论者这几句话是确实的,虚构假设真不容易。在这种时候,只有大呼"神来!"神若不来,"挖尽心血,都不中用"了。处到这种难关,胡适便

[①] 胡适:《实验主义》。

说"要训练思想",要求得从"有意识的活动"产生的"活的学问知识","这种有意识的活动,不但能增加我们假设意思的来源,还可以训练我们时时刻刻拿当前的问题来限制假设的范围,不至于上天下地的胡思乱想"①。这就是说,为要虚构出那种假设,必须具有足够的资产阶级的经验学问和技巧,能说会辩,骗得别人信用。

现在来谈到胡适的思想的第三步,即为假设来求证,也就是他的两步法中所谓"小心的求证"。

在科学研究过程中所得的结论,在未经实践证明以前仍是假设,因此要检证这个假设是否正确地反映了客观过程的法则,就必须在生产斗争或阶级斗争中,根据假设中所反映的法则去实行,如果得到了符合于客观法则的预期的结果,这个假设便成为科学法则了。

主观唯心论者怎样证明他的虚构的假设呢?胡适在述说杜威五步法的第四步和第五步时,说要把各种假设当作通则,用演绎法"再把这些通则所含的意义一一演出来",看哪一种假设最适用,就把它拿去证明,"证明某种前提是否真能发生某种效果"。如何证明呢?他说要"试验"即要"实验"。实用主义者要用自然科学上所说的"实验"来证明解决人的问题的假设,这话说得多漂亮!但我们不要为他所说的"实验"所迷惑。实用主义者嘴里虽说要"实验",实际上是并不"实验"的,他所说的"求证"或"实验",就只是用想象力推想那种假设所能发生的效果。胡适关于"第三步工夫"(即"求证")是这样说的:"然后用一生的经验学问,加上想像的能力,推想每一种假定的解决方法该有什么样的效果,推想这种效果是否真能解决眼前这个困难问题。推想的结果,拣定某一种假定的解决认为我的主张,这是思想的第三步工夫。"照这样推想一下假设的效果,问题便解决了,万事大吉!胡适在《我们走哪条路》中所创造的反革命的假设的效果如何呢?积极的效果全无,只有消极的效果,即博得了蒋介石匪帮的赏识,他从此官运亨通了。

主观唯心论者捏造假设并求证,是有一套秘诀的。胡适说:"思想的真正训练是要使人有真切的经验来作假设的来源;使人有批评判断种种假设的能

---

① 胡适:《实验主义》。

力,使人能造出方法来证明假设的是非真假。"①这就是说,假设的来源是经验,而假设的有无效果是依靠想象力来造出证明假设的方法。

胡适虽然谈了许多人的问题,但对于某些问题却只有假设,并无效果。例如为了反共而倡导"好政府主义",原是要解决国内和平统一的问题的。所以他造出了北洋军阀政府可以变成好政府的假设。但对于这个假设的效果,事先却没有"推想"出来,事后他唧唧哝哝地说:"向盗贼上条陈"。他对于某些问题,甚至连假设都不会捏造出来。例如他在关于中日外交问题的几篇文章中,并不曾造出什么积极的假设,他只造出了一个消极的假设,即"假定中国暂时亡了"。此外,他在《一个问题》中,有人请他解决"人生在世究竟为什么"的问题,他只回答一句:"这个问题是没有答案的"。研究人生问题的哲学博士,竟然不能解答人生问题,甚至连一个假设也不肯捏造。

胡适的方法在人的问题上的应用,还可以简约一下,就是"虚构假设,推想效果"。他所说的"拿证据来",在解决人的问题的假设上,是完全不要的。

三、胡适的历史法批判

实用主义者的"历史的方法",据说是从达尔文的进化论得来的。实际上,实用主义者只是片面地窃取达尔文进化论中关于生物逐渐变化的部分把它应用到人类历史方面来,说"世界是一点一滴一分一毫地长成的","文明不是笼统成的,是一点一滴地造成的"。他们所引用的进化论并不是达尔文的进化论,而是19世纪后期的庸俗进化论。他们荒谬透顶地把关于生物界的庸俗进化论移用到人类历史方面来,其主要目的是在于否定革命,主张改良,反对唯物辩证法。

胡适把实用主义的"历史的方法"解释为"祖孙的方法",此外他自己还创造了一种历史研究法,以下分别加以批判。胡适对于"历史的方法"的说明如下:

> 历史的方法——"祖孙的方法"他从来不把一个制度或学说看做一

---

① 胡适:《实验主义》。

个孤立的东西,总把他看做一个中段;一头是他所以发生的原因,一头是他自己发生的效果;上头有他的祖父,下面有他的子孙。捉住了这两头,他再也逃不出去了。这个方法的应用,一方面是很忠厚宽恕的,因为他处处指出一个制度或学说所以发生的原因,指出他的历史的背景,故能了解他在历史上占的地位与价值,故不致有过分的苛责。一方面,这个方法又是最严厉的,最带有革命性质的,因为处处拿一个学说或制度所发生的结果来评判他本身的价值,故最公平,又最厉害。这种方法是一切带有评判精神的运动的一个重要武器。①

这个"祖孙法"是实用主义者对待一种制度或一种学说的历史的态度。这个方法的应用是很奇怪的,一方面对于受了祖宗影响的制度或学说,要"忠厚宽恕",不要过分苛责;另一方面又要采取"最严厉"、"最革命"的态度,来对付那种制度或学说,拿它的结果来评判它的价值,以示公平。这样的方法究竟怎样应用呢? 后来看了胡适的著作才明白。胡适对这个方法有两种应用法:一种是用来研究当时中国的社会制度,第二种是研究中国古人的学说。他在研究当时的半殖民地半封建的中国社会制度时,认为这种制度是祖宗积的德、造的孽,"祸延到我们的今日",以致"我们罪孽深重",但事已如此,对祖宗要"忠厚宽恕",不要"有过分的苛责","我们要认错、要知耻、要反省",要一点一滴地对这个制度作改良的运动,要积德不要造孽,千万不能作根本的改革,要顾虑到将来的效果,使子孙收点好报。这是应用"祖孙法"的一个方面。

其次,实用主义者的祖宗不曾创出历史研究法,而胡适却是有"历史癖"的人,只好利用这个"祖孙法"去研究历史,特别是研究中国哲学史。他在《中国哲学史大纲》中,提出了研究周秦诸子的学说的方法,即"述学"、"求因"、"明变"和"评判"四项,大概是和那个"祖孙法"相符合的。我不打算提起胡适在历史研究方面的工作,这里只检查他是怎样应用那个"祖孙法"研究诸子学说的。

首先,胡适在"述学"之前用大刀阔斧把东周以前的中国古史"……邃古

---

① 胡适:《杜威先生与中国》。

的哲学"的历史斩断了。他是把老子当作中国哲学的始祖的。他说:"大凡一种学说,绝不是劈空从天上掉下来的",可是他的《中国哲学史》却劈空从天上掉下来一个老子。他说老子是从诗经怀胎的,这实在是滑稽之至。老子是战国时代出世的,胡适却把它提到春秋时代,作为中国哲学的起源,这"述学"的次序首先错了,以后的"明变"和"求因"也就打乱了。他把老子产生的原因归着于四种现象:"(一)战祸连年,百姓痛苦;(二)社会阶级渐渐消灭;(三)生计现象贫富不均;(四)政治黑暗百姓愁怨。"他把这四种现象作为哲学的起源,显然是错误的。这四种现象中的(一)(三)(四)三项,是中国史各时代中都有的,其中(二)项"社会阶级渐渐消灭"的话,更是荒谬绝伦。这"求因"的一步也是错了。说到"明变",他认为孔子的"以德报怨"根源于老子的学说,杨朱的"为我"和墨子的"兼爱"都是儒家伦理学说的反动,孟子又受了杨子和墨子的影响,法家则是道儒墨三家学说的集大成,等等。这都是牛头不对马嘴。

　　根据社会发展的历史,在原始无阶级的社会中,只有宗教的世界观。至于说明自然和社会问题的那种哲学的世界观,那是在社会分裂为阶级以后由那些脱离生产而专事精神劳动的人们所创造的。由于物质生产力的发达,社会分裂为奴隶和奴隶主两阶级以后,精神劳动和肉体劳动的分工就转变为两者的对立了。于是从事精神劳动的人们就专属于奴隶主阶级,他们免除了物质的生产的劳动,仰赖于肉体劳动者所生产的生活资料来维持生活。因此,他们就有了所谓"必要的闲暇"去做抽象的思索,而考察宇宙如何发生、如何构成的问题了。哲学的世界观是在这种前提之下形成的。我们要探索中国哲学的起源,应当向殷周之际去探寻。根据学者们的考证,《易》和《洪范》是战国时代或以后的人所作,但《易》的"卦"、"卦辞"、"爻辞"和《洪范》却述说着殷周之际的事实却是有道理的。《易》根据"男女构精,万物化生"的道理,说宇宙万事万物都是阴阳的矛盾的统一,因而认为宇宙是由天、地、水、火、山、泽、风、雷八种元素构成的。在当时农业经济初步发达的时代,能够产生这样素朴的物质的宇宙观,并且是含有辩证法要素的宇宙观,是有可能的。其次,《洪范》认为宇宙万物是由金、木、水、火、土这五行构成的。似乎对宇宙构成的说明更进了一步(当然不是科学的说明)。中国哲学的起源,应当追溯到这里才比较妥当。胡适武断地把老子作为中国哲学的始祖,而把《易》作为孔子的哲学学说,实属荒谬。《易》不是一个人的作品,这是多数学者所公认的。孔子是学过《易》的,并且引用过《恒》卦的话,但他究竟作过《易传》没有,还找不到根据。

哲学是社会的经济基础的上层建筑,它是反映基础的。要说明春秋战国时代的诸子哲学,必先说明这时代的社会经济制度和阶级关系;说明诸子哲学各自代表什么阶级;说明它们如何解决物质和意识的关系的问题,即属于唯物论或属于唯心论;说明某一哲学本身的体系(古代哲学是包括自然哲学、社会哲学,政治哲学、法律哲学、宗教哲学和论理学等部门的);说明一种哲学和别种哲学或其他知识部门的关系(哲学史是唯物论和唯心论斗争的历史);说明一种哲学对于当时社会经济生活的反映(哲学的发展虽有相对的独立性,但总要反映当时的经济生活和阶级关系)。但胡适所用的方法却是完全相反,他只是根据主观唯心论的见解,任意地、随便地把各家学说拉拉扯扯,拼凑一番。他对于春秋战国时代的经济基础和阶级关系怎样? 各家哲学各自代表什么阶级? 属于唯物论或属于唯心论? 一点也不曾谈起。他对于各家哲学的叙述,层次凌乱,并没有为各家学说理出一个系统来。他所做的工作,只是主观地支解各家的学说,任意拼凑,或者就其中的一个字、一句话,加以注释,或者把西方的学说附会起来。例如他把老子的“无为”此拟于资产阶级的放任主义,把庄子《秋水篇》的“自化”说成是生物进化论,把《葛屦》的“掺掺女手,可以缝裳”的女子说成是资本家工厂里的女工,说春秋时代的阶级“虽然渐渐消灭了却新添了一种生计上的阶级”(这究竟是什么阶级? 真正胡说)。

胡适的“述学”、“明变”、“求因”等方法的应用,上面已经批判过了,现在再看他对诸子的学说是如何“评判”的。他说他所做的“评判”不是“主观的评判”而是“客观的评判”。他所说的“客观的评判”不是“把做哲学史的人自己的眼光来批评古人的是非得失”,而是“要把每一家的学说所发生的效果表示出来”。这种从“效果”的见地来批评古人学说,不是实用主义者胡适本人“用自己的眼光来批评古人的是非得失”么? 一种学说的效果如何,因人而异,因时代而异,因阶级而异,胡适所说的“效果”只是实用主义的“效果”。我们研究一个人的哲学,最主要的是客观的说明这种哲学是那一种社会的经济生活的反映,它代表那一阶级,属于唯物论或属于唯心论,要为它理出一个系统来,最后当然可以提出自己的批评的意见。那一家的哲学还是那一家的哲学,还它一个本来的面目。做哲学史的人不能把自己的意见掺杂在别家哲学之中。胡适所写的中国哲学史应当仍是中国哲学史,不应当是中国实用主义的哲学史。至于那一家哲学在后来的社会中所发生的影响如何,那要看它对于后来的社会制度的关系怎样了。孔子学说是代表地主阶级而主张王道政治的。孔子学说在春秋以迄于秦代,仍是诸子学说之一,它在那时代的意识形态中并不曾取得统治的地位,秦始皇还把孔子的书都给烧毁了哩!孔子学说是从西汉起才得到了封建皇朝的重视。历代封建皇朝所以重视它,完全是因它最便于做统治人民的精神武器。这些话,在这里不多谈了。胡适用效果做标准评判各家学说是错误的,并且那些评判本身也是错误的。例如他说"孔子的'学'只是读书,只是文字上传来的学问",所以"后来中国几千年来的教育都受这种学说的影响,造成一国的'书生'废物"。又说:孔子作的春秋"书法"的余毒,"就使中国只有主观的历史,没有客观的历史"。这些话是错误的。其一,孔子并不是专向书本学习的,他博学,好古,多见多闻,"三人行,必有我师",择善而从,这都是活生生的学习,并不是读死书。后世"书生"废物的造成,与孔子何干?其次,他说孔子的春秋"书法"害得中国没有"物观的历史",更是笑话。胡适自己的《中国哲学史》全是"主观的历史",是否也中了春秋"书法"的余毒?他又说:"庄子这种学说的影响,养成一种乐天安命的思想",造成了"刘伶一类达乐的废物",这也算是一种评判么?但他对于非孔丘派的名学的评价却是很高的,这就是因为它们合于实用主义。最奇怪的是他说"古代哲学中绝"的原因,是庄子的怀疑主义和荀子的"故学也者固学止之也"九个字等等,更是荒唐的评判。庄子怀了疑,荀子写了九个字,古代哲学就中绝了,这是什么话!?胡适把自己这部著作夸称为中国哲学史的"开山",实际上它是杂乱无章,任意拼凑,连参考的价值都没有。

胡适的"历史的方法"在研究古人学说方面的应用,就是如此。

四、胡适的考证法批判

胡适常说自己有"历史癖",又有"考据癖"。实际上,他的"考据癖"就是

"历史癖"。他主要地为了准备写中国文学史的史料,就大做其考证工作。他在"人的问题"方面是做反动的政论,在"故纸堆"方面就是做考证。

他把实用主义的方法用在考证方面,成了他的考证法。他关于考证法的专论很多,有《清代学者的治学方法》,有《治学方法与材料》,有《〈红楼梦〉考证》,还有几十万字的小说考证。他为了加重他的考证法的分量,就认为"清代学者的治学方法"就是他的实用主义的方法。他把清代汉学者的治学方法列举了四项:一是汉学家建立一种新见解,必须有物观的证据;二是汉学家的证据完全是例证,例证就是举例为证;三是举例为证就是归纳的方法;四是汉学家的归纳手续是很能用假设的。他于是把"他们的方法总结起来,只是两点。(一)大胆的假设,(二)小心的求证。假设不大胆,不能有新发明。证据不充足,不能使人信仰"。照这样,杜威的五步法,胡适的三步法,汉学家的四步法就合而为一,成为中西合璧的两步法(假设与求证)了。

胡适认为"大胆的假设,小心的求证"的考证法是科学方法,因为他的方法和汉学家的方法都是应用归纳法和演绎法的。他为了形容考证法是科学方法起见,就说:"西洋这三百年的自然科学都是这种方法的成绩;中国这三百年的朴学也都是这种方法的结果。顾炎武阎若璩的方法,同葛利略牛敦的方法,是一样的,……戴震钱大昕的方法,同达尔文柏司笃的方法,也是一样的,他们都能大胆的假设,小心的求证。"又说:顾炎武阎若璩的方法和葛利略牛敦等的方法"是相同的,不过他们的材料完全不同。顾氏阎氏的材料全是文字的,葛利略一班人的材料全是实物的"①。胡适这样把自然科学家的科学方法和封建学者的考证法等同起来,竟然牵强附会到这种地步,实在太荒谬绝伦了。无怪乎他把"考证一个字的意义"和"发现一颗恒星"看作有同等的功绩了。实际上,胡适的考证法是实用主义的方法和封建的考证法的混合物。在这个混合物之中,封建的考证法是主要的。在胡适的某些考证著作中,简直完全用了汉学家的方法。例如《诗三百篇言字解》、《吾我篇》、《尔妆篇》等,仍然是"以经解经,参考互证"的汉学家的方法。他和汉学家不同的地方,只不过扩大了考证的范围,涉及周秦诸子、周秦以后的几家学说以及一些古典文

① 胡适:《治学方法与材料》。

学,而汉学家则只注重于经书。此外,胡适还应用了资产阶级学者的常识,搬弄了一些新术语以资炫耀。这便是他和汉学家的一点小区别。

胡适像上面那样牵强附会了一番之后,就强调他的考证法是科学方法,并且说"科学方法其实说来很简单",只是"尊重事实,尊重证据"。但是他的考证法完全是受他的主观唯心论所指导的,并不是什么科学方法。我们不要被他所说的"事实"、"证据"、"物观证据"一类名词所迷惑。胡适在研究"人的问题"中所说的"事实"只是他主观经验中的事实,或者是根据主观见解挑选出来的事实,这在前面已经谈过了。现在他的考证法适用范围是"故纸堆",是古人著作,是白纸上印了黑字的东西。他在这里所说的"事实"和"证据"都是书本上的字句,所以在假设和求证的时候,就必须从书本上引用一些字句作为"事实",这是没有方法捏造的。他不能因为说了"事实"和"证据"就可以使他的方法变成科学的。

我们研究古人的著作,当然要做一点考证功夫的,但进行考证的时候,必须受唯物论的历史观所指导。我们先要考证某一著作的著者所处的时代的社会生活和阶级关系、著者本人属于什么阶级? 那个时代有哪些学说? 流行着什么思想? 那一著作是异或是假,等等。这些都应当先考证清楚,以便进行关于著作内容的研究。所以考证只是研究古人著作的一个条件,不是研究的目的,更不能以考证代替研究。

胡适说他有"考据癖"。"癖"是什么? 是特别的嗜好,是偏爱。所以他进行考证的时候,爱用那些字句来假设,来求证,就采取那些事实。像猜谜子一样,有时猜对了,猜不对就武断,就牵强附会;他主观的假设成立以后,就找那种合乎假设的证据,不合乎那种假设的证据就舍弃。有时对于一部书,例如老子,大家都找不出充分证据时,他就主观地决定把老子作为春秋时代的著作,作为中国哲学的始祖,其次他把《易》作为孔子一人的著作,不知有何证据。他写中国哲学史,断自东周,但在和胡汉民辩论井田有无时,又说"东周以前至少已有两千多年的文化"。前后自相矛盾,他都不管,只要能够自圆其说。他的考证法是"疑而后信,考而后信,有充分证据而后信",他因为"疑而后信",就"宁可疑而失之"。他的《读楚辞》,怀疑"屈原这个人究竟有没有",因而断定"屈原是一种复合物,是一种箭垛式的人物"。有人根据他的"疑而后信"的说法,就考证出大禹是一条虫,墨子是外国人。

胡适一再宣称"文学是我的娱乐",因而他对于古典文学的考证,是以"娱乐"二字为标准的。这正是实用主义者以兴趣定目标并依目标挑选达到目标的方法和资料的教条。所以他对于古典文学著作的考证,"只能在'著者'和'本子'两个问题上着手:只能运用我们力所能搜集的材料,参考互证,然后抽出一些比较最合情理的结论"①。至于著作内容的思想性和艺术性如何,他是存而不论的。为什么?这是"娱乐"呀!

胡适也曾悲叹过,"我们的学术界还在烂纸堆里翻我们的筋斗","于人生有何益处?于国家的治乱安危有何裨补?""这条故纸的路是死路"。尽管这样悲叹,胡适还是要在"烂纸堆"里去发现"恒星",并且还要教人先把自然科学搞好,然后回到"烂纸堆"里来"翻筋斗",以便打倒顾亭林和钱竹汀②。

胡适的考证的成绩究竟如何?胡适在"烂纸堆"中"翻筋斗"多年,是曾发现过几颗"恒星"的。他所发现的那些"恒星"很像是一些"水滴",他的成绩,正是鲁迅先生所肯定了的"滴水微功"。但是他那种为癖性而考证、为娱乐而考证的方法是曾经害了很多人的,他那点"滴水微功"恐怕还不能抵罪哩。

胡适的治学方法,正和他的实用主义思想一样,同是害人的东西。我们在清除他的反动思想时,要连带地清除他的治学方法。我们要一心一意地学习马克思列宁主义的立场、观点和方法,作为我们治学的指导。

总　　结

1910年,美帝国主义者利用"庚子赔款"招致中国学生到美国留学,其目的是要培植一批文化买办回到中国来,作为帝国主义对中国侵略的内应,并靠他们在精神文化方面先征服中国的人心。美帝国主义者把榨取中国人民的血汗凝成的庚款来培植一批御用的奴才,这在它是最有"效果"的事情。这一点,当年美帝国主义代言人是曾经公开说明过的。美帝国主义者这一计划确

---

① 胡适:《介绍我自己的思想》。
② 胡适:《治学方法与材料》。

是收到了很大的"效果"的,而贡献这种"效果"最多的人要推胡适为第一。我们可以说,四十多年来,像胡适那样在中国文化教育界宣传崇美亲美,散布反动思想毒素,鞠躬尽瘁,终始不渝的人,再也找不出第二个来。美帝培植一个胡适,就比每年花费几千万美金雇派许多牧师、记者、侦探、顾问到中国来工作,还要有"效果"些。

最近思想战线上展开了对于胡适反动思想的斗争,胡适的文化买办的反动面貌已经完全揭露了。可是在此以前,有人还觉得胡适对于"五四"运动还是有微劳的,现在事实证明,胡适当年不但不曾参加"五四"运动,而且是反对"五四"运动的,所以"五四"运动完全没有胡适的份儿。

在此以前,有人还觉得胡适在"五四"以前的新文化运动中是革命的。现在事实证明:胡适在"五四"以前只是新文化运动的右翼,还说不上什么"是革命的"。他在那个时期,只反对过旧礼教,反对过文言形式的文学,提倡过白话形式的文学,却不曾反对过封建主义。他自己也说过他不曾反封建,因为在他的经验中,中国早已没有了封建。不难理解,胡适是受过封建思想熏陶的文化买办。买办在形式上是讲究洋式的,而思想内容却杂有封建的成分。他认为"祖宗罪孽深重,祸延到我们今日",我们只有代祖宗"认错"、"反省"、"知耻",却不能"苛责"祖宗,这是他用"忠厚宽恕"对待祖宗的态度。还有他"对于丧礼的改革"也仍然是封建的。这是文化买办思想中所夹杂着的封建思想。在另一方面,他说"打定 20 年不谈政治",却要宣传实用主义思想和个人主义文学,来"替中国政治建筑革新的基础。"这种政治的反动野心比不谈政治还要毒辣。

在此以前,大家都不知道胡适在留学美国 7 年期间的政治面貌究竟怎样?他自己曾宣称在留美期间曾为"中国的民主辩护"过。现在事实证明:胡适在留美期间,首先反对辛亥革命,其次赞成袁世凯接受日本的二十一条,赞成袁世凯做皇帝。由此可见,胡适在留美期间早就把自己"那块材料"造就为反革命的文化买办了。

现在,胡适的反动历史完全暴露无遗了。他打从 1910 年到美国留学的时候起,1917 年归国,到 1948 年逃到主子的国家为止,在 38 年的岁月里,始终是一贯反动的。他在"五四"以前,表面上伪装进步,骨子里是反动;到"五四"

时期,他揭开了伪装的面幕,开始反对马克思主义;《努力》及其以后时期,公开反共反人民,拥帝拥封建;《新月》时期,他反共反人民,拥帝拥封建,特别露骨,投靠了蒋介石卖国集团;《独立》时期,加入了蒋介石卖国集团,反苏反共反人民更加积极,同时宣布了亡国主义,要向日本投降,准备做有"成绩"的亡国奴;"做了过河卒子"以后,向蒋介石劝进,拥为"伪大总统",并授以反动宪法,临到蒋匪皇朝没落前夕,还做了"毒于蛇"的"能言鹦鹉",大大地反共一阵,终于逃跑了。

胡适在中国留下了什么"工作成绩"呢?我想他的最大的"工作成绩"只是在中国撒布了反动思想的毒素。此外呢,(一)在文学方面,除了写了一些改良主义的、形式主义的、"八不"主义的"理论"以外,创作是没有的。他所写的白话诗,只是资产阶级"娱乐"品,值不得一看。他翻译过一些外国资产阶级文学家的作品,也只是别人的东西,特别是他翻译出来的易卜生作品,专以宣传维多利亚时代的陈腐的个人主义为目的,教青年们做"救国先救出自己"的个人主义者,为害最烈。(二)在国学方面,前面已经说过,全无成绩可言,而他的罪恶是引诱了许多青年逃避现实,走上了"故纸堆"的死路。在考证方面,他曾在"烂纸堆"里发现过几颗"恒星",但那点"滴水微功"不能折补他糟蹋现实主义古典文学的罪过。够了!胡适的"盖棺"论定,大概是这样。

现在,美国的胡适知道了思想战线上一致声讨他的情形,也许自鸣得意地这样说吧:我在《不朽》中原已说过:"如今说立德不朽,行恶也不朽;立功不朽,犯罪也不朽;'流芳百世'不朽,'遗臭万年'也不朽;功德盖世固是不朽的善因,吐一口痰也有不朽的恶果。"的确!胡适早就这样说过,早就料定有这么一日。但他仍可以自夸他是"不朽"的,"行恶也不朽","犯罪也不朽","遗臭万年也不朽",吐一口痰也"不朽"。胡适这样的"不朽"的毒素,中国人民一定要把它彻底消除!

《矛盾论解说》中一个重要的更正*

（1955.3）

　　我在《矛盾论解说》（三联书店版，第 307 页第三行至第 308 页第 5 行，原载《新建设》1953 年 1 月号第 25 页下栏第 29 行至第 26 页上栏第 9 行）中，为了说明对抗性矛盾或非对抗性矛盾的转变，我举了工人阶级与资产阶级的矛盾的例子，这完全是错误的。因为工人阶级和资产阶级的矛盾，从始到终是对抗性的矛盾。只有在消灭了资本主义的剥削制度时，这个对抗性的矛盾才能消灭。但是消灭资本主义的剥削制度，即消灭这个对抗性的矛盾的步骤和方法，则因各国政治经的具体状况的差异而有所不同。在资本主义国家中，工人阶级要消灭资本主义的剥削制度，是经过推翻资产阶级专政和建立工人阶级专政来实现的。至于我国现在的政治经济状况是和资本主义国家完全不同的。我国已经建立了工人阶级领导的人民民主专政。我国已经建成了领导着国民经济的社会主义国营经济，而资本主义经济则已处于被领导的地位。同时我国工人阶级和民族资产阶级还存在着联盟的关系。所以在我国消灭资本

---

　　* 本文亦发表于《哲学研究》1955 年第 1 期、1955 年 3 月 19 日武汉大学校报《新武大》第 146 期。《哲学研究》1955 年第 1 期发表这篇文章时，文首刊有李达致《哲学研究》编辑部的信。信的内容如下：

哲学研究编辑部：

　　寄来舒炜光同志的《中国过渡时期的渐进性飞跃》一文，其中有一段对于《矛盾论解说》中的一个地方作了批判，我认为是正确的。

　　去年，我就《矛盾论解说》的某些地方作了修改，只因该书尚未重版，所以那些修改了的处所不能及时向读者更正。舒炜光同志批判该书的地方，正是我已经修改了的地方。希望把我寄上的《〈矛盾论解说〉中一个重要的更正》登载出来。

李达　3 月 11 日

——编者注

主义的剥削制度,可以依靠现在这样的国家机关和社会力量,逐步地对资本主义经济进行社会主义改造。这样的改造,将经过一个相当长的时间,并通过各种不同形式的国家资本主义来逐步实现。我国《宪法》第 10 条规定:"国家对资本主义工商业采取利用、限制和改造的政策。国家通过国家行政机关的管理、国营经济的领导和工人群众的监督,利用资本主义工商业的有利于国计民生的积极作用,限制它们的不利于国计民生的消极作用,鼓励和指导它们转变为各种不同形式的国家资本主义经济,逐步以全民所有制代替资本家所有制。"这就是在我国消灭资本主义的剥削制度即消灭工人阶级和资产阶级的对抗性矛盾的步骤和方法。当然,在对资本主义经济进行社会主义改造的过程中,阶级斗争是复杂和尖锐的。国家实行的限制和改造与来自资方的反限制和反改造,就是阶级斗争的表现。"由限制资本主义剥削到消灭资本主义剥削,不可能设想没有复杂的斗争,但可以通过国家行政机关的管理、国营经济的领导和工人群众的监督,用和平的斗争方式来达到目的。"(刘少奇:《关于中华人民共和国宪法草案的报告》)

因此,《矛盾论解说》第 307 页第三行(《新建设》1953 年 1 月号第 25 页下栏第 29 行)"在某种特殊的情况下"一句起到第 308 页第 5 行(第 26 页上栏第 9 行)为止,应全部删去,改写如下:

为什么说:"根据事物的具体发展,有些矛盾是由原来还非对抗性的,而发展成为对抗性的;也有些矛盾则由原来是对抗性的,而发展成为非对抗性的"呢? 这可以举例来说明。例如,在原始公社时代,最初是没有脑力劳动和体力劳动的区别的,公社的成员个个都兼做体力劳动和脑力劳动。随着生产事业的发展,公社的成员就委托少数人(如长老等)多做一点脑力劳动(如管理和安排生产之类),开始有了脑力劳动和体力劳动的区别,当时少数做脑力劳动的人们仍然要做一些体力劳动,他们从公社生产物中所得的份额,和其他人员是同等的。但随着社会的向前发展,由于私有财产的形成和主奴阶级的分化,脑力劳动和体力劳动的矛盾就变成对抗性的矛盾了。因为从这个时候起,从事于脑力劳动的人们,就免除了物质的生产的劳动,仰赖于体力劳动者所生产的生活资料来生活,他们专属于剥削阶级(奴隶主、地主、资产阶级)了。我们可以说,脑力劳动和体力劳动的矛盾的对抗性的经济基础,是人对人的剥削制度,在剥削制度存在的阶级社会中,这个矛盾总是对抗性的。但是随着资本主义和剥削制度的消灭,脑力劳动和体力劳动的矛盾,便由原来是对抗性的而发展成为非对抗性的。这种转变在苏联已经实现了。又如,城市和乡村间的矛盾,在资本主义社会中是对抗性的矛盾。"这个对立的经济基础,是资本主义制度下工业、商业、信贷制度的整个发展进程使乡村遭受城市剥削,使农民遭受剥夺,使大多数农村人口遭受破产。因此,资本主义制度下的城市和乡村间的对立,应该看作是利益上的对立。"①但是"随着资本主义和剥削制度的消灭,随着社会主义制度的巩固,而城市和乡村利益的对立、工业和农业的对立也必定消失。"(同前)这样的转变,在苏联也已经实现了。

此外,《矛盾论解说》中还有好几处作了修改,该书重版时,当改排付印。

(原载 1955 年《新建设》4 月号,署名李达)

---

① 斯大林:《苏联社会主义经济问题》,人民出版社版,第 22 页。

谈共产主义道德

（1955.4）

今天的大学生是明天的社会主义建设干部,必须具有共产主义道德品质,才能适合于这个光荣称号,才能发挥出光和热,全心全意为社会主义建设服务。

共产主义道德的原则是:个人与社会的协调,即个人利益服从于社会利益,社会利益符合于个人利益。

共产主义道德的表现是:

第一,热爱劳动,建立新劳动态度,发挥劳动的积极性和创造性,为建成社会主义而斗争。

第二,发扬爱国主义与国际主义的精神。

第三,爱护社会主义财产。

第四,男女双方在生产劳动中,互相了解,互相恋爱,因而结为夫妇,组织家庭,把家庭的幸福建立在个人生活与社会生活相调和的基础上,把对家庭关系的责任作为对社会责任的一部分。

第五,热爱科学、热爱文艺;对于同志,团结友爱,真诚互助;对于工作,认真负责,富于组织性与纪律性;对于困难,从不低头,勇往直前;对于社会主义事业,忠诚老实,信心坚定,表现出英雄主义与乐观主义。

共产主义道德是无产阶级在共产党领导下的革命斗争中锻炼出来、培养出来的,它一经成为广大劳动人民群众的道德以后,就能成为新社会发展的动力。因为广大劳动人民群众能够用共产主义道德清除从旧社会带来的旧思想,积极参加于社会主义的建设;能够克服旧时代个人主义的坏影响,使个人利益服从于社会利益;能够发扬爱国主义,保卫社会主义祖国,因而提高物质和文化生活的水平。因此,共产主义道德就成为新时代最高的道德标准,而批评和自我批评就含有共产主义的内容了,在这个新的社会环境中,懒惰的人、闲散的人、贪舒服的人、喜欢少做事多拿钱的人、不关心祖国的命运和前途而采取旁观态度的人、专图个人享乐而浪费公共财产的人,都要受到党和群众的指责。还有,那些站在国家机关的工作人员,如果有了贪污、浪费和官僚主义作风,犯了损害社会主义事业的过失,而他们自己又不力图改正,就必然遭到党和群众的唾弃,所以在新社会环境中,劳动人民都用共产主义道德做标准,衡量自己并衡量别人,一面勇敢地批评自己的缺点,加以检讨和改正;一面也勇敢地批评别人,帮助别人改正。像这样去做,社会主义事业的发展,自然就有了保证。

道德是社会的上层建筑,它为基础服务,具有积极的作用。但道德的积极作用,也只有在社会主义社会中才能充分地发挥出来。至于资产阶级社会的道德是维持剥削制度的,"人对人,如狼对狼",这是资产阶级道德的本质。资产阶级也曾用过那种吃人的虚伪的道德观念做镇压劳动人民的精神武器,但劳动人民一旦觉醒以后,就坚决反抗资产阶级的道德,而在革命斗争中,锻炼出共产主义道德。共产主义道德是消灭剥削制度的道德,它是社会主义社会的上层建筑,对于社会主义经济的发展具有积极推进的作用,所以它是新社会发展的动力。

（原载 1955 年 4 月 16 日武汉大学校报《新武大》第 150 期,署名李达）

在武汉大学马列主义夜大学的讲话[*]

（1955.4）

同志们：

我们学校马克思列宁主义夜间大学从开学到现在已经四个多月了。在这四个多月的时间里,同志们的学习热情是比较高的。大多数同志能够准时上课,认真复习,积极地参加讨论。许多老年教师,冒着严寒,不顾风雨,坚持上课。有些教研组和个人还把参加夜间大学学习列入了自己的工作计划。

如果说,过去我们对于中国革命的性质、任务和前途,对于胡适派在"五四"运动中的反动作用,对于北伐战争和抗日战争的领导者等重要问题的认识不够正确或者不够明确的话,那么,在经过这一段学习之后,就正确得多、明确得多了。可以说,我们对于从"五四"运动到抗日战争这一段中国革命的历史已经有了一个轮廓的了解。同时,在学习过程中有些同志开始养成了系统地学习理论的习惯,这对于我们是终身有用的。总之,我觉得这四个多月来的若干个晚上的时间,并没有白花。在这里,向同志们提出个希望,我希望同志们把四个多月来的学习回忆一下,看看这样系统地学习理论是不是有所收获?有哪些收获? 有多大收获? 我想这样做会加强我们学习的信心,提高我们学习的自觉性,对我们进一步学习会有好处的。

由于夜间大学是初次开办,没有经验,也不可避免地发生了一些缺点。行政上的具体领导做得不够,党、团、工会和各民主党派的保证作用也起得不够,没有辅导工作人员,参加学习的同志理论文化水平相差太远,要求不一,等等,

---

[*] 这是 1955 年 4 月李达在武汉大学马列宁主义夜大学的一次讲话稿,标题系编者所加。——编者注

4

都给学习带来了一定的困难。然而,我认为只要我们对参加夜间大学学习的重大意义有明确的认识,有较高的自觉性和坚持性,这些困难是可以采取一定的办法来逐步地加以克服的。因此,我今天想就参加夜间大学习的意义,谈一谈自己的意见,供同志们参考。

加里宁同志说:"教育家是人类心灵的工程师。"在为建设社会主义而斗争中,我们教育工作者肩负着光荣而重大的责任。我们要亲手培养出一批又一批的质量合格的社会主义建设干部,这些干部不仅必须具有专门的文化科学知识和强健的身体,而且必须具有共产主义的世界观和人生观,能够根据马克思列宁主义的原则正确地处理实际工作中的问题。这个培养社会主义新人的任务是光荣的、重大的,但也是非常艰巨的。马克思说:"教育者必先受教育。"担负着这一光荣任务的教育工作者,除了必须努力提高自己的科学和业务知识的水平,提高教学方法以外,还必须首先使自己成为自觉的革命战士,成为马克思列宁主义者。否则,要很好地完成自己所担负的任务,是很困难的。

另一方面,随着社会主义建设和社会主义改造的进展,阶级斗争也更加复杂和尖锐起来了。国内外阶级敌人力图破坏我们社会主义事业。他们破坏我们的最重要的方法之一,就是用资产阶级思想反对马克思主义,用唯心主义世界观反对唯物主义世界观。这是一场极其复杂的阶级斗争在思想路线上的反映。目前正在开展的对胡适、俞平伯、胡风等人的资产阶级思想的批判,就是这种斗争的重要内容之一。这种斗争今后也会长期存在,而且事实上任何人都不能不卷入这场斗争。不少干部和知识分子由于马克思列宁主义的嗅觉很不敏锐,因而在资产阶级思想的进攻下解除了武装,成了俘虏。这是非常危险的现象。我们教育工作者是做思想工作的人,如果我们的马克思列宁主义嗅觉也很不敏锐,不能辨别什么是唯物主义,什么是唯心主义,什么是真马克思主义,什么是假马克思主义,我们在资产阶级思想的进攻下也解除了武装,那么就不仅会阻碍自己的进步,而且还会影响我们新培养的学生,给社会主义建设带来很大的损失。只有掌握了马克思列宁主义的理论武器,才能在这种复杂尖锐的斗争中自觉地站在正确的方面,成为向资产阶级思想进行斗争的战士。所以,人民的教育工作者必须是马克思列宁主义者。

　　要成为马克思列宁主义者,当然必须经过相当长期的修养和锻炼,但只要有坚定的决心和充分的努力,是可以办到的。锻炼我们成为马克思列宁主义者的基本方法,就是学习马克思列宁主义和参加实际的革命斗争。解放战争以来,我们教师参加了一系列的政治改革,包括知识分子的思想改造运动,参加了现在还在进行的教学改革,并配合着政治改革和教学改革学习了若干政治理论和党的政策方针。在这些革命实践和学习的过程中,教师同志们思想上的进步是很大的:我们已经批判了封建的、买办的、法西斯的思想,也对资产阶级的错误思想进行了初步的批判,工人阶级思想正在我们每个同志的头脑中日益扩大。正因为这样,我们在教学工作中才取得了一定的成绩。但是,要成为一个自觉的马克思列宁主义者,这还是不够的,还必须把我们的思想觉悟建立在科学的和真正自觉的坚固基础上。要做到这一点,就必须长期地、系统地学习马克思列宁主义的基本理论,领会马克思列宁主义的精神实质,并经过一定时间的努力,逐步地把马克思列宁主义的原则贯彻到自己的专门业务中去。只有这样,才能胜任地培养出为社会主义建设所必需的合格人才,才能自觉地抵制资产阶级思想的进攻,才能成为一个真正的马克思列宁主义者。

　　为什么说要领会马克思主义必须经过长期的、系统的学习呢? 因为马克思主义是无产阶级革命的科学,是马克思和恩格斯批判地改造了人类思想在哲学、政治经济学和社会主义方面所达到的一切优良成果、综合了各被压迫阶级许多世纪以来对奴役者进行斗争的经验而建立起来的具有严整体系的科学。它不是自发的工人运动的产物,也不是个别人物或个别宗派创始者的学说。因此,它不可能"不学而能",也不可能只通过一鳞半爪的学习就能够领会其精神实质,只有经过系统的学习,才能有真正的理解。这对于任何人都是适用的。列宁曾经说过,工程师和技术专家接受马克思主义的道路应该与在秘密条件下工作的共产党员所经历的道路有所不同,这是完全正确的。但这是说工程师和技术专家要成为真正的马克思主义者,就不仅要懂得马克思主义的一般原理,而且还要能够把这些原理运用到本门科学中去,只有当他们能够把马克思主义运用到本门科学中去的时候,他们才真正领会了马克思主义;而绝不是说,学习马克思主义对于工程师和技术专家说来是不重要的。马克思主义是一切部门的一切专家共同的必修课程,任何人不能是例外。胡风小集团的重大错误之一，就是否认了学习马克思主义的必要性，从而实际上拒绝了思想改造。他把系统地学习马克思主义叫做"军阀统治式的学习制度"，主张加以"废除"。他主张作家只要凭着所谓"主观战斗要求"，经过"创作实践"，就可以达到马克思主义。这是完全违反马克思主义的。胡风也学习过马克思主义，但那不是为了改造自己，而是为了把马克思主义的只言片语摘取下来，加以歪曲，当作迷惑群众的外衣和进攻马克思主义的武器，以便坚持他的资产阶级唯心主义的立场。我们必须认清这种思想的真面目，并提高自己的认识，把系统地学习马克思列宁主义进一步地重视起来。

过去，在革命战争的艰苦年代里，在和敌人作生死斗争的时候，许多革命同志常常没有得到系统地学习马克思列宁主义的条件。也正因为这样，许多同志，甚至是立场很坚定的同志，对于马克思列宁主义理论的了解还是很差，他们在工作中不免犯了一些本来可以避免的错误，在资产阶级思想的进攻面前嗅觉不灵。他们正在努力学习，弥补以往的不足。现在，我们的学习条件是优越得多了，我们应该善于利用这些有利的条件。马克思列宁主义夜间大学虽然开办不久，缺点很多，但总算是一个有利的条件。我们准备在四年内分别开出的四门课程，大体上包括了马克思列宁主义的基本理论。辩证唯物主义与历史唯物主义是共产党的世界观，是马克思列宁主义的理论基础。政治经济学是运用辩证唯物主义与历史唯物主义研究人类社会各个发展阶段上生产和分配规律的科学，是研究生产关系即经济关系的科学。苏联共产党历史是一百年来世界共产主义运动最高的综合与总结，是理论与实际相结合的最完全的典型，是行动中的马克思列宁主义。而中国现代革命史则是马克思列宁主义的普遍真理与中国革命的具体实践相结合的典型，也是行动中的马克思列宁主义。如果我们真正学好了这四门课程，就可以说具备了马克思列宁主义理论的基本知识，就为我们奠定共产主义世界观和进一步深入研究马克思列宁主义打下了比较巩固的基础。

为了使同志们的学习收到更大的效果，学校行政准备加强对夜间大学的具体领导。学校决定把夜间大学的领导改进一下。下学期我们决定开出辩证唯物主义与历史唯物主义。同时，由于考虑到学习的实际效果，还准备把职员中在夜间大学学习感到困难的一部分同志编成初级班，学习适合于他们水平的政治经济常识。希望同志们进一步明确参加夜间大学学习的意义，发挥自觉性，认真地坚持学习。我相信，在这个基础上，经过几年的努力，我们是可以逐步掌握马克思列宁主义的理论的。

声讨胡风反革命集团[*]

（1955.6）

　　自从文艺战线上展开对胡风的批判以后,我也曾看过胡风所写的一些东西,他到处搬弄马克思、恩格斯、列宁、斯大林、毛泽东的言辞,却又反对提倡马克思主义的世界观,反对作家采取工人阶级的立场,这真是一个绝大的矛盾。在胡风的"著作"中,又出现着"主观战斗精神"、"人格力量"、"艺术良心"、"真诚"、"战斗意志"、"原始的强力"、"个性的积极解放"、"生命力的自我扩张"、"血肉追求"、"相生相克的决死斗争"、"生命力的孤注一掷"、"凶猛地向过去搏斗,悲壮地向未来突进"等一系列的语句。这些语句,都是从法西斯主义哲学——尼采哲学、柏格森哲学、实用主义——中搬弄过来的。这真奇怪!法西斯主义的文艺理论应该是为法西斯主义政治服务的。胡风是否仅仅是我

---

　　[*] 本文亦发表于 1955 年 6 月 17 日武汉大学校报《新武大》第 158 期。胡风是长期参加中国共产党领导的左翼文化运动的进步文艺理论家、诗人。但是,对于胡风所主张的文艺思想,文艺界历来就有不同的意见和争论,这种争论从解放前一直延续到新中国成立后。1952 年 9 至 12 月,中宣部先后召开了多次会议,对胡风的文艺思想进行了讨论。1953 年春,《文艺报》发表文章,认为胡风的文艺思想是反马克思主义、反现实主义的。1954 年 7 月,胡风向中共中央和毛泽东等领导人呈送了《关于几年来文艺实践情况的报告》,对报刊上公开批判他所涉及的几个理论问题作了说明,并陈述了他对改进文艺领导工作的意见。1955 年 1 月,中宣部向党中央提交了《关于开展批判胡风思想的报告》,认为胡风的文艺思想是彻头彻尾的资产阶级唯心论的、反党反人民的文艺思想,其活动是宗派主义小集团性质的活动,其目的是要为他的资产阶级文艺思想争取领导地位,反对和抵制党的文艺思想和党所领导的文艺运动,反对社会主义建设和社会主义改造。报告认为,胡风披着马克思主义的外衣,对群众的迷惑和毒害作用比公开的资产阶级反动思想更加危险。中共中央批准了这个报告,要求各级党委必须重视这一思想斗争,把它作为工人阶级与资产阶级之间的一个重要斗争来看待。1955 年 5 月 13 日至 6 月 10 日,《人民日报》以"关于胡风反革命集团的一些材料"为题,分三批公布了胡风的一些私人通信和其他有关材料,由此在全国范围内开展了对胡风的批判。郭沫若、老舍、巴金、丁玲、冰心、曹禺、茅盾、翦伯赞、冯友兰、陈垣、马思聪、赵丹、丰子恺、常香玉等众多文化名人均纷纷发表对胡风的批判文章。李达批判胡风的几篇文章,就是在这种背景下写的。——编者注

们思想上的敌人,还是同时也是政治上的敌人呢? 胡风集团是否仅仅是一个文艺界的小宗派还是一个反动集团呢? 这个疑团,直到 5 月 13 日和 24 日的人民日报发表了揭露胡风反革命集团的两批材料以后,才涣然冰释了。

胡风反革命集团是最阴险的法西斯分子的大联合,是全国人民最凶恶的敌人。

这个反革命集团原来已有二十多年的历史了。它有严密而广泛的组织,从北京到天津、东北、上海、南京、武汉等地,都建立了它的根据地。它到处物色对象,"联络人"、"争取人",用各种欺骗、拉拢、吹嘘、培植等方法,拉人下水,扩大组织,"开辟工作","加强实力"。它有严格的"组织原则",要它的党徒遵守,"保证斗争"。胡风自己则是这个组织的直接领导,由他统一地发号施令。这个集团的分子,现在虽然有些人思想觉悟提高后向人民投了降,却也有一些人还在顽固地追随着他。

这个反革命集团的靠山是蒋介石法西斯匪帮(台湾广播颂扬它)。它所进攻的对象是中国共产党、党与非党的革命作家、中华人民共和国人民。

这个反革命集团的政治目的,是篡夺中国共产党的领导,"把大旗抓到手里",把法西斯主义的"一个大的意志贯穿于中国",使我们的社会主义事业归于失败,使法西斯统治在中国复辟。

这个反革命集团的理论斗争的武器是:披着马克思主义的外套来反对马克思主义,"说的是一套,做的是相反的又一套,可以是为了欺人骗人的"。胡风认为提倡共产主义世界观、提倡和工农兵结合、提倡思想改造、提倡民族形式、提倡为政治服务,是"放在作家和读者头上的五把刀子",因而坚决反对。但他自己也有五把刀子,即传播法西斯主义世界观、与买办资产阶级相结合、保留特务匪徒的思想、宣传世界主义(否定民族文化)、为法西斯反革命服务。

这个反革命集团的战略战术是复杂多端的,约有如下几项:

一、"孙行者钻进肚皮去的战术",即派遣胡风分子混入党内做坐探,从内部去攻破堡垒;混入人民团体国家机关与军队内,窃据要职,施展阴谋手段。

二、挖心战,即从根本上破坏党的马克思主义的文艺方针。

三、神经战,即"使我布得成疑阵,使他们看来遍山旗帜,不敢轻易来犯"。

四、特务手段,有时用"橡皮包着丝的鞭子",或用"集束手榴弹",打击党与非党的进步作家;有时"用微笑包着侮蔑"来和他们"握手言欢",或"奉陪一道跳加官";有时"下笔前先变成老爷们,再来和变成老爷们的自己作战,一面防止他们不懂,一面防止他们构成罪案"。

五、战略进攻。命令他的坐探偷窃党的文件,搜集有关资料,"抓到一个缺口",全面进攻。

六、战略防御,即在进攻失败的时候,"宁可在空气坏的洞中多待,保存力量"。"不要痛苦,千万冷静,还有许多事情我们得忍受,并且只有在忍受中求得重生。一切都是为了事业,为了更远大的未来。""防御"是为了"卷土重来",所以说,"我在磨我的剑,窥测方向,到我看准了的时候,我愿意割下我的头颅抛掷出去,把那个脏臭的铁壁击碎的"。

以上那些战略战术是很恶毒的。但胡风那颗狗头虽然早已割下掷出去了,结果如何? 铁壁无恙,狗头却已掉到脏臭的粪窖里。

大家来看,胡风反革命集团的阴谋诡计是多么凶恶毒辣。它简直是披着人皮的豺狼虎豹。假使不是依靠党的力量剥去它的人皮,现出它的本来面目,那真会有亡党亡国的危险。

多年以来,我们人民还以为胡风集团的分子是朋友,用我们的粮食来豢养着他们,却不料他们天天在算计我们,毒害我们,真是令人毛骨悚然。我们必须百倍提高警惕,集中火力,彻底粉碎胡风反革命集团。

反党反革命反人民的顽强阴险的胡风集团分子,是不会甘心放下他们的武器的,他们还是要"在忍受中求得重生",而把希望寄托在"远大的未来",即"寄托在反革命政权的复辟和人民革命政权的倒台的"。我们要穷究胡风反革命集团的全部情况,追查它的后台老板是谁。我们要"打落水狗"。对敌人的仁慈就是对自己的残忍。

当着社会主义建设与社会主义改造正在进行的时候,我们"必须保持高度的警惕性,善于辨别那些伪装拥护革命而实际反对革命的分子,把他们从我们的各个战线上清洗出去,这样来保卫我们已经取得的和将要取得的伟大的胜利"。(《人民日报》5 月 24 日编者按语)

（原载 1955 年 6 月 8 日《湖北日报》,署名李达）

要善于识别暗藏的反革命分子

（1955.6）

胡风反革命集团的大阴谋，由于第三批材料的公布，完全暴露了。这个反革命集团是一批法西斯特务匪徒的大联盟，是全国人民最凶恶的敌人！这个反革命集团的后台老板，是美帝国主义和蒋介石匪帮。它的反革命目的是要破坏中国共产党和它所领导的社会主义事业，使人民政权垮台，使法西斯统治在中国复辟。它的理论斗争武器是贴上文学招牌的法西斯主义。它有广泛的组织，到处物色对象，"联络人"、"争取人"，扩大组织，"开辟工作"。它还有严密的"组织原则"，"保证斗争"。它的战略和战术是复杂而毒辣的。它用"钻进肚皮去的战术"，派遣集团分子混进共产党，企图从内部攻破革命堡垒；混入某些机关、部队、学校、工会和青年团，窃据要职，施展阴谋手段。

由此可见，胡风反革命集团的罪恶阴谋是穷凶极恶的。假使不是依靠党的力量击破这个集团，那就会有亡党亡国的危险。

多年以来，我们一直把胡风分子当作朋友看待，耐心地争取他们、改造他们，却不料他们竟是伪装革命的反革命分子，这是我们绝对不能容忍的。我们必须大张旗鼓、集中火力，坚决彻底地铲除他们。

同时，我们要从胡风反革命集团事件吸取经验教训，百倍提高警惕，善于识别这类暗藏的反革命分子，把他们从各个战线上清除出去，来纯洁我们革命的队伍，保证革命的胜利。但为要提高警惕，加强政治嗅觉，还必须努力学习马克思主义哲学，彻底批判法西斯主义哲学即现代一切主观唯心主义。例如胡风分子的言论显然就是法西斯主义的。而我们却让他们混进革命阵营，并且窃据重要职位，这一方面是由于我们的辨别能力太差，一方面也由于我们的斗争性不够坚强。今后我们只有加强马克思主义的学习,才能善于辨别反革命分子的思想意识,因而揭露他们的反革命阴谋。

(原载 1955 年 6 月 17 日《人民日报》,署名李达)

提高警惕,认识我国过渡时期
阶级斗争的复杂性和尖锐性

(1955.6)

　　胡风反革命集团的大阴谋已经完全暴露了！看了《人民日报》所公布的三批材料,我们可以知道这个集团是法西斯匪徒的大联盟。它的骨干分子是帝国主义国民党特务分子、反动军官、托洛茨基分子、革命叛徒和自首变节分子。它的政治靠山是帝国主义和蒋匪帮。它的罪恶活动的目的是要篡夺共产党的领导,破坏我们的社会主义事业,使我们人民政权垮台,使蒋匪帮的统治在中国复辟,使我们人民重新做帝国主义和国民党反动派的奴隶。

　　这个反革命集团的人数众多,他们混进了我们某些经济机关、某些政治机关、某些军事机关、某些教育机关、某些文化机关和出版机关以及某些报馆。他们还混进了我们某些工会、青年团等群众团体的领导机关。他们甚至还混进了中国共产党,有的还在党内担任了重要职务。这些所谓"共产党员"是这个反革命集团派进党内的坐探,专门偷窃党内文件和有关机密资料给他们的头领胡风。他们对胡风表示"忠贞",对党则进行欺骗。

　　这个反革命集团的战略战术,诡计多端。它有"挖心战",有"钻进肚皮去的战术",有"神经战",布"疑阵",有散兵战、运动战、游击战、阵地战,有战略进攻和战略退却。它还有"以五年为期"的五年破坏计划。它要"窥测方向",打开"缺口",准备对党对人民展开总攻击。

　　我们看看,胡风反革命集团反党、反人民、反革命的大阴谋是多么毒辣,多么阴狠!

　　二十来年,胡风反革命集团一贯地使用两面派手法,披着马克思主义外衣反对马克思主义,伪装拥护共产党而实际反对共产党,伪装靠拢人民而实际反对人民,伪装赞成革命而实际反对革命。它伪装得竟是那么巧妙,以至于能够欺骗很多人。在第一批材料公布以前,人们还认为胡风分子只是思想上的敌人,认为胡风集团只是一个小宗派,因而还对他们存着幻想,以为可以争取他们,改造他们。直到《人民日报》公布了那三批材料,揭露胡风集团的真面貌以后,人们才开始感到惊讶,由惊讶而愤怒,而一致声讨。

现在,全国各民主阶级、各民主党派、各人民团体、各民族人民都一致主张彻究这个反革命集团,对这个集团分子加以惩办和镇压。这种主张完全是正义的,是符合于国家和人民的利益的,一定能够得到贯彻。

胡风反革命集团的揭露和粉碎,无疑是党和人民的一次伟大的胜利,是社会主义建设事业的一次伟大的胜利。但是,胡风反革命集团竟然能够凭着他们的鬼蜮伎俩钻进革命阵营,把我们蒙混了二十多年,这件事实却说明了我们的革命警惕性是很不够的。因此,我们在庆幸粉碎胡风反革命集团的同时,还必须从这一事件吸取深刻的教训,充分认识过渡时期阶级斗争的复杂性和尖锐性,百倍地提高我们的警惕。

我们的国家正处在社会主义革命时期。社会主义革命的特点就在于它要从根本上消灭一切剥削制度和剥削阶级,消灭各种形式的生产资料和私人所有制,以便建成以生产资料公有制为基础的社会主义社会。这是一个人类历史上最深刻的社会革命。这个革命必然要触犯到一切拥护剥削制度的阶级,而这些阶级则必然要拼命反抗;而且,随着社会主义成分的不断增长,这些阶级的反抗也愈益剧烈。所以,社会主义革命就是为在我国建成社会主义社会而进行的阶级斗争。它与新民主主义革命比较起来,是新的更高级的阶级斗争形式。工人阶级领导的人民民主政权,是进行这场阶级斗争的强大工具,它具有组织社会主义经济,抵抗侵略和镇压剥削阶级反抗的职能。过渡时期一切政权组织和社会组织,都是按照阶级斗争的规律并适应阶级斗争的需要而建立起来的。各种工作部门,都是进行阶级斗争的阵地;各种革命工作,都是阶级斗争的有机组成部分。可以说,我们的全部生活,都是离不开阶级斗争的。这种阶级斗争的观念,必须在我们头脑中十分明确。特别应该指出的是,我们今天在进行这种斗争时所处的国际环境和国内环境是极其错综复杂的。在国际方面,帝国主义仍然包围着我们,对我们进行着战争威胁和侵略。在我国领土台湾,美帝国主义和蒋介石卖国集团还梦想着"反攻大陆",并在日本、我国台湾地区、香港地区等地建立特务间谍机关,不断派遣特务匪徒到大陆上长期潜伏,进行破坏和颠覆活动。在我国大陆上,还残留着一些漏网的反革命分子、反动军官、反动会道门分子、流氓、匪盗等等。他们无不蠢蠢欲动,或者正在做着破坏工作。这些反动分子的反革命活动是有着一定的社会基础的。这种社会基础就是国内那些已被消灭或将被消灭的阶级:那些失去了昔日"天堂"的地主阶级分子和官僚资产阶级分子是不甘心退出历史舞台的,他们梦想着复辟;城市中反对利用、限制和改造的资产阶级分子,正在公开地或秘密地进行拼死抵抗和报复;农村中的富农反动分子正在抗拒和破坏党和政府在农村中实行的各种政策。这些阶级中间会不断地生长出一些坚决反革命的分子。这种反革命力量给了外来的反革命分子以许多支持,使他们有了栖止的土壤。那些从海外派进来的特务、间谍、杀人犯、暗害者和原来潜藏在大陆上的各种反革命分子勾结起来,在他们的后台老板——帝国主义和蒋介石匪帮的直接间接的操纵下,无孔不入地进行各种破坏活动。他们千方百计地窃取我们的军事、政治、经济和外交等各方面的情报;他们用卑鄙的手段在我们重要的工矿企业内部制造破坏事故;他们以阴险毒辣的伎俩疯狂地进行恐怖暗害活动;他们利用并拉拢我们党政机关和人民团体中个别不坚定不忠实的分子以及群众中的某些落后分子,进行有组织的反革命活动;他们利用农村中某些落后分子对农业改造的不满情绪,利用工作中的某些偏差,制造谣言,挑拨和威胁落后群众制造骚乱和反革命暴动。他们的根本目的,是要破坏我正在进行的社会主义建设和社会主义改造的伟大事业,以便使中国革命归于失败,使反动统治复辟。

由此可见,由于我国的社会主义革命正在加紧进行,由于国外帝国主义的包围依然存在,因而我们与国内外敌人的斗争不是已经削弱了、缓和了,而是更加紧张,更加复杂了。这是一个针锋相对的斗争,是一个长期的、复杂的、尖锐的斗争。在人民已经掌握了政权的情况下,敌人已经不可能明目张胆地进行反革命活动。这时他们的一般活动方式就是采用两面派的手法。他们一般都以某种"专长"作为"幌子",或者利用旧社会关系,打进我们的各种工作部门,伪装积极,骗取信任,窃据要职,伺机破坏。例如,胡风反革命集团就是以

"文艺"为幌子的反革命政治集团，在他们的皮还没有剥开以前，他们也俨然是"革命文艺工作者"。正因为敌人巧于使用两面派手法，巧于使用"幌子"，所以，如果我们竟是书生气十足，对过渡时期阶级斗争的复杂性和尖锐性没有认识或者认识不足，而盲目地认为"天下太平"，就随时有被假象所惑，以致遭到敌人暗算的危险。

这种阶级斗争复杂化尖锐化的形势，我们党的中央是屡次指出过的。然而，并不是所有的同志都有很深刻的认识，甚至可以说，还有相当多的同志是认识不清的。这些同志虽然口头上也讲"提高警惕"，但在处理具体问题的时候却往往忘记了实行这句话。因此，还有各种非常有害的糊涂观念在一部分同志中间流行着。

"人民的天下稳如泰山，少数反革命分子造不了反。"是的，我们的人民民主政权是非常巩固的，人民手里有强大国家机器，足以镇压一切敢于造反的反革命分子。但是，如果我们丧失了警惕性，处处给反革命分子以可乘之隙，让他们顺利地钻到我们"肚皮里"或"肝脏里"来大肆破坏而熟视无睹，难道少数反革命分子也造不了反吗？难道在存在着资本主义包围的国际环境之中，就没有爆发突然事变的可能吗？我们必须记住一条真理：建设是很难的，破坏却是不费气力的。一座经过几万人的劳动建造得起来的水电站，只要几个反革命分子就可以破坏掉。这难道没有可能吗？如果说，我们多生产一吨钢，一架机器，就是向社会主义靠近了一步，那么，反革命分子破坏我们一吨钢，一架机器，不就是把我们和社会主义拉远了一步吗？造反的事，他们是一定会干的，而且正在干——这是他们的职业。我们不要把他们看得那么驯良，不要上他们的当。

"经过镇压反革命运动，反革命分子已经基本上肃清了。"这种看法既不合于道理，也不合于事实。镇压反革命运动给了反革命分子以很大的打击，消灭了许多反革命分子，但是总还有一些漏网的。而且，更重要的是，国外和我国台湾地区还在继续不断地向我国大陆派遣特务间谍；国内的衰朽阶级中还在不断地生长出反革命分子。哪里能说"基本肃清"了呢？留心报纸的人就知道，在镇压反革命运动基本结束之后，在我们的工矿企业等各个部门（例如著名的鞍钢）都还一再发现反革命分子的疯狂破坏；而胡风集团则是最近才发现的一个组织庞大的反革命集团。这不是非常具体的事实吗？必须懂得，只要帝国主义的包围依然存在，只要国内的社会主义建设和社会主义改造还没有完成，反革命分子就还"大有生机"。正因为这样，镇压反革命就成为我们过渡时期国家的基本职能之一。那种认为经过一个镇压反革命运动之后就不会再有很多的反革命分子的想法，进一种非常有害的麻痹思想。

"难道反革命分子不怕死吗？"这是不懂得阶级斗争的残酷性的天真的猜想。垂死的阶级愈是感到自己濒于死亡，它就必须会愈加疯狂地挣扎。他们当然也怕死，但他们更害怕的是永远失去他们的"天堂"。他们为了他们所梦想的"事业"和"远大的未来"，是会疯狂到置生死于不顾的，胡风不是说过，他愿意在"看准了的时候"割下他的头颅抛掷出去，把我们党的事业"击碎"吗？尽管我们对反革命活动进行了严厉的镇压，那些至死不悟的反革命分子不还是在进行反革命活动吗？这是阶级斗争的规律啊！

"镇压反革命是公安部门的事，与我们一般人关系不大。"这如果不是对阶级斗争的复杂性缺乏认识，就是对保卫社会主义建设事业缺乏责任心的表现。人民的军队、警察、法庭、监狱等等，当然是镇压反革命活动的主要工具，应该强化。但是，镇压反革命活动的力量，根本上却寓于广大的人民群众之中。如果人民群众缺乏革命警惕性，缺乏对于反革命分子的辨别能力，那么，敌人总还是有缝隙可钻，有"缺口"可找的。许多反革命分子之所以隐藏多年而未被发现，并不是由于他们有什么掩身的妖术，只不过是利用了我们的麻痹罢了。反之，只要人民群众的政治警惕性提高了，政治嗅觉敏锐了，就能够布成人民的天罗地网，使反革命分子无容身之地。因为反革命分子无论伪装得如何巧妙，总不可能在做了坏事之后丝毫不露马脚。"若要人不知，除非己莫为。"即使像胡风集团这样巧于伪装的阴险毒辣的反革命集团，不是也终于被人民清查出来了吗？

"反革命分子的破坏目标是工矿企业，文化教育机关不会有反革命分子。"有这种想法的人应该从胡风事件中受到一次深刻的教育。胡风、阿垅、绿原、路翎、曾卓、张中晓、刘雪苇、贾植芳、方然、谢韬等一群，不都是所谓"作家"、"诗人"、"理论家"、"教授"、"新闻工作者"和"文化艺术界的领导干部"吗？这些披着人皮的豺狼不正是钻进我们的文化机关来了吗？文化教育机关是党对广大人民进行社会主义思想的宣传教育的阵地，是国家培养干部的工厂，反革命分子是很喜欢钻进这种地方来进行"挖心战"的。我们看，胡风分子为了"动摇"马克思列宁主义在人民群众中的深厚影响，在各处建立据点，把持出版机关和文艺团体，散布反动思想，是何等的肯"花力气"啊！敌人是很看得起我们的文化教育机关的，他们会钻进来的。

另外，在我们的同志中间，还有一些人对阶级斗争采取了漠不关心的自由主义态度。例如，在全国展开了对以胡适为代表的资产阶级唯心主义思想的批判以后，有些做实际工作的同志就认为"这只是学术界的事"；有些自然科学工作者则认为"这只是文学家、史学家和社会科学家的事"，自己不闻不问。在展开对胡风的主观唯心主义的批判以后，有些同志更认为"这只是文艺界的事"，不仅有些不做学术工作的同志认为与己无关，而且连有些做学术工作但不研究文学艺术的同志也认为与己无关。在我们的高等学校教师中，就有同志在对胡风的批判展开以后很久还不知道胡风是什么人，个别同志甚至以为"胡风"就是"胡适的作风"。这说明我们有些同志对于政治的漠视到了多么惊人的程度！事实证明，对资产阶级唯心主义思想的批判绝不是什么与政治无关的"纯学术"的讨论，而是一场尖锐的阶级斗争。用唯心主义反对唯物主义，以此来抗拒改造，阻碍社会进步，阻碍科学和文化的进步，阻碍建设事业的发展，并腐蚀劳动人民，直到腐蚀我们的党——这正是敌人破坏我们的社会主义事业的最重要的方法之一。而我们对于资产阶级唯心主义的批判，正是对敌人的重大打击。这一点，从"第三批材料"中可以看得很清楚：在我们展开了对以胡适为代表的资产阶级唯心主义思想的批判以后，胡风集团的反革命阴谋很快就受到了"阻碍"，而不得不被迫改变他们的步骤。我们有些同志的自由主义的态度，对革命、对自己毫无补益，而对敌人则大有好处。敌人是并不"自由主义"的，他们的反革命政治嗅觉比我们这些同志的革命的政治嗅觉要敏锐得多，他们随时都在物色这些"明哲保身"的人做他们的"同志"和"朋友"，随时都在这些以"事不关己，高高挂起"为处世原则的人当中开辟反动思想的市场。如果我们的这些同志还不及时改正我们的极端有害的自由主义态度，是一定会上敌人的当的。

所有这些糊涂观念，都是政治上右倾的表现。它们的根源，一方面在于有些同志为社会主义建设和社会主义改造的伟大成就所陶醉,滋生了一种极端危险的太平麻痹思想,因而对阶级斗争漠不关心,对敌人的破坏活动熟视无睹;一方面也在于有些同志只顾了业务,忘记了政治。这种右倾思想,只会从容甚至助长反革命的破坏活动,使我们在敌人的威胁和破坏面前处于没有防备的地位,使国家和人民遭到反革命分子的重大危害。我们必须及时猛省!

为了提高革命警惕性和增强对于反革命分子的辨别能力,我以为必须从以下两方面努力。

首先,必须积极参加粉碎反革命的实际斗争。这不仅是每一个爱国人民责无旁贷的光荣义务,而且也是取得与反革命作斗争的经验本领的最好方法。就目前来说,我们首先应该积极投入粉碎胡风集团的斗争,积极投入清查一切暗藏的反革命分子的斗争。

其次,还必须认真学习马克思列宁主义,积极参加对资产阶级唯心主义思想的斗争。这是一个问题的两个方面:只有认真地学习马克思列宁主义,我们才能掌握批判资产阶级唯心主义的武器;同时,也只有积极参加对资产阶级唯心主义思想的斗争,才能更深刻地领会马克思列宁主义的精神实质。在战斗中提高自己,以便更好地参加战斗,这正是我们的当务之急。事实证明,我们对于反革命分子辨别能力的不强,是与我们的马克思列宁主义理论水平的低下分不开的。例如,胡风所宣传的"主观战斗精神"和"自我扩张"等一套"理论",本来是从尼采和柏格森那里一派相传的法西斯理论,但是我们有些同志却嗅不出这种气味,反而被他的马克思主义外衣所迷惑,误认作正确理论,甚至因此误入歧途,这是多么危险啊!

为了保卫我们的社会主义事业,让我们从胡风事件吸取深刻的教训,充分认识过渡时期阶级斗争的复杂性和尖锐性,擦亮眼睛,把类似胡风集团的一切暗藏的反革命分子坚决地彻底地清除出去吧!

(原载 1955 年 6 月 30 日《长江日报》,署名李达)

提高警惕,对一切反革命派作坚决的斗争

(1955.7)

《人民日报》先后发表的三批材料,彻底揭露了胡风反革命集团的真实面目。这个由一些人类的渣子——国民党特务、反动军官、托洛茨基分子、革命叛徒、自首变节分子为骨干组成的反革命集团,一直"和帝国主义国民党特务机关有密切的联系",长期地披着马克思主义外衣,伪装革命,潜藏在革命队伍中,从事反党反人民反革命的罪恶活动。他们这批法西斯匪徒,是中国人民最凶恶、最阴险的敌人。

我们看看,在中国共产党领导中国人民所经历的艰苦斗争的革命道路上,胡风反革命集团是如何地始终与党和人民为敌的。

胡风原是一个地主。他在第一次国内革命战争时期,曾经混入过当时的共产主义青年团,但不久就逃跑了。

在第二次国内革命战争时期,胡风在江西国民党"剿共"军中做"政治工作",是蒋介石的帮凶。

在抗日战争时期,当时党在国民党统治区内,在国民党军警特务的搜捕和追逐下所进行的斗争是极其艰巨和困难的。国民党特务用"监牢"用"橡皮包着钢丝"的鞭子折磨过我们多少宁死不屈的同志。我们当时被欺骗了,我们不少的同志曾经不顾一切危险去帮助过胡风,而胡风集团分子完全和国民党特务一样仇恨他们,"警戒他们"(党和非党的革命作家),认为"如果对他们发生了一丝的希望,那就是自己污辱了自己"。胡风反革命集团分子从"中美合作所"学来了一套特务本领。他们一面"用微笑包着侮蔑和他们握手言欢",一面"用橡皮包着钢丝打囚徒的鞭子,打了而又表面上看不出伤痕"的毒辣手段,来暗害我们的党和革命同志,这该是多么阴险的手段呀!

在第三次国内革命战争时期，胡风反革命集团因为蒋介石卖国贼的"三个月可以击破主力，一年肃清"的发动内战的"自信"而"乐观"、"鼓舞"。当中国人民解放军进行伟大的解放战争，把被压迫的中国人民从黑暗统治中解放出来，人民正在歌颂解放的时候，胡风反革命集团却在悲哀地叫嚣"万恶的共匪扰动"了他的"故乡"。

在中华人民共和国成立以后，当我们伟大的祖国正向着社会主义大道迈进的时候，胡风反革命集团不甘心于蒋介石卖国集团的垮台，不甘心他们自己的死亡，向党和人民发动了疯狂的进攻，做最后的垂死挣扎。他们"埋头工作，在群众中做好工作"，一面把"群众基础弄好"，一面"深入到"我们的"肝脏里面"。确实，他们是钻进来了，他们在北京、天津、东北、南京、上海、武汉、杭州等地建立了据点，到处物色对象，用卑鄙的手段"联络人"、"争取人"，"开辟工作"，"加强实力"。他们用"送上理论，同时也送上入党申请书"的办法千方百计地钻进我们党里来，确实，他们钻进来了，如曾卓、刘雪苇之流，还窃据了要职，这该是多么危险的敌人啊！他们在进攻遭到失败以后，却企图卷土重来，要"在忍受中求得重生"，说是"一切为了更远大的未来"。他们在"磨我的剑，窥测方向"，等到他们看准了方向的时候，他们就把"头颅"割下来，来击碎我们的铁壁？他们要"把大旗拿到手里"，要让帝国主义蒋介石集团来"自我扩张"，使党和人民的革命事业垮台，使反动政权在中国复辟。

我们面对这个二十多年来，隐藏在人民内部，始终反党反人民，血迹斑斑，罪恶累累的胡风反革命集团，心中燃起了无限的愤怒。我们要求对胡风反革命集团予以彻底清查和坚决的镇压。

胡风反革命集团的被揭露，是我们党和全国人民的伟大胜利。同时，胡风事件也说明了我国在过渡时期阶级斗争的复杂性和尖锐性。我们不能忘记，只要帝国主义存在，只要阶级斗争存在，一切公开的和暗藏的敌人就会无时无刻不在企图用一切方法来推翻我们的革命事业的。特别是那些暗藏的敌人，他们时刻都在企图从我们党和人民内部来破坏我们的党和革命事业。胡风集团就是这样做了，这是最现实的教训。其他的反革命分子也会是这样做，并且正在这样做。我们必须从胡风事件吸取教训。我们过去让胡风反革命集团长期地潜藏，是由于我们的政治警惕性不高，是由于我们马克思列宁主义理论水平不高,我们今后必须努力学习马克思列宁主义,深入地开展对资产阶级唯心论批判,来提高我们对敌人的辨别能力和政治警惕性,加强我们的政治嗅觉,注意和善于去发现一切暗藏的反革命分子,把他们从各个战线上清洗出去。

我们知道,毒蛇往往长着漂亮的颜色,隐藏在阴暗的洞穴里,在黑夜里出来咬人;但是,只要不是麻痹和胆怯的人,就一定能把毒蛇打死。

(原载 1955 年《长江文艺》7 月号,署名李达)

中国共产党的发起和
第一次第二次代表大会经过的回忆[*]

（1955.9）

十月社会主义革命及"五四"运动后，由于工人阶级的阶级意识的提高，由于马列主义的介绍、研究与宣传的相当普遍，由于苏联十月革命的先导，中国共产党成立的阶级基础，思想的准备与国际的声援等客观与主观的条件，都已经具备了。

1920年4月，第三国际东方局，派了威琴斯基（她的夫人同行）来到了北京。据他说："东方局曾接到海参威方面的电报，知道中国曾发生过几百万人的罢工、罢课、罢市的大革命运动，所以派他到中国来看看。"（他曾在美国做工多年，说得一口流利的英语。）

他到了北京以后，首先访问了以李大钊同志为首的许多进步人士，举行过几次座谈会，许多小资产阶级和资产阶级的知识分子也参加了。因为苏俄政府第一次对中国的宣言（即废除帝俄政府与中国所订的不平等条约）刚才传到了中国，中国很多社会团体都表示热烈的欢迎，所以一听到苏联人来到了北京，大家对他感到特别高兴。威琴斯基在几次座谈会上，报告了苏联十月革命以后的实际情况及其对外的政策。当时李大钊同志等对于这位好朋友，很诚实的和他交换意见，至于那些小资产阶级和资产阶级知识分子，只带着好奇心，参加了一两次座谈，以后和他也疏远了，和他经常接触的还有张太雷（因

　　[*] 本文于1955年9月由北京大学中国革命史教研室刊印，文首的"刊印说明"称："这篇回忆录，是1955年8月2日，北京政法学院王禹夫等同志所组织的访问小组，向李达同志进行访问，由李达同志谈述的。当时由黄明德同志速记，之后，由何进、丁始玉两同志先后加以整理，最后经李达同志审阅过的。"——编者注

为他懂英文)、杨明斋(华侨,因为他在俄国东方大学读过书,懂俄文)二人。

由于李大钊同志的介绍,威琴斯基到了上海,访问了"新青年"、"星期评论"、"共学社"等杂志、社团的许多负责人,如陈独秀、李汉俊、沈玄庐及其他各方面在当时还算进步的人们,也举行过几次座谈,其经过也和在北京的一样,最初参加座谈的人还多,以后就只有在当时还相信马列主义的人和威琴斯基交谈了。由于多次的交谈,一些当时的马列主义者,更加明白了苏俄和苏共的情况,得到了一致的结论"走俄国人的路"。

在这时候,"中国共产党"发起的事被列入了日程。威琴斯基来中国的主要的任务是联系,他不懂得什么理论,在中国看了看以后,说中国可以组织中国共产党,于是陈独秀、李汉俊、陈望道、沈玄庐、戴季陶等人就准备组织中国共产党。孙中山知道了这件事,就骂了戴季陶一顿,戴季陶就没有参加组织了。当时在上海参加发起的人有陈独秀、李汉俊(党成立大会以后退出)、陈望道(是党成立大会以后退出)、俞秀松、施存统(参加后去日本留学,现属民建)、沈玄庐(大地主,第二年退出)、李达等。当时还曾起草一个党章草案,由李汉俊用两张八行信纸写成,约有六七条,其中最主要的一条是"中国共产党用下列的手段,达到社会革命的目的:一、劳工专政,二、生产合作"。我对于"生产合作"一项表示异议,陈独秀说:"等起草党纲时再改"。

这个组织发起后,由陈独秀、李汉俊找关系,当时在全国各地发起组织共产党的有:在北京由李大钊、张太雷、邓中夏、张国焘、刘仁静、罗章龙、李梅羹等人;在武汉由陈潭秋、董必武、包惠僧等人(李汉俊本人也去到武汉);在广东由谭平山、陈公博、陈达材等人;在济南由王尽美(山东第五中学学生)、邓恩铭等人;在东京由施存统、周佛海等人;在湖南由毛泽东同志负责;另函约巴黎的朋友在巴黎组织。邵力子、沈雁冰在党发起以后加入了的(以后都又退出了)。截至 1921 年 6 月,共有 8 个中国共产党小组,而巴黎小组与国内各小组当时联系很欠缺。

成立共产党的会议是在《新青年》杂志社内召开的。在会上大家提供的工人运动的材料很少,第三国际的宣言和决议案在这次的会议上也出现了。当时党的上海小组的工作分两部分:一是宣传工作,一是工运工作;宣传方面,决定把《新青年》作为公开宣传的机关刊物,从八卷一号开始。另行出版《共产党》月刊(报纸 16 开本,约 32 面),作为秘密宣传刊物。1920 年 11 月间出了创刊号,这刊物的内容主要是刊登第三国际和苏俄的消息,各国工人运动的消息。至于工运方面,在上海杨树浦组织了一个机器工会,由李中主持,此外还在上海小沙渡路筹组纺织工会,但未组成。

党的上海发起组,推陈独秀做书记。另外还成立了社会主义青年团(简称 S.Y.)因为当时有许多青年离开学校和家庭来到上海找《新青年》社想办法,所以上海共产党组织就把他们组织成为社会主义青年团(S.Y.),上海的团部设在华龙路新渔阳里六号,两层两底的房子里,挂了"外国语学校"的招牌,团员有二十余人,由威琴斯基夫人教授俄文,团务由俞秀松主持。这 S.Y.的组织,除上海外,北京、武汉、长沙也组织了。

本年,孙中山在广州做大元帅,11 月,他邀约陈独秀去广州做教育厅长,陈把书记的职务交由李汉俊担任,《新青年》也交他和陈望道主编,我负责编《共产党》月刊,这份杂志的稿子主要由《新青年》社供给。12 月间,威琴斯基回到苏俄去了,当时党的工作经费,每月仅需大洋 200 元,大家却无力负担,因为当时在上海的党员大都没有职业,不能挣钱,搞工人运动没有钱不成。《新青年》社在法租界大马路开了一家"新青年书社",生意很好,李汉俊向陈独秀写信提议由"新青年书社"按月支 200 元做党的经费,陈独秀没有答应。还有陈独秀临去广州时,曾对李汉俊约定,《新青年》每编出一期,即付编辑费 100 元,后来李汉俊未能按月编出,该社即不给编辑费。因此李汉俊认定陈独秀私有欲太重,大不满意,这是他两人之间的冲突的起源。这时候党的经费是由在上海的党员卖文章维持的,往后因为经费困难,《共产党》月刊出至第二期就中止了①。

1921 年 2 月,陈独秀起草了一个党章,寄到上海,李汉俊看到草案上主张党的组织采中央集权制,对陈独秀甚不满意,说他要党员拥护他个人独裁,因此他也起草了一个党章,主张地方分权,中央只不过是一个有职无权的机关,陈独秀看了李汉俊这个草案,大发雷霆,从广州来信责备我一顿,说上海的党

---

① 此说不准确。李达在《回忆党的早期活动》一文中回忆说:"《共产党》月刊杂志共出版了七期,一到六期找到了,第七期尚未找到。1920 年 11 月的一到二期是在老渔阳里二号编的,三到七期是在辅德里编的。"——编者注

员反对他,其实我当时并不知道这件事。从此以后,陈独秀和李汉俊两人之间的裂痕愈来愈深,我觉得党刚发起就闹起分裂来,太不像话,只得调停于两者之间,要大家加强团结,但李汉俊态度坚决,不肯接受调停,并连书记也不做了,《新青年》也停刊不编了,他就把党的名册和一些文件移交于我,要我担任书记,我为了党的团结,只好接受了。李汉俊原是无政府主义者,后来看了考茨基的书才转变过来,他很想做合法的马克思主义者,主张参加资产阶级议会去宣传无产阶级的政见。他的本性原是一个热衷利禄的人,所以在党的成立大会开过以后,就跑到国民党去了。

6月初旬,马林(荷兰人)和尼可洛夫(俄人)由第三国际派到上海来,和我们接谈了以后,他们建议我们应当及早召开全国代表大会,宣告党的成立。于是由我发信给各地党小组,各派代表两人到上海开会,大会决定于7月1日开幕。据我的记忆,当时国内和东京7个小组,共有党员约四十余人,巴黎的小组不详。

6月下旬,到达上海开会的各地代表共12人:

长沙——毛泽东、何叔衡。

武汉——董必武、陈潭秋。

上海——李　达、李汉俊。

北京——刘仁静、张国焘。

济南——王尽美、邓恩铭。

广州——陈公博。

东京——周佛海。

李大钊同志和陈独秀均未参加。

到会的代表们,除原住上海的人以外,都住在嵩山路一个三楼三底的博文女校里,因为当时正放暑假(现在该校已改为革命纪念馆)。

党的第一次会议是7月1日下午8时在上海贝勒路树德里李汉俊的寓所举行的,代表12人①全体出席,第三国际的代表马林和尼可洛夫也到了。会场的布置很简单,只有一个大菜台,周围可坐十余人,各代表席上只放了几张

---

① 据考证,包惠僧曾作为陈独秀的私人代表参加了这次会议。——编者注。

油印的文件,也没有张贴什么标语。当时开会,大家没有一点经验,连怎么开法都不知道,会上有两个问题争论不休,一个问题是:共产党人要不要加入资产阶级国会,另一个问题是南北政府有什么不同。关于第一个问题,李汉俊主张参加,刘仁静反对参加。关于第二个问题,有的说,北京政府不好,南方政府也不好,都是一丘之貉;有的说,我们的领袖(指陈独秀)还在广州做教育厅长,由此可见南方政府比北方政府进步些。代表们交换了一些意见之后,马林即席讲话,大意是说,中国共产党的成立,在世界上有很重大的意义,第三国际添了一个东方支部,苏俄布党添了一个东方的朋友。世界无产阶级联合起来了。他在演说中,强调要致电第三国际,报告中国共产党的成立。并希望中国共产党的同志努力革命工作,接受第三国际的指导。他讲话的时间约10多分钟,声音宏大,马路上的人都可听到。他致辞后正在开始作报告之时,忽有一个不速之客闯进会场来,张目四看,我们问他"找谁?"他随便说了一个名字,匆忙地下楼去了。马林很机警(富有地下工作经验),他说"此人可疑,我们赶快转移"。我们离开会场不过一刻多钟,法租界巡捕房开了两架卡车,载了十多个巡捕,拥进那个会场,结果扑了一个空,连片纸只字都没有得到。这房子的主人是李汉俊,能说法国话,他和那些巡捕说他家里并无人开会,那些巡捕也只好走了。这真危险,假设没有马林的机警,我们就会被一网打尽了。这是因为马林用英文大声演说,夹杂着说了好几次中国共产党,被法国巡捕听去了,所以才有那一场风波。

7月2日,代表们在住所里互相交换意见,报告各地工作的经验,当时党的工作是马克思列宁主义宣传与工人运动两项。北京小组在长辛店做了一些工人运动,武汉方面,京汉铁路工人运动及其他各工厂的工人运动也是刚才开始。长沙小组,宣传与工运都有了初步成绩。看当时各地小组的情形,长沙的组织是比较统一而整齐的,其他各地小组的组织却比较散漫些。当时成为争论的一个问题是议会政策问题。

毛泽东同志在代表住所的一个房子里,经常走走想想,搔首寻思,他苦心思索竟到这样的地步,同志们经过窗前向他打招呼的时候,他都不曾看到,有些同志不能体谅,反而说他是个"书呆子"、"神经质",殊不知他是正在计划着回到长沙后如何推动工作,要想出推动中国革命事业发展的办法。毛泽东同志后来做全党领袖,在这时已显露了端倪。

为了开会的安全起见,我们在嘉兴布置了一个会场,这会场是在南湖中游湖的大画舫上,时间是 7 月 6 日上午 10 时到下午 6 时。当天上午 7 时,大家从上海北站乘车出发,10 时许在大游艇上聚齐,马林和尼可洛夫因为是外国人,容易引人注目,未去参加。讨论的议题主要是党章和工作方向。在党的组织方面分中央与地方,中央设书记、宣传主任与组织主任,地方组织也分这三部分。宣传方面仍旧以《新青年》为公开宣传刊物,以《共产党》月刊为秘密宣传刊物。组织方面重在工运,以上海、武汉和京汉、陇海两铁路为中心。其次讨论发展党员的办法,并决定各地都成立社会主义青年团,从团员中提拔进步分子入党。其次讨论对于资产阶级议会的态度,有人主张应该利用这样的议会,宣传党的政见,有人反对参加这样的议会,以免陷于改良主义的偏向,当时因为这样的问题还没有到列入日程的时机,对此未作决定。接着大会讨论《中国共产党第一次代表大会的宣言》草案。这宣言有千把个字,前半大体抄袭《共产党宣言》的语句,我记得第一句是"一切至今存在过的历史,是阶级斗争的历史"。接着说起中国工人阶级必须起来实行社会革命自求解放的理由,大意是说中国已有产业工人百余万,手工工人一千余万,这一千多万的工人,能担负起社会革命的使命;工人阶级受着帝国主义与封建势力的双重剥削和压迫,已陷入水深火热的境地,只有自己起来革命,推翻旧的国家机器,建立劳工专政的国家,没收国内外资本家的资产,建设社会主义经济,才能得到幸福生活。宣言草稿中也分析了当时南北政府的本质,主张北洋封建政府必须打倒,但对于孙中山的国民政府也表示不满,因此有人说"南北政府都是一丘之貉",但多数意见则认为孙中山的政府比较北洋政府是进步的,因而把宣言中的语句修正通过了,宣言最后以"工人们失掉的是锁链,得到的是全世界"一句话作结束(这个宣言后来放在陈独秀的皮包中,没有下落)。大会最后讨论党的组织问题,通过了一个简单的党章(这个党章和那个宣言一样都没有印行),并决议成立一个中央工作部,设一个书记,一个宣传主任,一个组织主任,工作部地址设在上海,兼负责上海支部的工作,各地支部各设书记一人。中央工作部的书记推陈独秀担任,宣传主任推李达担任,组织主任推张国焘担任,共组成中央工作部。于是大会宣告闭幕。次日,各地代表陆续离开了上海。沈玄庐、李汉俊、陈望道在第一次代表大会后退出了组织。陈公博也退出，去美国留学去了。

第一次代表大会开过以后，党的组织阵容相当整齐了，中央与各地立即行动起来，分别进行宣传与工运工作，逐步表现了成绩。我这里只说起中央工作部在1921年7月以后至1922年7月的工作情形。

9月间，陈独秀辞去广东教育厅长，回到上海，专任党中央的书记，常与马林、尼可洛夫会商(陈独秀在法租界曾被捕过一次，由孙中山打电话给法领事释放)，当时决定宣传工作，仍以《新青年》为公开宣传刊物，由陈自己主持，我则继续编辑《共产党》月刊，作为秘密宣传刊物(从第三期起至第七期止)。此外，本年秋季，在上海还成立了"人民出版社"(社址在南成都路辅德里625号)，准备出版马克思全书15种，列宁全书14种，共产主义者(康民尼斯特)丛书11种，其他9种，但在这一年内，只出版了15种，如《第三国际议案及宣言》、《国家与革命》、《共产党宣言》、《苏维埃论》、《共产党星期六》、《哥达纲领批判》等书。人民出版社由我主持，并兼编辑、校对和发行工作，社址实际在上海，因为是秘密出版的，所以把社址填写为"广州昌兴马路"。

10月间，陈独秀和我商议，在上海创办一个女校，以期养成妇运人才，开展妇运工作，我任该校校长，入校学生约二十人，丁玲、王一知、王剑虹等均由该校出身。当时任教者如陈独秀、高语罕、邵力子、陈望道、沈雁冰、沈泽民等，但办理不到一年，因经费支绌就停办了。

组织工作由张国焘主持，当时所谓组织工作，是专指工会的组织说的。他在北成都路设立了"中国劳动组合书记部"，找了十多个人，在办公桌上工作，一共搞了三个多月，却不曾组织一个工会。有一天，英租界巡捕房去了一个人询问那招牌是谁挂的，他听了这个消息，连夜把"中国劳动组合书记部"招牌烧毁，把一切工作人员都遣散了。他于是把"中国劳动组合书记部"迁到北京，交由邓中夏同志主持，他自己跑到莫斯科去了。在他离开上海起到第二届代表大会止的期间，上海几乎没有做工人运动。张国焘原是官僚地主家庭出身，带着旧官僚的作风，投机到党里来。他只知个人利益，不顾党的利益，他眼霎眉动，诡计多端，若与别人有利害冲突，就遇事倾轧，"打倒你，我起来"，这是他唯一的本领。我早就看破他是"大不老实"的人。

　　马林和尼可洛夫几乎每星期要约集陈、张和我三人会议一次,听取我们工作报告。我的报告很简单,因为每一星期不能有书出版,再则我虽是宣传主任,而实际只是个著作者和编辑。张国焘把每星期所接触的两三个工人的经过,用断续而拮屈的英语,作冗长的报告,陈独秀的报告很少,因为这时的工运,在京汉与陇海两铁路方面,汉口段由武汉的党主持,北京段由北京的党主持,中央只派了一个人到郑州主持,所以上海方面没有好多可以报告的材料。还有陈独秀不住在自己寓所里,另外找了一个女人住小房间,除了他隔几日来与我们相会外,我们不知道他的住处,他究竟每天做了些什么,我们全不知道。据我所知,除了他隔三五日来我寓所看文件,拿几封信回去(因为党的通信都由我收转)作答以外,似乎没有什么工作。所以向马林作汇报,在陈独秀是一件不愉快的工作。所以陈独秀汇报了一次,第二次他就不去了。后来他大发牛性,要对马林等闹独立。他说,不要国际帮助,我们也可以独立干革命,我们干我们的,何必一定要与国际发生关系,这样他一连几个星期不出来与马林等会面。我认为中国革命而不与国际相联系,太闹笑话了,所以曾和张国焘几次去劝他,他个性倔强,坚持己见,好容易才劝转他,才和马林等相会,但仍然是貌合神离。过了不多久,马林离开上海,先后去武汉、长沙、广州考察,于1921年12月间,回莫斯科去了,大概要向东方局报告中国革命的情况,才回去的。陈独秀也是官僚地主家庭出身,在当时虽相信马克思主义,却完全带着恶霸作风,领袖欲极强。每逢同志们和他辩论的时候,他动则拍桌子、砸茶碗,发作起来。记得当时派赴郑州作铁路工人运动的李震瀛寄来了一个详细报告,他看了最初几行,就大发牛性,接连砸破了两个茶碗。我劝他把报告看完了再说,他才勉强看下去,看完之后才觉得适才的动作是过火了,他就是这么样的人。他本人并不阅读马列主义著作,书架上有一部法文《资本论》,他从不曾翻看过(他会法文)。他在报纸上写普通的政论是动听的,对于中国革命的理论则不懂,也不研究。"响导"①上署他的名字的文章,大都是同志们代写的。他有时忽发异想,说我们到四川去,关着门干社会革命去。因此陈独秀右倾机会主义的特征,在这时已经暴露了出来。

---

　　① 应为《向导》。——编者注

在马林等回国以前,国际来电,要中国派遣一批青年到苏联参加1922年1月在莫斯科召开的东方弱小民族会议(这是与当时帝国主义召开的华盛顿会议相对抗的),因此党中央派了二三十个S.Y.团员去到莫斯科,任弼时、罗亦农等人是在这时前去的;瞿秋白同志在这时已到了俄国,他原是由《北京晨报》社直接派去的。日本、朝鲜也都派代表团去了。

从这时起直到1922年5月止,党中央方面除了间接指导京汉、陇海工运外,几乎没有做什么工作。

1922年3月,第三国际拍来一份英文电报,主张中国应干国民革命(National Revolution译为国民革命),当时我们不懂国民革命是什么。同年夏季,张国焘和十多位青年团员从莫斯科回到了上海,带来了国际指示,也带回许多文件。第三国际的指示主张中国应当实行国民革命,反对帝国主义与封建军阀,建立民主国家。于是党就在7月间召开了第二次代表大会。这时气象有些新鲜,那些青年团员学会唱国际歌,行动也很敏捷,带来了一些新的作风。他们看到我们国内这些党员俨然是学者式样,他们就送我们一个绰号,叫做"学究派"。

第二次全国代表大会是在上海举行的,出席这次代表大会的代表不是经过民主选举产生的,而是由陈独秀、张国焘指定从莫斯科回国的是那省的人就作为那省的代表。其中除陈独秀、张国焘外,有邓中夏、蔡和森、向警予、李达等。毛主席没有出席这次代表大会。第一次大会是在李达家里召开的,后来分成几个小组流动开会,今天在这里开,明天在那里开。大会的情况比第一次稍有进步。张国焘根据他从苏联带回来的英文打字的宣传品,分析了国际的局势,同时大家又研究了国内的局势,提出本党对时局的主张,因此分成几个小组讨论各项问题,会上第一次提出反帝反封建的口号(在此之前不知道什么是帝国主义),认为中国人民的敌人主要是帝国主义和封建主义,农民的问题在会上也提到了一点。第二次全国代表大会发表了宣言,并仍然选举陈独秀担任书记。

从以上情形看出:

1.初期的党正在幼年时期,所以有许多不纯的分子混了进来,其中有地主阶级,如沈玄庐、陈独秀、张国焘;有资产阶级如陈公博;有投机分子,如李汉俊、周佛海等;有向上爬的小资产阶级知识分子,也有受不起考验的小资产阶级。另一方面,以毛泽东同志为首的许多忠诚的同志们,却代表着党的新生力量。他们是最富于革命彻底性的工人阶级的前卫,终于战胜了腐朽的反动力量,使我党成长壮大,领导了中国人民革命取得了伟大胜利。

2.初期的党员们有一部分即使是忠实于马列主义,但仍是教条主义者,只知道说中国革命是无产阶级革命,其目的是无产阶级专政。至于如何应用马克思列宁主义于中国革命的实践,是不懂的。幸亏有毛泽东同志的领导,教条主义的偏向才逐渐克服下来。

3.党的初期,由于只高唱无产阶级革命和劳工专政,所以专只作工人运动,从不曾想到农民问题。幸亏有毛泽东同志纠正这个偏向,指出了以工人阶级为领导,以工农联盟为基础的正确方向,因而壮大了革命的势力。

4.党的幼年时期,多数同志幻想着中国革命可由全国工人总罢工来实现,从不曾注意到武装斗争。幸亏毛泽东同志早就注意到武装斗争的重要性,终于用武装的人民打倒了武装的反革命。

1955 年 8 月 2 日

在武汉大学国庆节庆祝大会上的报告[*]

（1955.10）

同志们,同学们!

1955 年的国庆节,马上就到来了。今年的国庆节,是在全国人民代表大会第二次会议通过了我国发展国民经济的第一个五年计划,肃清一切反革命分子的伟大斗争已在全国范围内大张旗鼓地开展起来的时候到来的。因此,今年的国庆节具有特别重大的意义。我们全校的师生员工,应该以极其兴奋的心情,来庆祝这个伟大的节日。我们这样做并不是为了"应景",而是为了通过国庆节的庆祝活动,使我们对第一个五年计划有更深刻的认识,使这种认识成为鼓舞我们为完成和超额完成这个具有历史意义的伟大纲领而坚持奋斗的强大动力,成为推动我们的当前工作的强大动力。

我现在来谈一谈第一个问题:我国发展国民经济的第一个五年计划是一个向社会主义进军的伟大的计划。

《中华人民共和国宪法》序言规定:"从中华人民共和国成立到社会主义社会建成,这是一个过渡时期。国家在过渡时期的总任务是逐步实现国家的社会主义工业化,逐步完成对农业、手工业和资本主义工商业的社会主义改造。"根据马克思列宁主义的学说,任何国家的无产阶级在取得政权以后,都要经过一个过渡时期,才能建成社会主义社会。而在我们国家里,这样一个具有伟大历史意义的、极其复杂艰巨的任务,更不是一下可以完成的。要基本上完成这样的任务,就需要有十五年左右的紧张工作和刻苦建设。这是因为,解

---

* 这是 1955 年 10 月 1 日李达在武汉大学国庆节庆祝大会上所作的报告稿,标题系编者所加。——编者注

放以前的我国是一个在帝国主义统治下的殖民地、半殖民地和半封建的国家，经济是极端落后的，我们的工业的发展的历史比起美国、英国、日本这些资本主义国家和其他工业比较发达的国家来，落后了一百多年或者好几十年。我们是在旧中国遗留下来的极端贫困落后的生产方式的基础上开始进行社会主义建设的。但是，尽管我们所接受的遗产是这样贫弱，我们都要奔赴一个伟大的前途。我们有中国共产党和毛主席的领导，有苏联和各人民民主国家的无私援助，有全国人民的同德同心，艰苦奋斗，我们是一定能够用十五年左右的时间把我国基本上建设成为一个伟大的社会主义共和国的。根据国家在过渡时期的总任务而提出的、为第一届全国人民代表大会第二次会议所通过的"我国发展国民经济的第一个五年计划"，就是中国共产党和中华人民共和国国家领导机关领导全国人民为建成社会主义社会而奋斗的决定性的纲领。

第一个五年计划的基本任务是什么呢？概括地说来就是：其一，集中主要力量进行以苏联帮助我国设计的 156 个建设单位为中心的、由限额以上的694 个建设单位组成的工业建设，建立我国的社会主义工业化的初步基础；其二，发展部分集体所有制的农业生产合作社，并发展手工业生产合作社，建立对于农业和手工业的社会主义改造的初步基础；其三，基本上把资本主义工商业分别地纳入各种形式的国家资本主义的轨道，建立对于私营工商业的社会主义改造的基础。这三个基本任务是相互联系的、不可分割的。社会主义工业化是主体，对农业、手工业和资本主义工商业的社会主义改造是两个不可缺少的组成部分。

在工业建设方面，根据计划，五年内全国经济建设和文化教育建设的支出总数是 7664000 万元，折合黄金 70000 万两以上，其中有 40.9% 是用以发展工业的，这还不包括为工业用的地质勘察和设计等费用在内。五年内全国基本建设投资是 4274000 万元，其中有 58.2% 是用于工业建设的。同时，在工业投资中，属于重工业方面的投资占 88.8%，属于轻工业方面的投资占 11.2%。我们所以必须积极地建设重工业，是因为只有逐步实现以重工业为中心的社会主义工业化，我们才可能制造现代化的各种工业设备，使重工业本身和轻工业得到技术的改造，我们才可能供给农业以拖拉机和其他现代化的农业机械，以及足够的肥料，使农业得到技术的改造；我们才可能生产现代化的交通工具,使运输业得到技术的改造;我们也才可能制造现代化的武器,使国防更加巩固;我们也才能够显著地提高生产技术,提高劳动生产率,能够不断地增加农业品和消费品工业的生产,保证人民的生活水平的不断提高。这是我国人民的最高利益和长远利益。

在对农业、手工业和资本主义工商业实行社会主义改造方面,根据计划,到1957年,全国参加农业生产合作社的农户,将占全国农户总数的1/3左右;参加手工业合作社的人数也将有增加。同时,五年内,私营工业的大部分将转变为各种形式的国家资本主义,而私营的现代工业的大部分将转变为高级形式的国家资本主义——公私合营的企业;私营商业的零售额有一半以上将转变为各种国家资本主义形式的商业和合作形式的小商业。同时有一部分私营商业将被国营商业和合作社营商业所代替。五年计划的这些目标是和我国宪法第四条的规定完全一致的。只有逐步实现对非社会主义经济的社会主义改造,我们才能建成单一的社会主义经济,才能建成社会主义社会。

第一个五年计划的实现,将会开始改变我国经济的落后状态,将会使我国在社会主义建设的道路上前进一步,将会进一步巩固我国人民民主专政,增强我国国防的威力,并且将要为进一步改善各族人民的物质文化生活创造条件,所有这一切都将会有力地增强以苏联为首的世界和平民主社会主义阵营的力量。

我国第一个五年计划的建设规模是很大的,国民经济各部门的发展速度是很快的。我们在五年内进行建设的限额以上的基本建设单位,共有1600个,其中工业建设单位有694个,这些单位有3/4以上在五年内可以建成;除了限额以上的基本建设单位以外,还有限额以下的建设单位6000多个,其中工业方面约有2300个,也绝大多数在五年内可以建成。这对我国的工业、农业、运输业以及文化教育事业的发展,将起极其重要的作用。

按照计划,五年内我国工农业总产值将增长51.1%。现代工业在工业农业总产值中的比重,将由1952年的26.7%上升到36%。在工业总产值中,国营、合作社营、公私合营的工业的产值所占的比重,将由1952年的61%到1957年上升为百87.8%,私营工业的产值所占的比重将相对地下降;生产资料的产值所占的比重,将由1952年的39.7%上升为1957年的45.4%,消费资料的产值所占的比重,将相对地下降。几种主要产品的计划产量,如钢的产量在 1957 年,将由 1952 年的 135 万吨增加到 412 万吨,即增长 2.1 倍;发电机将增加 6.7 倍;载重汽车在 1957 年时,就将由我们自己制造出 4000 辆,这在我国历史上还是从来没有见过的。在适应于工农业的发展中,运输交通业方面的货物运输量,五年内也都将增长 1 倍以上。社会产品零售总额五年内将增长 80% 左右。在文化教育和科学研究的事业方面,也都有相当的发展,其中高等学校在校学生人数在五年内将增长 127%,中国科学院所属的研究机构在五年内将增加 23 所,研究人员将增加 3400 人。在人民物质生活水平的提高方面,五年内工人和职员的平均工资约将增长 33%,为工人和职员建筑的住宅约达 4600 万平方公尺,就业人数约将增加 420 万人,农村人民的购买力将增长近 1 倍,医生人数将增加 74%,病床将增加 77%。

我国发展国民经济的第一个五年计划已经执行了两年,1955 年的计划正在执行中。根据国家统计局关于 1954 年度国民经济发展和国家计划执行结果的公报,1954 年全国国营、合作社营和公私合营工业完成总产值计划 106%,全国工业总产值(不包括手工业生产合作社和个体手工业)比较 1953 年增加了 17%,其中,国营工业增加了 27%,合作社营工业增加了 31%,公私合营工业增加了 25%,私营工业下降了约 5%。这些结果表明:我国的社会主义建设和社会主义改造事业,在全国人民团结一致、艰苦奋斗下,在国外以苏联为首的世界和平民主阵营力量的支援下,正在不断地向前推进着,社会主义经济正在一天比一天地增长,因此,只要全国人民继续全力以赴,坚持不懈地努力,完成和争取超额完成五年计划所规定的各种指标是完全可能的。我们应该具有充分的信心和决心。

现在,我来谈谈第二个问题:五年计划的实现是要通过极其复杂尖锐的阶级斗争的。

前面说过,第一个五年计划是一个向社会主义进军的伟大计划,而且是一个完全可以实现的计划。但是,实现这个计划,绝不是、也不可能是风平浪静的。实现第一个五年计划的过程,就是一个极其复杂尖锐的阶级斗争过程。这是由国际国内的客观环境所决定的:我们的社会主义建设是在帝国主义包围的环境下和国内阶级斗争更加尖锐化的情况下进行的。帝国主义及其走狗蒋介石卖国集团,国内残余的反革命分子和敌对阶级中的反动分子,时时刻刻都在对我国的社会主义建设准备进行和正在进行各种阴谋破坏,他们总是梦想着有一天要在我们解放了的国土上复辟。不难看到,暗藏在工矿企业和基本建设中的反革命分子,用焚烧工厂矿山、爆炸机器设备、破坏技术改进、偷窃机密情报、故意实行错误施工等阴险毒辣的手段,来推迟和搞垮我国的社会主义工业化事业。暗藏在农村中的反革命分子,用毁坏庄稼、烧掉粮食、毒害耕畜、破坏农具、制造谣言、挑拨离间等手段,来破坏农业生产合作化运动和统购统销政策,直至钻进农业生产合作社,篡夺领导,把持重要工作,阴谋从内部来拆农业生产合作社的台,企图推迟和搞垮我国农业社会主义改造的事业。资产阶级中的那些坚决破坏社会主义改造的反革命分子,则进行了各样卑鄙无耻的破坏,如毁坏工厂机器、抽走资金、破坏加工订货、盗窃经济情报,甚至参加帝国主义和蒋匪帮的特务组织,进行背叛祖国的罪恶活动。各种暗藏的反革命分子,还针对我国的国防建设、文化建设、交通建设、对外贸易设施等各项社会主义建设事业,进行着各种卑鄙的破坏活动。而一年来连续揭发的高岗、饶漱石的反党联盟,潘汉年反革命集团和胡风反革命集团的巨大的阴谋活动,就是反革命阶级垂死挣扎的具体表现。

在过渡时期,反革命分子破坏我们社会主义事业的特点就是暗藏在人民内部,采取隐蔽的和两面派的手法。这并不是偶然的。这是因为我们的人民民主政权已经十分巩固,中国共产党在全国人民当中享有无限的威信,社会主义的前途已经成为全国人民的共同理想,一切公开反对中国共产党和破坏社会主义建设的人一定会受到全国人民的唾弃和打击,因此,他们就不得不改头换面,表面上顺着我们,字面上站稳立场,装出勤劳刻苦的样子,骗取党和人民的信任,暗地里却进行反革命活动。在这一点上,胡风反革命集团的反革命活动是最有代表意义的,可以说是集反革命集团的大成。而其他一切反革命活动,也都具有这个特点。前不久从中南政法学院清查出来的一个美蒋"万能情报员"张尚勤,就是以"品学兼优"的"研究生"的身份暗藏在学校内部的。可以说,采用两面派手法是反革命分子在当前条件下进行反革命活动的规律。

反革命分子破坏我们社会主义建设事业的另一个特点,就是无孔不入。这也不是偶然的。因为反革命分子一切活动的根本目的,乃是推翻我们的人民政权,把我国社会主义的道路拉回到殖民地、半殖民地、半封建的老路上去。他们是不会以破坏我们的某一个地区、某一个部门或某一个单位为满足的。同时,他们又知道,我们的任何一个地区、任何一个部门、任何一个单位,都是我国社会主义建设事业的组成部分,因此他们就决不会放弃任何一个可以利用的机会,决不会放弃任何一个可以破坏的对象。我们必须了解,在当前,敌人破坏我们的首要目标就是我们的第一个五年计划,就是这个计划所规定的各个基本建设单位和大生产企业,就是工业建设和农村合作化运动,就是社会主义建设的各项政策和措施。有人说,学校是教育机关,这里没有反革命分子。不论说这种话的人是出于过分的"天真"还是别有用心,这种言论的本身是完全错误的。学校是国家培养社会主义建设干部的工厂,是宣传社会主义思想的讲坛,既然敌人对于破坏我们的生产物资的工厂那样热心,对于破坏社会主义思想的宣传那样热心,那么究竟有什么理由设想敌人竟不会破坏我们的生产干部的工厂,竟不会破坏我们宣传社会主义思想的讲坛呢? 事实也做了最有力的说明:自从肃清胡风反革命集团和一切暗藏的反革命分子的斗争在全国开展以来,从各个学校里清查出来的反革命分子,难道还少吗? 这些反革命分子窃取了系主任、教研组主任、教授、研究生、大学生等的头衔,或则组织反革命的集团,或则与别的反革命组织联系,进行着非常猖狂的反革命活动。就拿我们学校前不久逮捕法办的四个反革命分子来看,有的是职业特务,有的是汉奸特务,有的是反动组织骨干分子,有的是一贯进行反革命活动的阶级异己分子,从他们已经查明的罪行来看,难道还不严重吗? 而且,我们的肃反斗争还正在深入进行,我们还会查出一些反革命分子。所以我们可以根据事实回答那些似乎对学校里有没有反革命分子还表示怀疑的人:学校里是有反革命分子的,你们的怀疑是没有根据的。

反革命分子是一定要进行破坏活动的,这并没有什么值得奇怪。但是,在过去,敌人之所以能够那样猖狂地进行破坏活动,是与我们的右倾麻痹思想分不开的。我们有许多同志不懂得过渡时期阶级斗争尖锐化、复杂化的真理,毫无根据地认为我们愈强大,敌人也就愈驯服,因此放松了对敌人的斗争,使敌人有机可乘,有缝可钻,有漏洞可找。罗瑞卿同志在全国人民代表大会上的报告里提到这样一个例子:一个国民党分子李万铭,竟靠着伪造印信和证件,在四年的时间当中,跑过十几个城市,闯过十几个重要机关,当上了中南农林部人事处的副处长和党总支书记,这件事对我们来说真是一个辛辣的讽刺!然而这件事绝不是什么孤立的"奇闻",而是我们政治上麻痹右倾的典型表现。在这次全国规模的肃反斗争的过程中,我们的政治警惕性是大大地提高了,我们对于反革命分子的识别能力是大大地增强了,我们已经学到了许多与反革命分子作斗争的本领。但是我们不能有丝毫的自满。我们必须进一步深刻地批判"只顾业务,忘了政治"的右倾思想,把自己武装起来,成为具有高度政治觉悟的社会主义战士。只有这样,我们才能真正做到坚决、彻底、干净、全部地肃清一切反革命分子,才能扫除我们前进道路上的障碍,为胜利地实现第一个五年计划创造有利的条件。

现在,我来谈谈第三个问题:五年计划的实现取决于全国人民的努力。

在第一个五年计划期间,我国在生产力非常薄弱的基础上进行大规模的经济建设工作,是不能够不遇到困难的。我们全国人民的工作是十分紧张的。在过去的两年中,我们已经克服了许多困难,完成了许多艰巨复杂的任务,今后我们还会遇到各种困难,工作任务也将更加艰巨复杂。我们要怎样才能保证五年计划的胜利实现呢?我们有久经考验的中国共产党和毛泽东主席的英明领导,国家对内对外的政策是正确的,我们有苏联、各人民民主国家的无私援助和一切国际朋友的支持,有了这样一些有利条件,那么,只要我们全国各族人民群众、各民主阶级、各民主党派、一切爱国人士紧密地团结起来,兢兢业业地努力奋斗,我们是一定能够胜利地完成和超额完成五年计划的。六万万人民的积极努力,是完成五年计划的决定性的因素。五年计划的完成,是与每一个人都有密切的关系的。如果每一个工人、农民、科学技术工作者、国家机关工作者、文学艺术工作者、教育工作者和青年学生们都能够发挥自己的积极性和创造性,完成和超额完成自己本部门、本岗位的工作计划,或者用更高的质量来完成自己所担负的任务,那么,第一个五年计划的实现就有了保证。反过来说,如果我们在自己的工作岗位没有发挥自己的积极性和创造性,没有完成自己的计划或者工作质量很低,我们就是给五年计划的实现增加了困难,就是没有尽到我们应尽的神圣责任。同志们!在我们的新国家里,劳动是最光荣、最豪迈、最英勇的事业。比方说,解放以前的工人的劳动,是用来为资本家生产利润的,而现在的工人的劳动,则是建造繁荣幸福的社会主义社会的基石。一切劳动人民的劳动,也都起了这样的根本变化。毛泽东主席说:"我们正在做我们的前人从来没有做过的极其光荣伟大的事业。"这是完全正确的。在今天,为着实现第一个五年计划而进行的任何工作,都是重要的、光荣的,在这里没有什么高下之分、贵贱之分。凡是勤勤恳恳地为社会主义而努力工作的人,都应该而且也一定会受到人民的尊敬。现在正在首都举行的全国青年社会主义建设积极分子大会,就是那些用自己的平凡劳动为祖国的社会主义建设作出了有价值的贡献的青年们的一次大会师。有些人看不起自己的工作岗位,认为自己的工作与五年计划关系不大,认为自己的工作做得好或者做得坏对于五年的计划完成没有什么影响,这种思想是非常错误的。

在这里,我想特别说明一下我们高等教育工作者所担负的责任。为着配合大规模经济建设的进行,国家必须在第一个五年计划和第二个五年计划期间培养出大量的忠实于祖国社会主义事业的、具有现代科学知识的、体魄健全的专门人才。这是一项严重的政治任务。这个任务有相当大一部分是要由我们高等学校来担负的。五年内,高等教育以发展高等工科学校和综合大学的理科为重点,同时适当地发展农林、师范、医药、文史政经和其他各类学校,到1957年,我国总共有高等学校208所。从这些学校里将逐年地向各种建设岗位输送出大量的专门干部。不言而喻,我们高等教育工作者所担负的任务是多么重大,我们高等教育工作者的工作与实现第一个五年计划的关系是多么密切。我们今后的方针,应该是着重提高质量,同时兼顾数量,使提高质量和增加数量正确地结合起来。那种片面地追求数量而忽视质量的倾向,对于国家建设是不利的。同时对于提高质量,也不能作片面的理解。所谓提高质量,就是说要使培养出来的干部,在政治上是可靠的,在业务上能够掌握现代科学技术知识,同时身体是健康的。那种只顾向学生灌输科学技术知识,而忽视学生的政治质量和身体健康的做法是不对的。我们全校的教师、行政工作人员和同学,都应该在这样的方针指导下进行工作和学习,为五年计划的胜利实现,贡献出自己的力量。

为了实现以大力发展重工业为中心的第一个五年计划,我们还必须特别注意厉行节约,反对浪费。因为建设重工业必须长期地投入大量的资金,而这些建设资金是要依靠我国内部积累来取得的。所以,必须实行极严格的节约制度,消除一切多余的开支和不适当的非生产性的开支,不能容许任何微小的浪费,以便积累一切可能的资金,用来保证国家建设事业的需要,并增加国家所必要的后备力量。苏联人民在他们的第一个五年计划期间,是发扬了节衣缩食、艰苦奋斗的精神的。我国目前的国民经济比苏联在实行第一个五年计划时期还要落后,我国建设资金的积累也就会比当时的苏联还要困难。因此,我们就更需要发扬节衣缩食、艰苦奋斗的精神,来积累我们的建设资金。我们不但必须大大地削减非生产性建设的支出,大大地降低生产性建设的成本,大大地加强各工业部门的经济核算制,进一步缩减国家机关的行政管理费,而且,在个人的生活方面,也要养成克勤克俭的习惯。我们武汉市在不久的将来将要成为一个钢铁工业和机械工业的基地,长江大桥、热电站、重型机厂等重点建设工程正在连续兴建。这些工厂建成和长江大桥通车以后,将带动市区工业和各项事业的发展,从根本上改变武汉市的面貌,使她成为一个新的社会主义工业城市,因此,全力保证和支援这些重点建设工程的胜利完成,是我们全市人民的光荣任务。但是,随着这些重点的兴建,武汉市的城市人口将大大增加,商品的供不应求的现象一时将不能改变,我们将在生活方面感到某些不方便。这是我们应该估计到的。我们必须认识:今天的暂时的小的不方便,正是为了将来的幸福生活;如果我们不能忍受这种暂时的小的不方便,我们就有可能遇到更大的不方便。有的人很羡慕苏联人民今天的生活,但是他没有很好地想一下苏联人民今天的幸福生活是怎样得来的,没有学习苏联人民为建设社会主义而艰苦奋斗的勇气。这是不好的。我希望我们全校的师生员工都应该和全国人民一道,厉行节约,反对浪费,拥护并切实遵行国家的节约制度,为国家节约一点一滴的建设资金,来建设我们的社会主义祖国,来完成第一个五年计划。

同志们、同学们!我们不但要衷心地拥护第一个五年计划,而且要有为实现第一个五年计划而奋斗的实际行动。这就是说,必须把实现第一个五年计划的决心与当前的现实斗争密切地结合起来。我们学校在本学期是在"肃反、教学两不误"的原则下进行各项工作的。我们全校的师生员工,都必须很正确地认识肃反任务与教学任务之间的关系,从而妥善地安排自己的工作。

肃反是全国规模的伟大的政治任务,是不仅关系到第一个五年计划的实现,而且关系到人民政权的巩固的大事情,这个斗争是只许成功,不许失败的。我们一定要把一切暗藏在我国大陆上的反革命分子坚决、彻底、干净、全部地加以肃清,不达目的,决不罢休。在这个问题上的任何右倾麻痹思想,都是非常危险的。我们学校在这样一个伟大的斗争当中,绝不能有什么例外。事实上,直到目前为止,我们学校里的敌情仍然很严重,不少的反革命分子还在刁顽地抵抗,企图在我们的右倾情绪下面"滑过去",企图"在忍受中求得重生"。同志们、同学们! 如果我们不把这些阴险狡猾的反革命分子彻底肃清,而容忍他们在学校里散布反动思想,毒害青年,挑拨离间,破坏团结,盗窃情报,或者利用我们的学校作为打进我们国家机关的跳板,我们能够完成为国家培养社会主义建设人才的任务吗? 所以,我们必须明确,在当前,肃清反革命分子的斗争是教学工作的基础和前提,不把这个工作做好,教学工作是不可能做好的。如果我们在肃清反革命分子的工作上犯了错误,放过了反革命分子,那就是犯了很大的政治性的错误。每个热爱祖国社会主义建设的人,都应该在肃清反革命分子的斗争中采取积极的态度。有人说:在不影响教学的正常情况下搞好肃反工作。也有人说:以搞好教学工作的实际行动来支持肃反斗争。这些说法都是错误的,其实质都是重教学、轻肃反,重业务、轻政治的右倾麻痹思想。这一类的思想是有利于敌人而不利于我们自己的,必须立刻加以纠正。另一方面,我们也还应该在保证肃反斗争胜利的基础上提高教学质量,而不是相反。有人说,肃反与教学不能两全,要搞好肃反,就不可能搞好教学。这也是不对的。这就要求我们必须把肃反工作与教学工作很好地结合起来。把这两个事情都做好,以达到为国家培养社会主义建设人才的总目的。

当然,要做到"肃反、教学两不误",并不是没有困难的。对于有些学科、有些单位和有些同志说来,直至还有着不少的困难。但是,我们的任务并不是在这些困难面前考虑如何退却,而是考虑如何迎接困难,战胜困难。我们认为要克服时间上的困难,首先应该注意这样几个问题:第一是充分利用时间。不要把本来可以利用的时间白花了。第二是提高工作效率。在做一件工作的时候集中精力把它做好。第三是分清主次。根据工作的需要,凡可以缓办的就缓办,可以精简的就精简。在这一方面,除了学校领导上要把各项工作统筹兼顾,妥为安排以外,还必须依靠全校同志的共同努力。这就是说,我们每一个同志,每一个同学,都应该客观地分析当前的任务和自己的情况,全面考虑,订出切实可行的具体计划,以保证把肃反工作和教学工作都做好。最近,有些教师、职工和同学已经订了两不误的具体计划,有些正在订。有些同志的计划订得很好。凡是订得比较好的计划,都具有查困难、算细账、想办法、控潜力这样几个特点。像马列主义教研组的集体计划,历史系的唐长孺教授的个人计划,物理系吴国华同学的个人计划就是很好的。我希望全校的同志都能把自己的计划订好,把自己的工作做好。我相信,在这次锻炼中一定能够大大提高我们的政治觉悟和思想水平,为今后的工作打下一个良好的基础。

同志们、同学们! 为了庆祝今年的国庆节,武汉市武昌区决定举行一个大约有 5000 人参加的游行,这个游行是对于我们的力量的检阅,也是向我们的敌人的示威,它将会以生动的形象表现出我国 6 年来的伟大成就,鼓舞我们为社会主义奋斗的决心和信心。我们学校已经成立了"庆祝一九五五年国庆节筹备委员会",并正在积极准备参加这次盛大的游行。我希望我们的同志们和同学们,在那天要穿上漂亮的衣裳,好好地收拾打扮一番,以饱满的精神,参加到欢乐、愉快、丰富多彩的游行行列中去。我们的女同志和女同学们,更应该打扮得漂亮一点。应该告诉同志们,游行的那天,我们武汉大学的同学是走在武昌区学生总队的最前面的,而整个武昌区的青年学生队伍又几乎占了参加游行的总人数的 2/5。我们应该使整个游行队伍因为有了我们而增加青春的活力。还应该告诉同志们,我们参加游行是风雨无阻的,如果碰巧下雨,我们也要坚持到底,决不畏缩。同时,为了保证能把庆祝国庆节的各项准备工作做好,希望家在武汉城内的同志们在中秋节和国庆节两天不要回家。

同志们、同学们! 我们今年的国庆节是具有很重大的意义的。我们相信今后的国庆节一定一年比一年更盛,我们相信每一年的国庆节都会成为通向社会主义乐园的里程碑。让我们在中国共产党和毛主席的领导下,同德同心,群策群力,朝着光辉灿烂的社会主义前途勇敢迈进!

在武汉大学庆祝十月革命胜利
三十八周年大会上的报告[*]

（1955.11）

同志们：

今天是伟大的十月社会主义革命三十八周年。和苏联人民一样，中国人民与全世界劳动人民都怀着欢欣鼓舞的心情来庆祝这个伟大的节日，并为伟大的苏联人民在顺利地建设共产主义的道路上所获得的伟大成就而欢呼！

在这里，让我代表全校同志，向从我们伟大的盟邦苏联来到我们学校的谢洛莫娃同志、伊万洛娃同志和达玛洛娃同志致以兄弟般的国际主义的敬礼！

目前苏联正处在从社会主义逐步过渡到共产主义的时期。在苏联建成共产主义是一个具有世界历史意义的伟大任务。共产主义社会是人类最美满的社会。苏联具备建成完全的共产主义所必需的一切条件：它拥有丰富的物质资源和自然富源；拥有世界上最先进的社会主义工业和机械化程度最高的社会主义农业；拥有愿意为共产主义事业贡献一切力量的勤劳智慧的广大劳动人民；引导苏联人民向共产主义迈进的是久经考验的光荣的共产党；整个的强大的社会主义阵营的坚固团结，也是苏联顺利进行共产主义建设的一个有利条件。苏联的第五个五年计划关于工业生产总量的方面，在今年5月1日以前已经提前完成；商业和运输方面在去年就已经超额完成，现在苏联人民正在为第五个五年计划的全面的超额完成进行着不懈的斗争，争取着更大的胜利。

苏联不论在过去和现在都以优先发展重工业作为自己的主要任务。在第

---

[*] 这是 1955 年 11 月 6 日李达在武汉大学庆祝十月革命胜利三十八周年大会上所作的报告稿，标题系编者所加。——编者注

385

五个五年计划期间也仍然是以发展重工业作为自己的主要任务的。在重工业强大发展的基础上,苏联在最近几年在日用品工业方面有着急剧的高涨,并正在顺利地实现着迅速提高农业生产的一切主要部门的宏伟任务。苏联在发展国民经济中所取得的这些新成就,将进一步加强苏联的经济威力和国防威力,使苏联的共产主义大大迈进一步,并使苏联人民的物质文化生活获得进一步的提高,大大增强了和平民主社会主义阵营的力量,鼓舞社会主义阵营多国人民为建设社会主义而斗争。

同志们!苏联一贯奉行的和平外交政策,对于缓和国际紧张局势的作用是不可估量的。为了和平的目的,苏联一贯地为缓和国际紧张局势、建立国际信任、用协商的办法来解决国际争端而进行了不懈的努力。主要是由于苏联的这种努力,在过去一年多的时间里发生了许多对于缓和国际紧张局势和促进世界和平极有作用的重大事件。被西方国家中断了五年之久的苏、美、英、法四大国外长间的会谈,去年一二月间在柏林恢复了;接着,又根据这个会议的决议举行了有中华人民共和国参加的五大国日内瓦会议。在日内瓦会议的影响之下,法国人民掀起了新的反对"欧洲年计划"的高潮。当"巴黎协定"在西方国家的操纵下被通过以后,苏联就和东欧人民民主国家举行了华沙会议,缔结了八国友好合作互助条约,并决定设立联合的军事司令部,以防止巴黎协定批准后产生的新战争威胁。不仅如此,苏联还加紧进行了和平外交活动。苏联提出了一个新的关于裁减军备、禁止原子武器和消除新战争威胁问题的全面建议,在各国引起了广泛的反应和称赞。奥地利国家条约已经签订。苏联和南斯拉夫的关系已经正常化。不久以前,苏联和德意志联邦共和国举行了关于两国之间的正常外交、贸易和文化关系的谈判,得到了圆满的结果。目前正在举行的四国外长日内瓦会议,将有可能成为国际局势的新的转折点。过去一年多时间,苏联的和平外交的影响是空前地扩大了,现在很少有人相信那些冷战宣传家们制造出来的关于"苏联侵略威胁"的鬼话了。

社会主义国家的和平外交政策的理论根据,是马克思主义关于人类社会发展规律的科学分析。社会主义国家的人民深信自己所从事的事业的必然胜利,认定和平事业是保障人类进步的重要条件。现在,以苏联为首的和平民主社会主义阵营已成为世界和平和各国人民安全的强大支柱。

同志们！我国人民正在中国共产党和毛泽东主席的领导下,为实现发展国民经济的第一个五年计划而奋斗。我国具有实现这个伟大计划所必需的一切,同时还有着极为重要的有利条件,这就是苏联和各人民民主国家的支援,特别是苏联对我国第一个五年计划的伟大的全面的长期的援助。自中华人民共和国成立以来,苏联就不断地通过货款、贸易、派遣专家、供应设备等各种方式对我国的经济恢复工作给予了重大的援助。自 1953 年我国开始进入第一个五年计划时期以后,中苏两国的经济合作更获得了全面的发展。苏联帮助我国设计和供应设备的 156 个工业建设单位的范围是非常广,规模是非常大的,差不多包括了我国工业建设的全部最重要的工程。此外,我们还在国民经济建设的各部门得到了苏联的广泛的多方面的援助。

苏联对我国经济建设的一个重要的、意义深长的援助,是派遣大批专家到我国各部门直接帮助进行建设。不论在我国的工业、农业、水利、林业、铁路、交通、邮电、建筑、地质等部门,或是在文化、教育、卫生部门,都有许多具有高度科学水平和丰富经验的苏联专家。他们把苏联社会主义建设的宝贵经验及自己的全部知识和技能都毫无保留地教给我们,具体地帮助我们进行各项建设工作。几年来,在苏联专家的指导下,数以万计的我国技术干部和新型专家正在成长起来。苏联专家对我国建设所做的全部贡献是无法估量的。应该说,我国经济建设的每项重大成就都是和他们直接、间接的帮助分不开的。中国人民对苏联政府和人民的这种伟大的国际主义援助表示衷心的感谢,这种深厚的情谊是我国人民永世不能忘记的。李富春同志说:"我国现在的建设所以能够有这样大的规模,有这样快的速度,有这样高的技术水平,并且还能够避免许多错误,苏联的援助起了极其重大的作用。"这就是对于苏联援助的一个正确而全面的评价。

我们在为实现国家工业化和农业集体化的过程中,必须学习苏联人民节衣缩食艰苦奋斗的精神。斯大林在总结苏联第一个五年计划的时候曾经说过:"规定极严格节省的办法,积蓄为资助我国工业化所必需的经费——这就是我们为达到建立重工业和实现五年计划目的所应走的道路。"苏联走过的道路,也就是我们现在所应该走的道路。目前我国的国民经济,比苏联在实行第一个五年计划时期还要落后,我国建设资金的积累也就会比当时的苏联还要困难。厉行节约以积累建设资金,对我国就更加重要、更加迫切。因此,我们就非学习苏联人民当时节衣缩食刻苦建设的精神不可,就非继续发扬我国人民克勤克俭艰苦奋斗的优良传统不可。大家知道,苏联在工业化的初期所遇到的困难是很多的:粮食不足,日用品不足,生活非常艰苦。但是,苏联人民懂得,社会主义工业化的实现就可以从根本上提高和改善人民的物质文化生活。在这里,目前利益和长远利益是完全一致的。所以劳动人民没有什么"不满",也没有什么"发牢骚",而是奋不顾身地劳动着,愉快地生活着,满怀信心地向着社会主义的光辉大道迈进。这种节衣缩食、艰苦奋斗的精神,正是我国人民应当努力学习的,事实上我国人民也正在努力学习。但是也有很少的人,只看到苏联人民幸福的今天,没有看到别人艰苦奋斗的昨天。他们根本忽略了苏联人民今天的好日子不是一朝一夕,而是经过数十年的长期建设得来的,这样的错误认识必须加以很好的批判。

同志们! 在庆祝伟大的十月社会主义革命三十八周年之际,我们必须进一步加强中苏友好合作,勤勤恳恳地全面地向苏联学习,发扬艰苦奋斗的精神,为加速实现社会主义工业化的任务而斗争。

中苏两国牢不可破的友谊万岁!

贯彻全面发展的教育方针　提高教学质量[*]

（1956.1）

这次会议开得很好,有很大的收获,大家进一步地明确了贯彻全面发展的教育方针的重要性与必要性,认识了教育质量不高是我们教学工作中存在着的缺点的集中表现,开展了批评与自我批评,提出了许多问题,揭发了许多缺点,同时也提出了许多宝贵的建设性的意见,极大地帮助了各级负责同志清醒头脑,使大家受到了很好的教育,进一步加强了改进工作的决心。从大家的讨论发言中,可以看出一个共同之点,就是大家都想朝着社会主义建设的高潮赶上去,想把教学工作做好,想更多地发挥自己的力量。大家通过宪法的学习、通过五年计划的学习、通过对毛主席关于农业合作化问题的报告的学习,以及通过肃反斗争的教育,提高了社会主义的觉悟,进一步把自己的工作和社会主义联系起来了,这就是我们今后改进工作的伟大动力。

现在,我就如何贯彻全面发展的教育方针,如何提高教育质量,如何改进领导的问题作总结性的发言。

一、贯彻全面发展的教育方针的关键, 在于教师树立全面负责的思想

全面发展是社会主义的教育方针,是党在学校工作中的指导思想,它与资产阶级的片面发展的教育思想有本质上的区别,我们必须在思想上划清界限。

---

[*] 这是 1955 年 12 月 31 日李达在武汉大学学术委员会第五次会议(扩大)上的总结报告的摘要。——编者注

解放以来,我们的教育思想和教学观点都有很大的改变,这是必须加以肯定的。但由于我们对党的教育方针政策还学得不够,还没有进行过系统的彻底的自我批判,我们不能认为资产阶级的教育思想的残余影响就对我们不发生影响了,就自然而然地消灭了。在贯彻全面发展的教育方针的时候,我们要认识到这里有两种教育思想体系的斗争,不破不立,社会主义教育思想是不可能不经过斗争就自然而然地生长起来的。

物理系和生物系负责同志指出了他们系统的教师对教学工作都是认真负责的,这是他们系里的情况,我们认为也是各系(科)的一般情况,这当然是很好的现象。但是根据教育方针的要求,根据社会主义建设发展的要求,我们认为做得还不够。因为这还只是做到对教学负责,还没有做到对学生全面发展负责。教师们把书教好,当然是一个很大的进步,但如果我们对学生的思想品质和身体健康关怀和教育不够,学生的政治质量不高,身体很差,即使他业务学得不错,对社会主义又有什么用处呢?在这次讨论中,很多教师都说,过去对全面发展的教育方针还知道些,但对全面负责确认识得不够,也很少注意去做,可见贯彻执行全面发展方针的问题,在我们这里是有它的严重性的。因此必须强调指出:学生要全面负责,是贯彻全面发展的教育方针的关键。

对学生全面发展负责的具体要求是:(1)通过各个教学环节对学生的接触,每学期对学生作几次访问,或找学生交谈,了解学生的情况,全面地关心他们的生活。(2)每位教师在教学中贯彻爱国主义和国际主义思想教育,通过教学,使学生既获得科学知识,又树立起马克思列宁主义的世界观和人生观。(3)不断提高教学质量,同时贯彻学少一点,学好一点的原则,不使学生负担过重,不挤掉他们学习政治、锻炼身体的时间。(4)在一切必要和可能的场合,以自己的言行来鼓励学生重视政治、重视身体锻炼,积极支持他们进行各项体育活动、文艺活动、报告会、科学研究小组活动等。(5)学生有不遵守学习纪律、不尊重老师以及其他违反全面发展的倾向时,每位教师有责任随时予以教导、劝止或建议学校处理。这些我们认为大家会说这是可以做得到的。今后大家就照这样做吧!从实践中再找出好的办法来,就会逐渐收到贯彻全面发展方针的效果。

二、提高教育质量的具体办法

贯彻全面发展的教育方针,培养全面发展的社会主义建设干部,不能离开提高质量问题来谈。教育质量高不高,是衡量全面发展的教育方针是否贯彻执行了的标准,也是检查我们是否做到了全面负责的标准。

怎样提高和保证质量呢?

第一,继续认真学习党的文教政策,提高思想,明确认识,不断提高自己对工作的积极性,充分发挥自己的潜力,主动想办法克服困难,做好全面负责的教育工作。用社会主义的教育思想来武装自己,指导实践。

第二,在教学中要大力贯彻理论联系实际的教学方针。政治理论课要贯彻这个方针,在前次马克思列宁主义基础教学经验交流会中已经解决了,在其他学科还待解决。理论联系实际是一个学习方法,也是思想方法的问题,不仅人文科学中存在这个问题,自然科学的教学中也存在着这个问题。我们要有计划地有目的地去多接触生产建设的实际和阶级斗争的实际,加以研究,运用到教学中来,及时把新的科学成就交给学生,不要年年老一套。

第三,要坚决执行教学计划,讨论、审查、修订教学大纲,明确本门课程的目的要求,掌握各章重点的深度和广度。根据教学大纲来备课,写讲稿、讲义,或钻研苏联教材。在教研组会议上要着重讨论讲稿、讲义,保证教学内容的质量。今后各教研组要长期地经常地进行这项重要工作,这是提高教学质量的根本办法之一。

第四,要更熟练地掌握各种教学方式,不断地改进教学方法。首先要搞好课堂讲授,一堂课要重点解决几个问题,要注意越能做到深入浅出,要言不烦就越好。讲授是主要环节,要注意到主要环节和其他各个教学环节之间有机联系,要注意到在各个教学环节中贯彻思想性和科学性的问题。其他各个教学环节应该起这样的作用,那就是使学生巩固在课堂中学到的知识,丰富和扩大知识的范围,使学生能够运用理论去联系实际,解决问题。在教学当中,直观教学是很重要的,苏联顾问和专家每次都强调要运用直观教材,提高教学的效果,大家应当特别重视起来。这次讨论会中历史系、经济系都有教师提出自己来编制直观教材和参考工具资料的意见,非常之好。总而言之,我们不可轻视讲授以外各种教学方式的作用,不可把教学方法视为雕虫小技,要把它们看作是提高质量、提高效果的重要方面。

第五,提高教学质量乃至于提高整个教学质量的根本关键,还在于对提高教师本身的政治思想水平和业务水平,在业务上的提高有两个方面,一是系统地有计划地读书,要读经典著作,也要读新书新杂志,既要向经典作家学习,也要吸收最新的科学成果。马列主义教研组的教师已经在酝酿制订自学计划,经济系也有教师提出读候补博士的书目,这是很好的。再就是进行科学研究。对科学研究,要下决心,要做长期打算,工作量没有满,而确实又忙着备课写讲稿的教师,可以缓一步;工作量虽然没有满,但有条件搞科学研究的,必须搞起来,至于满足工作量的要搞科学研究,高教部早有指示,更不待说了。对科学研究,青年教师要从自己的基础出发,登高自卑,从小题目搞起,形式不拘。老教师要带头,要带领青年教师做。今年春季先把学报的自然科学版印出来,人文科学版准备夏季编出来。

我们学校发展得很快,需要培养和补充新师资。现在我们教师中将近半数是助教同志,他们的培养和提高,除了在校内外跟专家进修以外,主要还是依靠我们自己的老教授和专家培养。我们年轻的教师要更加虚心,更加认真地钻研业务。各系(科)对青年教师们进修和提高要订出计划来,明确他们发展的方面,除了出外脱产进修以外,可以考虑在校内脱产进修,即比照进修教师研究生待遇,不担负教学任务,不兼差,专门跟老教师按计划进修一两年。这要轮流来,不能都要进修,丢下教学工作没有人管。

教师政治思想水平的提高,主要还是要搞好夜大学的系统的政治理论课的学习。但必须明确:从夜大学的学习中,我们只能学到马列主义的观点方法和马列主义的基本知识。领会马列主义的观点方法,作为自己的武器,进一步运用这个武器到业务各方面,科学研究方面去分析问题,解决问题,则要靠自己的努力。

综括起来讲,提高教学质量是提高教育质量的中心问题,业务课、政治理论课、体育课的教学质量都提高了,教师的政治思想水平提高了,都能全面负责,都能关怀学生在业务、政治、身体三方面的发展,教育质量的提高就有保证了。

三、改进校部领导,加强系(科)领导和教研组的工作

提高教育质量,靠教师全面负责,全面搞好教学工作,使学生得到全面的发展。要做到这点,必须从校部到系(科)和教研组,有一系列的组织工作的保证。

第一,要加强教研组的工作。教研组是保证教学质量的关键性的组织。首先,教研组必须发挥集体作用。现在有不少的教研组是具有集体组织的形式,但里面装的却是个人单干的内容,这种情况必须改变。只有依靠集体智慧、集体力量,互相商量,互相启发,才能解决问题。

其次,教研组的集体工作要有内容,有计划。分析数学教研组准备从下学期起建立科学和教学讨论会的制度,这很好。教研组可以把有关科学研究、教学大纲和讲稿教材的修订、教学法的经验交流等这些方面的主要问题列入讨论计划,指定专人分别负责深入研究,充分发挥大家的智慧和积极性。

再就是教研组要开展批评与自我批评。大家要思想见面,诚恳直率地帮助别人,要虚心接受别人的帮助,教研组必须通过检查性听课,讨论教学大纲和讲稿教材,科学讨论、经验交流、检查教师工作计划的执行情况等方式,开展批评与自我批评,真正把集体工作做好。

第二,加强系(科)的领导。校部是依靠系(科)来领导全部教学工作的。系的工作非常重要,它应当成为一个独立作战的战斗单位,充分发挥独立作战的能力。首先,系的工作,最主要的是把教研组领导起来。系主任要深入教研组,与教师密切联系,了解他们的思想情况、工作情况,给以具体的帮助。在领导教研组中,要注重培养重点。其次,要开好业务会议,充分发挥集体领导的作用。系务会议应该是系的学术委员会,有计划地讨论有关全系的科学研究和教学方面的主要问题,制定专人负责准备,讨论后作出决议,并检查决议执行的情况。再就是要很好安排全系的工作,制订学生政治思想教育工作计划,组织各个教研组的力量,并争取政治理论课教师和体育教师的配合,在党、团保证支持之下,很好地来进行。系要抓计划,抓检查督促,要善于组织教师发

挥潜力,争取主动,做好各项工作,保证专业教学计划的执行,不要被动,不要有等待依赖思想。

第三,当前最重要的是校部要改进对教学工作的领导。首先,是校长、教务处的负责同志和各部门的负责同志要经常深入教学单位,以各种方式多和教师直接联系,深刻了解教学各方面的情况,具体帮助解决问题,改进工作。校长定期找各系系主任汇报工作、研究工作,同时有教务处和有关部门的负责同志参加,该系教研组主任也分别轮流参加。为了为加强集体领导,充分发挥学术委员会的作用,今后要有计划、有准备地讨论全校性的有关科学研究和教学方面的重要问题。

其次,校部各工作部门要大力克服事务主义和官僚主义的作风,改进工作方法,坚决克服保守思想。各部门要分工负责,互相配合,健全组织,健全制度。各部门的主要负责同志要亲自动手抓住工作中的重大问题。要到群众中去直接摸情况,拟定办法,进行检查督促。过去由于负责同志浮在上面,对群众的潜力估计不足,对萌芽的、新生的进步因素重视不够,对政策方针钻研不深,保守有余,缺乏大步迈进的精神,各方面的工作都充满保守习气,今后要大力反对者这种保守思想。全校工作的进行,要分轻、重、主、次。既要抓住中心和主要环节,又要照顾全体的工作,行政、党、团、工会布置工作要以教学为中心,统一安排。总而言之,要坚持群众路线的方法和群众工作的作风。

再就是校部要加强工作的计划性。校部各工作部门要按计划办事,对不执行计划的情况要检查原因,追究责任,开展批评。对各系(科)和教研组的教学工作计划要坚决维护执行。校部从现在起要积极准备全面规划,生物系要在苏联专家指导下首先规划,向全校示范。校部要组织党、团、工会各方面的力量,共同来配合做好这项重大的工作。为了保证教学工作的顺利进行,现在宣布:

(1)精简会议,以后每星期规定只有星期六下午作为一般会议、报告的时间,星期三下午则作为各系(科)、教研组的教学会议活动时间。非经校长批准,不许任何部门布置占用。尽量减少会议,改进处理问题的工作方法。

(2)根据教学上的必要与财政上的可能,满足教学上对图书、仪器设备、直观教材等方面的要求,当然也还要贯彻精简节约的原则。

（3）责成有关部门对高教部负责同志和苏联顾问、专家的建议，以及这次会议中大家提的许多意见，制成改进计划，向全校公布，限期改进，到期作出检查报告。

此外，行政工作人员要组织对教育方针政策的学习，也要树立全面负责和为教学服务的思想，切实改造工作，为教学服务。

同志们，在党的正确领导之下，校部是一定要改进工作的。我们改进工作的方针是：全面负责，提高质量，全面规划，加强领导。目前加强校部的领导，加强系和教研组的领导，是主要的一环。我们校部负责同志和系（科）、教研组的负责同志必须首先加强责任感，不辜负党和群众对我们的委托和信赖，做好领导工作。各级组织要层层负责，各级负责同志对下面工作中的缺点和错误要进行帮助、批评，对工作做得好的要表扬。在加强领导的同时，必须依靠群众的支持、帮助和监督。大家今后一定要本着这次会议的精神，开展自上而下和自下而上的批评。

同志们！贯彻全面发展的教育方针，提高教育质量，我们在思想上认识清楚了，还不等于已经做到了。一切要看实践，在实践过程中，我们会要遭遇许多困难，譬如师资和人力方面的困难，财力物力方面的困难，右倾保守思想以及其他思想障碍等，但要记住一点，就是不要向困难低头，我们是一定可以在克服右倾保守思想、克服资产阶级教育思想的残余影响的斗争中取得胜利的！同志们！发挥你们的潜力吧！为社会主义而奋斗！

（原载 1956 年 1 月 14 日武汉大学校报《新武大》第 174 期，署名李达）

自　传[*]

（1956.3）

1890 年 10 月 2 日,我出生在湖南零陵的一个农村里,当时我的父母是佃农。

我有两兄两弟,他们都是种田人。

1895 年,我年满 5 岁时,父亲在农闲时间教我读书识字。

1900 年,由于父母的辛勤劳动,进到了佃中农的阶层,我父亲认为我可以读书,每年支出 10 串铜钱做束修,送我到私塾里读书。我读过四书五经,学作过诗词八股文,后来学作过议论文。

1905 年,当地开办永州中学,我就考入了这个中学读书。当时学生的膳食、服装、书籍用品等,概由公家供给,所以能够读到毕业。

1909 年,我在中学毕业后,升学成了问题。当时除了师范学校以外,别的高等学校,都需自费,家中是不能供给这笔费用的。我只得选择了升学高等师范这条道路。这一年秋季,我考入当时的"京师优级师范"(即现在北京师范前身)。我在这个学校读过两年书。到 1911 年秋季,辛亥革命爆发,学校暂时停办,我回到了故乡。

1912 年,我在祁阳县的一个中学教了半年书。暑假以后,曾考入湖南工业专门学校,读了两个月书,因为缺乏食宿费,不得已又转学于湖南高等师范。

1913 年,湖南省政府考送学生出洋留学,我被录取送往日本留学。我在日本东京住了一年多,得了肺病,不得已在 1914 年辍学回国,在故乡养病。

1917 年春季,我第二次去到日本东京,考入日本第一高等学校读书,读的

---

* 这是 1956 年 3 月 10 日李达所写的自传。——编者注

是理科。

1918年,我看了日本报章杂志所介绍的苏俄十月革命的一些新闻和论文,思想上有了一些转变。这种转变的经过是:我在中学时代,主要是爱国思想,特别是"排日"思想,在高等师范时代是"教育救国"思想,辛亥革命以后主要是"实业救国"、"科学救国"思想。直到十月革命以后,过去那些思想有了改变,特别是在日本看到日本帝国主义者种种要侵吞中国的事实,觉得"实业救国"、"科学救国"那种理想是无济于事的。我当时认为俄国无产阶级革命是救国的唯一途径,所以当时我很喜欢看介绍劳农俄国的东西。

1918年6月,报上揭露日本和北洋军阀段祺瑞政府缔结了"中日军事协定",中国准许日本从东三省出兵进攻西伯利亚。留日学界闻讯大哗,决议组织留日学生救国团,分赴上海和北京做救国运动。我是参加去北京这个分团的。但是我们到了北京以后,段祺瑞派出了许多警察和暗探把我们监视起来。段祺瑞本人接见我们几个代表,诡称并不曾和日本缔结什么军事协定,并且威胁我们不要捣乱。我们也曾几次到北京大学等校呼号,要他们起来救国,但当时北京学生还不曾觉悟过来(直到次年才发动"五四"运动),除了少数几个人常到我们团部接洽表示同情外,大众发动不起来。我们在北京大约住了一个多月,简直没有搞出什么救国的办法来,后来也只好回到日本去了。

我去到日本东京以后,总结过去的救国运动的经验教训,觉到中国人民不起来做救国运动,中国必为日本所灭亡,向北洋军阀政府请愿那种事情不能再做了,对于当时的国民党也不能寄托什么希望(孙中山本人是可佩服的)。当时简单的结论,只有学俄国无产阶级那样,干社会革命,才可以救中国。我根据这个信念,决定不再到学校去读书,专门阅读有关研究或介绍马克思主义、列宁主义的书刊。从这时起到1920年暑期为止,我翻译过日本人所写的《社会问题总览》和荷兰人所写的《唯物史观解说》(从日文重译的),后来在中华书局出版。到了1920年,我自以为懂得一点马克思主义了,应当回国找寻同志来干社会革命了。在那个时候,国内在"五四"运动以后,新文化运动高涨起来,宣传马克思主义的书刊也多起来了,其中陈独秀所主编的《新青年》比较是令人满意的,当时的日本人,有的甚至说"陈独秀是中国的列宁"。所以我在这年暑假回到上海以后,首先就去找陈独秀谈话。以后又和李汉俊谈过。

1920年春季,第三国际派了威丁斯基(译名为吴廷康)到中国来,了解中国"五四"运动以后的情况。他先到北京,后到上海,与陈独秀、李汉俊等往来甚密。暑假时,威丁斯基提议组织共产党的事,我们认为组党的时机已经成熟,就决定发起组织中国共产党。

1920年夏季,在上海发起组织中国共产党的人,共有七人,即陈独秀、李汉俊、李达、俞秀松、陈望道、沈玄庐、施存统(他当时留学日本,写信同意参加)。当时曾用两张八行纸写了一个"中国共产党章程草案"。我记得其中第一条是这样写着:"中国共产党用下列手段达到社会革命的目的:一、劳工专政;二、生产合作。"党发起了之后,就由陈独秀通知北京李大钊在北京组党;通知陈公博在广州组党;通知王乐平在济南组党,王乐平自己不参加,转知济南第五中学学生王尽美等五人组织。另由李汉俊到汉口组党;由施存统在东京约集周佛海组织。党之下,另成立中国社会主义青年团,由俞秀松主持,当时脱离家庭、脱离学校去到上海的一批青年大都入了团。团的地址设在上海新渔阳里六号,挂上"外国语学校"的招牌,请威丁斯基夫人教授俄文。党的地址在环龙路老渔阳里二号,即"新青年社"。上海的党把《新青年》作为公开的刊物(从第八卷起),另创办《共产党》月刊,由李达主编。

1920年11月,陈独秀应孙中山的邀约,去广州做广东教育厅长,把上海党的临时书记职务交由李汉俊担任,《新青年》的编辑一职,也交由李汉俊担任。后来不久,李汉俊为了工运经费和《新青年》编辑费,和陈独秀闹起意见来。接着,陈独秀从广州寄来《中国共产党组织》的草案,其内容是主张中央集权的,李汉俊表示反对说:"我们不能拥护陈独秀独裁。"他也起草了一个组织草案,其内容主张地方分权。于是陈、李两人闹翻了,彼此通信,互相责难。李汉俊从此不肯担任临时书记,要我来担任。

1921年,第三国际东方局派了马林和尼可洛夫到上海来,了解中国党的发起的经过,要我通知各地的党组织选派代表到上海开党的成立代表大会。这次大会的代表共12人。

上海二人——李汉俊、李达;

北京二人——张国焘、刘仁静;

武汉二人——董必武、陈潭秋;

长沙二人——毛泽东、何叔衡；

济南二人——王烬美、邓恩铭；

广州一人——陈公博；

东京一人——周佛海。

党的成立大会，是在 7 月 1 日开幕的。大会决定成立中央临时工作部；推举陈独秀任书记，张国焘任组织主任；我任宣传主任。会后，张国焘在上海组成“中国劳动组合书记部”主持上海工人运动工作，我组织“人民出版社”，出版一些宣传共产主义的书籍，并继续主编《共产党》月刊。

关于党的成立前后的经过，关于党的第二次代表大会的情形，我依照中央宣传部党史资料室的嘱托，写了两篇材料送去，其中第一篇已在《党史材料》中刊登，这里不详说了。这里只谈谈我和陈独秀、张国焘共事的情形。

陈独秀领袖欲极强，俨然以唯一领袖自居，当时好些党员称他是“老头子”（这是帮会头子的称号），陈独秀也的确像帮会的“老头子”一样。他和一般党员接触时，常常因为一言不合，就拍桌子、打茶碗，大发脾气，使别人下不去，我记得施存统有一次被他骂得哭了起来。又有一次，他看了派出作工运工作的同志的来信，他只看了前面几句话，就发起脾气来，把茶碗砸破一个。我劝他把信看完，他看完以后，什么也不说了。陈这种作风简直是恶霸作风。实在说来，陈独秀对于马列主义懂到很少，自己并没有什么主见，在先以张国焘的意见为意见，在后以彭述之的意见为意见，但恶霸式的领袖气派却是很严重的。

其次，张国焘阴险狡诈，眼眨眉动，诡计多端，我对他很不满。他高自位置，对他完全服从的人就认为是好党员，对他提意见的人就多方倾陷，“打倒你，我起来”这是他的原则。第二次党代表大会，几乎是他和陈独秀两人包办的。

1922 年 7 月第二次党代表大会开完以后，我没有担任党的工作，那时毛泽东同志写信给我，要我去长沙担任湖南自修大学学长，次年我到湖南法政专门学校教书。这年暑假我到上海会见陈独秀，谈起党与国民党合作的事情，陈独秀问我的意见怎样？我事先知道他是主张全党加入国民党，成为国民党中的一个党团，这是 1922 年冬季他这样对我谈过的，我不知道他在 1923 年当时的见解怎样。他当时问我的时候,我是主张党只可派一部分党员到国民党中交叉,党在国民党以外保持独立活动。我不知道我的主张是否与他不合,他立时大发脾气,砸破茶碗,说我在长沙不参加示威游行,没有资格作主张。我受了这样刺激,顿时冷了半截。我只单纯地觉得,拥护像他这样的人做党的领袖,党是没有前途的。从这时起,我产生了离开党的念头,这个念头发展起来,终于离开了党,离开了我曾经参加发起的党。这在我是生平所曾犯的最严重的、最不能饶恕的大错误。我如果是一个真的革命者,真马克思主义者,我应当留在党内,和陈独秀斗争到底,但我当时并不认识自己的错误,终于离开了党,做了个人主义者,自由主义者了。

1924年年初,我离开了组织以后,不但不反省自己的错误,反而用下列想法来安慰自己。这种想法就是:我自己对于马列主义懂得太少了,应当努力钻研,一面学习,一面宣传,在大学里向大学生宣传,我虽然脱离开了党,却绝不脱离马列主义,绝不做违反党的事情,我要在党外做理论宣传工作。这样的想法,一直支配我达二十多年之久,直到1949年回到党内之时为止。

在这个时期以后,党并不因为我离开了而把我遗弃,党嘱咐我做的外围工作,我还是尽量去做的,我也常常向长沙党的负责同志介绍进步学生入党,党是吸收了他们的。这段时期(1924—1926)我先在法政专门学校教书,后来这个学校改为湖南大学法科,我仍继续任教。我教的功课是社会学,其内容是唯物史观,写成了《现代社会学》一书。这是我的第一本著作,却是一本极幼稚、极不成熟的著作,因为当时的书籍资料非常缺乏,我只是暗中摸索写成的。

1926年冬季,北伐军到了武汉,邓演达打电报到长沙,要我去武昌参加中央军事政治学校的工作。我最初主持这个学校的招生工作,后来代理恽代英同志做该校的政治总教官,恽代英同志到校以后,我只任政治教官,并兼任总政治部编审委员会主席。

1927年3月,湖南的党组织筹办湖南省党校,唐生智遥领校长名义,要我担任该校的教育长,谢觉哉同志任该校秘书长。我由武昌去到长沙,主持该校招生事宜。5月21日,该校正式开学,恰恰逢到"马日事变",我和组织失掉了联系,我不得已回到故乡住了两个多月。以后去到武昌,在武昌大学任教三个月。这时候,胡宗铎、陶钧等匪帮占领了武汉,捕杀武昌大学的学生,我于是到了上海。

1927 年冬季以后，我住在上海，专靠卖文为生，主要地是替商务印书馆做些翻译工作。

1928 年冬季，我和熊得山、邓初民、张正夫、熊子民等人创办昆仑书店，出版哲学和社会科学等书籍。昆仑书店所出的书很畅销，使得四马路许多小书店都纷纷出版这一类新社会科学的书。当时新社会科学书籍出版得很多，得到了很多的读者，出现了文化界的新气象，昆仑书店在当时起了带头作用。

1929 年上期，上海法政学院三次找我到该院教书，我没有应承，后来党内的张庆孚同志(任林业部办公厅主任，他现患高血压，两年没有见面了，不知他现在是否还在林业部)对我说，要我到该院教书，是组织上同意的，他既然这样说，我只好答应到该院教了。我教的功课是社会学和政治学。1930 年秋季，又应聘到济南大学教书，教的是辩证唯物主义(这时我学习了辩证唯物主义，边学边教)，教到 1931 年暑假。

1931 年秋季，济南大学社会学系主任许德珩去职，张庆孚同志主张我去担任社会学系主任(因为该系大多数学生都要求我去做系主任，我不敢应承)，也说是组织上支持我去的。我只好应承了。该校社会系学生进步的占多数，他们对于我做系主任是热烈拥护的，每逢我教书时，外系学生也来听讲，教室里挤得满满的。当时该校校长郑洪年看得很不顺眼，他不敢得罪学生。于是趁着"一·二八"事变，嘱他们养的一批走狗(足球队员)在学校宣布戒严，趁我去学校的时候，将我打伤，打断了我的右手和肩骨，我因此在上海红十字会医院医治了七个星期才把骨接好。老狗郑洪年落井下石，借"一·二八"迁校上课的机会，把我解聘了。这件事发生在 1932 年 2 月。

从 1927 年冬季到 1932 年春季这一段期间，还有三件事要提的：一、汪精卫、陈公博曾经两次要拉我加入他们的改组派，我拒绝了；二、邓演达曾经两次找我谈话，要我加入他的第三党，我婉言谢绝了；三、当时伪南京卫戍司令谷正伦嘱咐他的一个姓郭的秘书(忘记了他的名字，他在上海和我会过几次，好像向我表示钦慕的)写信给我，说谷正伦要聘我做他的顾问，并说保证与他共进退。我觉得很奇怪，要我做刽子手的顾问，真是不把人当人。我没有理会，也没有回信。

1932 年 5 月,张庆孚同志到我的寓所(我们两人的寓所相距很近,时常往来)来说,冯玉祥找我到泰山讲学,组织上主张我去。我在 6 月间去到泰山,给冯玉祥讲了两个月书,每天两小时,我讲的是辩证唯物论和历史唯物论。

1932 年 8 月,我到了北京,在前北平大学法商学校做教授,后担任经济学系主任。当我到北京时,北平大学校长接到国民党反动派的密电,要他监视我、注意我。同时,北京伪政府也派了便衣侦察跟随监视,直到年终才撤除监视。

1933 年 1 月,冯玉祥又约我到张家口去教书。他这次邀我去是为了另一个目的。有一天,冯拿着他的日记本来陪我吃早饭,饭后把日记本留下走了。我想:冯为人机警,绝不会丢下他的日记本,一定是故意留下的。我只好把这个日记本拿来翻看。日记本中多记载着他认为不平之事,如挖苦他的背叛了的部下(如刘郁芬贪污以至在上海被绑票之类)的事实,还作了一些打油诗,好几处说到要抗日,要反蒋,要联络俄国,特别是着重要联俄抗日。我知道了他留下日记本是故意给我看的。于是我借着机会和他谈起抗日救国问题,他说抗日必须联俄。他所说的联俄的意思是要从俄国取得接济。我说:"要联俄必先联共。"他问我联共如何联法? 我说我可以转达北京的党组织派人来和你面谈。他表示很满意。我想,他这一次要我到张家口的目的,就是为着这事。于是我写了一信托人转达北京的党组织派一位负责同志到张家口去。几天之后,组织上派了张慕陶来了。我介绍张慕陶和冯见面,他们两人接连谈了三天,谈得很合适。我认为桥梁已经搭成,就回到北京教书去了。

果然不久,抗日联军的旗帜在张家口树立起来,扬起了一阵大风暴。但是到了四五月间,有人通知我要我再到张家口去一趟。这一次不是冯邀我去的。我住在一个旅馆里,会见了好几位同志,才知道张慕陶把和冯的关系搞坏了。听说由于张慕陶的盲动主义,杀了冯的一个财政厅长,又运动冯办的中学的学生驱逐校长,并且还运动冯的卫队反冯。这一类事件使得冯忽然消极起来。特别是冯的目的是要联俄来取得接济,可是落了空。这是冯所以消极的原因,我此次仅和冯谈了一次话就回北京了。不久,抗日联军解散,冯又回到了泰山。

从 1932 年秋季到 1937 年 6 月,我一直在法商学院教书,又曾在中国大学兼过经济系主任,我所教的课程是社会学(辩证唯物论和历史唯物论)、政治经济学、货币学、社会发展史,共写四种讲稿。出版了著作《社会学大纲》和《货币学概论》,其余两种没有出版。翻译的书有《辩证唯物论教程》和拉比托斯的《政治经济学》。这算是这 5 年间研究的成绩。

当时的法商学院办得很好,教师进步的占居多数,学生的大部分也是进步的和优秀的。其次中国大学也有很多进步教师,陈伯达、黄松龄、齐燕铭、吕振羽等同志都在这个学校教过书,所以这校的学生多数也是很进步的。当时法商学院和中国大学两校的学生们在反日反蒋的运动中,都是站在前列的,因此引起蒋匪帮陈立夫派的敌视,他们认为这两校是共产党的大本营,几次要下毒手把这两个学校搞垮,但中国大学是私立的,他们无法对付,就只有先从公立的法商学院下手了。蒋匪帮陈立夫派几次命令伪教育部长王世杰解聘法商学院的进步教授,但是王世杰又不敢明令把那些教授解聘,只有开具要解聘的人名单,派人通知法商学院院长白鹏飞照办,白鹏飞答说那些教授很受学生的欢迎,不能解聘,如果必须解聘,你教育部必须正式来命令才能照办。但王世杰不肯下命令,白鹏飞也就没有照办。这样的事,差不多每年暑假都要重演一次。

"何梅协定"缔结以后,北京学生的反日反蒋运动非常高涨。1937 年陈立夫派指使一些反动学生组织反革命学联和革命学联对抗,一面唆使一些反动教员如陶希圣、杨立奎、许兴凯等人,公开向我们宣战,他们叫嚣着要接管法商学院,说他们已经奉了蒋介石的命令。我们法商学院几个负责人商量对付方法,一致认为保存法商学院这个据点是必要的,同时想请冯玉祥帮忙,大家推荐白鹏飞和我到泰山去看冯,因为冯恰在那时到泰山树立烈士纪念碑。我们到泰山见冯之后,冯答应向蒋介石疏通,并邀我们去南京见王世杰面谈。我们到南京看了王世杰,谈了一小时,王世杰说法商学院运动过火,并指出几个教员有煽动学生的嫌疑,把那些特务学生告密中所引用的话句(法商学院有几个被收买的反动学生,经常把教师在教室听说的涉及时事的话,写出来向陈匪立夫告密了)作为例证,但是没有说起更换院长和解聘教授的事。白鹏飞自己也见过陈立夫,谈过一些话,但无结果。

法商学院出身的一个 CC 分子来到寓所见我,说陈立夫约我去谈话,并说他破例在星期日下午一时接谈。我按时去见陈立夫,交谈了一阵之后,就向我提一个问题:大学里的经济系应当怎么办?这问题问到我家里来了,我滔滔不绝地谈了一点钟。我谈话的大意是:说明大学经济系应该教导学生成为中国经济建设人才,首先要使学生学习先进经济科学的理论,通晓社会经济发展的规律,中国经济发展的规律,应用科学的方法对中国的经济做广泛的调查和研究,指出中国经济的各种问题,并提出解决的方法,只有这样的经济系毕业生才能担负得起建设中国国民经济建设的任务。同时我也严格地批评了那些英美留学生所主办的经济系,专门用英文经济教科书教学,绝口不讲中国经济问题,像这样培养出来的毕业生只配做洋奴买办。我谈了之后,陈立夫并没有提出别的问题,只是说"这样办经济系,很好很好"。我只是和他谈了这一个问题。

冯玉祥派人约我和白鹏飞同到庐山去住几天,说他在庐山有一栋房子可住。我们就在6月初到了庐山。冯备了两乘山轿,我们每天坐轿游山。有一天,我们的轿子闯过一群穿中山装的队伍,那些人只顾注目着我们两人,过后才知道那一群人就是蒋介石和他的喽啰。一天,白鹏飞对我说,冯玉祥已介绍我们去见蒋介石,蒋介石已定期约见了。我听了感到有点突然。白鹏飞说,蒋介石的人对冯说起蒋已经知道了我们两人到了庐山,因此冯介绍我们两人去见蒋,并且说蒋对我们两人要以上宾之礼相待(这是蒋对冯说的)。这话是否真实不可知,也许白鹏飞要见蒋介石,因此也把我拉上了。见到蒋介石之后,白鹏飞说了北京学校里的情形,这算是他的述职吧。我呢,就说了北京青年学生抗日爱国的热情。蒋介石只答说"这样就很好"。

我们回到寓所后的第二天,冯玉祥说要派白鹏飞和我去做伪行政院的参事,我们立时回绝了,"我们只知道教书,不知道做官"。从这件事来看,蒋的爪牙是有意拆散法商学院的。

我因为80岁的老父在故乡患病,我就离开庐山回到故乡,白鹏飞回北京去了。这是我和蒋介石、陈立夫周旋过的一段经过。

1937年"七七事变"爆发,南北交通断绝,我从故乡去到上海暂住。蒋匪帮宰割法商学院的目的终于达到了。不久我接到广西大学的聘书,就经过香港到达广州,再经梧州到达桂林,我到达桂林,才知道广西大学已经将我解聘。我又回到了故乡,不久,我的父亲去世,我就留在故乡料理丧事。

1938 年 2 月,白鹏飞做了广西大学校长,又聘我去广西大学教书。冬季,冯玉祥路过桂林,即去重庆督办新兵事宜,邀我一同去重庆,于 1939 年 1 月到了重庆。我在重庆,住在离南温泉不远的一个家庙里,替冯主持研究室,也为他讲过辩证逻辑,也代邀了黄松龄和邓初民给他讲了政治学。后来,冯玉祥督办新兵事宜处被撤销了,他很不高兴,我劝他退出军界,专搞民主运动,并且写过一封长信劝过他,他好像并没有省悟。9 月间,我仍回到桂林,准备仍在广西大学教书,可是白鹏飞已被撤职,连同他所聘的教员也被解聘了。我不久仍回到了故乡,变成了失业者。

1940 年秋季,在坪石的中山大学聘我到该校的法学院教书。1941 年 7 月中山大学将我解聘了。听说聘书已经写好,因为该校校长许崇清接到伪教育部解聘我的电报就停发了。

我正在要从坪石武阳司回故乡的时候,伪广东省政府主席李汉魂忽然来到武阳司中大法学院,他找我谈话,说他已经拟定了广东省经济五年计划,要我到韶关给他看一看,我没有答应,也没有拒绝,只答说"你的计划一定是很好的"。随后他的一个顾问名叫汪洪法(后来做了文化特务,当时也在法学院教书)对我说:"李汉魂此次来武阳司是专门为了来看你的,你不好不到韶关去,他还要借你哩。"我才明白,原来是汪洪法替李汉魂出的主意,趁着我被解聘的时候来拉我下水。我心中有底,姑且答应了。我在韶关南边一个山上,住了大约十来天。李汉魂请我吃过一次饭。他把他的厅处长胡乱拼凑的什么计划送给我看。我看那些计划都是广东沦陷区方面的开发计划,当时所能做到的只是在粤北要开办的几个手工工场。听说李汉魂的老婆搞了几个有名无实的工场,确实搞了一笔大钱。他的五年计划不过是借着办手工工场再搞几笔钱。我到韶关几天之后就发了疟疾,就借口回家医病离开韶关回到故乡了。这是反动派纠缠我的最后一次。

从 1941 年九月到 1945 年 9 月的整四年期间,我失业家居,种着父亲遗留下来的几亩田,勉强糊口,要读书无书可读,研究工作无法进行。特别家居飞机场附近,每日要逃避警报,简直是过着长期的难民生活。当故乡沦陷期中,又遭着土匪洗劫,陷入绝粮状态。但是反动的行政党团,经常监视着我,伪专员和伪县长为了监视我,都托辞访问到我家里住过,反动的党团负责人也都假借拜访的名义来侦察我。甚至我的来往信件都被检查,我完全没有行动的自由。这四年期间,我偷生人世,等于死去了四年。我很后悔,我在重庆会见过董必武同志和周恩来同志,不知道请求到延安去干一点于革命有益处的工作,却为小资产阶级家庭生活所牵制,宁愿留在白区的后方,过着死人一样的生活,这完全是小资产阶级知识分子的末路。一个知识分子,特别是自诩为进步的知识分子如果不跟着共产党走,那是没有出路的。

1947 年春季,我被聘为湖南大学教授,这在我是出乎意外。反动派不是时常要解聘我吗?我在湖南大学教书期间,经常遭受着校内外反动派的监视,我除了教书以外,很少与别人接触,我教的课程主要是社会学,其内容是辩证唯物论和历史唯物论。我虽然没有别的活动,却也吸引了一部分人,学生中的进步分子增多了,逐渐地有些地下党员来同我接近,要我讲解新民主主义,有时还拿些秘密刊物给我看,把我当作同路人。另一方面,中统军统的特务学生也没有放松我,经常向他们的上级告密。据后来了解,有三个反动机关把我列入黑名单的第一名,准备随时把我逮捕,这是程潜在后来当面证实的。

说起程潜,我要补说一段话,1948 年 11 月初,许多人听到了新华社广播的战犯名单,最后一名战犯是程潜。几天之后,程潜的高等顾问方叔章托人介绍来见我,漫谈时局问题。我察觉方叔章的来意还好,就直率地说了一些。11月 19 日,方叔章请我到他家里(在湖南大学附近)吃饭,在座的有程星龄、肖作霖、邓介松,我觉得这次聚餐不是偶然的。因为他们都是程潜左右的人,我和他们尽谈些寻常的琐事,不涉政治。最后他们开口问我:"在这样局势下,程颂云究竟怎样处理才好?"他们的意思我明白了,我只直率地说了三句话:"程颂云应当保卫湖南的和平(意即湖南的和平解放);蒋介石不会有兵到湖南来,只是白崇禧从武汉后退时到湖南有一个时期的停留。应善于自处。"最后我对方叔章说,要他把程潜的儿子程博洪叫到长沙来,让他们父子多多商谈。后来程博洪果然从上海回到了长沙,嗣后,方叔章来见我,说程潜认为我的话是对的,他打算和长沙的党组织发生联系。我把这一段话告知余志宏同志,余志宏同志转达党组织之后,向程潜提出了一些要求,我托方叔章转达,程潜都照办了,如撤换他的卫队团和特务团长,把刽子手蒋伏生的警备司令部迁到衡阳,程潜还表示要党把被捕的党员名单给他,以便释放。程潜的这些话也很好,当时我因胃病住在湘雅医院,程博洪来告,说他的父亲决心走和平的道路。程的顾问方叔章常到医院来看我,转达程潜的意思,说他很计较"战犯"的头衔。我托方叔章转达于程说:只要程决心走和平的道路,新政府不但不把他当作战犯看待,并且还请他担任重要的职务。过了几天,程又嘱方来看我,方说临走时程对他说:"只要共产党不把我当战犯于愿已足。"由此可见,程潜走和平解放的道路是下了决心的。

1949 年 4 月间,方叔章来看我,说程潜担心我会受惊吓,想把我送到乡下去暂住,我知道那些特务就要对我下手了,我于是在 4 月 16 日冒着大雪,秘密乘粤汉车离开长沙去广州,20 日到达香港,5 月 14 日到了北京。

5 月 18 日到香山见到毛主席,陈伯达和胡乔木两同志都会见了。我同毛主席谈了一席话,我把程潜因害怕当战犯而愿意走和平解放道路的经过对毛主席说了,并请毛主席速派大员和程潜联系。毛主席说,新华社播送的战犯名单不是正式的,却也起了作用。我还向毛主席建议吸收党外的进步分子如沈志远之类,毛主席说:"你入党,我们是欢迎的,民主党派的成员不便吸收。"关于我入党的事,我也和刘少奇同志、林伯渠同志、李维汉同志都谈起过,他们三位都表示同意。此后,我写了一篇 60 页《自传》送到中央。12 月间,刘少奇同志对我说:"已经批准你重新入党,作为正式党员,不要候补期。"我感谢党对我的重视,使我重新回到党内来,我感到十分兴奋和庆幸。

回顾从 1920 年至 1949 年的 30 年间的生涯,可以作如下的小结:

我的小资产阶级意识非常浓厚,个性也很倔强,当年愤恨于封建势力和帝国主义,决心要投身于中国的社会革命,以至于参加中国共产党的发起,这条路是走对了的。但是在党的发起以后,我仍旧站在小资产阶级立场,还不曾真正转到无产阶级立场上来。我对马克思主义懂得很少很少,革命斗争性是很薄弱的。特别是当着第三国际指示中国共产党要和国民党合作干民主主义革命的时候,我的思想上确实有些抵触。当时,我只是简单地觉得:一个无产阶级的政党应该干社会主义革命,现在却来帮助资产阶级干民主主义革命,其目的则在于取得一些自由和权利,以便使无产阶级随着资产主义的发展而逐步壮大起来,然后再进行社会主义革命,像这样迂回的路线,我实在想不通。至于由无产阶级来领导资产阶级民主革命,然后转变为社会主义革命的这样的路线,在当时是我所梦想不到的。由于这样幼稚的想法,我对于民主主义革命的工作有些不愿意。我当时认为对于马克思主义懂得不少,应当专门努力来钻研,还是"回到书斋里去"吧!这是我对革命采取消极态度的动机;加之陈独秀对我使出来的恶霸作风,更助长了我的消极态度。就这样,我离开了党了。从那个时候起,我就致力于马克思主义的研究,抱着"至死不变"的决心,不离开马克思主义,在个人的活动方面,绝不做反党反人民的事情,决不参加任何别的党派组织,也绝不为反动派的威胁、利诱和打击所屈服。至于党的外围工作,我也做了一些,但做得不够。在研究马克思列宁主义这一方面,也曾经写过几部著作,但按其内容,大都是一些教条,和中国的实际无联系。像这样的著作并不能算是马克思主义的著作,像我这样的人也不能算是真正的马克思主义者。

现在,毛主席和刘副主席却原谅了我过去所犯的错误,批准我入了党,我是非常庆幸的。从此,我决心用有生的余年为党的事业奋斗到底,"鞠躬尽瘁,死而后已"。

1950年2月,我在湖南大学担任校长。湖南大学在解放以后,并入了民国大学、克强学院、南岳国立师范学院和美术专门学校,师生的成分非常复杂,我到校以后,首先抓住了思想改造这一环节,对全校师生进行思想教育,湖大的党组织配合,进行了一系列的思想改造运动,发动全校师生参加土地改革,"三反"与思想改造大运动,等等。同时,又因为主持教务工作和总务工作的人都是一些旧人,我不能不兼管教务和总务多方面的工作。在湖大期间,我几乎"事必躬亲",因此,我暴露了许多缺点,最主要的缺点是:性情急躁,希望在很短的期间把学校办好;还有,对群众的联系很差。这两个主要的缺点,在思想改造运动期间,我向全校作出了检讨。

1952年冬季,湖南大学在形式上和实质上,初步走上了轨道。但中央调整院系的方案公布了,湖南大学撤销了,改办湖南师范学院,中央调我担任武汉大学的校长。我就在1953年2月23日来到了武汉大学。

鉴于在湖南大学校长任内所得的经验教训,我极力克服过去所暴露的缺点,兢兢业业、勤勤恳恳来对待自己的工作。初到武大时,校务行政工作由副校长徐懋庸同志负责,我主要是抓政治思想教育。1953年8月底,徐懋庸去职以后,我才主持校务行政工作,12月底,张勃川同志来校任校长,我就让张勃川同志多管校务行政工作,我主要多管思想教育工作,如成立四个政治课的马列主义教研组,并开办夜大学。

从1954年起,校部领导上所做的工作,主要是采取措施,消除徐懋庸在校中所散布恶劣影响;推行教学改革和工作量工作日制度。由于多数教师的努力,在教学改革等方面做出了一些成绩。但从全面来考察,领导上的右倾保守思想是很严重的。特别是联系群众搞好教学工作这一方面,我们做得还很不够。1955年这一年,副校长张勃川同志参加的各种会议太多,校务工作做得太少,我一人也兼顾不过来,以致在学校教育各方面发生了许多缺点。10月间,教务处作了一次检查,发现了我们在业务教育、思想教育和体格教育多方面的缺点。我深切地感到这些缺点的产生,应当由领导上负责,特别是我要担负放弃领导的责任。从此,我和几位负责同志准备举行一次学术委员会扩大会议,共同商讨改正那些缺点的措施。这一次学术委员会会议开了一个星期,从1955年12月31日开始到1956年1月7日为止。这一次会议开得很好,教师们都发挥了民主精神,作出了"提高教育质量,贯彻全面发展的教育方针"的许多措施。周总理关于知识分子问题的报告发表以后,全体教师都感到非常兴奋,同时由于社会主义高潮到来,全校师生都愿意搞好教与学的工作和科学研究工作,向着科学进军,这是一种新气象。直到现在,全校十二年规划草案已经根据高等教育部的指示做出来了,教师们的积极性大大提高了。在这个基础上,必须加强领导,使领导与群众深相结合,共同克服右倾保守思想,推行社会主义教育,为接近和赶上世界科学的先进水平而奋斗,我相信武汉大学必能和其他兄弟学校一样地向前进步的。

我本人今年66岁了,有胃病和肺气肿的毛病,身体是不健康的,一方面要主持学校行政,一方面要做科学研究工作,双方兼顾是有一些困难的。但是,我是一个共产党员,绝不能向困难低头,我一定要克服困难,并改进自己的缺点,为党的事业奋斗到底!

(原载1985年12月中共湖南省委党史资料征集研究委员会编印的《湖南党史人物传记资料选编》第2辑,署名李达)

做一个全面发展的社会主义建设者[*]

（1956.3）

一、要坚韧顽强地向科学进军

前面说过，我们的祖国正处在伟大的社会主义革命的高潮之中。根据毛主席的估计，我们再经过大约三年的努力，就可以在全国范围内基本上完成社会主义革命的历史任务。这是多么令人欢欣鼓舞的事情啊！毛主席告诉我们："中国工业化的规模和速度，科学、文化、教育、卫生等项事业的发展规模和速度，已经不能完全按照原来所想象的样子去做了，这些都应当适当地扩大和加快。"

适应着社会主义事业发展的需要，党中央最近召开了会议，专门讨论了知识分子问题。周恩来同志在会上作了专题报告，同学们一定都看过了。可是看了之后跟自己联系起来想了一下没有呢？得出了什么结论呢？我看这一点很重要。周恩来同志在报告里把我们的科学文化的落后情况都摆出来了：我们是一个拥有优越的社会制度的大国，可是旧中国留给我们的却是一个烂摊子，我们的科学、文化、技术都落后得不成样子，与我国的政治制度和国际地位很不相称。在几个科学部门里，我们只有极少数的部门有个别的人能够达到世界科学的先进水平，其余的都差得远，有不少的部门甚至还是"空白点"。近二三十年来世界科学的突飞猛进，更把我们丢到后面去了很远，许多最新的科学理论和技术成就，我们都不能掌握。如果不立即改变这种状况，我们能够把我们的祖国建设成为一个繁荣强大的社会主义国家吗？要改变这种状况，

---

[*] 本文是 1956 年 2 月 22 日李达在武汉大学全体学生大会上的讲话。——编者注

决定的东西是人,是知识分子,特别是高级知识分子。我国现有的知识分子,主要是高级知识分子,无论在数量上、业务水平和政治觉悟上都远不能满足国家的需要。怎么办?办法只有两条:一条是充分发挥现有知识分子的力量,提高他们;另一条就是尽一切可能培养新的知识分子。周恩来同志在报告里对这两条的具体做法说得很详尽。这后面的一条与同学们是有绝大关系的。中央对我们是无限关怀的,满怀着殷切的期望的,周恩来同志说我们是"专家的后备军",党和人民把我们当作珍贵的财宝。这对我们来说,是再光荣不过的事情了。谁不想让自己的青春在祖国的社会主义壮举事业中发挥出战斗的光芒呢?谁不想做一个社会主义的劳动英雄呢?祖国的现实给了我们实现这种崇高理想的无限可能。关键的问题在于我们自己的努力,我们要勇于和善于把祖国交给我们的光荣任务担当起来。

怎样才能不辜负"专家的后备军"这个光荣的称号呢?怎样才能把自己尽快地培养成为祖国所需要的高级知识分子呢?我想,首要的一条,就是要坚韧顽强地向科学进军。我们的科学的确是落后,可是望着"落后"发愁时没有用的。没有掌握科学的人,"落后"的状况就永远也改变不了。所以,为了祖国,我们在攻取科学堡垒的时候要有披荆斩棘的毅力,要有移山填海的决心,不掌握科学,誓不罢休!

应该指出,大多数同学是懂得自己的任务的。他们在那里顽强地进行着学习,并且有了很丰硕的收获,这是好的一面,也是主要的一面。可是我在这里不想谈这一面。我想谈的是另外一面,不大好的一面,有问题的一面。因为既然有了问题,总得提出来加以解决。

问题何在呢?问题主要地就在于有不少同学在学习上还缺乏自觉性,刻苦钻研的尽头很不够。

让我举几件事情来看看吧。上学期的期中考试的成绩一般说来是不大好的。有的同学夸大自己的困难,原谅自己的缺点,例如强调自己的基础太差、身体不好之类,仿佛成绩不好是"理所当然"似的。有的同学甚至说"3分是我的最低纲领,4分是我的最高纲领"。这与"平生无大志,但求60分"的论调有什么区别呢?这样的同学首先就断定了自己是不可能获得优等的成绩的,那么,他还能有勇气向科学进军吗?我们再看:上学期期末考试的成绩虽然普遍上升,可是仔细分析一下,还是不能令人满意的。因为有一部分得了优良成绩的同学并没有真正牢固地掌握科学知识。法律系有个同学考试得了5分,事后他自己检查一下也并不满意,他说他的5分是靠背诵得来的。俄文系有的同学在考试的时候倒背如流,可是当老师向他提出补充问题,问他为什么要这样答的时候,他就答不出来了。这说明这些同学只是呆读死记,"知其然而不知其所以然",没有深刻地理解和巩固地掌握知识。我们再看:在规定的辅导时间里,很少有同学主动地向老师提问,是真的没有问题了吗? 不可能。只是由于怕艰苦,不肯多用脑筋,所以没有发现问题罢了。还有,有些俄文系的同学在回答老师的问题的时候不喜欢用俄文,而喜欢用中文。这自然也是由于用中文回答比用俄文回答"容易"得多。

同学们! 我们要在不很长的时间里迅速赶上世界科学的先进水平,没有相当多的高级知识分子是不行的。高等学校的学生要想进一步把自己培养成为高级知识分子,没有一番极其艰苦的劳动是办不到的。科学的旅程是艰苦的,只有具有最坚强的意志的人能够攀到光辉的顶点。

听说过去在同学们中间很少有人谈到自己的理想,直到现在也还有一些同学不大敢谈。原因是怕别人说自己"自高自大"、"好高骛远"。应该说这是一种不健康的现象。为什么不能有理想呢? 如果我们的理想是符合于社会主义事业的需要的,是建筑在实际条件的基础之上的,是决心尽一切努力去促其实现的,那么,这种的理想有什么坏处呢? 比方说有一个同学,他希望自己成为一个电子计算机方面的专家,并且他从现在起就在努力学好功课,一步一步地朝这个方向走,请问,这是好事还是坏事? 我看这是很好的事,大家都应该鼓励这件事,而不应该在旁边指手画脚地批评什么"好高骛远"。在我们同学当中现在就已经出现了有才能的青年诗人,我们完全有理由相信我们的同学中将来会成为各方面的专家,活跃在祖国的各个战线上。不过,真正"好高骛远"的人也的确是有的,他们在树立"理想"的时候不是以祖国的需要为前提,不是从实际出发来考虑如何实现理想,也不想付出艰苦的劳动,这种态度我们是不赞成的。这叫做"志大才疏",不会有什么成就的。

二、要加强时事政策和马克思列宁主义的学习

我们的同学在学习时事政策和马克思列宁主义方面的情况,不能认为是很好的。上学期期中时事测验的时候,有很多班有半数以上的人不及格。有些同学连属于小学生常识范围的东西都不知道,有人竟把苏联部长会议主席是谁答成伏罗希洛夫!这不应该当作谈笑的资料,而应该当作一个严重的情况。不能想象,一个"两耳不闻窗外事"的人,一个对共产主义事业漠不关心的人,能够成为社会主义的积极建设者。大学生是应该有独立分析国内外时事的能力的,而我们有些同学却还需要补习小学生所知道的东西,这种现象是不能任其存在的。

政治课的情形怎样呢?如果单从考试的分数来看,似乎并不坏。但如果深入地了解一下,就会发现问题不少。政治课的自学时间普遍没有达到规定的时数。有一个 25 人的小班里,就有 20 人是没有达到规定时数的。到了考试的时候,首先被"挤"掉的就是政治课的时间。只有在考试政治课或者举行课堂讨论的前夕,才"急时抱佛脚","背诵"一番。这种情况说明,有一部分同学对于政治课的意义和作用如何,对于政治课与业务课的关系如何,还是弄不清的。什么是政治课?政治课就是马克思列宁主义的各个组成部分。马克思列宁主义是共产党的世界观,是党的灵魂,党的生命。中国革命依靠它取得了胜利,现在也正在依靠它取得更大的胜利。全世界的工人阶级和劳动人民也都要依靠它才能取得胜利。就个人来说,不懂得马克思列宁主义,就不能树立共产主义的世界观,就不能全心全意地为人民服务,就不是一个完全合格的社会主义建设干部。社会主义事业所需要的人才不仅要有精湛的科学知识,而且要懂得党的事业,能够运用马克思列宁主义的立场、观点、方法正确地处理工作中的各项问题。当然,学习政治课并不是树立共产主义世界观的唯一方法,但却是必不可少的方法,并且是最根本的方法。可以这样说:如果一个学生的政治课学得很坏,我们就有理由认为他不合乎社会主义建设干部的规格。

三、要尊敬老师

现在居然有个别同学提出这样的问题:"老师算不算劳动人民?"

这个问题是提得不聪明的。老师是高级知识分子,是与工人、农民结成兄弟联盟共同建设社会主义的一支重要力量,他们和工人、农民一样,同是国家的主人,同是光荣的劳动者。解放 6 年来,我们学校的老师为国家培养了近3000 名建设干部。为了提高教学质量,他们积极地学习苏联,改进教学内容和教学方法,并进行艰苦的科学研究工作;有些老师为了教好同学,甚至夜以继日,废寝忘食。老师们的辛勤劳动,是应该受到同学们极大的尊重的,可是竟然还有同学对老师是不是劳动人民表示怀疑,这不能不认为是一个很大的错误!

由于认识上的错误,有一少部分同学对老师在旁边热心地指导他,他理也不理,掉头就走。有的同学在和老师谈话时,一言不合,就气冲冲地不辞而去。对教学效果暂时较差的老师,要求既高且急,甚至要求换老师。有的系有老师平时对同学要求很严格(这是对的),但态度和方式比较生硬(这是缺点,应当改进),同学们就很不满意,有的同学甚至发表了许多完全错误的意见,诽谤老师。这些做法都是错误的,不能容忍的,必须立刻纠正过来。

四、要努力提高政治觉悟

听说有一部分同学(主要是理科各系的)有这样一种想法:"我承认党是正确的,也愿意跟着党走,可是我就是不愿意参加党和团。现在多学点业务知识,将来既能够为人民服务,又能够受到党的尊重,这样多好!"团委会的同志告诉我,说我们学校的同学里面 25 岁以下还未入团的青年有一千多人,其中有入团要求的只有四百多。也许上面讲到的那种思想起到了一些消极的作用吧。

这些同学承认党是正确的,并且愿意跟着党走,这是很好的。可是不愿意参加党和团,我却认为是觉悟不高的表现。当然,不是每个人都能参加党和团,可是那是个人的条件问题,不是志愿问题。够不够条件是一回事,愿不愿意又是一回事。不够条件,只要有决心努力,就可以变得够条件。但不愿意就不同了,没有争取参加党、参加团的志愿,就老是不会够条件,能不能入党入团,这就是把自己的进步限制在一个固定的范围里面了。"既能够为人民服务,又能够受到尊重。"这是"半心半意"为人民服务,不是全心全意。其实他最关心的还是他个人的"受到尊重",而不是"为人民服务"。为人民服务是无条件的,不能以是否"受到尊重"作为交换条件。事实上,凡是全心全意为人民服务的人,一定受到党和人民的尊重。相反地,凡是斤斤计较个人得失的人,往往是"事与愿违",得不到党和人民的尊重的。这是一个人生观的问题,在这个问题上把思想弄通是很重要的。我在这里不是简单地号召大家要求入党入团,不是的。要求入党入团是政治觉悟提高的必然结果,关键在于提高政治觉悟。

五、要培养独立工作的能力

最近我们把同学的作息制度做了更改:除上课的时间统一规定外,其余各项活动时间都由同学自由支配。这样做是由高教部根据苏联专家的意见经过慎重研究后决定的。

为什么硬这样更改呢? 这是为了培养同学们独立工作的能力。我们毕业以后马上就要独立地进行工作,因此现在在学校里就要培养主动性、首创性。过去的办法是机械地呆板地把同学们整天的活动都统一的规定起来,要求每一个同学都按照学校规定的作息时间统一行动,这样至少有两条坏处:一条坏处是影响了同学们的学习效果,每个同学的具体条件是有差别的——有的基础好些,有的基础差些;有的是这门功课需要多花工夫,有的是那门功课需要多花工夫;有的学习效率高些,有的学习效率低些;如此等等——如果要求大家都按"规定"统一行动,结果必然会妨碍了学习成绩较好的同学把他的余力用来作进一步的钻研或作其他活动,又妨碍了成绩较差的同学付出比一般同学更多的时间来补足他所需要努力赶上的功课。另一条坏处也是最主要的坏处就是养成了同学们的被动依赖心理,妨碍了自觉精神和首创精神的培养。

在旧的作息制度下，同学每天起床之后只要按照学校规定的时间表去进行活动就够了，无需乎自己安排自己的生活。在新的作息制度下就不一样了：除了上课之外，一切都得自己安排，这就非动动脑筋不可。根据自己和周围的条件来妥善地安排自己的工作，以便发挥最大的效能，这种能力正是同学们毕业之后马上就会感到需要的。现在不培养，将来就会吃亏。大学生是大人了，是马上就要成为国家干部的人了，不能再像小孩子那样遇事要别人安排得好好的。

实行的新的作息制度是我们生活中的一项重大的变化，我们不要小看了它。据我们所知，最近的情况一般说来是正常的。我希望每一个同学都能把自己的工作安排得很好。为了使大家在认识上更加明确，我想有几个问题还是有必要谈一谈：

"现在实行新的作息制度了，不要计划了。"这是误解。新的作息制度取消了机械的呆板的不顾每个同学具体条件的计划，这正是为了让每个同学能够根据自己和周围的条件订出适合于这些条件的计划，以便更好地完成国家交给他们的学习任务。一个人的行动没有计划，他将会一事无成的。在实行新的作息制度以后，大家应该通盘考虑一番，有计划地安排自己的生活，使自己的学习、身体锻炼、社会工作和政治思想的提高得到全面的发展。比方说在上课的时候，就要严格遵守课堂纪律，不迟到，不早退，专心致志地听讲。在白天上课的时间和晚上自修的时间，应该自觉地学习，不应当浪费时光。早上应该早点起来，做做广播操，不要睡懒觉。

"现在各有各的自由，对谁也不能批评了。"这也是不对的。实行新制度是为了让大家积极地主动地完成学习任务。如果有这么一个同学，他借口"自由"，在学习上马马虎虎，把很多宝贵的时间浪费了，可不可以对他进行批评呢？我看不但可以批评，而且必须批评。有人问，晚自习的时间里，有的同学在寝室里看书，有的同学在寝室里唱歌，哪一个对？我说看书的对，唱歌的不对。因为看书不妨碍唱歌，而唱歌却妨碍了看书。如果要唱，可以到别的地方去唱。实行新制度以后，不是不能展开批评，而是更应该运用批评的武器，党、团学生会组织的政治思想工作更应该加强。

"现在不提倡集体主义了。"这是错误的。充分发挥每个人的特长和能力，为着共同的远大目标而奋斗，这难道不正是集体主义吗？而且，实行新制度以后,也不是任何活动都要"单干",比方说劳卫制锻炼,没有组织就不行,可以自由地组合成小组,自己安排一个时间去有组织地进行锻炼。又比方说社团活动,也可以在自愿组合的原则下组织起来。在同学们中间,应该树立互相帮助,互相学习的风气,不要各行其是,互不关心,甚至互相瞧不起。个人主义在我们这里永远是不合适的东西,我们必须不断地发挥集体主义精神,反对个人主义。

新中国的大学生,未来的专家们,应该善于独立地、正确地安排自己的全部生活,使自己成为全面发展的社会主义建设人才。

(原载 1956 年 3 月 10 日武汉大学校报《新武大》第 182 期,署名李达)

在优等生授奖大会上的讲话

（1956.4）

同学们！

为了鼓励大家努力贯彻毛主席"身体好、学习好、工作好"的指示，积极地把自己培养成为全面发展的社会主义建设人才，我们学校根据高等学校课程考试考查规程，制订了关于"优等生"的奖励办法，并从1955到1956学年第一学期起试行。现在，经过慎重的讨论和审查，有230位同学已经光荣地被评为了优等生了。这是一个创举，并且是一个具有重大意义的创举。我在这里代表学校向全体优等生致以热烈的祝贺！

这230位同学能够获得"优等生"的称号，不是偶然的。这是他们在党和毛主席亲切教导和深厚关怀下严格要求自己，遵照着毛主席所指示"三好"方向刻苦的努力的结果，这是我们很大的光荣。不过，这同时也是全校教师夜以继日地辛勤劳动和正确指导的结果，是全校职工努力工作、为大家创造了良好的教学条件的结果，是全校同学在共同的崇高理想下展开同志式的互相帮助的结果，所以，也是集体的光荣！

我认为，评选优等生的意义之所以重大，就因为优等生的标准实质上就是我们所需要的社会主义建设人才的规格，而优等生本身就是一面鲜明旗帜，一个生动的榜样，它吸引着、推动着我们全体同学朝气蓬勃地、勇往直前地朝着"身体好、学习好、工作好"的方向迈进，把自己锻炼成为社会主义事业无限忠诚的、精通科学技术的、体魄健全的建设人才。优等生是从群众中间成长起来的，他们绝不是脱离群众和群众之上的特殊人物，在优等生与广大同学之间绝没有任何不可逾越的界限。每一个同学，只要自己朝着优等生标准的各项条件踏踏实实地努力，就可以取得"优等生"的光荣称号。相反地，已经取得了

"优等生"的光荣称号的同学,如果竟因此而骄傲自满起来,放松了对自己的要求,也可能失去这个光荣称号。因此,我认为我们全体同学对于评选优等生这样一个重大问题都应该有正确的认识。

首先,我希望已经被评选为优等生的同学,要再接再厉,继续努力,力戒骄傲自满。我们取得了优等生的称号,固然是很大的光荣,但是绝不能把取得成绩仅仅归功于自己个人的努力。前面已经说过,这是多方面共同努力的结果。同时,我们虽然已经基本上符合于优等生标准的各项条件,但是我们还不是没有缺点的"完人",我们还不够得很,我们的政治觉悟、文化科学知识水平、健康状况都还有继续提高的无限余地。而且,优等生的称号也不是一成不变的,今天是优等生并不能保证以后永远是优等生。获得这个称号是可贵的,但保持这个称号更是可贵的。我希望凡是这一次被评上了的同学,在以后也永不掉队,而永不掉队的最可靠的保证,就是谦虚谨慎,戒骄戒躁,严格地要求自己,不断地提高自己。

其次,我希望已经被评为优等生的同学,要诚恳地帮助别人,首先是帮助在学习上有困难的、健康状况不大好的或者思想作风上毛病比较多的同学,不要变成一个只顾个人"进步"、不管群众进步的"独善其身"的"君子"。在我们国家里到处充满着朝气蓬勃的竞赛,竞赛的实质是什么呢?就是互相学习、互相帮助,使落后变成先进、使先进变成更先进,以求得共同的普遍的高涨,这是社会主义的本质所决定的,我们的一切活动的目的归根到底是为了建设社会主义和共产主义,是为了提高全体人民的物质生活和文化生活的水平,我们的原则是集体主义。因此,优等生应该以关心整个革命事业的精神关心别的同学的进步。我们应该使更多的人达到优等生的水平,使我们为国家培养建设人才的工作的质量更加提高。

最后,我希望全体同学爱护、关心和支持我们的优等生,虚心地向他们学习,并且立志争取做优等生。在我们自己的队伍里出现了优等生,这是我们的自己的光荣,我们应该用实际行动来爱护他们,关心他们,支持他们,就像工厂、矿山、企业里的工人同志们和人民军队里的战士们对待他们的劳动模范和战斗英雄一样。我们支持他们的最好的办法,就是努力提高自己的政治觉悟和业务成绩,努力锻炼身体,立志做一个优等生。优等生的条件当然是高的,但也并不是高不可攀。希望大家共同努力,使我们的优等生的队伍在数量上和质量上都一年一年地提高起来。

这次我们评选优等生,是经过了非常慎重的讨论和审查的,因此,同学们应该相信这次评选结果的正确性。即使由于这项工作没有经验而产生了个别的不够妥善的地方,同学们也应该从大处着眼,一方面可以提出意见以资改进;另一方面不要较量短长,互不服气。确实,这次有许多优秀的同学没有被评为优等生,这是由于他们一般来说虽然也表现得不错,甚至有些方面表现得很不错,可是他们在另一些条件上暂时还不够优等生的标准,还需要做进一步的努力。有的同学各方面条件都好,就是有一门功课差一分,也还是没有评上。我希望这些同学不要闹情绪。这对你们也是一种鼓励,"百尺竿头,更进一步"。只要加紧努力,下次就可以评上。

此外,凡属劳卫制测验不及格的,这次都没有评上,我想这是符合于中央指示的精神的,这是为了鼓励大家进一步锻炼好身体。听说有个别同学这样想:"我参加劳卫制一级是吃了亏,如果是参加预备级,我就及格了。"我看这样的看法是不妥善的。有参加劳卫制一级的身体条件,为什么不参加劳卫制一级呢?我们应该有为保卫祖国、准备劳动而把身体锻炼得更好的豪迈气魄,不应该为了容易及格而降低了对自己的要求。

还有,凡是他因为身体有病而被编入"体弱班"的,这次也没有评上,我觉得这也是对的,如果是生理上的不可弥补的缺陷,是并不妨碍他成为优等生的。但是如果是患病,那就不够优等生的条件。所以,有病的同学,应该努力把病养好,并且进一步把身体锻炼好,争取在将来当上优等生。

同学们! 伟大的社会主义建设事业正迫切地等待着我们,党和国家为我们的进步和成长创造了一切有利的条件。让我们遵照毛主席"三好"的指示,努力地把自己锻炼成为全面发展的社会主义建设人才!

最后,我想附带谈一谈关于在同学中成立大学生体育协会的问题。

我们大家对于体育运动的要求是越来越高了,大家迫切地要求强有力的领导,要求提高技术。可是全国各个高等学校里,体育教研组的老师的人力都是不够的,很难满足广大同学越来越高的要求。我们学校的情况也是这样。为了改变这种情况,我们学校准备遵照中央的指示,参照兄弟学校的经验,成立体育协会。这个组织是同学们自己领导自己进行体育活动的组织。它在吸引、推动和领导全体同学进行有组织、有系统的体育锻炼方面,在加强技术指导方面的作用都将是很大的。我希望同学们注意关于成立体育协会的宣传,大力支持并且积极参加这个组织,以便把我们的体育活动更加生龙活虎地展开起来。

(原载 1956 年 4 月 14 日武汉大学校报《新武大》第 187 期,署名李达)

让"五一"推动我们前进

（1956.5）

一年一度的全世界人民团结斗争的光荣节日——"五一"又来到了。

我们年年都在庆祝"五一"，可是年年都有不同的新意义。过去的一个年头，是国际国内起了大变化的年头，这个变化对我们、对全世界一切爱好和平的人民是大有好处的。

在国际方面，和平民主社会主义阵营的威力空前地壮大了；和平外交政策得到了广泛的同情和支持，主张和平、反对战争的力量越来越强大了；殖民地人民的民族解放运动的浪潮正在汹涌澎湃地开展着，谴责殖民主义的正义呼声响遍全世界；帝国主义阵营内部的矛盾也一天一天地更加尖锐化，它们的力量大大地削弱了。——这一切，就使得被帝国主义战争挑拨者制造出来的国际紧张局势得到进一步的缓和。

在国内方面，我们正处在社会主义革命的高潮时期。农业的社会主义改造像大海的怒涛一样不可阻遏地掀腾着；资本主义工商业的社会主义改造也以使人吃惊的迅速步伐前进着；手工业的社会主义改造也作出了相应的重大成就。正如毛主席所说的："1955 年的下半年，我国阶级力量的对比起了一个根本的变化，社会主义大为上升，资本主义大为下降，1956 年再有一年的努力，过渡时期内的社会主义改造的基础就可以从基本上奠定了。"

不仅如此。我们的社会主义的生产也正在迅速地发展着。全国各地质、各工厂、矿山、企业、部门都在为提前完成和超额完成第一个五年计划而奋斗。工人阶级和广大劳动人民的觉悟水平和生产技能不断地提高着，在竞赛中突破定额、创造新纪录、提出合理化建议、创造先进生产方法等等，已经成为普遍的现象，先进生产者不断地涌现出来。加上苏联和其他兄弟国家的援助，我们是一定能够胜利地完成第一个五年计划的。

知识分子在社会主义革命高潮中担负着特殊重大的使命。在 12 年内迅速赶上世界科学的先进水平是我们知识分子的光荣历史任务。全国的知识分子正在党的领导、关怀和支持下有成效地进行着工作,决心很坚定,信心也很强。我们学校在这方面不能落后,我们应该而且必须勇敢地挑起担子来,和全国知识界一道前进。我们的教师同志们,应该努力提高教学质量,并在马克思列宁主义的指导下大力推进创造性的科学研究工作;我们的同学们,应该把远大理想和求实精神结合起来,向"优等生"的标准努力,把自己锤炼成为全面发展的社会主义建设人才;我们的职工同志们,应该进一步弄清楚为教学服务这个基本思想,不断地改进工作,同时自己利用业余时间进修,迅速地提高自己的文化科学水平和政治思想水平。一句话,让我们全校师生员工一起努力,把我们的学校办得更好,为我们伟大的社会主义事业作出应有的贡献。

让"五一"推动我们前进!

(原载 1956 年 5 月 1 日武汉大学校报《新武大》第 190 期,署名李达)

和青年们谈谈向科学进军

（1956.5）

在中国青年的光荣节日——"五四"37周年的时候，我愿意对青年同志们谈谈关于向科学进军的问题。

我以为向科学进军首先要有信心。这就是说，要相信科学是可以被我们掌握的。决心也和信心分不开。如果对于一件事能不能做成还没有把握，决心也很难下定。有信心，有决心，事情就容易办成。科学能不能学会呢？完全可以学会。因为科学的门类虽然很多，道理虽然很高深，但是不论那一门科学都是人们从社会实践的经验当中正确地总结出来的东西，都是关于客观世界发展规律的知识体系。所以科学并不神秘，完全可以学懂。如果学佛经没有信心，那是很自然的，因为它本来就是反科学的迷信的教条。科学就不同，如果世界的规律性是可以认识的，那么总结这些规律的科学也是可以学懂的。因此学习科学并不需要什么特殊的"天才"，只要有健全的头脑和顽强的毅力就够了。我们决不可"妄自菲薄"，说什么自己没有学习科学的"天才"，因而挫折了自己的锐气，损伤了自己的信心。

其次，态度要老实。毛主席告诉我们："科学是老老实实的学问，任何一点调皮都是不行的。"他又说："不懂就是不懂，不要装懂。"这是很重要的。科学总是讲规律的，而规律这个东西往往又不能迁就我们的主观愿望。如果我们正确地认识了它，这就叫做学懂了；如果我们错误地理解了它，这就叫做不懂。自己主观上觉得懂了，并不一定真的懂。不懂装懂，是自己欺骗自己，其结果仍然是不懂。承认自己不懂，然后请教别人，或者自己刻苦钻研，就可以由不懂变为懂，由懂得较少变为懂得较多，知识就会有长进。三千多年前的古人就懂得这个道理，他们说："知之为知之，不知为不知，是知也。"我们要想真

424

正学到科学知识,就要有这种老老实实的态度。

再次,要立志成为专家。科学的领域是个无边无际的汪洋大海,据说现在已经有了一千多个科学部门,将来还会无限地增多。一个人要想把这些科学部门都涉猎到是不可能的。通常,一个人花费一生的精力,也只能精通一两门。所以我们只应当要求做"专家",而不应当要求做"通才"。在科学不发达的古代,做"通才"还比较容易,现在科学空前发展,要做"通才"就不可能了。如果一个人想成为"无所不知"的"通才",他一定是在各个科学部门里东游西荡,东张西望,结果变为一个看起来好像门门都能说几句,实际上是一门都不懂的夸夸其谈的人。其实,儒家的开派祖师孔夫子不懂的事情也多得很,我们现在学习的科学他就不懂。并不是他笨,而是个人的认识能力本来就有限,何况还要受到历史条件的限制。我这样说,并不是劝大家只学一门科学。要成为一行的专家,是要懂得许多相关的知识的,可是不要漫无边际地去追求所谓"博"。比如学原子物理的人偏去研究考古学,这就没有必要。俗话说:"行行出状元。""状元"之所以总是按"行"产生出来,就是由于"专"。我们应当确定一个目标。朝着这个目标做十年二十年乃至一辈子的努力,把自己培养成为这一"行"的"状元"。

除此以外,还要有韧性。向科学进军的"进军"两个字很容易使人联想到作战时的"冲锋",其实它们有很大的不同。"冲锋"是一鼓作气的短时间的突击,而向科学进军却是长时期的艰苦劳动。当然,我国的科学的落后状态必须"抢救",不能不慌不忙地踱方步,要有冲锋的劲头。可是光有冲锋的劲头还不够,还要有韧性。什么是韧性? 就是持之以恒,百折不挠的精神,就是所谓"数十年如一日"。急于求成和望难而退都是要不得的。马克思的《资本论》是他40年辛苦研究的结晶,这里面包含着多么顽强的韧性啊!

最后,要注意方法。打仗要讲究战略战术,攻打科学堡垒也要讲究方法。提到方法,有些同志可能就会想到技术性的方法方面去了。我们说,记笔记、做大纲、画线条等等固然也很重要,但更根本的是思想方法。思想方法不对头,笔记也做不好。所谓正确的思想方法,就是辩证的思想方法。就是说,在读书、做实验的时候,要注意思考的客观性、全面性、深刻性;防止主观性、片面性、表面性。每读一段书、做一个实验,都要运用正确的思想方法反复思索,使它们变成"自己的"东西。正确的思想方法怎样才能学会？只有两条办法：一条是认真学习马克思列宁主义特别是马克思列宁主义哲学；一条是在实践当中运用这种方法。学会了正确的思想方法，就能使我们在学习和研究的过程中少犯错误、少走弯路，更快地攀上科学的高峰。

（原载 1956 年 5 月 4 日《湖北日报》，署名李达）

在武汉大学"六一"儿童节庆祝会上的讲话[*]

（1956.6）

小朋友们！

今天是"六一"儿童节，是你们的节日。所以我应当向你们贺节，祝你们在节日里过得愉快幸福！

小朋友们，你们今天年纪还小得很，还不能够做什么工作。可是你们已经进了学校，开始学习了。你们从你们的爸爸妈妈那里，从你们的老师那里，一定都听见说了，我们的国家正在干什么。我们的国家正在干什么呢？正在建设社会主义。社会主义的国家的人民是最幸福的，人们吃得好，穿得好，文化程度高，大家相亲相爱地像一家人一样。你们大概都看了苏联展览馆吧，看了以后你们想些什么呢？你们一定会想：苏联人民多幸福呀！要是我们有一天也能过那样的生活，该有多好呀！小朋友们，苏联人民为什么生活过得那么好呢？就是因为苏联是个社会主义国家。我们要想过那样好的生活，那就也要把我们的祖国变成一个社会主义国家。现在共产党和毛主席正在领导全国人民做这件事，并且做得很有成绩，看样子再过个十来年，我们就和今天的苏联一样了。小朋友们，那时候你们还正是青年，说不定正在大学里念书呢。

我们不光是要建设社会主义，还要在建设好了社会主义之后接着建设共产主义。共产主义社会的生活就更加幸福了。社会主义和共产主义虽然好，可不是一下子建设得好的，这是一件很困难的事情。如果我们没有本领，我们就建设不好。你们看，苏联展览馆里面那么多的机器，都是苏联人民创造出来

---

[*] 这是 1956 年 6 月 1 日李达在武汉大学"六一"儿童节庆祝会议上的讲话稿，标题系编者所加。——编者注

的,没有本领的人能够创造得出来吗? 小朋友们,你们现在虽然还小,还不能参加建设工作,可是你们是会慢慢长大的,你们将来是一定要参加建设工作的,到了几十年以后,你们就是我们国家的主要力量了。你们想,你们不学好本领还行吗? 所以我希望你们要牢牢记住:一定要学好本领,建设祖国。

怎样才能学好本领呢? 首先要学好自己的各门功课,不要偷懒,要把老师教的东西都搞懂,不懂的就请问老师。

还要培养自己的道德品质。要诚实,要朴素,要勇敢,要勤劳。要尊敬老师,遵守纪律,爱护同学。我们要像一个新中国的小主人的样子。

还要注意锻炼身体。不要老是呆坐着念书,像个小老头似的。没有强健的身体,是不能担负起伟大的事业的。

小朋友们! 我们建设社会主义,全世界的劳动人民是欢迎我们的,全世界爱好和平的人民也是欢迎我们的。可是也有些人不欢迎。谁呢? 就是帝国主义和他的走狗。他们过去一向是欺负我们中国人民的,把我们的国家弄得这样穷、这样落后。现在我们把他们赶跑了,又建设起社会主义来了,他们永远也欺负不成我们了,他们当然不高兴。所以他们总是想尽一切办法来破坏我们。你们看,在肃反运动里面查出了多少反革命分子,他们都是帝国主义的走狗。我们假如不跟帝国主义的破坏阴谋作斗争,我们能够建成幸福的社会主义社会吗? 我们建设,他们破坏,我们的气力不是白费了吗? 小朋友们想想看,这话对不对?

所以,我希望你们也要牢牢地记着:要随时准备着,保卫我们的祖国!

小朋友们,你们生活在毛泽东时代是非常幸福的。共产党和毛主席培养着你们,对你们的希望很大。你们要好好地学习,好好地锻炼身体,做一个好学生,将来做一个社会主义和共产主义的建设者,只有这样才对得起共产党和毛主席!

小朋友们,祝你们健康地成长起来!

"百家争鸣"*

（1956.6）

党所提出的"百家争鸣"的方针,是开展科学研究必须遵循的指导原则。这个方针明确地提出来之后,全国学术界的空气为之一新。大家一致认为这个方针完全正确的,深信这个方针必将成为推动我国科学迅速发展的巨大动力。在这个时候,进一步认真领会这个方针的精神实质,从而在实际工作中切实地加以贯彻,对于每一个科学工作者都是十分必要的。

我们的党是不是从现在起才开始主张学术上的自由讨论呢? 不是的。党一向认为如果没有不同意见的争论,没有批评与自我批评,任何科学都是不可能发展、不可能进步的。可是,过去几年来,我们的科学机构的领导人和科学界对这个极端重要的原则领会得很差,因而自由讨论的风气在我们的科学界还没有形成,独立钻研、大胆创造的精神显得非常不够。

比方说,在学习苏联方面,虽然我们已经取得了不少的成绩,可是也有些人是采取教条主义的生搬硬套的方法来学习苏联的。他们错误地理解了全面系统地学习苏联这句话,以为只有把苏联科学技术中的一切原理一丝不改地硬搬到中国来,才算是老老实实地全面系统地学习了苏联;如果根据我国的实际情况对苏联科学技术中的某些原理作了修改或补充,那就是学得不够老实,不够全面系统。有一个很突出但又很典型的例子:华南地区某个农业学校,有位教师向学生硬搬威廉士的草田轮作制,大谈其如何在当地进行草田轮作制。学生问他:"这个地区的作物一年三熟,如果照你说的土地必须休耕两三年,

---

* 本文是 1956 年 6 月 6 日李达在武汉大学科学讨论会上所致的开幕词,发表时略有删改。——编者注

还增产什么呢?"这个问题确实把我们这位老师难倒了。大概他根本没有想到过草田轮作制对于作物一年三熟的华南地区是否适用的问题吧。试问:这种教条主义的态度怎能真正学到苏联先进的科学技术呢?

又比方说,在学习英美和其他资本主义国家的科学技术成就方面,过去有些人的态度基本上也是不正确的。仿佛不论什么科学技术,只要沾上了美国或英国两个字,就是唯心主义的东西,就是资产阶级的东西,就要不得。有些科学机关和高等学校连英美的书报杂志也不敢订购,有的人连英文书也不敢看,好像英文也和资产阶级唯心主义分不开家似的。对于资本主义国家在自然科学和技术方面的成就,往往是武断地一概否定,或者干脆不闻不问。

又比方说,在进行科学研究工作方面,几年来虽然有不少的成绩,可是这些成绩还是远远不够的。其根本原因还是教条主义在作怪。例如有研究生物学的人,过去对于李森科的理论是缺乏自己的独立见解的,看不出李森科理论中不正确的部分;现在李森科理论的某些部分在苏联受到了批判,有的生物学家又认为李森科的理论完全错了,一点对的地方也没有。我们的社会科学家在这方面的情形是不是有所不同呢? 这也难说。我们的书呆子气还重得很。就我们的报章杂志上发表的某些论文冷静地分析一下就会发现,这些论文中的相当大的一部分,都不过是经典作家和伟大人物的论点的复述,有的是直接引用,有的是变相引用。如果把一篇论文中带引号的引文和不带引号的引文统统去掉,剩下来的东西恐怕就很少了。在这种情况下,作者不是在写论文,而是在编论文,就是把经典作家的论点加以组合,编成一篇在逻辑上语法上没有毛病的东西罢了。指靠这样的论文去推进科学,是要失望的。我们也可以看见这样的科学工作者或教育工作者,他们非常熟悉马克思列宁主义经典作家关于某个问题的言论,能够熟练地以种种形式加以复述。可是如果谈到运用这些言论中的原理去解决我国当前的实际问题,那就无能为力了;至于谈到从大量实际材料的分析研究中得出有独创见解的结论,那就很少很少了。我们也常常可以看到不少做理论工作的人不是把社会实践作为检验真理的标准,而是把伟大人物的个别言论作为检验真理的标准,至于这些言论是在什么条件之下针对什么情况而说的,对于当前的情况是否适用,反而不大注意。这种情形,难道不是正好说明了毛泽东同志在 20 年前就曾经痛切地批评过的教条主义作风,至今还在我们学术界继续作怪吗?

不言而喻,这种缺乏探索精神的、缺乏独立见解的、足以窒息生机的教条主义态度,是与生气勃勃的马克思列宁主义的精神根本抵触的。

由此可见,党所提出的"百家争鸣"的方针,具有多么重大的意义!

在科学上为什么一定要有自由讨论呢?为什么一定要"争"呢?这是由科学本身的特点所决定的。在马克思列宁主义看来,科学,也和人类的一般认识一样,绝不是个别伟大人物独建的奇勋,而是实践着和思考着的全人类的集体创作。不管多么聪明的人物,若不批评地接受前人的思想成果,若不与同时代的人们进行思想上的交流和切磋,他就不能获得起码的科学知识,更不用说在科学上有所建树了。有人说牛顿发现万有引力定律是由于他看见苹果从树上掉到地面,瓦特发明蒸汽机是由于他看见水壶里的蒸汽冲开了壶盖,这些有趣的话,是只有对人类科学史完全无知的小孩子才会相信的。其实,对于物质世界的研究,绝不是任何个人所能包办的。物质世界具有无数的特征、属性和方面。具有无数的内部联系和外部联系,具有永远揭示不完的极深刻的本质。一个人要想在个人的研究中完全地毫无遗漏地把握它是不可能的。因此,在研究过程中,每个人的见解里都不可避免地包含着错误的成分或不够完全不够深刻的成分,并且每个人的见解都不会是完全一样的。在这种情形下,发生争论是不是正常的现象呢?这显然是正常的现象,而不发生争论才是怪事。争论的过程,就是正确意见得到提高和丰富,错误意见得到批判和修正的过程,也就是向客观真理接近的过程。所以,争论的结果无疑是积极的,是大助于科学研究的开展和科学水平的提高的。在中外历史上,凡是科学昌盛的时代,一定是学术上争论最多的时代。像我国的春秋战国时代,西欧的文艺复兴时代,都是百家并出、互较长短的时代。凡是杰出的科学家,都是"好辩"的,勇于争论的。他们不仅与同时代的思想家、科学家进行争论,而且还与古人进行争论,假如他们确信自己的见解符合于客观真理的话。

既然我们展开争论目的是探求真理,不是为争论而争论,那么,十分显然,在我们的"百家"之中是没有资产阶级唯心主义的地位的。大家知道,唯物主义与唯心主义的斗争是贯穿在科学史中的根本问题,在我们这里也还是这样。但是我们今天的"百家争鸣"与春秋战国时代或文艺复兴时代的"百家争鸣"

有一个根本不同的地方,就是我们是以马克思列宁主义作为指导思想的,资产阶级唯心主义只能是我们批判斗争的对象,绝不能也算作参加"争鸣"的一家。资产阶级唯心主义不过是精制了的僧侣主义,本质上与神怪迷信之说属于一类,根本不是科学,真理是和它无缘的。我们的指导思想只有一个,那就是马克思列宁主义。我们的"百家争鸣"是在马克思列宁主义指导之下的"百家争鸣",反动腐朽的唯心主义决没有"争鸣"的地位,这一点是必须弄清楚的。

当然,在争论的过程中,不可避免地会出现一些唯心主义观点。这主要是由于科学工作本人还不能完全正确地运用马克思列宁主义,这种情形与系统地有意识地宣传资产阶级唯心主义是有区别的。一个科学家的见解中有唯心主义的成分,正应该通过争论予以批判和克服。一个人的唯心主义观点受到了批评,绝不等于这个人受到了打击。我们常常作自我批评这难道是自己打击自己吧?批评是不能取消的,要自由讨论就一定有批评。谁都可以批评别人的错误观点,谁的错误观点都可以受到别人的批评,谁都可以而且必须常常作自我批评。在科学上是绝对不能容许任何的特权和偶像的。

在争论中必须强调坚持真理。坚持真理是科学家传统的宝贵品质。大家都知道古代伟大的哲学家和科学家亚里士多德说过的一句话:"我爱我师,但我更爱真理。"这是很对的。在欧洲文艺复兴时期,许多科学家和思想家,像布鲁诺、塞尔维特等人,为了坚持真理,和反动教会的黑暗势力进行过不屈不挠的斗争,直到宗教裁判所把他们活活烧死的时候,他们仍然不肯放弃自己的科学上的确信。这种崇高的品质,值得人们永远敬仰。我们今天生活在自由的国家里,坚持真理不仅不会受到迫害,而且会得到支持,我们就更加应该坚持真理。苏联塔什干有一位地质学家为了坚持自己对某一学术问题的见解,曾坚持争论50次,每经一次争论,同意他的意见的人减少一次,最后几次只剩下他一个人了,他还是继续坚持,结果还是他得到了胜利。这种精神我们应该学习。不过坚持真理必须与修正错误结合起来,这是一件事情的两面。唯有勇于坚持真理的人,才能勇于承认错误。自己的意见已被别人的科学论据所驳倒的时候,就应当心悦诚服地修正自己的错误。分明错了,不肯承认,那就不是坚持真理,而是坚持成见了。

向苏联学习仍然是我们的根本方向。但是,为了更有成效地学习苏联,就必须反对教条主义的学习态度,强调联系我国实际。同时,我们也要反对对于英美及其他资本主义国家科学技术成就采取虚无主义和关门主义态度。只要是真正科学的东西,不论它来自何方,都可以兼收并蓄,用来提高我国的科学水平,为社会主义事业服务。

不过,我们说学习资产阶级国家的科学技术,绝不是说连现代资产阶级的哲学和社会科学也要学习。不,那些腐朽的东西只能是我们批判的对象,决不能是我们学习的对象。因为资产阶级自从成为反动阶级以后,它就不愿意在哲学和社会科学领域中发现任何真理了。所以,现代资产阶级的哲学和社会科学,无论它们采取多么精巧的形式,都不过是为垄断资本的利益作辩护的谎言的汇集,没有丝毫的科学气味。最近美国资产阶级的经济学家和社会科学家正在大肆宣扬所谓"收入革命"的"理论",这种"理论"企图证明美国的富人变弱了,穷人变富了,美国已经建立起了"阶级的和平"和"人民资本主义"。这是纯粹的捏造!如果把这种东西也叫做科学,那就是对科学的侮辱。试问:像这种撒谎骗人的东西,难道我们也去学习吗?

"百家争鸣"是要以坚实的科学研究作基础的,我们在这一方面还是刚刚开始,还需要做长期不懈的努力。在我们伟大祖国壮丽前途的鼓舞下,在党的正确方针的指导下,我们一定能够把创造性的科学研究工作开展起来,朝着世界科学的先进水平胜利进军。我们正处在一个前所未有的"百家争鸣"的灿烂时代!

(原载 1956 年 6 月 13 日《长江日报》,署名李达)

责任编辑:邓创业

图书在版编目(CIP)数据

李达全集.第十七卷/汪信砚 主编. —北京:人民出版社,2016.12
ISBN 978-7-01-016649-0

Ⅰ.①李… Ⅱ.①汪… Ⅲ.①李达(1890—1966)-全集 Ⅳ.①C52

中国版本图书馆 CIP 数据核字(2016)第 210265 号

李达全集
LIDA QUANJI
第十七卷

汪信砚 主编

人民出版社 出版发行
(100706 北京市东城区隆福寺街 99 号)

北京新华印刷有限公司印刷 新华书店经销

2016 年 12 月第 1 版 2016 年 12 月北京第 1 次印刷
开本:710 毫米×1000 毫米 1/16 印张:27.25
字数:432 千字

ISBN 978-7-01-016649-0 定价:139.00 元

邮购地址 100706 北京市东城区隆福寺街 99 号
人民东方图书销售中心 电话 (010)65250042 65289539

版权所有·侵权必究
凡购买本社图书,如有印制质量问题,我社负责调换。
服务电话:(010)65250042

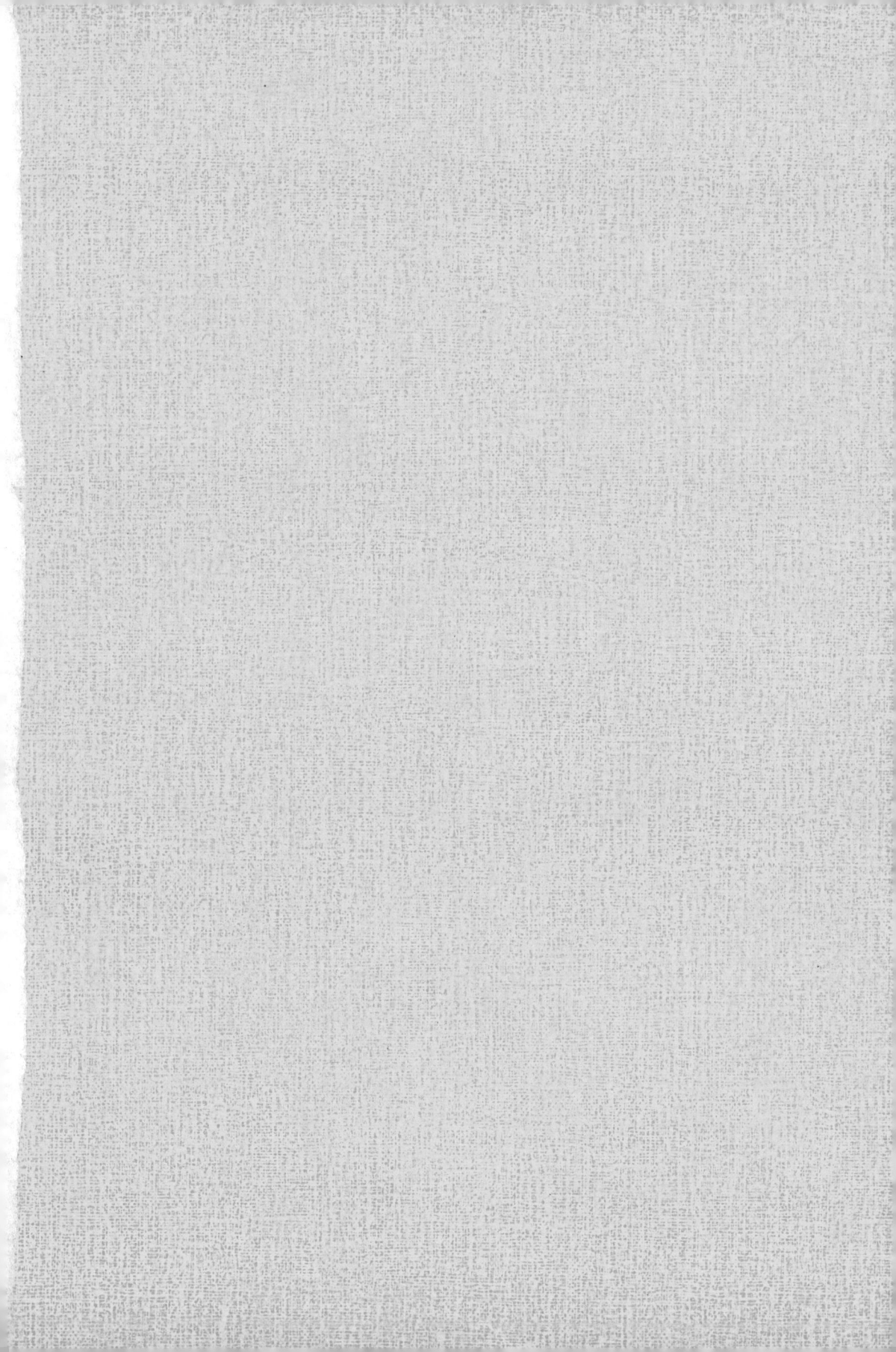